CATHOLIC HISTORICAL REVIEW

EN DIÁLOGO CON EL SEÑOR

Textos de la predicación oral

Edición crítico-histórica preparada por
Luis Cano y Francesc Castells, con la
colaboración de José Antonio Loarte

BEATO JOSEMARÍA ESCRIVÁ

En diálogo con el Señor

Textos de la predicación oral

INSTITUTO HISTÓRICO
SAN JOSEMARÍA ESCRIVÁ DE BALAGUER – ROMA

OBRAS COMPLETAS DE SAN JOSEMARÍA

Comisión coordinadora:
José Luis Illanes, Presidente
Pedro Rodríguez, Luis Cano, Francesc Castells, José Antonio Loarte,
Alfredo Méndiz, Carlo Pioppi, Federico Requena

Serie V: Predicación oral
Volumen 1: *En diálogo con el Señor*

Ilustraciones precedentes:
Cubierta del volumen de 1995
San Josemaría, en 1974

Josemaría Escrivá de Balaguer

EN DIÁLOGO
CON EL SEÑOR

Textos de la predicación oral

Edición crítico-histórica preparada por
Luis Cano y Francesc Castells, con la
colaboración de José Antonio Loarte

Quinta edición

EDICIONES RIALP, S. A.
MADRID

Primera edición: septiembre de 2017
Segunda edición: octubre de 2017
Tercera edición: octubre de 2017
Cuarta edición: diciembre de 2017
Quinta edición: febrero de 2018

Preimpresión: produccioneditorial.com

ISBN: 978-84-321-4896-5
Depósito legal: M-3937-2018

Impreso en España – *Printed in Spain*
Anzos, S. L., Fuenlabrada (Madrid)

SUMARIO

NOTA DE LOS EDITORES

Mientras terminábamos de dar los últimos retoques a esta edición, nos llegó la triste noticia del fallecimiento de Mons. Javier Echevarría, prelado del Opus Dei. Pocos días antes, había tenido la bondad de revisar las páginas del manuscrito, indicando algunas sugerencias que hemos incorporado a la versión final. También había querido escribir un prólogo, que puede leerse a continuación.

En medio del dolor por su ausencia, nos consuela pensar que el Señor le habrá pagado su gran servicio a la Iglesia y a esa pequeña parte del Pueblo de Dios que es el Opus Dei. Gracias a él conservamos muchas enseñanzas de Josemaría Escrivá de Balaguer, que anotaba con su rápida y elegante caligrafía, mientras le escuchaba hablar o predicar, en los años en que fue uno de sus más estrechos colaboradores. En 2001, Mons. Echevarría creó nuestro Instituto Histórico, asignándole como una de sus tareas fundamentales la publicación de la *opera omnia* de san Josemaría, todavía en parte inédita.

Los editores confiamos en poder contar ahora con su intercesión para que el trabajo de editar y dar a conocer las enseñanzas de san Josemaría llegue a buen término.

Los editores
9 de enero de 2017

PRÓLOGO

Agradezco al Señor la posibilidad de añadir estas líneas a la edición crítico-histórica de este nuevo libro, con textos de la predicación de san Josemaría. El origen de esta publicación es muy ilustrativo. Desde los comienzos de la Obra, el fundador dirigió la palabra a grupos de personas muy variadas, para transmitirles el espíritu que Dios le hizo *ver* el 2 de octubre de 1928. En su predicación, se servía de los modos habituales —homilías, meditaciones, pláticas, sermones, etc.—, aunque utilizó además otra manera específica y muy característica de su parte: conversaciones de carácter familiar o tertulias, en las que —al hilo de las preguntas de los participantes— surgían motivos muy variados: temas espirituales, recuerdos de la historia del Opus Dei, noticias del apostolado, comentarios sobre sucesos de actualidad, etc. Los asistentes asimilaban con agradecimiento esa doctrina y, a veces, tomaban nota de sus palabras, para repasarlas con profundidad en sus ratos de oración personal. En ocasiones, sobre todo en los últimos años, esos encuentros se registraron en cinta magnetofónica. Esas diversas formas de predicación, de catequesis, se hallan presentes en las páginas que componen este volumen[1].

Entre los años 1967 y 1975, después de revisar con atención los apuntes recogidos en la presente edición, san Josemaría dispuso que vieran la luz en publicaciones periódicas dirigidas a los fieles del Opus Dei.

Cuando se inició su Causa de canonización, en 1986, entre los escritos de san Josemaría presentados a la Congregación para las Causas de los Santos —como prevé la ley eclesiástica en esos casos— figuraban también algunas conversaciones de su predicación oral, pronunciadas entre los años

---

[1] Cfr. José Antonio LOARTE, "La predicación de san Josemaría. Estudio de una fuente documental", en *Studia et Documenta*, vol. I, 2007, pp. 221-231.

1954 y 1975. El hecho de que el autor las haya revisado, antes de ponerlas a disposición de los fieles de la Obra, subraya más su valor.

Los tribunales constituidos en Roma y en Madrid, para tomar declaración a los testigos de la Causa, encargaron a cuatro teólogos censores el estudio y valoración de las publicaciones de san Josemaría. Sus informes o *votos* ocupan una parte considerable del volumen introductorio de la *Positio*, presentada en la Congregación para las Causas de los Santos. De las conclusiones a las que llegaron los expertos, me place recoger las siguientes citas: «Injertado en el tronco vivificante de la Sagrada Escritura, presenta el mensaje sobre el valor santificante del trabajo que pone a nuestro Autor a la altura de las grandes figuras de la Tradición. Estos escritos constituyen una riquísima herencia para la Iglesia Santa». «Escrivá posee la fuerza de los clásicos: el temple de un Padre de la Iglesia», añade otro. Y uno más: «Documentan las cumbres de vida mística que alcanzó desde que era jovencísimo»[2].

Mi predecesor como prelado del Opus Dei, Mons. Álvaro del Portillo, dispuso que estos textos de la predicación oral –hasta entonces dispersos– se reunieran en un solo volumen. En 1995 fue posible poner el libro en manos de los lectores. El título, "En diálogo con el Señor", manifiesta bien el contenido y finalidad de esta catequesis: ayudar a hacer oración personal, a hablar con Jesucristo cara a cara, como repitió siempre san Josemaría.

En el prólogo que redacté para aquella edición, afirmé que las exposiciones conservan la espontaneidad del lenguaje hablado, directo, profundamente evangélico, tan característico del fundador del Opus Dei: algo que muchos estudiosos –críticos literarios, teólogos, pastores de la Iglesia– han comentado pública y elogiosamente[3].

Las palabras del fundador del Opus Dei son cálidas, atractivas, con un lenguaje cuidado, selecto, pero natural y sin preciosismos. A semejanza de lo que afirma la Sagrada Escritura del profeta Elías, eran *ardientes como una antorcha* (*Sir* 48, 1). Así escribí veintidós años atrás, en el prólogo ya mencionado. En efecto, las palabras de san Josemaría iluminaban nuestras inteligencias y encendían nuestros corazones; nos llenaban de fortaleza y

---

[2] Estos y otros testimonios se recogen en el libro de Flavio CAPUCCI, *Josemaría Escrivá, santo. Itinerario de la causa de canonización*, Rialp, Madrid 2009.

[3] Cfr. José Antonio LOARTE, voz "Predicación de san Josemaría", en José Luis ILLANES (ed.), *Diccionario de san Josemaría Escrivá de Balaguer*, Burgos, Editorial Monte Carmelo, 2013.

de profundo gozo en el empeño por la gloria de Dios y la salvación de las almas.

Con la aparición de este libro en la colección de obras completas, será posible que muchas otras personas –además de los fieles del Opus Dei– descubran una ayuda para tratar a Dios con confianza y afecto filial, siguiendo la falsilla que ofrecen las frases de san Josemaría. Mi aspiración más profunda es que, quienes lean y mediten estos textos, se adentren día a día por las sendas de la vida interior, de la identificación con Jesucristo.

Así lo pido a Dios acudiendo a la intercesión de la Virgen y de su esposo san José. Deseo que la consideración de las conversaciones del fundador del Opus Dei cale en nuestras almas y nos ayude a caminar siempre adelante por las vías de la santificación en el trabajo profesional y en la existencia ordinaria, como incansablemente predicó san Josemaría, desde el 2 de octubre de 1928.

Agradezco de corazón el esfuerzo y el cariño que Francesc Castells y Luis Cano, editores de esta publicación, han puesto a lo largo de su trabajo, que ha permitido establecer con rigor el *iter* de estas palabras, desde que fueron pensadas y pronunciadas por san Josemaría, hasta su publicación.

Roma, 6 de octubre de 2016.

✠ Javier Echevarría
Prelado del Opus Dei (†)

LA "COLECCIÓN DE OBRAS COMPLETAS"

Con fecha 9 de enero de 2001, el entonces prelado del Opus Dei, S.E.R. Mons. Javier Echevarría, erigió el "Instituto Histórico San Josemaría Escrivá de Balaguer". Una de las primeras tareas que el Instituto acometió es la preparación, con planteamiento científico, de las Obras Completas de san Josemaría. A tales efectos se ha constituido, en el seno del Instituto, una Comisión Coordinadora encargada de planear y seguir el trabajo encaminado a ese objetivo. El estudio del material existente ha llevado a concebir el proyecto de edición dividido en cinco Series, que serán las siguientes:

Serie I. *Obras publicadas*

Se incluyen en esta Serie los libros y otros escritos pu licados durante la vida de san Josemaría o póstumos. Se inauguró en el año 2002, con la edición de su obra más difundida: *Camino* (1939), vol. I/1, en el que se recogen también las fases anteriores del libro, aparecidas con el título de *Consideraciones espirituales* (1932, 1933, 1934). En el año 2010, se publicó la edición de *Santo Rosario* (1934), vol. I/2. En 2012, la de *Conversaciones con Mons. Escrivá de Balaguer* (1968), vol I/3. En 2013, la de *Es Cristo que pasa* (1973), vol. I/4. Y en 2016, *La Abadesa de Las Huelgas* (1944), vol I/5. Seguirán *Amigos de Dios* (1977), vol. I/6, *Discursos*, vol. I/7, y *Escritos varios*, vol. I/8. En estos dos últimos volúmenes se incluirán las homilías, artículos, entrevistas, conferencias y discursos que originariamente fueron publicados por separado. Finalmente se editarán las obras póstumas: *Via Crucis* (1981), vol. I/9; *Surco* (1986), vol. I/10; y *Forja* (1987), vol. I/11.

Serie II. *Instrucciones y Cartas pastorales*

Bajo este título se incluyen escritos de san Josemaría de carácter pastoral, dirigidos a los miembros del Opus Dei en su conjunto, pero cuya edición de cara al público en general –son de interés también para todo cristiano corriente que aspira a la santidad en medio del mundo– fue dejada por su autor para más adelante. De forma y extensión variables, pueden clasificarse en los siguientes grupos: a) *Instrucciones*; b) *Ciclo de las Cartas*; c) Otras *Cartas* posteriores (1967-1974); d) Textos varios de carácter pastoral. Están en preparación un volumen con las tres primeras *Instrucciones* y otro con cuatro de las *Cartas* del ciclo antes indicado; concretamente, las cuatro datadas con fecha más antigua.

Serie III. *Epistolario*

Se recogerá en esta Serie la correspondencia (varios millares de cartas), mantenida por san Josemaría, tanto con fieles del Opus Dei como con otras personas de diversos países y condiciones sociales.

Serie IV. *Autógrafos*

A lo largo de los años, el fundador del Opus Dei fue tomando nota de reflexiones personales referidas a su propia vida espiritual o a iniciativas apostólicas. Como parte de su labor sacerdotal redactó guiones de predicación y otros escritos análogos. Esos documentos dan origen a una variada colección de textos autógrafos, cuya publicación requiere un trabajo de ordenación y anotación.

Serie V. *Predicación oral*

Como en el caso de otras figuras de la historia, personas atraídas por la predicación de san Josemaría recogieron notas o apuntes de sus palabras; realidad que se hizo más intensa al difundirse los medios de grabación audiovisual. Se cuenta así con un material que recoge, en la medida que era posible, su predicación y conversación. Este fondo documental contribuye a situar al lector ante la personalidad del fundador del Opus Dei y a manifestar con viveza su doctrina. El presente volumen, *En diálogo con el Señor* (vol. V/1), constituye la introducción a esta Serie.

AL LECTOR

La Colección de Obras completas de san Josemaría Escrivá de Balaguer ha publicado hasta ahora ediciones crítico-históricas de diversos libros que aparecieron en vida del fundador del Opus Dei, o poco después de su fallecimiento. *En diálogo con el Señor*, en cambio, es una recopilación de textos que circularon sólo entre los fieles del Opus Dei, por lo que cabe considerarlos técnicamente inéditos.

Desde finales de la década de los sesenta del siglo pasado hasta la actualidad, esas palabras han servido para la formación espiritual de los fieles de la Obra. En ellas se encuentran ricas enseñanzas del fundador, un magnífico predicador, enamorado de Jesucristo, que hablaba *de Dios* mientras hablaba *con Dios*, ante sus oyentes.

Aunque iban dirigidas a los miembros del Opus Dei, sus exhortaciones resultan útiles para todos. San Josemaría da consejos para mejorar el comportamiento del cristiano corriente, para crecer en vida de oración y realizar un apostolado más eficaz; para cultivar una vida contemplativa cristocéntrica y trinitaria, que se nutre del amor a Dios, en medio de las circunstancias ordinarias de la existencia. Son un tesoro para toda la Iglesia, como el beato Pablo VI comentó al primer sucesor de san Josemaría[4].

Los presentes textos se diferencian de las *homilías*, como las de *Es Cristo que pasa* y *Amigos de Dios*. En esos volúmenes se reunieron meditaciones muy trabajadas por el Autor, que mejoró la exposición, la enriqueció con citas de Padres de la Iglesia o del Magisterio, adaptó su contenido a un público amplio y pulió mucho el estilo.

En cambio, los textos que aquí presentamos reflejan de forma más inmediata la predicación oral de Josemaría Escrivá. Se limitó a corregirlos

---

[4] Cfr. Javier MEDINA BAYO, *Álvaro del Portillo. Un hombre fiel*, Madrid, Rialp, 2012, p. 453.

para adaptar un discurso oral a la expresión escrita. Tienen, además, valor histórico, porque revelan datos autobiográficos y sitúan sus enseñanzas en el tiempo. Nos muestran a un fundador que se expresaba en la intimidad –a veces ante sus más directores colaboradores– de aquellas cuestiones que más le preocupaban y le llevaban a rezar.

San Josemaría no revisó este libro en su totalidad, sino que corrigió y aprobó separadamente los diversos textos, entre 1967 y 1975, aunque las fuentes de las que provienen cubren un periodo más amplio, que va de 1954 hasta el año de su fallecimiento. En 1986 se reunieron en un solo volumen, que se distribuyó después, en 1995, con el título de *En diálogo con el Señor*, para ser usado por los fieles de la Prelatura.

Nos ha parecido a los editores que tanto su estructura como su título se podían mantener como estaban. No faltaban razones metodológicas para desmembrarlo, distribuyendo los textos en los diversos volúmenes que aparecerán en la serie de esta Colección, que está dedicada a la predicación oral del fundador. Pero por encima de esos motivos, es evidente su unidad: son textos completos de sus intervenciones, meditaciones en su mayoría, que fueron revisados por él y que los fieles del Opus Dei usaron durante muchos años para su meditación y formación cristiana. Reunidos después en un tomo, han sido durante dos décadas una fuente imprescindible para conocer la doctrina espiritual del fundador. Fue, en su día, una sabia decisión recogerlos en un solo volumen y hubiera sido insensato separarlos ahora.

El título constituye un pequeño homenaje a un deseo no cumplido de san Josemaría: el de escribir un libro sobre la oración en el Opus Dei, en cuyo título apareciera la palabra *Diálogo*[5]. Al recorrer sus páginas, se notará cuán frecuentemente habla de la oración como *diálogo* con Dios.

Este trabajo ha sido posible gracias a la colaboración de José Antonio Loarte, que desde hace cuarenta años se ocupa de conservar y clasificar los textos de la predicación oral de san Josemaría. Intervino directamente en la preparación de la primera versión de *En diálogo con el Señor*, como se

---

[5] En una de las transcripciones de estas meditaciones, se lee: «Si Dios me da vida, podré poner en vuestras manos dentro de dos años, un libro sobre la oración en el Opus Dei que, como tengo tanta devoción a Santa Catalina de Siena, esa gran indiscreta que no tenía ningún reparo en decir las cosas, pienso llamar *Diálogo*», en AGP, serie A.4, m671224-A (ver nota a la meditación "Rezar sin interrupción", n. 2d). Ese párrafo no pasó al texto final y tampoco san Josemaría pudo cumplir su deseo de preparar el libro.

cuenta en la introducción, y es autor de otras muchas iniciativas que han contribuido a dar a conocer el mensaje y los escritos del fundador del Opus Dei. Además, ha revisado la totalidad de esta edición, aportando valiosas sugerencias.

Los nn. 1 a 6 de la Introducción general, dedicada a la predicación de san Josemaría y a la historia de los textos que ahora se editan, han corrido a cargo de Francesc Castells. Los nn. 7 a 9, sobre el mensaje del libro y las características de la edición, han sido elaborados por Luis Cano, quien ha escrito también las introducciones a cada texto y las notas de comentario. El aparato crítico ha sido fruto del trabajo de ambos.

Agradecemos a Javier Domingo su colaboración en el cotejo de los textos y en la revisión de las citas y notas. Nuestra gratitud va también a los demás colegas del Instituto Histórico San Josemaría Escrivá de Balaguer, y en especial a su Director, José Luis Illanes, que ha revisado el manuscrito, por sus sugerencias y aliento.

Un agradecimiento especial va a quienes a lo largo de los años han contribuido a que se recogieran y transcribieran las palabras de san Josemaría y a que se conservaran y ordenaran.

Luis Cano
lucano@isje.it

Francesc Castells
fcastells@isje.it

SIGLAS Y ABREVIATURAS

I. DE LA SAGRADA ESCRITURA

Distinguimos entre las abreviaturas latinas que utiliza el autor al citar los libros de la Sagrada Escritura y las siglas de esos mismos libros en castellano.

Abr. lat.	Castellano	Título del libro
Abd	Ab	Abdías
Agg	Ag	Ageo
Amos	Am	Amós
Apoc	Ap	Apocalipsis
Bar	Ba	Baruc
I *Cor*	1 Cor	Primera epístola a los Corintios
II *Cor*	2 Cor	Segunda epístola a los Corintios
Colos	Col	Epístola a los Colosenses
I *Par*	1 Cro	Libro I de las Crónicas o Paralipómenos
II *Par*	2 Cro	Libro II de las Crónicas o Paralipómenos
Cant	Ct	Cantar de los Cantares
Dan	Dn	Daniel
Dt	Dt	Deuteronomio
Ephes	Ef	Epístola a los Efesios
Esdr	Esd	Esdras
Esth	Est	Ester
Ex	Ex	Éxodo
Ez	Ez	Ezequiel
Phile	Flm	Carta a Filemón
Philip	Flp	Carta a los Filipenses
Galat	Ga	Gálatas
Genes	Gn	Génesis
Hab	Ha	Habacuc
Hebr	Hb	Epístola a los Hebreos

Abr. lat.	Castellano	Título del libro
Act	Hch	Hechos de los Apóstoles
Isai	Is	Isaías
Iob	Jb	Job
Ioel	Jl	Joel
Iudic	Jc	Jueces
Iudith	Jdt	Judit
Ioann	Jn	Evangelio según san Juan
I Ioann	1 Jn	Primera Epístola de san Juan
II Ioann	2 Jn	Segunda Epístola de san Juan
III Ioann	3 Jn	Tercera Epístola de san Juan
Io	Jon	Jonás
Ios	Jos	Josué
Ierem	Jr	Jeremías
Iudae	Jds	Epístola de san Judas
Luc	Lc	Evangelio según san Lucas
Thren	Lm	Libro de las Lamentaciones
Levit	Lv	Levítico
I *Mac*	1 M	Libro I de los Macabeos
II *Mac*	2 M	Libro II de los Macabeos
Malac	Ml	Malaquías
Marc	Mc	Evangelio según san Marcos
Mich	Mi	Miqueas
Matth	Mt	Evangelio según san Mateo
Nah	Na	Nahúm
Neh	Ne	Nehemías (=Segundo libro de Esdras)
Num	Nm	Números
Osee	Os	Oseas
I *Petr*	1 P	Primera Epístola de san Pedro
II *Petr*	2 P	Segunda Epístola de san Pedro
Prov	Pr	Proverbios
Eccle	Qo	Eclesiastés (=Libro de Qohelet)
I *Reg*	1 R	Libro I de los Reyes
II *Reg*	2 R	Libro II de los Reyes
Rom	Rm	Epístola a los Romanos
Ruth	Rt	Rut
I *Sam*	1 S	Libro I de Samuel

Abr. lat.	Castellano	Título del libro
II *Sam*	2 S	Libro II de Samuel
Sap	Sb	Sabiduría
Ps	Sal	Salmos
Eccli	Si	Eclesiástico (=Libro de Ben Sirac)
Iacob	St	Epístola de Santiago
Soph	So	Sofonías
Tob	Tb	Tobías
I *Tim*	1 Tm	Primera Epístola a Timoteo
II *Tim*	2 Tm	Segunda Epístola a Timoteo
I *Thess*	1 Ts	Primera Epístola a los Tesalonicenses
II *Thess*	2 Ts	Segunda Epístola a los Tesalonicenses
Tit	Tt	Epístola a Tito
Zach	Za	Zacarías

II. DE LA LITURGIA

Allel.	Aleluya
Ant. ad Comm.	Antífona antes de la Comunión
Ant. ad Intr.	Antífona en el introito
Ep.	Epístola
Ev.	Evangelio
Grad.	Gradual
Intr.	Introito
L. I	Primera lectura del oficio divino
Orat.	Colecta
Postcom.	Postcomunión
Præf.	Prefacio
Tract.	Tracto

III. DEL APARATO CRÍTICO

EdcS	*En diálogo con el Señor*, edición de 1995
Cro	*Crónica*
Not	*Noticias*
Med	Tomos de *Meditaciones*
del.	Borrado
add.	Añadido
cam.	Cambiado de lugar

IV. De las fuentes archivísticas

AGP   Archivo General de la Prelatura

V. Otras abreviaturas

AAS	*Acta Apostolicæ Sedis.*
AnTh	*Annales Theologici: rivista internazionale di Teologia*, de la Facultad de Teología de la Pontificia Università della Santa Croce.
AVP	Andrés Vázquez de Prada, *El Fundador del Opus Dei*, Madrid, Rialp, 1997 (vol. I), 2002 (vol. II), 2003 (vol. III).
c.	canon
Camino, ed. crít.-hist.	San Josemaría Escrivá de Balaguer, *Camino*, edición crítico-histórica preparada por Pedro Rodríguez, Madrid, Rialp, 2004, 3.ª ed.
Conversaciones, ed. crít.-hist.	San Josemaría Escrivá de Balaguer, *Conversaciones con Mons. Escrivá de Balaguer*, edición crítico-histórica preparada por José Luis Illanes y Alfredo Méndiz, Rialp, Madrid 2012.
Cuadernos del CEDEJ	*Cuadernos del Centro de Documentación y Estudios Josemaría Escrivá de Balaguer* [Separata del *Anuario de Historia de la Iglesia*].
DSJEB	José Luis Illanes (ed.), *Diccionario de san Josemaría Escrivá de Balaguer*, Burgos, Editorial Monte Carmelo, 2013.
DSp	*Dictionnaire de spiritualité ascétique et mystique doctrine et histoire*, Paris, Beauchesne, 1937-1995.
DYA	José Luis González Gullón, *DYA. La Academia y Residencia en la historia del Opus Dei (1933-1939)*, Madrid, Rialp, 2016.

Entrevista	Álvaro DEL PORTILLO, *Entrevista sobre el fundador del Opus Dei [Entrevista realizada por Cesare CAVALLERI]*, Rialp, Madrid, 1993.
Es Cristo que pasa, ed. crít.-hist.	San Josemaría ESCRIVÁ DE BALAGUER, *Es Cristo que pasa*, edición crítico-histórica preparada por Antonio ARANDA, Madrid, Rialp, 2013.
GVQ	Actas del congreso "La grandezza della vita quotidiana", celebrado en Roma, del 8 al 11 de enero de 2002, 13 vols., Roma, Edusc, 2002-2003.
Itinerario	Amadeo DE FUENMAYOR - Valentín GÓMEZ-IGLESIAS - José Luis ILLANES, *El itinerario jurídico del Opus Dei, historia y defensa de un carisma*, Pamplona, Eunsa, 1990.
Romana	*Romana: bollettino della Prelatura della Santa Croce e Opus Dei.*
Santo Rosario, ed. crít.-hist.	San Josemaría ESCRIVÁ DE BALAGUER, *Santo Rosario*, edición crítico-histórica preparada por Pedro RODRÍGUEZ, Constantino ÁNCHEL y Javier SESÉ, Madrid, Rialp, 2010.
ScrTh	*Scripta Theologica,* revista de la Facultad de Teología de la Universidad de Navarra.
SetD	*Studia et Documenta. Rivista dell'Istituto Storico San Josemaría Escrivá.*
Vida cotidiana y santidad	Ernst BURKHART - Javier LÓPEZ DÍAZ, *Vida cotidiana y santidad en la enseñanza de san Josemaría. Estudio de Teología espiritual,* Madrid, Rialp, vol. I (2010), vol. II (2012) y vol. III (2013).

FACSÍMILES Y FOTOGRAFÍAS

San Josemaría, en una de las pocas imágenes tomadas mientras predica,
en septiembre de 1956.

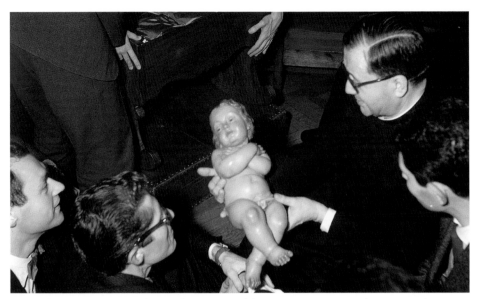

San Josemaría con el Niño Jesús, copia del que se encuentra en el convento de
Santa Isabel de Madrid, y que aparece mencionado en diversas ocasiones en este libro.
La fotografía es del 9 de enero de 1962.

El 9 de enero de
1968, día en que
cumplía 66 años, san
Josemaría celebró la
Santa Misa en el ora-
torio de Santa María
de la Paz.
Predicó la homilía
que fue recogida en
Crónica y *Noticias*
con el título de "Los
sueños se han hecho
realidad". Es el texto
n. 11 de este volumen.

Lleva fecha del 25 de diciembre de 1972 la meditación "Tiempo de acción de gracias",
la n. 21 de este libro. Recoge palabras de tertulias navideñas entre las que se cuentan
las que aparecen en las dos fotos, tomadas en Villa Sacchetti el 24 de diciembre,
la superior, y en Villa delle Rose el día 27, la inferior.

En Villa Tevere, el día de Navidad de 1973. San Josemaría compuso la meditación "La alegría de servir a Dios", n. 22 de este volumen, a partir de esta tertulia y de la que tuvo el día 31.

Navidad de 1974. Ese día, a media mañana, san Josemaría estuvo de tertulia con algunos alumnos del Colegio Romano de la Santa Cruz y otros fieles de la Obra de Roma. Al fondo de la fotografía se puede ver a Umberto Farri, que aparece mencionado en alguno de los textos de este libro; y detrás del Fundador, a Javier Medina, que se encargaba en esos años de manejar una grabadora para registrar la tertulia. El texto n. 23 recoge precisamente las palabras que pronunció en esta ocasión.

19 de marzo de 1975, Fiesta de san José. San Josemaría estuvo en la nueva sede del Colegio Romano de la Santa Cruz, rememorando detalles de historia de la Obra; en la foto, se pueden observar los estantes aún vacíos de libros. El contenido de esta tertulia constituye el texto n. 24 de este volumen.

Pintura de san José joven, de Manuel Caballero (1926-2002), encargada por san Josemaría. Aparece mencionada en varios de los textos de este libro.

Sagrario del oratorio de Pentecostés, en Villa Tevere, que menciona san Josemaría en la meditación que predicó, precisamente en ese lugar, el 27 de marzo de 1975, vísperas de sus bodas de oro sacerdotales. Es el último texto de este volumen.

Facsímil n. 1

Guión –anverso y reverso– de la meditación del 21 de noviembre de 1954,
publicada con el título de "Vivir para la gloria de Dios".

necesidad
- extensión
- proselitismo
- algunos cargos
- medio de unidad
- no hacer grupitos — —

(como los Iuicrito) mobili- dad: cou.

_____

Caracteres esenciales de los nuestro:

1/ Contemplativos ; en medio del mundo.

2) Serenos ; aunque todo se hun da ; nosotros, no : lo permanente y lo transeunte.

3) con sentido de responsabi- lidad. (eslabones de una misma cadena)

4) con vida ordinaria (lo pequeño es nuestro heroísmo)

perfección. por la santificación del trabajo ordinario.

5) con caridad ; y es camino

Deus exceptus est ! pa los hib., pa los sup?, pa todos

6) con alegría ; iterum dico, gaudete
¿de mala cara?

7) Obedientes ; escuchar — —

8) Objetivos ; ¿cómo podrán informar?

9/ Sinceros . 10/ Perseverantes / 21-nov-54,

Facsímil n. 2

Guión –anverso y reverso– de la meditación del 26 de noviembre de 1967, publicada
con el título de "El camino nuestro en la tierra". Ampliamente rehecha, se encuentra
en el libro *Amigos de Dios* bajo el título "Hacia la santidad".

1) Surgam et circuibo civitatem ... per vias et
plateas quaeram quem diligit anima me
a (Cant) 2) cum ipso sum in tribulatione (B.) 3) nuntiate Deo quia amore
langueo (Cant) 4) sed de Dios, se buscan sus
lágrimas, sus palabras, su sonrisa, su rostro
grave, quaemadmodum cervus [no desear fenómeno extraord.: si lo or-
dinario océano]
= celo apostólico, xq el bien es diperivo --- : descubrir
la alegría y la paz : regar el mundo con
las aguas vivas --- ! ¡todo x Amor!
= Devociones, amistades : Angeles, Arcángeles (ministerial); patronos, intercesores (muy humano,
muy divino : iam non dicam vos servos, vos
autem dixi amicos,
= así nació nuestra vida en la Obra : El todo,
yo, nada.
= ego redemi te --- Elegi vos ante mundi cons
titutionem --- Non vos me elegistis -—
= Fe (sobren. me conmovía el catecúmeno ja
ponés). Fe. De hoc et apostolen loquitur (tre
viano) precisamente ahora
= final (Col. I, 9-14) Non cessamus ---

= a Santa María, Madre . de | X̄o
                              | nuestra
                              de la Yglesia.
pa q no nos engañen las teorías de los q solo
tienen la técnica de hablar de Dios ---

26-XI-67

Facsímil n. 3

Guión –anverso y reverso– de la homilía pronunciada el 9 de enero de 1968,
publicada con el título de "Los sueños se han hecho realidad".

mío.
= Encomendadme a mi ángel
Custodio, como hacía q me_
encomendasen _antirlovizas_ vuestros las
hermanos y las chicas de I. R.
= En fin, ayudadme a ser
bueno, fiel y alegre, pa_
q pueda recibir ~~en su~~
a su tiempo el abrazo
de amor de J. P., de D H y
de S E S. y de Sta. Mª
                        Ariz[oa]

INTRODUCCIÓN GENERAL

Este libro inicia la publicación de los textos procedentes de la predicación oral de san Josemaría. Por este motivo, los editores hemos creído oportuno abrirlo con una Introducción que va más allá de la génesis y estructura del libro mismo. Hacía falta una visión de conjunto de la predicación del fundador del Opus Dei: sus características, las diversas etapas por las que ha pasado, y el modo como ha llegado hasta nosotros; a todo esto hemos dedicado la primera parte de la Introducción.

En la segunda parte, hemos procedido a estudiar ya los aspectos principales de *En diálogo con el Señor*. Primero, la historia de la composición del libro: la publicación inicial de las meditaciones del fundador en las revistas destinadas a los miembros del Opus Dei; su agrupación en un volumen preparado para la Causa de canonización; y, finalmente, el libro *pro manuscripto*, para uso de los fieles de la Obra, que se tituló *En diálogo con el Señor*. Después, se ofrece un resumen de su contenido, a grandes líneas.

La tercera parte de la Introducción, más breve, describe las características técnicas de esta edición, dentro de la colección de Obras Completas de san Josemaría.

PRIMERA PARTE
La predicación de san Josemaría

El 2 de octubre de 1928, durante unos días de retiro, san Josemaría Escrivá de Balaguer vio –esa era la expresión que solía emplear– lo que Dios quería de él: difundir, entre todas las personas, la llamada universal a la santidad, cada uno en el propio estado; y junto a este mensaje, la puesta en marcha de una institución, el Opus Dei, que fuera el instrumento, con la vida y el apostolado de sus miembros, para la difusión de esa doctrina[1].

«Nos ha elegido el mismo Jesucristo, para que en medio del mundo –en el que nos puso y del que no ha querido segregarnos– busquemos cada uno la santificación en el propio estado y –enseñando, con el testimonio de la vida y de la palabra, que la llamada a la santidad es universal– promovamos entre personas de todas las condiciones sociales, y especialmente entre los intelectuales, la perfección cristiana en la misma entraña de la vida civil»[2].

Todo cuanto ocurrió el 2 de octubre fue para el fundador del Opus Dei el punto de inflexión de su existencia, que daría razón de todo su actuar en los años venideros. A partir de ese momento, comprendió que su vida tenía como fin la realización de la misión que Dios le había encomendado: la proclamación de la llamada universal a la santidad, y la puesta en marcha de la Obra. En palabras suyas de una meditación de 1962, «desde ese momento no tuve ya *tranquilidad* alguna, y empecé a trabajar, de mala gana, porque me resistía a meterme a fundar nada; pero comencé a trabajar, a moverme, a hacer: a poner los fundamentos»[3].

---

[1] Cfr. José Luis Illanes, "Dos de octubre: alcance y significado de una fecha", en AvVv, *Mons. Josemaría Escrivá de Balaguer y el Opus Dei*, Pamplona, EUNSA, 1982, pp. 59-99; Antonio Aranda, "Fundación del Opus Dei", en DSJEB, pp. 552-561.

[2] San Josemaría Escrivá de Balaguer, *Carta 14-II-1944*, n. 1 (en *AVP* I, pp. 304-305).

[3] *En Diálogo con el Señor*, "En un 2 de octubre", n. 3c. Citaremos los textos de san Josemaría de este libro indicando simplemente el número de la meditación seguido de los

Ese «trabajar» se materializó, de modo principal, en formar a las personas que se iban acercando a su apostolado, instruyéndoles en la palabra de Dios, y de modo específico, en cuanto comportaba la llamada universal a la santidad.

La predicación ocupará un lugar de relieve en su vida desde 1928 hasta el día mismo de su muerte, el 26 de junio de 1975, en que había estado hablando de Dios a un grupo de mujeres de la Obra.

1. PRIMEROS PASOS EN LA DIFUSIÓN DEL MENSAJE DEL OPUS DEI

En seguida se puso a buscar gente que hiciera suyo ese ideal. Y poco a poco, muy despacio al principio, fueron llegando hombres y mujeres que comprometieron su vida para llevarlo a cabo.

A medida que iba tratando a más personas, el principal empeño de san Josemaría era transmitirles ese mensaje que llenaba su oración personal, y los proyectos concretos para sacar adelante el Opus Dei. Pepe Romeo, uno de los primeros jóvenes a quienes explicó la Obra, en junio de 1929, recordaba:

> «Por aquellos días el Padre y yo dábamos grandes paseos y algunas veces, recalábamos para merendar en "El Sotanillo", donde, además de tomar bocadillo y cerveza, me ilustraba el Padre día por día, acerca de proyectos e ideas, maravillosos, fantásticos»[4].

Otro de los jóvenes estudiantes que le conocieron en esos años era Pedro Rocamora. En sus recuerdos, describe sus paseos por las calles de Madrid, la chocolatería... y sobre todo, la impresión que le causaba la conversación sobre la Obra y los grandes ideales de san Josemaría:

> «En esos paseos el Padre hablaba de la Obra como un hombre inspirado. Impresionaba su profunda fe en que él tenía que hacer "aquello".

---

números marginales de los párrafos: en este caso –6.3c–, se trata de la meditación n.º 6, párrafo 3c.

[4] Recuerdos de José Romeo Rivera, redactados en 1934 (AGP, serie A.2, 34-3-10). Los hechos que describe se sitúan en junio de 1929.

Nos asombraba a los que estábamos junto a él, su conciencia plena de que tenía que entregar su vida a aquella idea. Había asumido tal empresa como el que sabe que tiene que cumplir una especie de sino determinado en su vida»[5].

También Vicente Hernando Bocos, otro de los estudiantes que le trataron en esos primeros años 30, rememoraba sus paseos, y sobre todo, el tono sobrenatural que sabía dar a las conversaciones más normales:

«Era frecuente tener las charlas con D. Josemaría paseando por la calle, que él convertía fácilmente en ocasión de darnos doctrina y formación. Es muy de señalar la capacidad de D. Josemaría de tomar ocasión de cualquier asunto para llevar enseguida la conversación, a partir de las cosas cotidianas, hacia temas interesantes, formativos espiritual y humanamente»[6].

Rocamora subrayaba, cuando habían pasado ya más de cuarenta años, el atractivo de su trato y conversación:

«Los que en aquellos momentos no nos entregamos plenamente a su obra no podíamos dejar de sentirnos atraídos por una fuerza espiritual que había en él y que le hacía distinto a todos los demás. Yo veía a un hombre dotado de extraordinarias cualidades sobrenaturales y pensaba que sólo a través de éstas, es decir por un verdadero milagro, podrían llegar a convertirse en realidad aquellos sueños y aspiraciones que, en largos paseos por Madrid, me iba confiando»[7].

José María González Barredo, uno de los primeros miembros del Opus Dei, que conoció a san Josemaría en 1930, recordaba de esos años iniciales:

«Desde el principio ya comenzamos a tener lo que llamamos ahora tertulias en la casa del Padre. Hablábamos de cualquier cosa e incluso cantábamos canciones (...). Después de la tertulia, con la mayor naturalidad, el Padre hacía el comentario del Evangelio;

---

[5] Recuerdos de Pedro Rocamora Valls, fechados en 1977 (AGP, serie A.5, 241-1-5). Los hechos que narra corresponden al curso 1929-1930.

[6] Recuerdos de Vicente Hernando Bocos, de 1975 (AGP, serie A.5, 219-2-4).

[7] Recuerdos de Pedro Rocamora Valls (AGP, serie A.5, 241-1-5).

no empleaba un libro pequeño, sino el misal que se emplea en la Misa. El comentario era siempre incisivo, práctico, nos movía a mejorar nuestra vida interior (...). Teníamos también tertulias en "El Sotanillo", cerca de la Puerta de Alcalá (...). Allí nos reuníamos para charlar y conocer gente. Nunca se hablaba de política en esas tertulias; el Padre daba siempre el tono sobrenatural y humano que ha sido desde entonces una característica tan clara de las labores de la Obra»[8].

Así empezó san Josemaría a difundir el espíritu y el mensaje del Opus Dei: en conversaciones itinerantes por las calles de Madrid, o en reuniones con uno o varios jóvenes en la casa donde vivía con su madre y hermanos, o en la chocolatería El Sotanillo[9]. En todos los casos, distendida y familiarmente.

En enero de 1933 comenzó una serie de encuentros con jóvenes universitarios, en forma de clases, con periodicidad semanal[10]. Al primero acudieron tres estudiantes, y a lo largo de los seis meses que quedaban de ese curso académico, nueve[11]. En los dos cursos siguientes aumentaron las clases y el número de participantes.

En esas sesiones trataba de transmitir a sus jóvenes oyentes el mensaje de la llamada universal a la santidad en medio del mundo, ayudándoles a vivirlo con enseñanzas prácticas y concretas. Así lo describe uno de los asistentes:

«Nos iba hablando ordenadamente –y de forma sencilla– de los temas clásicos de la vida espiritual: la oración, la presencia de Dios, el espíritu de mortificación, el apostolado, la Misa o los Sacramentos, etc. Su manera de exponer era, sin embargo, peculiar, nueva en aquel tiempo, ya que sin retórica accidental apuntaba directamente

---

[8] Recuerdos de José María González Barredo, fechados en 1975 (AGP, serie A.5, 216-3-11).

[9] Cfr. *AVP* I, p. 309.

[10] Cfr. Fernando CROVETTO POSSE, "Los inicios de la obra de San Rafael. Un documento de 1935", en SetD 6 (2012), pp. 395-412.

[11] Los asistentes a las clases fueron Vicente Hernando Bocos, Juan Jiménez Vargas, José María Valentín Gamazo, Eloy González Obeso, Jaime Munárriz Escondrillas, Ángel Cifuentes Martín, Joaquín Herrero Fontana, Gil Padillo y Jacinto Valentín Gamazo (cfr. AGP, serie A.2, 40-1-1).

al tema: las ideas que exponía eran así para nosotros, profundas y claras»[12].

El aspecto que más subrayan quienes participaron en esos encuentros es siempre el mismo: el modo singular, profundo y sencillo al mismo tiempo, y siempre incisivo, de tratar los temas clásicos de la vida cristiana. Ese enfoque particular les hacía muy atractivas sus enseñanzas.

En marzo de 1934 comenzó a reunir a esos jóvenes universitarios, para tener una vez al mes un retiro espiritual[13]. En esas ocasiones, san Josemaría solía impartir varias meditaciones. Así lo recuerda Ricardo Fernández Vallespín, que le había conocido el año anterior:

«El Padre gestionó con los P.P. Redentoristas, que tenían –y creo que todavía tienen–, en una calle cercana, la Iglesia del Perpetuo Socorro, que nos cediesen un local y nos facilitaran los medios materiales, incluso la comida, y allí tener un día al mes de retiro, que el Padre nos dirigía dando, creo recordar, tres o cuatro meditaciones. (...) Las enseñanzas del Padre, en las meditaciones que daba y en los círculos, se referían a temas de vida interior y a la santificación del trabajo (para estos chicos, del estudio), dirigido todo a aumentar el deseo de santidad»[14].

Eduardo Alastrué, que participó en esos años en la labor apostólica del fundador del Opus Dei, guardaba en la memoria su estilo propio de predicar:

«En estas pláticas del Padre se observaba la misma ausencia de retórica pomposa que en las charlas de San Rafael; las palabras sonaban a auténticas, eran simplemente el vehículo de la idea. Y por eso mismo brillaban diáfanas, enérgicas, eficaces; se articulaban en una oratoria de una elocuencia sentida y natural, muchas veces vehemente y emotiva, con una emotividad nada sentimental porque provenía de la misma verdad, hondamente contemplada. En un plano completamente distinto al de las clases de San Rafael, con un tono y un lenguaje lógicamente diferentes, el Padre llevaba a cabo la misma labor fecunda de formación que en aquellas charlas; en estas pláticas, simplemente, nos

---

[12] Recuerdos de José María Valentín Gamazo, escritos en 1975 (AGP, serie A.5, 251-1-5).

[13] Cfr. *AVP* I, p. 514 y relato sobre el primer retiro mensual (AGP, serie A.2, 40-1-3).

[14] Recuerdos de Ricardo Fernández Vallespín, datados en 1975 (AGP, serie A.5, 211-2-1).

acercaba a las fuentes más verdaderas de la vida interior, con una invitación apremiante, como si dijera: "Gustad y ved"»[15].

Todos esos recuerdos subrayan que las enseñanzas del fundador del Opus Dei, fueran conversaciones informales, o clases y meditaciones, giraban siempre en torno a un núcleo de doctrina: la llamada universal a la santidad, cada uno allí donde se encuentra, en su situación, con su trabajo, en su vida cotidiana.

De este modo encontramos, ya en la primera mitad de los años 30, el germen de las modalidades en que se materializará su predicación: las reuniones más informales, como son las tertulias; las clases, más académicas y expositivas; y las meditaciones, con un carácter más ascético. Detengámonos en estas últimas, que constituyen el contenido principal de este libro, aunque las tertulias, como se verá, también están presentes.

2. UN ESTILO PROPIO DE PREDICACIÓN

2.1. Las meditaciones

El *tipo* paradigmático en la predicación de san Josemaría son las meditaciones. Este género, clásico en la oratoria espiritual, lo empleaba de una forma muy personal, muy viva. No era una simple plática, sino que procuraba llevar a sus oyentes hacia la oración mental, por la vía de la meditación[16].

Hablaba casi siempre en una capilla u oratorio y ante el sagrario, de ordinario durante una media hora o un lapso de tiempo similar, en el que procuraba meditar, y hacer meditar a los asistentes, al hilo de sus palabras, sobre algún aspecto de la vida cristiana, y fomentar así propósitos

---

[15] Recuerdos de Eduardo Alastrué Castillo, de 1978 (AGP, serie A.5, 191-3-6). Las "charlas o clases de San Rafael" que menciona son las clases a que nos hemos referido en la página anterior.

[16] Sobre el concepto de 'meditación' existe una vasta literatura en el ámbito de la Teología espiritual. Puede verse un amplio panorama en la voz de Josef SUDBRACK, "Méditation" en DSp 10, col. 906-934. Como señalamos ahora, san Josemaría hizo una aplicación muy personal de esa práctica.

concretos, personales. En palabras suyas, dirigidas a los sacerdotes del Opus Dei:

> «El sacerdote que dirige la meditación, ha de tener presente que hace entonces su oración personal, *cuajando en ruido de palabras* –como suelo decir– la oración de todos, ayudando a los demás a hablar con Dios –si no, se está perdiendo el tiempo–, dando luz, moviendo los afectos, facilitando el diálogo divino y, junto con el diálogo, los propósitos»[17].

En el caso específico de san Josemaría, solía partir de la consideración de alguna escena del Evangelio, sobre la que volvía a lo largo de la media hora, para situar a quienes le escuchaban delante de Cristo y facilitar que Él les interpelara personalmente. Se dirigía en singular a los oyentes, aunque fueran muchos. Así lo mencionan algunos de los que le escucharon:

> «La exposición de las meditaciones era un estilo directo, muy bíblico y con interpretación muy práctica de la Palabra de Dios. Solía hablar en singular y con la expresión que te tenía atento: "¡Mira!, a ti te digo", ayudaba a fijarse»[18].

> «Lo vital de estas sus charlas estaba en que no explanaba sus pensamientos con palabras redondeaditas y conceptos alambicados, ni tampoco con *eslóganes* de la sabiduría humana, sino con los y las que le salían del corazón portando sus propias vivencias oracionales. Recalcó mucho sobre la [oración] personal *de tú a tú*, de plena confianza con el Señor»[19].

José Luis Soria, que convivió con san Josemaría en Roma en los últimos años de su vida, anota que «predicaba con calma, espaciando y dando peso a sus palabras, y ayudaba a hacer oración también con sus silencios»[20]. Y

---

[17] San Josemaría Escrivá de Balaguer, *Carta 8-VIII-1956*, n. 27 (AGP, serie A.3, 94-1-2).

[18] Testimonio de Félix Carmona Moreno OSA, en Aa.Vv., *Josemaría Escrivá de Balaguer: un hombre de Dios. Testimonios sobre el Fundador del Opus Dei*, Madrid, Palabra, 1994, pp. 310-311.

[19] Testimonio de José Llamas Simón, en Aa.Vv., *Josemaría Escrivá de Balaguer: un hombre de Dios. Testimonios sobre el Fundador del Opus Dei*, Madrid, Palabra, 1994, p. 352.

[20] Recuerdos de José Luis Soria Saiz sobre las notas tomadas en meditaciones y tertulias, redactados en 2007 (AGP, serie A.3, 87-2-7).

así lo describe Eduardo Alastrué, que le escuchó en multitud de ocasiones, antes, durante y después de la Guerra Civil Española:

«Todos estábamos pendientes de sus palabras y con razón, porque allí se nos hablaba un lenguaje nuevo, (...) vivo, actual, eficaz; no desdeñaba modismos populares y empleaba las voces, las frases que oíamos en nuestras casas, en las aulas, en la calle. De él estaba ausente por completo toda vana retórica y, sin embargo, tenía un noble y grato sonido, quizás porque resultaba la expresión directa de verdades grandes y elevadas. Tenía, en mi opinión, este estilo oral del Padre un rasgo muy peculiar: afluían en él, espontáneamente, términos sabrosos y castizos que le prestaban un característico acento varonil. Sí, era un lenguaje varonil, recio, coloreado por esas palabras contundentes y expresivas que usa el pueblo en su trato común y, por tanto infaliblemente ameno. Puesto al servicio de su ardoroso espíritu, su efecto era seguro»[21].

No se ha podido hacer aún un estudio exhaustivo sobre el contenido de esa predicación, a la espera de la publicación de todo el material que se conserva. Sin embargo, los textos que ya han sido editados y los recuerdos de tantas personas que le escucharon, muestran cómo su exposición recogía, como no podía ser de otro modo, los temas clásicos de la vida cristiana, con un énfasis particular en la santificación del estudio y del trabajo. Junto a esto, destacan también algunos aspectos más característicos de las enseñanzas del fundador del Opus Dei, como son las cosas pequeñas, el ejemplo de los primeros cristianos, o la unidad de vida.

2.2. Las tertulias

Además de las meditaciones, san Josemaría aprovechó las conversaciones informales, tertulias, después de una comida, en un café o durante un descanso, para dar doctrina, para formar en la vida cristiana, y específicamente en el espíritu del Opus Dei, a los que le acompañaban.

En efecto, no se trataba sólo de pasar un rato agradable en compañía: para san Josemaría, la tertulia era además un instrumento de formación. Con ocasión de un suceso, o de un comentario, aprovechaba para dar

---

[21] Recuerdos de Eduardo Alastrué Castillo (AGP, serie A.5, 191-3-6).

criterio cristiano a los que le escuchaban. Así lo describe Juan Larrea, que convivió con él en Roma entre 1949 y 1952:

> «¿Quién podría enumerar la multitud de meditaciones, pláticas, días de retiro, cursos de varios días de retiro, convivencias, etc., dirigidos por el Padre? Pero, además de esos medios él empleaba todas las horas del día en formar a sus hijos: las tertulias, que eran ratos de verdadero descanso, de intensa vida de familia, llenas de amable alegría y sencillez, eran también los momentos de mayor intensidad formativa: en ellas el Padre no dejaba de dar doctrina, de instruir, advertir, grabar las enseñanzas con anécdotas y ejemplos, salpicándolo todo con gracejo notable. En las tertulias, casi sin querer, se iba asimilando el espíritu de la Obra, se sacaban nuevas energías para la lucha ascética, para el apostolado, se conocía la historia de la Obra, se aprendía a amar más a la Iglesia»[22].

Los que estaban con san Josemaría tenían la clara conciencia de encontrarse junto a una persona de gran talla espiritual, que era además el fundador del Opus Dei. Aprovechaban todas las circunstancias –y las tertulias no eran una excepción– para preguntarle y mejorar su formación. Pero también hacían oración, casi sin darse cuenta. Entre otros testimonios, Julián Urbistondo rememoraba lo que sucedió en una de esas tertulias largas en Madrid, en el año 1945 o 1946:

> «Era un día de fiesta de la Obra en que el Padre vino al comedor cuando estábamos acabando, hacia las 3 de la tarde, y nos quedamos allí mismo oyéndole hasta cerca de las 9, con una breve interrupción para merendar. Hacia el final hubo uno que le preguntó al Padre cuándo haríamos la oración. El Padre le respondió: "Hijo, ¿qué otra cosa hemos estado haciendo toda la tarde?"»[23].

Con el transcurrir de los años, el carácter de *entretenimiento* o descanso de las tertulias fue dejando paso, de modo paulatino, a un contenido cada vez más formativo, o mejor dicho, ascético y doctrinal. No era infrecuente que, tras unos minutos en los que se intercambiaban noticias y

---

[22] Recuerdos de Juan Larrea, escritos entre 1975 y 1979 (AGP, serie A.5, 222-2-7). Cfr. también Juan LARREA HOLGUÍN, "Dos años en Ecuador (1952-1954): recuerdos en torno a unas cartas de San Josemaría Escrivá de Balaguer", en SetD 1 (2007), pp. 113-125.

[23] Recuerdos de Julián Urbistondo, de 1975 (AGP, serie A.5, 349-2-8).

comentarios varios, san Josemaría tomara la palabra y empezara a hablar de temas más espirituales (de la vida interior, de fidelidad a la Iglesia, de apostolado, etc.), dando lugar, de hecho, a verdaderas *meditaciones*, aunque tuvieran lugar en una sala de estar.

A estos efectos, escribía Rafael Balbín que, en una ocasión, durante una tertulia en Roma el 20 de diciembre de 1960, alguien le preguntó a san Josemaría «que cuándo nos daría la meditación, y dijo que la meditación nos la daba siempre que nos hablaba; y allí, en la tertulia»[24].

En diversas ocasiones, el propio san Josemaría interrumpió el desarrollo normal de la tertulia para anunciar que quería dar unos puntos de meditación, o comentar unos textos del Evangelio que llevaba anotados, o frases parecidas. Así lo leemos, por ejemplo, en la narración de una tertulia de la noche de Navidad de 1967, en el Colegio Romano de la Santa Cruz:

> «Es ya un poco tarde. El Padre nos dice que va a darnos algunos puntos para la meditación y que después se marchará. Nos acercamos para no perder palabra. El Padre saca de la agenda una ficha escrita a mano, y nos explica que leerá unos textos tomados de la Sagrada Escritura. Después comienza a hablar»[25].

Lo que siguió fue, de hecho, una meditación, claramente distinta del rato de tertulia que la había precedido.

Dos años más tarde, en las mismas circunstancias, y tras comentar que estaban cantando un villancico, el cronista del diario anota:

> «Cuando termina, el Padre se inclina hacia adelante y saca unas fichas de la agenda...

---

[24] Recuerdos de Rafael María Balbín Behrmann, escritos en 1975 (AGP, serie A.5, 313-1).

[25] *Crónica* 1968, p. 39. *Crónica*, *Noticias* y *Obras*, como se explica en el apartado 4.3 de esta Introducción, son tres revistas periódicas dirigidas a los fieles del Opus Dei. Se conserva una colección completa de estas publicaciones en la biblioteca del Archivo General de la Prelatura (AGP, biblioteca, P.01, P.02 y P.03 respectivamente). Hasta 1967, las revistas llevaban una única numeración de página, que recomenzaba en cada número: las citaremos indicando año, mes y página (*Noticias* 1954, III, p. 15); a partir de 1967, además de esa numeración mensual, se incluyó otra continuada para todo el año: en esos casos las citaremos anotando sólo el año y la página (*Noticias* 1967, p. 235).

—Yo me tendré que marchar pronto; por eso quisiera deciros antes unas palabricas»[26].

Y también en esta ocasión, el comentario del contenido de esas fichas constituyó una verdadera meditación.

Los que le escuchaban eran muy conscientes de que allí había habido un cambio, y de hecho consideraban esa segunda parte de la tertulia como un rato de oración[27].

Consideración aparte merecerían los encuentros multitudinarios, que pueden llamarse tertulias en modo sólo análogo, y que abundaron en los últimos años de la vida de san Josemaría. Eran millares las personas que querían oír al fundador, buscando en sus palabras confirmar la propia fe, en años de crisis y de desorientación doctrinal. Constituyen lo que el propio san Josemaría llamó sus grandes *catequesis* por España, Portugal y varios países de América, entre 1970 y 1975. Afortunadamente, muchas de esas reuniones se filmaron, y nos ha quedado ese testimonio directo de su predicación[28].

2.3. Algunos trazos característicos[29]

«Las obras de los grandes santos suelen ser precisamente obras de gran altura literaria: basta pensar en Teresa de Ávila y Juan de la Cruz, en España, en Francisco de Asís y Alfonso María de Ligorio, en Italia, en la misma Biblia, que rebosa páginas estilísticamente extraordinarias»[30].

---

[26] *Crónica* 1970, pp. 144-145.

[27] Como veremos más adelante, cuando se plantee, en enero de 1971, la oportunidad de publicar en *Crónica* un texto completo de san Josemaría, se hablará de «la meditación que nos dio el Padre», en referencia a una tertulia del día 2 de enero de ese año (vid. Epígrafe 6.3).

[28] Cfr. Juan José GARCÍA-NOBLEJAS, "Grabaciones audiovisuales", en DSJEB, pp. 575-579.

[29] Cfr. José Antonio LOARTE, "Predicación de san Josemaría", en DSJEB, pp. 1004-1007. Vid. también la Presentación que escribe el mismo autor en el libro *Por las sendas de la fe. Selección de textos de la predicación*, Madrid, Ediciones Cristiandad, 2013, pp. 12-22.

[30] Cornelio FABRO, "El temple de un Padre de la Iglesia", en AA.Vv., *Santos en el mundo. Estudios sobre los escritos del beato Josemaría Escrivá*, Madrid, Rialp, 1992, p. 56.

Con estas palabras enmarcaba Cornelio Fabro el estilo literario del fundador del Opus Dei. Y poco más adelante, en el mismo texto, señalaba que «su lenguaje no es áulico y acompasado, sino directo y vivaz, preciso y sobrio en lo estrictamente teológico de los misterios y de los principios de vida espiritual; siempre vivo y directo en las digresiones, en el uso del lenguaje corriente y en los ejemplos de su propia vida»[31].

Pedro Cantero, arzobispo de Zaragoza de 1964 a 1977, escuchó a san Josemaría en los primeros años 40, en una de las muchas tandas de ejercicios espirituales que predicó a sacerdotes y religiosos en esa época. Mucho tiempo después lo evocaba así:

«Todo el caudal espiritual que anidaba en su alma, se manifestaba en su predicación: admiraba su peculiar forma de hablar de Dios. El Amor se transparentaba en cada una de sus palabras. Su elocuencia hacía que presentase una imagen fuerte y viva del Señor con palabra matizada, cálida y vibrante. Tenía una enorme fuerza de persuasión, de arrastre, como fruto de la autenticidad de su fe. Sabía captar y transmitir el sentido profundo de las escenas del Evangelio que en sus palabras cobraban toda su actualidad: eran una realidad viva ante la que era necesario reaccionar»[32].

El modo expresivo de presentar las escenas del Evangelio es un aspecto que, de un modo u otro, subrayan todos los que le escucharon. De «relato jugoso y actualísimo y en el cual cada uno de nosotros se sentía convertido en protagonista, en personaje vivo», lo califica José Orlandis[33]. Salvatore Garofalo, uno de los teólogos que, por encargo de la Congregación para las Causas de los Santos, estudió el conjunto de los escritos de san Josemaría, explica a este respecto:

«Tiene gran interés el modo característico de Escrivá de utilizar los textos evangélicos, nunca citados *per transennam* o en el estado, me atrevo a decir, de lugar común, resultando así evidente la honda meditación y la atenta exploración de los pliegues de la

---

[31] *Ibid.*

[32] Pedro CANTERO CUADRADO, en Aa.Vv., *Josemaría Escrivá de Balaguer: un hombre de Dios. Testimonios sobre el Fundador del Opus Dei*, Madrid, Palabra, 1994, p. 75.

[33] José ORLANDIS ROVIRA, *Años de juventud en el Opus Dei*, Madrid, Rialp, 1993, pp. 46-47.

Palabra de Dios. (...) Mons. Escrivá "entra" y "hace entrar" en el Evangelio»[34].

El impacto que tenía en quienes le oían era profundo. Mons. Cantero señalaba cómo impulsaba «a hacer actos de amor y desagravio, a formular propósitos concretos de mejora de vida»[35]. Y el ya mencionado Orlandis subrayaba cómo el «oyente se sentía movido al encuentro cara a cara con Jesucristo vivo, como un personaje más de los Evangelios: era movido a dar respuestas personales y a tomar determinaciones generosas, capaces de comprometerle plenamente con el Señor»[36].

Sabina Alandes, que oyó al fundador del Opus Dei por primera vez en unos ejercicios espirituales en Madrid, en junio de 1944, aseguraba que «provocaba unos deseos sinceros de mejorar y un arrepentimiento y al mismo tiempo un optimismo para ir adelante, así que salía fortalecida y con deseos de santidad, y eso cada vez más»[37].

Comentarios parecidos se leen en los recuerdos que escribió Fernando Maycas, sacerdote de la Prelatura del Opus Dei, que conoció a san Josemaría en 1940, siendo estudiante universitario en Madrid:

«La predicación del Padre –centrada siempre sobre los textos de la Sagrada Escritura, de la Liturgia, de los Padres– no producía una exaltación pasajera, sino que calaba en lo profundo del alma llevando a descubrir que Dios estaba allí, como Padre amoroso»[38].

Se adivina que leía las Escrituras y los textos de la Liturgia con profundidad, y sabía sacar fruto de esas riquezas y ayudar a quienes le escuchaban a hacer lo mismo. Comenta, en este sentido, Carlos Cardona, que fue desde 1961 Director espiritual del Opus Dei y colaboró muy estrechamente con el fundador durante casi quince años:

---

[34] Salvatore GAROFALO, "El valor perenne del Evangelio", en *Santos en el mundo. Estudios sobre los escritos del beato Josemaría Escrivá*, Madrid, Rialp, 1992, p. 142.

[35] Pedro CANTERO CUADRADO, en AA.Vv., *Josemaría Escrivá de Balaguer: un hombre de Dios. Testimonios sobre el Fundador del Opus Dei*, Madrid, Palabra, 1994, p. 75.

[36] José ORLANDIS ROVIRA, *Años de juventud en el Opus Dei*, Madrid, Rialp, 1993, pp. 46-47.

[37] Recuerdos de Sabina Alandes Caldés, fechados en 1975 (AGP, serie A.5, 191-3-5).

[38] Recuerdos sobre san Josemaría de Fernando Maycas Alvarado, escritos entre 1975 y 1978 (AGP, serie A.5, 334-2-8).

«El Padre obtenía del rezo diario de la *Liturgia horarum* abundante materia para su oración personal, para la meditación, para el ejercicio de la presencia de Dios, y también para la predicación. No era raro que saliesen con naturalidad, incluso en una conversación –y mucho más cuando predicaba– algún versículo de un Salmo, una frase o concepto de las lecturas del *Officium lectionis*, etc.»[39].

Su estilo llano colocaba al oyente frente al Señor, invitándole a entablar un diálogo personal[40]. Esa era su intención, como él mismo declaraba:

«Este rato de charla que hacemos juntos, pegadicos al Sagrario, producirá en ti una huella fecunda si, mientras yo hablo, tú hablas también en tu interior. Mientras yo trato de desarrollar un pensamiento común que a cada uno de vosotros haga bien, tú, paralelamente, vas sacando otros pensamientos más íntimos, personales»[41].

Se entiende bien que sus oyentes señalaran años después que «todo lo que el Padre dijo era para mí, aunque estuviéramos más personas. Tenía la sensación de que solo predicaba para mí»[42].

Esa profundización en el Evangelio, el poner a sus oyentes frente a Cristo, la llevaba a cabo de tal manera que facilitaba que cada uno se sintiera personalmente interpelado. José Luis González-Simancas, que le escuchó en unos ejercicios espirituales en diciembre de 1942, escribía en las notas que tomó esos días que san Josemaría era un sacerdote «que da fuerte, que le sacude a uno; pero que le anima haciéndole ver cuánto mejor es ir encaminándose, siendo muy humano; haciéndole comprender que Jesús nos ama mucho. En las pláticas, más a lo práctico, más sencillas; ¡qué rasgos de simpatía, alegría, buen humor, sabe colocar en el momento oportuno!»[43].

---

[39] Recuerdos de Carlos Cardona Pescador, fechados en 1975 (AGP, serie A.5, 203-1-2).

[40] Así lo manifiesta Federico Suárez, que le había tratado en los años 40 en Madrid: «Nos enseñaba prácticamente a hablar con Jesús en la oración». Recuerdos de Federico Suárez Verdeguer, escritos en 1975-1976 (AGP, serie A.5, 247-3-2).

[41] *En diálogo con el Señor*, 2.4c.

[42] Recuerdos de Sabina Alandes Caldés, fechados en 1975 (AGP, serie A.5, 191-3-5).

[43] Recuerdos de José Luis González-Simancas Lacasa, de 1975, en los que copia las notas que tomó en los ejercicios de diciembre de 1942, de donde proviene el texto citado (AGP, serie A.5, 217-3-1).

Pío María Calvo, fraile jerónimo, participó en unos ejercicios espirituales que san Josemaría predicó en el monasterio de Santa María de El Parral de Segovia, en noviembre de 1942. Subrayaba, de su modo de predicar, el estilo llano, sencillo, positivo y exigente a la vez:

«Predicaba con una seguridad y convencimiento muy grandes, que no eran, ni podían ser meramente humanos. Hablaba como si no hubiese más que uno en la capilla, con un lenguaje directo, concreto, sugerente, animoso, nada frecuente entonces. Estaba, sobre todo, muy pendiente del Sagrario. Era un nuevo modo de predicar, debido sin duda a su fe. En él no había artificio ni grandilocuencia. Era una predicación sumamente viva y también exigente. Me ha llamado mucho la atención el modo concreto de *materializar*, con ejemplos, anécdotas de la vida del Señor, y la exposición de las virtudes cristianas»[44].

En este mismo sentido escribía Jesús Enjuto, un sacerdote de Segovia que tomó parte en los ejercicios espirituales en el seminario diocesano, en julio de 1942, en los que «predicaba D. Josemaría, de una manera propia, sin rigideces de esquema, pero con toda riqueza de contenido. En sus palabras había cariño, amor, espiritualidad»[45]. Y subraya, de modo particular, cómo le impresionó el tono positivo, optimista y esperanzado del predicador:

«No empleaba las disyuntivas tremendistas al uso, desalentadoras a veces, y que presentaban la santidad como algo inasequible. Todo lo contrario. La predicación de D. Josemaría no era —insisto— la repetición de un esquema frío, sino algo vivo, con contenido: el contenido de su corazón, de lo que había entre Dios y él. Una predicación estimulante, que a todos, sin excepción, nos movió, nos entusiasmó. Nos presentaba la santidad, no huraña, sino muy humana»[46].

---

[44] Pío María Calvo Botas, en AA.Vv., *Josemaría Escrivá de Balaguer: un hombre de Dios. Testimonios sobre el Fundador del Opus Dei*, Madrid, Palabra, 1994, p. 304.

[45] Recuerdos de Jesús Enjuto Ortega, escritos en 1975 (AGP, serie A.5, 209-3-3).

[46] *Ibid.*

Muchos de los que le escucharon subrayan el amplio y jugoso uso que hacía de las imágenes, sacadas a veces de la propia Sagrada Escritura, de sus recuerdos personales, o incluso de obras clásicas de la literatura universal[47].

El beato Álvaro del Portillo, posiblemente la persona que en más ocasiones escuchó a san Josemaría, resume de algún modo todas estas consideraciones, en pocas palabras:

«Su predicación fue siempre muy práctica; movía a las almas a la conversión. Tenía el don de aplicar los pasajes del Antiguo y del Nuevo Testamento a las situaciones concretas de los que le escuchaban. No trató nunca de ser original, porque estaba convencido de que la Palabra de Dios es siempre nueva, y conserva intacta su irresistible fuerza de atracción si se la proclama con fe. En sus labios, el Evangelio no era jamás un texto erudito o una fuente de meras citas o lugares comunes»[48].

Podrían multiplicarse los testimonios en este sentido. Uno tras otro, y con matices variados, coinciden en señalar algunas características, que podrían resumirse en estos tres aspectos:

— su discurso partía del Evangelio, y a él volvía una y otra vez, de modo que la Sagrada Escritura constituía como el hilo conductor de la meditación;
— un uso amplio de ejemplos e imágenes, siguiendo en esto el modo de hacer de Jesucristo en sus discursos evangélicos. Así lo recomienda el propio fundador;
— un lenguaje llano y asequible, nada ampuloso o solemne, aunque al mismo tiempo rico, que le hacía particularmente cercano a los que le escuchaban.

---

[47] Lo pone de relieve Félix Carmona, religioso agustino, en sus recuerdos de las meditaciones escuchadas a san Josemaría en unos ejercicios espirituales: «Las anécdotas y ejemplos tremendamente gráficos con que ilustraba su exposición doctrinal quedan más en mi recuerdo que en mis apuntes. Empleaba un estilo directo, muy bíblico, y con interpretación muy práctica de la Palabra de Dios». Félix CARMONA MORENO, O.S.A., "Un santo de nuestro tiempo", en AA.Vv., *Así le vieron. Testimonios sobre Mons. Escrivá de Balaguer*", Madrid, Rialp, 1992, p. 44.

[48] Álvaro DEL PORTILLO, *Entrevista*, p. 149.

Son las mismas características que señalaba Mons. Álvaro del Portillo en la Presentación al primer volumen de homilías de san Josemaría, publicado en 1973[49].

El resultado era que lograba situar al oyente a solas delante de Dios, aunque estuvieran juntas muchas personas, invitándole a establecer con el Señor un trato personal, íntimo, lleno de consecuencias para la vida diaria de cada uno.

3. ETAPAS DE LA PREDICACIÓN DE SAN JOSEMARÍA

En la predicación de san Josemaría se observa una sustancial continuidad a lo largo de los años, tanto en el estilo como en los temas que desarrolla. Se puede leer un guion de los años 30 y descubrir ideas, textos de la Escritura, incluso formas de decir, que aparecen también cuarenta años más tarde, ya al final de su vida. Y es que el mensaje de la santificación en la vida corriente, que está presente en los primeros años como en los últimos, es el nervio de su discurso.

De todas formas, se pueden distinguir varias etapas, atendiendo al tipo de personas que le escuchaban y a las circunstancias históricas concretas en las que se desenvolvió.

3.1. Los años de DYA

Poco nos queda de sus palabras antes de la Guerra Civil Española. Existen algunos guiones manuscritos –unos ochenta–, que utilizaba para predicar, que nos señalan temas y contenidos, aunque de forma muy sucinta[50]. También disponemos de algunos testimonios de personas que participaron en la labor sacerdotal de san Josemaría, centrada

---

[49] Cfr. la Presentación del beato Álvaro del Portillo en *Es Cristo que pasa*, Madrid, Rialp, 1973.

[50] Se conservan en AGP, serie A.3, 186. Vid. Apartado 5 de esta Introducción, y también *Camino*, ed. crít.-hist., pp. 133-136.

en gran medida en la formación de los estudiantes que frecuentaban la Academia-Residencia DYA en Madrid[51].

Eduardo Alastrué, uno de ellos, escribió en sus recuerdos algunas impresiones de esos momentos. Aunque sea un texto un poco largo, vale la pena reproducir aquí algunos párrafos:

«Se nos comentaba, una y otra vez, el pasaje conmovedor de los discípulos de Emaús; se nos estimulaba con las enseñanzas de las parábolas consoladoras del Evangelio, la del hombre que halla un tesoro, la del hijo pródigo que retorna a su Padre; se nos brindaba el ejemplo de las primeras comunidades cristianas, tal como son descritas en los Hechos de los Apóstoles; se seguían paso a paso, saboreándolas, penetrándose de ellas, las escenas de la Pasión.

Otras veces, pero siempre con gran insistencia, se nos llevaba a gustar del tesoro inextinguible de las Epístolas de San Pablo, en las que el Padre no se cansaba de extraer sentencias luminosas, de insondable profundidad; ¡cuántas de ellas llegaron a sernos familiares porque se entretejían, a cada momento, en sus pláticas como si las llevara grabadas en su interior!

Lo mismo podría decirse de los Salmos, a los que el Padre recurría tan frecuentemente, para ofrecernos, como joyas centelleantes, sus invocaciones, sus acciones de gracias enardecidas o sus expresiones de adoración o de tantas figuras del Antiguo Testamento –Ruth, Tobías, los Macabeos, Job– a las que el Padre nos mostraba como modelo de una determinada virtud, citando los textos venerables que las describen»[52].

Se podrían añadir otros relatos semejantes, porque la predicación de san Josemaría dejaba la misma huella en muchos jóvenes estudiantes que le oían en esos años de DYA. Uno de ellos, por ejemplo, señala que:

«Nos hablaba de trabajo, de estudio, de Amor de Dios. De que era bueno que fuéramos ambiciosos, muy ambiciosos, mucho, pero...

---

[51] Vid. José Luis GONZÁLEZ GULLÓN, "Academia y Residencia DYA", en DSJEB, pp. 57-61. Ver también la monografía detallada del mismo autor: *DYA. La Academia y Residencia en la historia del Opus Dei (1933-1939)*, Madrid, Rialp, 2016 (en adelante, *DYA*).

[52] Recuerdos de Eduardo Alastrué Castillo (AGP, serie A.5, 191-3-6).

¡por Cristo!, y dicho esto con mucha energía, casi como un grito enérgico, con esa forma peculiar de decir»[53].

Otro de los que acudían a la Academia recordaba:

«En el transcurso de estas "charlas", tanto aquí, como más adelante en Ferraz, nos (...) hablaba de la necesidad de conseguir la perfección, la santidad en el desempeño de nuestras actividades, santificando el trabajo ordinario y convirtiendo éste en oración, recordando que en cualquier momento de nuestra vida estábamos en presencia de Dios»[54].

Y otro más:

«La predicación del Padre era persuasiva, profunda, penetraba adentro, hacía mella. Hacía constantes referencias a las Escrituras y especialmente al Santo Evangelio, haciéndonos "vivir" y sentir desde dentro, como partes interesadas las escenas y circunstancias en ellas narradas»[55].

3.2. La Legación de Honduras

La Guerra Civil Española (1936-1939) supuso un paréntesis en el crecimiento de la labor apostólica de la Obra; pero no en la labor sacerdotal del fundador. Es más, de esa época procede la primera colección de meditaciones recogida de modo ordenado.

En su constante búsqueda de un refugio para huir de la persecución religiosa en Madrid, Josemaría Escrivá estuvo en varios lugares entre julio de 1936 y marzo de 1937. Al fin, consiguió un sitio relativamente seguro en la Legación de Honduras, en el número 51 duplicado de la Avenida de la Castellana, donde se encontraban ya José María González Barredo y Álvaro del Portillo. Allí llegó san Josemaría en día 14 de marzo, con su hermano

---

[53] Recuerdos de Fernando Alonso-Martínez Saumell, escritos en 1976 (AGP, serie A.5, 192-1-10).

[54] Recuerdos de Miguel Ortiz de Rivero, fechados en 1975 (AGP, serie A.5, 1248-3-11).

[55] Recuerdos de Miguel Deán Guelbenzu, escritos entre 1975 y 1978 (AGP, serie A.5, 206-3-6).

Santiago, que tenía 17 años de edad. El día 15 pudo refugiarse también allí Eduardo Alastrué, y el 7 de abril lo hacía Juan Jiménez Vargas[56].

En ese encierro obligado –seis personas en un espacio muy reducido y sin posibilidad de salir a la calle–, con el peligro de acabar en una cárcel o asesinados, san Josemaría se esforzó en mantener alto el espíritu de los que le acompañaban. Organizó un horario con diversas actividades a lo largo de la jornada, entre las que se contaban conferencias sobre cuestiones culturales y científicas –que preparaban e impartían ellos mismos– o el estudio de idiomas. En palabras de Álvaro del Portillo, imprimió «heroicamente un ritmo de "normalidad" humana y espiritual a aquellas jornadas de encierro que para el resto de los refugiados eran sólo motivo de angustia»[57].

Y recuerda Eduardo Alastrué:

> «Donde, principalmente, sustentábamos el espíritu sobrenatural que nos permitía afrontar serenamente aquellas circunstancias era en la oración y en la Misa que diariamente nos congregaban en nuestro pequeño y oscuro cuarto. Sentados en los colchones, sumidos en la penumbra que nos envolvía como un tibio manto protector, rodeados de un silencio incomparable, oíamos casi día a día, las pláticas y meditaciones del Padre. Sus palabras, unas veces serenas, otras impetuosas y emotivas, siempre luminosas, descendían sobre nosotros y parecían posarse en nuestra alma con la misma seguridad con que una piedra, atravesando la limpia agua de un estanque, llegaría a su fondo»[58].

Pensando en los que estaban fuera, en Madrid o en otras ciudades, el mismo Eduardo Alastrué, que tenía facilidad de memoria, se encargaba de transcribir lo más fielmente posible las meditaciones. Luego, por medio de Isidoro Zorzano[59], o de los hermanos pequeños de Álvaro del Portillo,

---

[56] Cfr. *AVP* II, pp. 62-124.

[57] Álvaro DEL PORTILLO, *Entrevista*, p. 114.

[58] Recuerdos de Eduardo Alastrué Castillo (AGP, serie A.5, 191-3-6).

[59] Isidoro Zorzano Ledesma (1902-1943), miembro del Opus Dei desde 1930, podía circular con cierta libertad en el Madrid de la Guerra Civil por tener nacionalidad argentina, y servía de enlace entre el fundador y los demás miembros de la Obra durante esos meses que permanecieron escondidos.

sacaban esos papeles del Consulado[60]. Esas cuartillas se han conservado y nos permiten conocer el contenido de la predicación de san Josemaría en esas circunstancias tan particulares de la guerra[61].

> «Todo en ellas giraba en torno a la persona, la vida, las palabras, la pasión de Cristo, en una referencia más o menos directa. Contemplar despacio y con amor a Cristo, gustar sus palabras, seguir paso a paso sus milagros, sus enseñanzas, sus sufrimientos, eran su materia inagotable. Era como si el Evangelio, grabado en la mente y el corazón del Padre –bien hubiera podido decir, con el Salmista, "tu Ley está en medio de mi corazón"– nos repitiese, en aquel refugio, con fuerte voz, su mensaje. Creo que no podíamos apreciar el privilegio que suponía recibirlo, día a día, a través del Padre, en aquellos días de prueba»[62].

3.3. Años 40 en España

Tras la guerra, san Josemaría retomó con nuevos bríos el desarrollo del Opus Dei, nunca interrumpido, pero sí frenado, en los años anteriores. Además, diversos obispos españoles le pidieron que dirigiera ejercicios espirituales al clero de sus diócesis, y a varias comunidades religiosas.

Todavía en plena guerra, en agosto y septiembre de 1938, dio dos tandas de ejercicios en Vitoria y Vergara, a religiosas y sacerdotes. Al acabar el conflicto, esas tandas se multiplicaron, y entre 1939 y 1945 están documentadas 19 a sacerdotes diocesanos y seminaristas, 3 a religiosos y 16 a otros grupos de personas (miembros de Acción Católica, profesores universitarios, etc.), además de otras 25 dirigidas a las personas de la Obra o que participaban en los apostolados del Opus Dei, en las residencias de

---

[60] «Era yo capaz de reproducir con bastante aproximación las pláticas del Padre al término de cada día. Las meditaciones escritas –junto con otra correspondencia del Padre– llegaban, con las precauciones precisas, a los otros socios de la Obra o a quienes se habían acercado a su dirección espiritual, por medio de Isidoro Zorzano que por su nacionalidad argentina tenía libertad para moverse por Madrid»; recuerdos de Eduardo Alastrué Castillo (AGP, serie A.5, 191-3-6).

[61] Vid. *Camino*, ed. crít.-hist., pp. 124-126.

[62] Recuerdos de Eduardo Alastrué Castillo (AGP, serie A.5, 191-3-6).

Jenner, Moncloa y Zurbarán[63], o en otros lugares. A todo esto hay que sumar meditaciones sueltas y días de retiro, que en ese mismo periodo se cuentan por decenas[64].

De ese tiempo se conservan más de 200 guiones, que san Josemaría utilizaba para sus pláticas y meditaciones[65].

3.4. Roma: los dos Colegios Romanos

En junio de 1946 san Josemaría se desplazó a Roma, con el fin de impulsar y resolver las gestiones para conseguir una aprobación pontificia del Opus Dei, que permitiera un régimen interdiocesano y la implantación de la Obra en todo el mundo.

En esos momentos, el Opus Dei estaba comenzando en Portugal e Italia; ese mismo año se habían trasladado algunos estudiantes a Inglaterra, y se estaban preparando grupos de gente que en los años sucesivos irían a Francia e Irlanda (1947), México (1948), Estados Unidos (1949), Argentina y Chile (1950), Colombia y Venezuela (1951), Alemania, Guatemala y Perú (1953)[66].

La estancia del fundador en Roma acabará por convertirse en definitiva, de modo que a partir de ese momento su actividad se centrará en la Ciudad Eterna. Pronto comprendió la necesidad de instalar allí, en la ciudad donde residía el Papa y el gobierno central de la Iglesia, una casa grande, que se convirtiera en la sede de gobierno del Opus Dei para todo el mundo. En la primavera de 1947 adquirió Villa Tevere, una finca espaciosa en el barrio

---

[63] Jenner, Moncloa y Zurbarán eran tres residencias de estudiantes que puso en marcha san Josemaría al poco de terminar la contienda, las dos primeras para universitarios –Moncloa reemplazó a Jenner cuando esta se cerró–, y la tercera para universitarias.

[64] Cfr. Constantino ÁNCHEL, "La predicación de san Josemaría. Fuentes documentales para el periodo 1938-1946", en SetD 7 (2013), pp. 125-198.

[65] Cfr. *Camino*, ed. crít.-hist., pp. 133-134 y Nicolás ÁLVAREZ DE LAS ASTURIAS, "San Josemaría, predicador de ejercicios espirituales a sacerdotes diocesanos (1938-1942). Análisis de las fuentes conservadas", en SetD 9 (2015), pp. 277-321. De esta extensa predicación procede también un libro, publicado por Félix Carmona, religioso agustino, en el que recoge las anotaciones que tomó en unos ejercicios espirituales que predicó san Josemaría en El Escorial en septiembre de 1944: Félix CARMONA MORENO, O.S.A., *Apuntes de Ejercicios Espirituales con San Josemaría Escrivá*, San Lorenzo de El Escorial, Ediciones Escurialenses, 2003.

[66] Cfr. Fernando CROVETTO, "Expansión apostólica del Opus Dei: visión sintética", en DSJEB, pp. 480-482.

romano del Parioli, y se lanzó a la empresa de construir en ese terreno los edificios necesarios[67].

El 29 de junio de 1948, san Josemaría erigió el Colegio Romano de la Santa Cruz. Se trataba de un centro académico para contribuir a formar en el espíritu de la Obra, junto al fundador, a un buen grupo de estudiantes de todos los países en los que estaba presente el Opus Dei. Al mismo tiempo que recibían esa formación, realizarían estudios de Filosofía, Teología y Derecho Canónico en los ateneos romanos, sobre todo en el Lateran, que pertenecía a la diócesis de Roma, y en el *Angelicum*, dirigido por los dominicos. Muchos de ellos, al acabar sus estudios, recibieron la ordenación sacerdotal, para dedicarse a partir de ese momento a ejercer su ministerio en los lugares donde iba llegando la labor de la Obra[68].

Pocos años más tarde, el 12 de diciembre de 1953, san Josemaría erigió el Colegio Romano de Santa María, un centro análogo al anterior, para la formación de mujeres. Su sede hasta 1959 fue Villa Sacchetti, los edificios contiguos a Villa Tevere[69].

Desde el primer momento, san Josemaría se involucró personalmente en la formación de los alumnos. Los diarios de ambos Centros[70] dan noticia de las meditaciones que predicaba, así como su presencia en muchas tertulias –esos encuentros informales al mediodía y por la noche–, que aprovechaba para, de una forma entretenida, dar criterio cristiano sobre los diversos temas de actualidad.

De este periodo –entre 1951, fecha de la primera transcripción más o menos completa que se conserva, y 1959–, nos ha llegado la transcripción de 61 meditaciones de san Josemaría a los alumnos, y 24 a las alumnas. En esos mismos años, y también en Roma, ha quedado constancia de 12 meditaciones a los miembros del Consejo General (todas en 1958 y 1959, como se verá en el epígrafe siguiente), 6 a la Asesoría Central y 4 a las personas

---

[67] Cfr. Alfredo MÉNDIZ NOGUERO, "Villa Tevere", en DSJEB, pp. 1274-1277.

[68] Cfr. Luis CANO, "Colegio Romano de la Santa Cruz", en DSJEB, pp. 235-241.

[69] Un estudio sobre los primeros años de actividad de ese Centro se puede encontrar en María Isabel MONTERO, "L'avvio del Collegio Romano di Santa Maria", en SetD 7 (2013), pp. 259-320. Vid. también Gertrud LUTTERBACH, "Colegio Romano de Santa María", en DSJEB, pp. 241-244.

[70] La colección de diarios se conserva en AGP, en la serie M.2.2 los del Colegio Romano de la Santa Cruz, y en la serie U.2.2 los del Colegio Romano de Santa María.

que trabajaban en la administración doméstica[71]. Mucho más abundantes aún son las tertulias, de las que también se han conservado muchos textos.

De esos datos se desprende que la predicación de san Josemaría, en los años cincuenta, se centró sobre todo en la formación de los fieles de la Obra que estudiaban en los dos Colegios Romanos. Sólo a finales de esa década, con el traslado del Consejo General del Opus Dei a Roma, que tuvo lugar en otoño de 1956, cambiará sensiblemente su dedicación, como veremos enseguida.

3.5. Años 60 y 70: los directores del Opus Dei

A finales de los años 50 tienen lugar dos hechos que determinarán de modo importante la predicación del fundador del Opus Dei. De una parte, en 1959 el Colegio Romano de Santa María interrumpe sus actividades hasta 1963, cuando las reanudará en la nueva sede que se construye en Castelgandolfo[72]; por otro lado, siguiendo una resolución del Congreso General[73] celebrado en 1956, el Consejo General del Opus Dei se traslada de Madrid a Roma –la Asesoría Central, el órgano de gobierno de las mujeres del Opus Dei, tenía su sede en Roma ya desde principios de los años 50–. A partir de ese momento, la predicación de san Josemaría se dirige sobre todo a los miembros del Consejo General y de la Asesoría Central, mientras que disminuye el número de sus meditaciones en los Colegios Romanos.

En sus palabras, aparecen de modo más constante cuestiones relacionadas con el gobierno del Opus Dei y la formación de personas. También se hace más presente la preocupación de san Josemaría por la configuración jurídica de la Obra. A finales de los 60, la situación de contestación y crisis de fe con que se encuentra la Iglesia pasa a ser también tema frecuente de sus consideraciones.

---

[71] Los apuntes y transcripciones de la predicación oral de san Josemaría se encuentran en AGP, serie A.4.

[72] Cfr. María Isabel MONTERO, "L'avvio del Collegio Romano di Santa Maria", en SetD 7 (2013), p. 284.

[73] El Congreso General del Opus Dei es una asamblea formada por fieles de la Obra de todos los países para colaborar con el presidente general (actualmente, con el prelado). En esa época se reunía cada 5 años (actualmente, cada ocho). El primer Congreso General tuvo lugar en Molinoviejo (Segovia) en 1951; y el segundo, al que estamos haciendo referencia, en Einsiedeln (Suiza) en 1956 (cfr. Mercedes MORADO GARCÍA, "Organización y gobierno del Opus Dei", en DSJEB, pp. 917-924).

De estos años, ha quedado traza de 79 meditaciones predicadas a los directores del Consejo General, y 13 a las directoras de la Asesoría Central. Igual que sucedía en la década precedente, la lectura de los diarios de esos dos centros deja constancia de bastantes más ocasiones en las que san Josemaría habló, de las que, sin embargo, no nos ha llegado el contenido.

A los alumnos de los Colegios Romanos seguirá dedicándoles su atención, pero las meditaciones son menos frecuentes –constan sólo 25 desde 1960, y ninguna después de la Navidad de 1968–, mientras que serán muy numerosas las tertulias, en ocasiones muy largas, en las que san Josemaría abría su corazón, y les hablaba como si se tratara de un rato de oración.

En 1974, el Colegio Romano de la Santa Cruz se traslada a la que será su sede definitiva, en una finca al norte de Roma, cerca de la Via Flaminia, y deja los edificios de Villa Tevere. Ese nuevo lugar será el testigo de uno de los últimos textos –una larga tertulia– contenidos en este libro, el 19 de marzo de 1975.

Aunque escapa al contenido estricto de este volumen, hay que hacer mención también de las tertulias de san Josemaría en estos últimos años de su vida, durante los viajes de catequesis que realizó a México en 1970, a España y Portugal en 1972 y, en 1974 y 1975, a Brasil, Argentina, Chile, Perú, Ecuador, Venezuela y Guatemala. En todos esos países tuvo charlas, en ocasiones ante auditorios muy numerosos, con personas de toda condición, que acudían a escucharle y a hacerle preguntas sobre el modo de vivir la fe. Se trató de una extensa predicación, con una forma muy familiar, pero de gran intensidad catequética[74].

4. DIFUSIÓN DE LA PREDICACIÓN DEL FUNDADOR ENTRE LOS FIELES DE LA OBRA

San Josemaría predicó casi siempre a pequeños grupos de personas, que raramente llegaban al centenar. Sin embargo, muy pronto quienes le escuchaban sintieron la necesidad y la responsabilidad de hacer llegar a otros

---

[74] Cfr. José Antonio LOARTE, "Catequesis, labor y viajes de", en DSJEB, pp. 221-223.

el contenido de sus palabras. Y lo hicieron a través de unas publicaciones realizadas en tono familiar, pero de alto contenido formativo.

4.1. *Noticias*

Antes aun de que se iniciaran esas publicaciones, en los primeros años del Opus Dei, el propio san Josemaría comprendió que la labor de apostolado que desarrollaba en Madrid, sobre todo entre estudiantes universitarios, no debía interrumpirse con las vacaciones de verano. De hecho, retiros y círculos continuaban en Madrid en los meses de julio, agosto y septiembre. Pero muchos de los participantes habituales transcurrían esos meses fuera de la capital, en sus hogares, o en lugares de veraneo. Para subsanar esto, en el verano de 1934 empezó el fundador a preparar una especie de boletín mensual, que denominó *Noticias*, que enviaba a todos los chicos que frecuentaban la labor apostólica de la Academia DYA[75].

Realmente, el término *boletín* resultaría un título demasiado pomposo para designar aquellas hojas impresas, que no eran más que unas cuartillas grapadas –cinco en 1934, nueve en 1935–, escritas a máquina y tiradas a velógrafo[76]. El título reflejaba estrictamente su contenido: eran noticias de aquellos estudiantes que frecuentaban la Academia DYA, sacadas de las cartas que escribían a san Josemaría, entremezcladas con algunos comentarios de carácter sobrenatural, animantes, para impulsar en su conjunto la vida de piedad y el apostolado de los estudiantes en esos meses de vacaciones.

Las *Noticias* se publicaron en los veranos de 1934 y 1935. El estallido de la Guerra Civil, en julio de 1936, impidió que continuaran ese año y el siguiente. Pero en cuanto pudo salir de la zona en la que se perseguía a la Iglesia, san Josemaría se propuso retomar esa publicación, consciente de que los estudiantes a los que se dirigía, dispersos entonces por toda la geografía bélica española, necesitarían aún más su aliento espiritual.

Una vez instalado en Burgos, en enero de 1938, se puso a averiguar dónde se encontraban los antiguos residentes y estudiantes de DYA. Muy

---

[75] Cfr. *AVP* I, pp. 520-521.

[76] Cfr. Fernando CROVETTO POSSE, "Los inicios de la Obra de San Rafael. Un documento de 1935", en SetD 6 (2012), p. 406. Se conservan ejemplares de los diversos números de *Noticias* en AGP, serie A.2, 7-4.

pronto, en marzo, aparecía un nuevo número de *Noticias*, que se abría con estas palabras:

«"NOTICIAS" —Aquella hoja familiar, a velógrafo, que, durante el verano, te ponía al tanto de la vida de los nuestros, vuelve a salir. Saldrá cada mes, en la segunda quincena, como un chispazo de vuestro hogar madrileño, hasta que, lograda –¡pronto!– la paz victoriosa reanudemos las tareas universitarias»[77].

Era una simple cuartilla, que se iría ampliando en los meses sucesivos, a medida que iban llegando datos de las andanzas de unos y otros. Se preparaba cada mes en Burgos y se tiraba en multicopista en León, hasta el final de la guerra, en abril de 1939; y desde mayo hasta septiembre de ese año, ya en Madrid[78].

El inicio de la actividad académica universitaria en octubre de 1939 cerró esta segunda etapa de *Noticias*, que no se retomó tampoco en los veranos sucesivos[79].

4.2. *La Hoja Informativa*

En los años siguientes, la continuidad en la labor de formación de los estudiantes que se acercaban al Opus Dei se hizo con viajes a las diversas ciudades de la Península y por medio de cartas personales. Además, pronto empezó a haber personas y centros de la Obra en varias de ellas: Valencia, ya en 1939, Barcelona, Bilbao, Valladolid y Zaragoza en 1940, y así sucesivamente[80].

La expansión del Opus Dei por otros países, algunos años más tarde, planteó la necesidad de retomar, de algún modo, la vieja experiencia de las *Noticias*.

Como ya hemos apuntado, en 1945 comenzó la labor apostólica de la Obra en Portugal; en 1946 en Gran Bretaña e Italia; en 1947 en Francia

---

[77] *Noticias*, marzo 1938 (AGP, serie A.2, 10-1-1).

[78] Cfr. *AVP* II, pp. 282-283.

[79] Hay una colección completa de *Noticias* de los años de la guerra en AGP, serie A.2, 10-1 y 10-2.

[80] Cfr. Julio MONTERO, "España", en DSJEB, pp. 416-418.

e Irlanda; en 1948 en México y en 1949 en Estados Unidos[81]. Se hacía necesario un instrumento que sirviera para dar a conocer las distintas labores de la Obra en cada país, impulsar los apostolados y alentar a sus fieles: unas publicaciones que fueran a la vez cartas de familia e instrumentos de unidad.

Y así, a partir de 1948, inició su andadura una nueva publicación, que llevaba por título *Hoja Informativa*. Se trataba de unos folios, entre doce y veinte según los números, escritos a máquina y copiados a velógrafo, editados con periodicidad mensual.

Su contenido era una evolución de las anteriores *Noticias*, y reflejaba la progresiva internacionalización que iban adquiriendo los apostolados del Opus Dei. A diferencia de su predecesora, san Josemaría ya no intervenía directamente en su elaboración: la publicación se preparaba en Madrid, donde tenía su sede el Consejo General de la Obra, mientras que el fundador residía ya establemente en Roma. Sin embargo, en seguida se adoptó la costumbre de abrir todos los números con una frase o unas palabras suyas, tomadas habitualmente de su predicación, aunque también, al menos en algunos casos, fueron redactadas expresamente para ese fin[82].

La *Hoja Informativa* conoció diversas ediciones. Al principio se hizo una dirigida a los miembros varones de la Obra, que durará seis años, hasta 1953. Entre 1950 y 1953, se publicó otra edición distinta, dirigida a las mujeres de la Obra. Y en 1953, se hizo una tercera versión, pensada específicamente para los miembros agregados del Opus Dei.

Al terminar el año 1953, san Josemaría pensó que los tiempos estaban maduros para empezar unas publicaciones de más calidad, y las distintas ediciones de la *Hoja Informativa* cerraron su periplo[83].

---

[81] Cfr. Fernando Crovetto, "Expansión apostólica del Opus Dei: visión sintética", en DSJEB, pp. 480-482.

[82] Hay en el Archivo de la Prelatura varias octavillas y papeles de tamaños variados con algunas de esas frases manuscritas por san Josemaría, con indicación del número de la *Hoja Informativa* en la que van a publicarse (AGP, serie A.3, 185-2-6).

[83] Se conserva una colección completa de la *Hoja Informativa*, en sus diversas ediciones, en AGP, serie A.2, 20.

4.3. *Crónica* y *Noticias*

En 1949, san Josemaría había escrito un largo elenco –siete folios a mano– de iniciativas que se proponía impulsar[84]. Estaban en curso y encarriladas las gestiones para conseguir la aprobación definitiva del Opus Dei por parte de la Santa Sede –llegaría a mediados de 1950–, y el fundador pensaba ya en ulteriores trabajos y labores que habría que acometer.

Entre estas, y bajo el epígrafe de 'Publicaciones', se leen las siguientes:

— Una revista general interna.
— Una, para cada obra, duplicadas: San Miguel, San Gabriel, San Rafael, con noticias, guiones de círculos de estudio, temas doctrinales y prácticos. Una hoja especial para las administraciones[85].
— "Cartas de familia": fascículo trimestral.
— "Boletín interno" público, para amigos, simpatizantes y curiosos: estudiar modo y conveniencia.
— Libro con documentos de la Santa Sede –Cartas, telegramas, etc.– y de la jerarquía eclesiástica (comendaticias por el *Decretum laudis*, aprobación definitiva, etc.).

En ese elenco encontramos, anunciadas, las publicaciones a que nos vamos a referir ahora, junto con otras como *Romana*, el boletín de la Prelatura del Opus Dei, que no verá la luz hasta 1985, pero que ya en este escrito, de casi cuarenta años antes, ve definidas algunas de sus características principales; y alguna otra que no llegará a realizarse, porque el fundador cambió de opinión, como ese fascículo de *Cartas de familia*[86].

---

[84] AGP, serie A.3, 176-1-43.

[85] Desde 1932, san Josemaría había determinado organizar los apostolados de la Obra en tres grandes grupos, que llamará obra de san Rafael –apostolado con jóvenes–, obra de san Gabriel –apostolado con profesionales y adultos en general–, y obra de san Miguel –la labor con los fieles del Opus Dei que han recibido la llamada de Dios al celibato apostólico–. Todas estas labores, como anota en el guion que estamos comentando, están duplicadas, es decir, existen para varones y para mujeres. Con el término de "administraciones" hace referencia a las mujeres que trabajan en la atención doméstica de las sedes de los centros de la Obra.

[86] La idea era recoger en esa publicación cartas escritas o recibidas por personas de la Obra, en las que se pusiera de manifiesto su labor de apostolado en el trabajo, en la familia, etc. No llegó a realizarse, quizá porque esas cartas constituyeron de hecho la materia prima con la que se prepararon, al menos en los primeros años, las otras revistas de las que hablaremos a continuación. A partir de 1990 se han publicado, para su uso en los centros del Opus Dei, unos

Nos interesa fijarnos ahora en esas otras publicaciones: la revista general interna, y las que anota como dirigidas a cada obra. El contenido, que describe de un modo muy genérico, respondía de hecho al de la *Hoja Informativa*, entonces en circulación: noticias, temas doctrinales, cartas de personas de la Obra, etc. Se trataba, en las intenciones de san Josemaría, de profesionalizar esa publicación, y encauzarla del modo que se viera más adecuado.

Catherine Bardinet, que vivía en Villa Sacchetti en esos años, recuerda cómo a mediados de 1953 san Josemaría les hablaba de su ilusión por poner en marcha una revista

«en la que habría artículos doctrinales, anécdotas simpáticas sobre el apostolado en los diversos países donde la Obra había comenzado, etc., como una larga carta de familia que aparecería todos los meses.

Un día, en diciembre de 1953 o enero de 1954, el Padre nos propuso la cuestión directamente: "¿Os sentís capaces de empezar la revista este mes?" Recuerdo todavía la voz de Encarnita Ortega diciendo: "sí Padre", y eso fue todo»[87].

Esas ilusiones y propuestas llevarán a la preparación y publicación de tres revistas. Dos con periodicidad mensual: *Crónica*, dirigida a los fieles varones de la Obra, y *Noticias*, para las mujeres; y la tercera, *Obras*, más pensada para su difusión entre cooperadores y personas que participaban en las actividades de formación cristiana del Opus Dei, de periodicidad bimestral. Aquí nos interesa centrarnos en las dos primeras.

En enero de 1954, apareció el primer número de *Crónica* y de *Noticias*. La primera tenía 64 páginas con 23 artículos, y la segunda 46 páginas con 18 artículos. El contenido se mantendrá a lo largo de los años: colaboraciones, por lo general breves, con noticias de las labores apostólicas de la Obra en todas partes, o historias de personas que se acercaban al Opus Dei, entremezcladas con otras de carácter más doctrinal y ascético. Todos los meses, además, había un artículo editorial, en el que se exponía algún tema de vida interior o apostolado.

---

tomos que llevan ese mismo título –*Cartas de familia*–, pero cuyo contenido es netamente distinto: recogen las cartas que escribe el prelado del Opus Dei a los fieles de la Obra.

[87] Recuerdos de Catherine Bardinet, escritos en 1975 (AGP, serie A.5, 1419-1-15).

Las dos revistas se abrían del mismo modo que lo había hecho hasta entonces la *Hoja Informativa*: con unas palabras de san Josemaría, escritas a veces para la ocasión, pero habitualmente entresacadas de su predicación. Esta era, en los primeros números, la única presencia explícita del fundador en esas revistas, aunque en realidad su actuación iba mucho más allá. Recuerda Carlos Cardona:

> «Al comienzo, el Padre seguía muy de cerca el trabajo de las Publicaciones internas: dándonos criterio, orientándonos e incluso enseñándonos ortografía castellana. Luego, insensiblemente –como le he visto hacer con muchas labores, con muchos apostolados– las iba soltando, cuando veía que ya podíamos hacerlo nosotros, y procuraba que tuviésemos un gran sentido de responsabilidad.
>
> Era frecuente, cuando yo mismo le llevaba los artículos escritos a máquina al cuarto de trabajo de don Álvaro, que allí mismo –o después, al devolverlos, si no los corregía allí en el momento–, indicara correcciones de carácter teológico o jurídico, aspectos importantes del espíritu de la Obra (a veces, con voz fuerte y palabras enérgicas, para que no se me olvidara ya nunca) y a la vez señalara –con largos trazos rojos, para que nos fijásemos– acentos que faltaban, comas (algunas, decía, sólo para facilitar la lectura: para que no se ahoguen al leerlo en voz alta), ortografía, etc.»[88].

Poco a poco, en los artículos doctrinales y ascéticos se fueron incluyendo textos del fundador, al principio breves, y paulatinamente, más extensos. Procedían habitualmente, al igual que la cita de apertura de cada número, de meditaciones o tertulias de san Josemaría, y también, a partir de mediados de los años 60, de sus *Cartas* a todos los fieles del Opus Dei. Recuerda Ignacio Carrasco de Paula, que en 1961 empezó a trabajar en la redacción de *Crónica*:

> «En 1961, después de mi llegada al Colegio Romano de la Santa Cruz, comencé a trabajar en la Oficina de Publicaciones Internas. Muy pronto pude darme cuenta de la riqueza del material de que disponíamos gracias a los textos de meditaciones y tertulias de nuestro Padre que

---

[88] Recuerdos de Carlos Cardona Pescador (AGP, serie A.5, 203-1-2).

teníamos en la Oficina y a los que acudíamos para preparar los editoriales y otros artículos doctrinales»[89].

Además de esas páginas más doctrinales, con frecuencia se preparaba un artículo narrativo con noticias de los que vivían en Roma, junto a san Josemaría. También ahí, poco a poco, se fueron incluyendo palabras suyas de tertulias y meditaciones, de las diversas ocasiones en que pasaba tiempo con los alumnos o las alumnas de los dos Colegios Romanos.

Pero fue un proceso laborioso convencerle de la conveniencia de aumentar esos textos: no fue sencillo vencer sus reparos a lo que le parecía un protagonismo innecesario. Lo anotaba Carlos Cardona en sus recuerdos:

> «Por años, el Padre mostró una gran resistencia a que abundásemos en la transcripción de frases suyas en las Revistas internas. Decía con buen humor:
>
> —Siempre estáis con el Padre para arriba, el Padre para abajo... Yo no soy la Mistinguett.
>
> Sólo en los últimos años fuimos consiguiendo vencer esa resistencia suya, y publicar meditaciones enteras del Padre, transcripciones completas de tertulias, etc., que es lo que todos ansiaban, y lo que, como es natural, ha hecho más bien en las Revistas»[90].

4.4. Los tomos de *Meditaciones*

Otra publicación que tiene interés para nuestro tema son unos tomos de *Meditaciones*, que hizo preparar san Josemaría para que estuvieran en todos los centros del Opus Dei. La idea era ofrecer un texto para cada día del año, de ordinario comentando las lecturas de la Misa, para facilitar la oración personal de los fieles de la Obra. Se trataba de un

---

[89] Recuerdos de Mons. Ignacio Carrasco en relación con escritos de san Josemaría (AGP, serie A.3, 87-2-4).

[90] Recuerdos de Carlos Cardona Pescador (AGP, serie A.5, 203-1-2). La *Mistinguett* era el nombre artístico de Jeanne Bourgeois (1875-1956), *vedette*, cantante y actriz francesa, de las más populares en el primer tercio del siglo xx, con amplia presencia en las revistas de sociedad de la época.

proyecto que aparecía ya en el elenco de 1949 que hemos mencionado más arriba[91].

A lo largo de los años 1953 y 1954 se hizo un primer intento de redactar esas meditaciones, pero no llegó a puerto[92]. En 1962 se volvió a retomar el proyecto, esta vez con más éxito.

En efecto, en 1964 se publicó el primer tomo, que contenía meditaciones para los tiempos de Adviento, Navidad y las semanas previas al domingo de Septuagésima; y en 1966 el segundo tomo, que cubría desde el domingo de Septuagésima hasta la Ascensión[93].

Tras estos dos primeros volúmenes, se vio que los textos para cada día eran excesivamente breves, y que convenía desarrollar mejor los temas, enriqueciéndolos además con palabras del fundador de la Obra. Hasta ese momento aparecían citados solamente *Camino* y *Santo Rosario*, sus dos únicas obras de espiritualidad publicadas hasta la fecha. Justo en esos mismos años, san Josemaría estaba ultimando la redacción de buena parte de las *Cartas*, dirigidas a todos los fieles de la Obra, que contenían una amplia y rica exposición del espíritu del Opus Dei[94]. San Josemaría autorizó que se hiciera un uso amplio de ese material en los tomos de meditaciones.

Con esos nuevos criterios, en 1967 se publicó el tomo III, y en 1968, el IV[95]; los tomos V y VI, dedicados a las fiestas y solemnidades, se imprimieron en 1970 y 1972. Una vez terminada la serie en seis volúmenes, entre 1973 y 1974 se hizo una reedición de los dos primeros, con los criterios

---

[91] AGP, serie A.3, 176-1-43. En concreto, el elenco señalaba 8 posibles tomos: «Meditaciones: 1/ Adviento 2/ Navidad 3/ Cuaresma 4/ Pasión 5/ Resurrección 6/ Pentecostés 7/ Fiestas de la Virgen 8/ Fiestas de Patronos y especiales de la Obra». Cuando se elaboraron, ya en los años 60 y 70, se organizaron de otra forma en seis volúmenes.

[92] AGP, serie E.3.1, leg. 7648.

[93] Como es lógico, esos tomos seguían el calendario litúrgico vigente en esos años, anterior a la reforma promovida por el Concilio Vaticano II, que entrará en vigor en 1970.

[94] Sobre esas *Cartas* se puede consultar el artículo de José Luis ILLANES, "Obra escrita y predicación de san Josemaría Escrivá de Balaguer", en SetD 3 (2009), pp. 203-276; y también, del mismo autor, "Cartas (obra inédita)", en DSJEB, pp. 204-211.

[95] El tomo III abarcaba desde la Ascensión hasta el domingo XII después de Pentecostés; y el IV, desde el domingo XII después de Pentecostés hasta el sábado anterior al domingo I de Adviento.

que se habían aplicado a los cuatro restantes, aunque al imprimirlos se mantuvo la fecha de la primera versión, 1964 y 1966[96].

Los textos de esos seis tomos incluían ahora numerosos párrafos de san Josemaría, que provenían de *Camino* y *Santo Rosario*, de las *Cartas*, y también de meditaciones y tertulias de sus años en Roma, desde 1950 hasta 1973. En realidad, todo el contenido eran enseñanzas del fundador, hasta el punto de que alguna vez comentó que, «si se quisiera señalar lo que es suyo de lo que no lo es, habría que poner casi todo ese material en letra cursiva, lo cual no dejaría de ser raro»[97].

Entre 1987 y 1991 se preparó una nueva edición, adaptada al calendario litúrgico en vigor[98].

5. FUENTES PARA EL CONOCIMIENTO DE LA PREDICACIÓN DE SAN JOSEMARÍA[99]

La predicación es un fenómeno que podríamos calificar de efímero, en el sentido de que existe en el momento en que se realiza, y desaparece inmediatamente, apenas concluye. Ciertamente, deja huella en el alma de los oyentes, pero esa huella no nos sirve para conocer su contenido. Sin embargo, hay modos de seguir el rastro de la palabra oral, de forma más o menos directa.

---

[96] AGP, serie E.3.1, leg. 5550 y 7648.

[97] Recuerdos de José Inés Peiro Urriolagoitia, fechados en 1981 (AGP, serie A.5, 237-1-2). La referencia a la letra cursiva responde a que, desde hacía un tiempo –1966 en concreto–, en las publicaciones destinadas a los fieles de la Obra los textos de san Josemaría se editaban con un tipo particular de letra: Bodoni cursiva.

[98] En concreto, en 1987 aparecieron los tomos I (Adviento, Navidad y semanas 1 a 8 del Tiempo ordinario), II (Cuaresma y Pascua) y III (semanas 9 a 20 del Tiempo ordinario); en 1989 el tomo IV (semanas 21 a 34 del Tiempo ordinario); en 1990 el tomo V (fiestas de enero a junio) y en 1991 el tomo VI (fiestas de julio a diciembre). En 2011 se editó un nuevo volumen, con textos para otras efemérides del año que no aparecían en los anteriores. Un ejemplar de cada volumen, en todas sus ediciones, se encuentra en AGP, biblioteca, P.06.

[99] Sobre este tema puede consultarse el artículo de José Antonio LOARTE, "La predicación de san Josemaría. Descripción de una fuente documental", en SetD 1 (2007), pp. 221-231, en el que nos hemos basado.

La fuente ideal es la grabación, que recoge las palabras mismas, y transmite en buena medida también el tono en que han sido dichas. En su defecto, existen transcripciones, notas, y otros tipos de anotaciones escritas para reconstruir el discurso del orador.

En el caso de san Josemaría, disponemos, en mayor o menor cantidad, de todos estos registros. Pero antes de verlos en detalle, conviene hacer mención de otra documentación que se conserva: los guiones de meditaciones y pláticas, que ya hemos mencionado en el apartado 3.

Para predicar, san Josemaría solía servirse de unos sencillos esquemas autógrafos, casi siempre muy sucintos, que escribía de ordinario en una cuartilla, vertical o apaisada. Nos han llegado alrededor de 300 de estos guiones: el más antiguo de 1930, y el último de 1968[100].

Los guiones, como su nombre indica, ofrecen un texto en estado muy embrionario, por lo que no resultan particularmente útiles a la hora de estudiar el contenido detallado de una meditación. Por otro lado, son pocos los casos en los que disponemos simultáneamente del guion y de las notas o la transcripción de la predicación correspondiente. Sin embargo, cuando sucede –tres veces a lo largo de este libro–, resulta muy ilustrativo seguir el discurso en ese breve esquema previo, al que vuelve una y otra vez a lo largo de la media hora que suele durar la meditación.

5.1. Notas breves o fichas

Desde el principio, los primeros miembros del Opus Dei tuvieron conciencia de que san Josemaría era el fundador, una figura irrepetible, y que sus enseñanzas revestían una importancia singular, porque transmitía el espíritu del Opus Dei en su más plena genuinidad. Es lógico, por eso, que enseguida tuvieran la preocupación de tomar nota de sus enseñanzas, para su meditación personal y para transmitirla a otros.

Singular es, a estos efectos, un cuaderno que se conserva en el Archivo de la Prelatura, que recoge los temas de las primeras clases de san Rafael –charlas de formación cristiana a jóvenes estudiantes–, impartidas por san Josemaría a lo largo de los años 1933, 1934 y 1935[101].

---

[100] Cfr. *Camino*, ed. crít.-hist., pp. 133-134. Los guiones de predicación de san Josemaría se encuentran en AGP, serie A.4, serie A.3, 186.

[101] *Primeros círculos de san Rafael: cuadernos de las reuniones (21-I-1933 a 27-III-1935)*, en AGP, serie A.2, 40-1-1.

Como ya se ha señalado, resultan también particularmente significativas las notas que tomaba Eduardo Alastrué de las meditaciones de san Josemaría en los meses de encierro en la Legación de Honduras, de Madrid, durante la Guerra Civil Española, en 1937, para que las aprovecharan Isidoro Zorzano y los miembros del Opus Dei que estaban en otros lugares.

Pero lo más frecuente era que quienes le escuchaban tomaran nota, más o menos precisa, de ideas y frases, para su uso personal.

A lo largo de los años, en diversas ocasiones se procuró recoger estas notas, para evitar que pudieran perderse, y para facilitar su uso en la labor de formación y de gobierno que desarrollan los directores del Opus Dei: son miles las fichas –en octavillas o en papeles de tamaños singulares, manuscritas o a máquina– que se guardan actualmente en el Archivo de la Prelatura.

La primera *recogida* de fichas de la que nos ha quedado rastro es de septiembre de 1952. En una breve nota, que firma Álvaro del Portillo, se lee lo siguiente:

> «En diversas notas escritas por los nuestros, con frases o anécdotas atribuidas al Padre, he podido encontrar inexactitudes. Creo que, en parte, se deben a que unos copian notas que han tomado otros: y lo que al principio era más o menos fiel, después de ser copiado varias veces termina muy alejado de la realidad.
>
> Conviene, con rapidez y silencio, recoger todo a todos y enviármelo a mí, a mano, o por correo certificado en varias veces. Yo querría revisarlo, corregirlo, y después hacer una publicación interna, que creo sorprenderá agradablemente al Padre, que recoja frases, anécdotas y párrafos de sus cartas»[102].

Cuatro años más tarde, en 1956, volvió a realizarse una recogida de notas, y se le encargó a Pedro Rodríguez, entonces sacerdote recién ordenado, para que preparara una clasificación de ese material. Con fecha 29 de agosto de ese año, firma una breve relación en la que explica el trabajo que ha realizado para organizar y ordenar esas fichas[103].

---

[102] Nota de Álvaro del Portillo, de 12-IX-1952 (AGP, serie A.4, 45-1-1). Esa publicación a la que hace referencia no llegó a prepararse. En cambio, todo ese material fue ampliamente usado en la redacción de las revistas de las que se ha hablado en el apartado 4 de esta Introducción.

[103] AGP, serie A.4, 45-1-4. Pedro Rodríguez (1933), es autor, entre otras obras, de las ediciones crítico-históricas de los dos primeros libros de san Josemaría: *Camino* y *Santo Rosario*.

En 1966, de nuevo se pidió a todos los fieles de la Obra que tuvieran notas de la predicación del fundador que las enviaran a Roma. Habían proliferado mucho esas fichas, con múltiples versiones no siempre bien copiadas, y una vez más, como había sucedido en 1952, se tenía la impresión de que «muchas de esas notas están muy mal tomadas: ponen en boca de Mariano [san Josemaría] frases que no ha dicho nunca»[104].

Tras la muerte de san Josemaría, ya en 1976, y otra vez en 1978, Álvaro del Portillo volvió a solicitar a todas las personas de la Obra que recogieran y enviaran a Roma las fichas y textos inéditos que conservaran de la predicación del fundador[105].

El resultado de esas diversas *recogidas* de fichas en un ingente volumen de notas, por lo general breves, y muy variadas entre sí.

5.2. Las transcripciones

Cuando san Josemaría se trasladó a Roma, y especialmente tras la puesta en marcha del Colegio Romano de la Santa Cruz, esta labor de anotación en fichas se incrementó notablemente: quienes le escuchaban eran conscientes de que estaban en Roma junto al fundador unos pocos años, para formarse bien y poder colaborar después en la formación de muchos otros. De ahí la importancia de tomar nota de sus palabras, para poder a su vez transmitirlas a los demás.

También las alumnas del Colegio Romano de Santa María, y en general, las mujeres que vivían en Villa Sacchetti, empezaron a recoger en fichas la predicación de san Josemaría. A estos efectos, una de ellas, Consolación Pérez, dejó escrito en 1967:

«Todas las anotaciones que mando sobre las meditaciones dirigidas por el Padre, están tomadas mientras él hablaba –cuando todavía no había personas especialmente encargadas de hacerlo a taquigrafía y aún no se había dicho que no se escribiera–. No puedo asegurar que sea absolutamente literal; pero sí está tomada toda la idea de la meditación. Las tomábamos entre varias de las que entonces estábamos allí, en Roma,

---

[104] Comunicación del Consejo a la Comisión Regional de España, 16-II-1967, en AGP, serie A.4, 45-1-1. "Mariano" era un nombre que a veces usaba san Josemaría, por devoción a la virgen y por haberlo recibido en su bautizo.

[105] AGP, serie A.4, 45-1-2 y 3.

las revisábamos y las completábamos unas veces con unas y otras con otras: Encarnita, Pilarín N., Victoria L-Amo, Anita C., etc.»[106].

A medida que el número de alumnos de los dos Colegios Romanos fue aumentando, esa labor se fue organizando mejor. Hacia 1954 se habían creado sendos equipos de gente con el encargo explícito de tomar notas de la predicación de san Josemaría, lo más literales posible, aunque no siempre el resultado era el deseado. Recuerda María Luisa Moreno de Vega:

«Nos dirigía varias meditaciones en los Cursos de retiro y en algunas fiestas señaladas: Navidad, San José, fechas memorables para la vida de la Obra: 2 de octubre y 14 de febrero. Como no había medios para grabar en cinta magnetofónica sus palabras, las tomábamos, a taquigrafía, entre cuatro personas. Nos reuníamos para pasar los textos a máquina y se los hacíamos llegar a nuestro Padre, que, divertido comentaba:

— A ver qué decís que he dicho... »[107].

En el caso de las tertulias era relativamente sencillo. Recuerda José Luis Illanes, uno de los que colaboró en ese encargo:

«Algunos que escribíamos deprisa o que sabían taquigrafía nos sentábamos detrás de donde se sentaba el Padre. (...) Al acabar la tertulia, nos reuníamos y, comparando lo escrito por cada uno, recomponíamos el texto, que resultaba bastante completo»[108].

El resultado final es lo que llamamos *transcripción*: un texto mecanografiado, que se copiaba con papel carbón para que los directores de la Obra lo emplearan en su tarea de formación. También una copia se destinaba a las dos oficinas de Publicaciones, para la preparación de *Crónica* y *Noticias*. En esas oficinas, cada transcripción –sin diferenciar meditaciones

---

[106] AGP, serie A.4, 45-1-1. Las personas que menciona, que —como dice— vivían en Villa Sacchetti en esos años, son Encarnación Ortega Pardo, Pilar Navarro Rubio, Victoria López-Amo y Anita Castillo.

[107] Recuerdos de María Luisa Moreno de Vega, de 1975 (AGP, serie A.5, 336-1-14).

[108] Recuerdos de José Luis Illanes Maestre en relación con las obras o escritos de san Josemaría, 2004 (AGP, serie A.3, 87-2-1). También Mons. Ignacio Carrasco describe, en sus recuerdos, la misma metodología (AGP, serie A.3, 87-2-4).

y tertulias– recibía un número correlativo y entraba a formar parte de la colección de textos de la predicación oral de san Josemaría[109].

5.3. Grabación de meditaciones y tertulias

La tarea de recoger las palabras del fundador no fue algo exclusivo de los dos Colegios Romanos: también los directores del Consejo General y de la Asesoría Central se empeñaron en esa labor. Recuerda José Luis Soria:

«Durante los primeros años (desde 1959 en adelante) tratábamos de tomar notas manuscritas durante las meditaciones predicadas por nuestro Padre. La tarea no era fácil porque el oratorio del Consejo en esas ocasiones estaba prácticamente a oscuras y porque sin taquigrafía no se podía tomar nota de toda la meditación. Algunas veces tratábamos de completar el texto compilando las distintas notas tomadas por varios de nosotros, pero siempre era insuficiente»[110].

En cuanto hubo posibilidad de conseguir una grabadora, aunque fuera muy elemental, se adoptó ese sistema, más seguro y práctico. Lo explica el mismo testigo:

«Más adelante, ya en los años sesenta, comenzamos a emplear una grabadora. Para que no resultara violento para nuestro Padre, Dan Cummings (que por su cargo como Procurador General se sentaba siempre en el oratorio a la izquierda de nuestro Padre) llevaba siempre al oratorio una grabadora de bolsillo (con frecuencia, nuestro Padre predicaba la meditación sin habernos avisado con antelación, y aprendimos que la grabadora debía estar siempre lista) y se podía hacer la grabación de modo discreto. Luego se hacía la transcripción escrita del texto registrado»[111].

---

[109] Cfr. Recuerdos de José Antonio Loarte sobre los textos inéditos de san Josemaría, fechados en 2014 (AGP, serie A.3, 87-2-7). José Antonio Loarte, sacerdote, trabaja en Roma desde 1964. Cuando, tras el fallecimiento del fundador, se fueron recogiendo y clasificando todos esos textos, la colección como tal fue desmembrada, aunque se ha conservado, con otro orden, todo su contenido.

[110] Recuerdos de José Luis Soria Saiz sobre las notas tomadas en tertulias y meditaciones de san Josemaría, de 2007 (AGP, serie A.3, 87-2-7).

[111] Recuerdos de José Luis Soria, en AGP, serie A.3, 87-2-7.

En realidad, ya a mediados de los años 40 se había empleado un sistema de grabación, que había conseguido José María González Barredo en los Estados Unidos. Pero era un aparato muy rudimentario y complejo de manejar: el traslado de san Josemaría a Roma impuso que dejara de utilizarse.

Durante la década de los años 60, y con tecnología más avanzada – en lugar de una máquina voluminosa que empleaba cintas muy grandes existían ya en esos años magnetófonos de bolsillo que funcionaban con *microcintas*, mucho más manejables[112]–, se irá introduciendo paulatinamente la práctica de grabar las meditaciones, clases y tertulias de san Josemaría, praxis que será ya habitual en la década de los 70, tanto con los miembros del Consejo General, como con los alumnos de los dos Colegios Romanos.

Esas grabaciones se mecanografiaban después, de modo que el texto constituía una transcripción más de la colección. Desgraciadamente, con frecuencia la cinta empleada se reutilizaba para una grabación posterior, por lo que en muchos casos no ha quedado rastro del *audio* de san Josemaría, aunque sí se han conservado algunos. En concreto, y por lo que se refiere a grabaciones hechas en Roma, que es el ámbito del que proceden los textos que conforman este libro, han quedado registradas 16 meditaciones, unas cuarenta clases o charlas, y más de un centenar de tertulias.

Capítulo aparte son, en este aspecto, los viajes de catequesis que hizo san Josemaría en los últimos años de su vida por la Península Ibérica y América latina, ya mencionados, durante los que se realizaron muchas grabaciones, no sólo de audio sino también de vídeo, en particular de los encuentros más numerosos[113].

5.4. Textos revisados por san Josemaría

Dentro de ese conjunto de textos, hay que hacer mención de una particularidad. Ya hemos señalado cómo, con una frecuencia creciente, en las publicaciones destinadas a los fieles de la Obra –*Crónica, Noticias, Obras* y los tomos de *Meditaciones*– se fueron incluyendo frases, párrafos e incluso, como veremos en la segunda parte de esta Introducción, el texto completo

---

[112] Cfr. Recuerdos de José Antonio Loarte sobre los textos inéditos de san Josemaría (AGP, serie A.3, 87-2-7).

[113] Cfr. Juan José GARCÍA-NOBLEJAS, "Grabaciones audiovisuales", en DSJEB, pp. 575-579.

de meditaciones y tertulias de san Josemaría. Obviamente, esos textos, recogidos por los oyentes, o en algunos casos procedentes de una grabación, se le pasaban antes para que los revisara y corrigiera. Señala uno de sus colaboradores que en alguna ocasión había hecho notar que: «"No se escribe de igual modo que se habla". Por eso, antes de dar a la imprenta un texto, san Josemaría lo revisaba a fondo, lo *abonitaba* (así solía decir), cuidando con esmero el estilo, el contenido, etc.»[114].

Escribe un conocido crítico literario, en relación a la predicación de san Josemaría:

> «Son contados los hombres de letras que "escriben como hablan" —con viveza coloquial—, y contados son también los que "hablan como escriben": con rigor a la vez sintáctico e intelectual. Menos aún —contadísimos— son los que cumplen ambas proezas a la vez: escribir como hablando y hablar como escribiendo. Pues bien, debo confesar que no conozco escritor o expositor alguno que cumpliera esta doble condición con la propiedad de Josemaría Escrivá de Balaguer»[115].

Ciertamente, basta escuchar cualquiera de las grabaciones de esos encuentros multitudinarios del fundador del Opus Dei en los últimos años de su vida[116] para darse cuenta de su capacidad comunicativa. Sin embargo, siendo esto cierto, también lo es que revisaba sus escritos detenidamente, corrigiéndolos una y otra vez, como señalan indefectiblemente quienes colaboraban con él en esas tareas.

Se conservan recuerdos sobre la elaboración de las homilías que forman parte de *Es Cristo que pasa* y *Amigos de Dios*, así como las entrevistas de prensa recogidas después en *Conversaciones con Mons. Escrivá de Balaguer*[117].

Como apunta Antonio Aranda en la edición crítico-histórica del primer libro de homilías de san Josemaría, el punto de partida solía ser la transcripción de una meditación, o más frecuentemente, de varias sobre el

---

[114] Cfr. Recuerdos de José Antonio Loarte sobre los textos inéditos de san Josemaría (AGP, serie A.3, 87-2-7).

[115] José Miguel IBÁÑEZ LANGLOIS, *Josemaría Escrivá como escritor*, Santiago de Chile, Editorial Universitaria, 2002, p. 88.

[116] Cfr. Juan José GARCÍA-NOBLEJAS, "Grabaciones audiovisuales", en DSJEB, pp. 575-579.

[117] Cfr. *Conversaciones*, ed. crít.-hist. y *Es Cristo que pasa*, ed. crít.-hist.

mismo tema, que se unían para formar un texto único. Así lo describe José Luis Soria:

> «Eran las notas de su predicación oral que habíamos tomado, ya fuera a mano ya fuera grabándolas en cinta magnetofónica y transcribiendo luego el texto. Se hacía una síntesis de dos o tres meditaciones sobre el mismo tema, se añadían las oportunas citas bíblicas o patrísticas, se preparaba así el primer boceto, y nuestro Padre lo trabajaba»[118].

Quienes colaboraban con san Josemaría recuerdan que le pasaban los textos completos, acabados, por así decir, escritos a máquina. Él los corregía, introduciendo párrafos nuevos, suprimiendo otros, retocando palabras, o la puntuación... Después se volvía a reescribir el texto, con las correcciones, y se le volvía a pasar, en un proceso que se repetía varias veces. Lo recuerda también Manuel Cabello, que trabajó en Roma con el fundador en los últimos años de su vida:

> «Cada homilía podía ser corregida y recopiada cuatro, cinco, seis o incluso más veces. Era frecuente, si no habitual, que entre una versión y otra, sobre todo cuando consideraba que la homilía estaba ya prácticamente lista, nuestro Padre dejara reposar el texto algún día, para poder releerlo de nuevo con un poco de distancia e introducir las últimas correcciones»[119].

Lo anterior hace referencia a las homilías preparadas para ser publicadas para el lector general. En el caso de los textos que preparó para su publicación en *Crónica* y *Noticias*, se puede decir lo mismo, con algún matiz.

El origen de la mayor parte de esos textos era el mismo que para las homilías de esos dos libros: las transcripciones de las meditaciones. La diferencia estribaba en que ahora, al ser textos destinados a los fieles del Opus Dei –los mismos, tipológicamente hablando, a quienes habían sido predicadas originalmente esas meditaciones–, los retoques y adaptaciones que había que introducir eran muchos menos.

Cuenta José Antonio Loarte, que se ocupó bastantes años de la publicación de ese material, que el trabajo de la Oficina consistía en «revisar

---

[118] Recuerdos de José Luis Soria Saiz (AGP, serie A.3, 87-2-1).

[119] Manuel Cabello, *Algunos recuerdos sobre mi colaboración en la preparación de la publicación de Homilías de nuestro Padre*, fechado en 2007 (AGP, serie A.3, 87-2-4).

la puntuación y evitar en lo posible la repetición de alguna palabra en el mismo párrafo. (...) Comprobar las citas de la Sagrada Escritura, completar alguna idea que hubiera quedado sin terminar»[120]. Después, el texto preparado se pasaba a san Josemaría, para que lo corrigiera personalmente. También José Luis Soria recuerda este modo de proceder:

> «Cuando la Oficina de Publicaciones Internas enviaba el texto de un artículo para su aprobación, se pasaba a despacho del Padre si contenía palabras suyas inéditas. Nuestro Padre corregía el texto y me lo devolvía para que escribiera a máquina el texto completado o corregido»[121].

De esta manera, se fue creando, dentro de la colección de textos de la predicación oral de san Josemaría, una distinción entre los textos tomados por los que le escuchaban y los que habían sido revisados por el autor, de modo que, en algunos casos, las transcripciones consisten en un entramado de unos y otros. También sucedía que, en ocasiones, san Josemaría volvía a corregir, de un modo distinto, un texto que ya había revisado anteriormente, incluso años antes, para publicarlo en otro contexto. El resultado es que ahora nos encontramos, de vez en cuando, dos o incluso más versiones distintas de un mismo párrafo, todas ellas revisadas por el Autor.

Lo que describe José Luis Soria refiriéndose a textos breves, intercalados en un artículo más extenso, se aplica, con mayor razón aún, en el caso de fragmentos más extensos y, como es el caso de los textos de este libro, a meditaciones y homilías enteras.

> «San Josemaría revisó a fondo los textos que le pasábamos, y esto no una sola vez, sino varias. En este proceso de revisión procedía con una gran creatividad: no sólo corregía pasajes y expresiones, sino que suprimía párrafos o los cambiaba por entero, introducía ideas o desarrollos nuevos, etc.»[122].

---

[120] Recuerdos de José Antonio Loarte sobre los textos inéditos de san Josemaría (AGP, serie A.3, 87-2-7).

[121] Recuerdos de José Luis Soria Saiz (AGP, serie A.3, 87-2-7).

[122] Recuerdos de José Luis Illanes (AGP, serie A.3, 87-2-4).

El modo de trabajar –recopiado del texto con las correcciones, y destrucción de la versión precedente para evitar confusiones– ha hecho que no quede rastro escrito de las sucesivas versiones de cada meditación: existe solamente la transcripción original, fruto del esfuerzo de los oyentes o de una grabación, y el texto finalmente publicado; se han perdido las distintas versiones intermedias que el Autor haya podido trabajar a lo largo del proceso. De todas formas, una sencilla comparación entre esas transcripciones y el texto publicado es suficiente para darse cuenta de que, en efecto, han sido corregidas, pero por lo general sin demasiados cambios, y de ordinario en cosas de detalle.

Existe también un testimonio singular: el texto de una meditación –el borrador preparado a partir de una transcripción previa–, que se pasó a san Josemaría para que la revisara, tarea que empezó a realizar y que, por algún motivo que desconocemos, no terminó[123]. Ese borrador permite apreciar el tipo de correcciones que introducía san Josemaría: algún cambio de palabras o el orden de un párrafo; mejoras en los signos de puntuación, que lógicamente habían tenido que introducir los copistas al pasar del lenguaje oral al escrito, etc. Son las mismas intervenciones que muestran los escasos trozos de borradores que han sobrevivido a las distintas fases de corrección de textos publicados de san Josemaría, como se puede apreciar en la edición crítico-histórica de *Es Cristo que pasa* y de *Conversaciones con Mons. Escrivá de Balaguer*[124].

* * *

Recapitulando, las fuentes de que disponemos son:

— Guiones de los que se servía en muchas ocasiones para predicar: una cuartilla o incluso una octavilla manuscrita.

— Fichas sueltas, tomadas por los oyentes, que recogen una idea, o una frase. De ordinario, con fecha y nombre del autor, aunque a veces están sin datar, o sin autoría clara.

— Transcripciones, es decir, el texto completo de una meditación, clase o tertulia, obtenido a partir de las notas tomadas por el equipo de

---

[123] La meditación, que no llegó a publicarse, lleva la fecha de 12 de marzo de 1961 (AGP, serie A.4, m610312).

[124] Cfr. *Es Cristo que pasa*, ed. crít.-hist. y *Conversaciones*, ed. crít.-hist.

encargados, o de la grabación correspondiente. En muchos casos, dentro de ese texto hay partes –frases o párrafos enteros– revisadas por san Josemaría.

— Grabaciones, fundamentalmente de los últimos años, a las que corresponde también una transcripción como las ya mencionadas.

— Textos enteramente revisados por san Josemaría.

Tras el fallecimiento de san Josemaría, el beato Álvaro del Portillo indicó que se empezara a organizar ese material, de cara a una futura publicación. Se encargaron de ese trabajo, inicialmente, Ignacio Carrasco y José Antonio Loarte, que trabajaban entonces en la redacción de *Crónica* y *Obras*; después han colaborado también otras personas.

La tarea consistió en estudiar todo el material recogido –además de las transcripciones, se trataba de miles de fichas– y agruparlo según la predicación de procedencia. De esta manera se han clasificado algo más de 300 meditaciones y más de 1500 tertulias, que contienen, cada una de ellas, la correspondiente transcripción, y un número variable de fichas tomadas de esa misma ocasión, y que con frecuencia matizan o enriquecen el texto, haciéndolo más completo[125]. Esta es la documentación que conforma la serie A.4 del Archivo General de la Prelatura, y el punto de partida para conocer la predicación oral de san Josemaría y proceder a su edición crítico-histórica[126].

---

[125] José Antonio Loarte, "La predicación de san Josemaría. Descripción de una fuente documental", en SetD 1 (2007), pp. 221-231.

[126] En el momento de la publicación de este volumen, ese trabajo de organización de fichas está sustancialmente completo para los años 50 en adelante. Cuando se emprenda el estudio del material anterior aumentará el volumen de textos, aunque ciertamente las fichas que hay de los años 40 son, por lo general, más escasas e incompletas.

SEGUNDA PARTE
GÉNESIS Y CONTENIDOS DE *EN DIÁLOGO CON EL SEÑOR*

En la primera parte de esta Introducción hemos hecho un breve recorrido por la predicación de san Josemaría: sus modalidades, sus etapas, y el modo en que nos ha llegado. En esta segunda interesa centrarnos ya en el libro que tenemos entre manos, que recoge precisamente una parte pequeña de esa predicación. Pequeña, pero sin duda importante, porque reúne en un volumen todas las meditaciones que el fundador del Opus Dei revisó para su publicación.

6. GÉNESIS DE *EN DIÁLOGO CON EL SEÑOR*

6.1. Publicación de textos de san Josemaría

Retomamos aquí la narración que habíamos dejado interrumpida en el apartado 4.3 de la Introducción: el progresivo aumento de los textos de san Josemaría en las publicaciones dirigidas a los fieles de la Obra.

El interés que suscitaban entre los lectores de *Crónica* y *Noticias* los relatos de la vida junto al fundador es fácil de imaginar, y poco a poco esos artículos se fueron ampliando y enriqueciendo, con detalles de las tertulias en el Colegio Romano de la Santa Cruz –las mujeres en Villa Sacchetti y, más adelante, también en Villa delle Rose–.

Con ocasión de la estancia de san Josemaría en Pamplona en 1960, para la erección de la Universidad de Navarra, y en 1964 y 1967, para la concesión de doctorados *honoris causa*[127], las tres revistas recogieron

---

[127] Sobre esos doctorados *honoris causa*, cfr. Yolanda CAGIGAS OCEJO, "Los primeros doctores *honoris causa* de la Universidad de Navarra (1964-1974)", en SetD 8 (2014), pp. 211-284.

ampliamente, en sus números de diciembre de esos años, las intervenciones del fundador en diversos actos y reuniones.

En 1970, la estancia de san Josemaría en México, de casi un mes de duración, fue recogida en el número de octubre de *Crónica* y *Noticias*, más extenso de lo habitual. Fueron más de 150 páginas de artículos en los que los fieles de la Obra de México –y de algunos países vecinos, que viajaron hasta allí– contaban sus impresiones al conocer y escuchar al fundador. Entremezcladas con esos relatos se publicaron abundantes palabras de san Josemaría, de sus encuentros con fieles del Opus Dei, familiares y amigos, con campesinos de la zona de Montefalco, con estudiantes, etc.

6.2. Un filial "forcejeo"

En efecto, ese era el sistema que los redactores de las revistas habían encontrado para vencer la resistencia de san Josemaría a aparecer demasiado en ellas: preparar artículos narrativos, en los que se iban trenzando frases del fundador con la narración de los acontecimientos y comentarios del articulista.

Esta *técnica* se aprecia particularmente en los artículos que cuentan, cada año, la Navidad en Roma junto a san Josemaría. Eran fechas en las que estaba con frecuencia con sus hijos o sus hijas, predicando alguna meditación, pero sobre todo en largas tertulias, en las que se mezclaban noticias de un lugar y otro, anécdotas divertidas y villancicos, con palabras de san Josemaría en las que exhortaba a quienes le escuchaban a crecer en amor de Dios y a vivir con profundo sentido cristiano esas fiestas.

Ya desde el primer año de las revistas, en 1954, se publicaron artículos de ese estilo, muy breves al principio. Paulatinamente, fue aumentando su extensión, y con ella creció también la amplitud de los textos de san Josemaría. Los que se encargaban de las revistas eran conscientes, como anota uno de ellos, de que «lo que nos decía no podía quedar reservado a quienes le escuchaban directamente en el Colegio Romano: era preciso hacer llegar ese rico material de meditación, del modo oportuno, a todas las Regiones»[128].

---

[128] Recuerdos de José Antonio Loarte sobre los textos inéditos de san Josemaría (AGP, serie A.3, 87-2-7).

Por fin, con ocasión de la Navidad de 1967, se publicó por vez primera el contenido completo de una tertulia. Era la Nochebuena de ese año y, tras la cena, san Josemaría estuvo con los alumnos del Colegio Romano de la Santa Cruz en una larga velada. Después de comentar noticias de diversos lugares, y cantar algunos villancicos, anunció que, antes de irse, quería darles unos puntos de meditación. Fue, en la práctica, una meditación sobre el sentido de la Navidad, ligada al momento histórico de la historia de la Iglesia y de la Obra que estaban viviendo. En la *Crónica* siguiente, de enero de 1968, se recogieron íntegras esas palabras, interrumpidas de vez en cuanto por comentarios y explicaciones del articulista, dentro de un largo artículo que describía la Nochebuena en Villa Tevere.

Unos días más tarde, el 9 de enero de 1968, fecha en la que cumplía 66 años, pronunció una homilía en la Misa que celebró en el oratorio de Santa María de la Paz –actualmente, la Iglesia Prelaticia del Opus Dei–, en la sede central de la Obra. En el número de *Crónica* de febrero de 1968, se publicó también íntegramente esa homilía, de nuevo dentro de un artículo narrativo más largo, y con comentarios que interrumpían visualmente el conjunto.

La experiencia resultó buena, porque facilitaba que fieles de la Obra en todo el mundo pudieran beneficiarse de la predicación de san Josemaría. El fundador, al que llegaban noticias de la ayuda que suponían esos artículos para la vida espiritual de los lectores, aceptó que siguieran apareciendo textos más bien largos.

A finales de ese año de 1968, predicó una meditación el día 25 de diciembre por la tarde a los alumnos del Colegio Romano de la Santa Cruz. Se recogió en la *Crónica* de enero de 1969, aunque no por completo, y, una vez más, dentro de un largo artículo que contaba toda la Navidad en Roma.

Un año más tarde, en diciembre de 1969, se repetía la experiencia. En este caso, un extenso artículo, aparecido en *Crónica* en febrero de 1970, describía, entre otras cosas, la tertulia que tuvieron los alumnos del Colegio Romano de la Santa Cruz con san Josemaría en la Nochebuena. Habían llevado a la sala de estar una talla del Niño Jesús, réplica ampliada de la imagen que hay en el convento de Santa Isabel de Madrid y a la que tanto aprecio tenía[129]. Tras escuchar algunos villancicos, el fundador dijo que se iba a marchar, pero que antes quería decirles «unas palabricas». Lo

---

[129] Sobre el Niño Jesús del convento de Santa Isabel, cfr. *AVP* I, pp. 406-416, y la introducción a la meditación n. 10, "Rezar sin interrupción", en este mismo volumen.

que siguió fue un rato largo de oración en voz alta. El artículo que se publicó recogía íntegras esas palabras, aunque de nuevo entrecortadas por comentarios.

Algo similar encontramos en el ejemplar de *Noticias* de enero de 1970, con un extenso artículo que recoge abundantes párrafos de las tertulias de san Josemaría en Villa Sacchetti esos mismos días de Navidad.

6.3. Textos de san Josemaría como editoriales

Un año más tarde, se dio el paso decisivo en esta progresión para incluir en las dos revistas, con mayor amplitud, textos procedentes de la predicación del fundador.

En la Navidad de 1970, san Josemaría estuvo de tertulia con los alumnos del Colegio Romano el 24 por la noche, el 25 por la mañana, el 27, fiesta de la sagrada Familia, y los días 1, 6 y 9 de enero. Una parte consistente de esas tertulias se recogió en *Crónica*, como en años anteriores, en dos largos artículos en los números de enero y febrero de 1971. Lo mismo sucedió con varias tertulias con las mujeres en Villa Sacchetti, los días 25, 26 y 31 de diciembre, que se recogieron, en gran medida, en los ejemplares de *Noticias* de enero de 1971.

El día 1 de enero, además, el fundador había tenido la meditación en el oratorio de Pentecostés ante los miembros del Consejo General[130]. En la tertulia de esa mañana les dijo a los alumnos del Colegio Romano que también les predicaría a ellos. Fue al día siguiente, 2 de enero, pero no se trató de una meditación en el oratorio, sino de un rato de charla en la sala de estar, en la que, después de un breve intercambio de noticias, comentó unos textos del Nuevo Testamento que traía anotados, y que habían constituido también el hilo conductor de la meditación del día anterior[131].

Unos días más tarde, el 8 de enero, los que trabajaban en la redacción de *Crónica* plantearon una propuesta novedosa a Carlos Cardona, director espiritual de la Obra en esos años: publicar la parte central de esa tertulia del día 2 –una meditación, así la llaman– como editorial del número siguiente, de enero de 1971. Escribían:

---

[130] Cfr. Diario del centro del Consejo General, 1-I-1971 (AGP, serie M.2.2, 430-18).

[131] Cfr. Diario del Colegio Romano de la Santa Cruz, 1 y 2-I-1971 (AGP, serie M.2.2, 429-16).

«Pensamos que se puede publicar, en lugar del editorial de *Crónica* I-71, el texto de la meditación que nos dio el Padre el día 2 de enero. Son unos 8 ó 9 folios, con una estructura unitaria muy bonita, alrededor de tres textos de la Sagrada Escritura. Nos parece que quedaría muy bien en el número de enero, como lo que el Padre dice a todos sus hijos para 1971. De igual modo que se publican en revistas externas las homilías del Padre, pensamos que en *Crónica* podemos hacer lo mismo con esta meditación»[132].

En efecto, para esas fechas, se habían editado, en varios periódicos y revistas, siete homilías de san Josemaría, fruto de meditaciones anteriores ampliamente revisadas pensando en un público general[133]. Posiblemente, esas publicaciones estaban detrás de la propuesta que ahora se hace, bien concreta:

«Si usted da "luz verde", podríamos pasar el texto de la meditación del Padre, para el número de Enero, antes de 4 horas»[134].

La respuesta de Carlos Cardona –que lo consultó con san Josemaría– fue escueta: «luz verde, pero <u>deprisa</u>. Carlos, 8.I.71».

La meditación se publicó con el título "Ahora que comienza el año", no ya en enero de 1971, sino en el número de diciembre de 1970 de *Crónica* y *Noticias*, que se estaba terminando de preparar en esos días. Quizá para que no chocara, se le puso como fecha un genérico diciembre de 1970 en lugar de la real.

Se trataba un paso decisivo: por fin se editaba un texto largo y completo de san Josemaría, no como parte de un artículo narrativo y con glosas y comentarios intercalados que disimularan de alguna manera el conjunto, sino con un título propio y con la firma impresa, como lo que era realmente: un texto del fundador, que asumía con particular relieve la función del editorial.

---

[132] Consulta de fecha 8-I-1971 (AGP, serie E.3.1).

[133] En concreto, habían aparecido en una revista francesa –*La Table Ronde*–; en seis españolas –*Los Domingos de ABC, Ama, La Actualidad Española, Mundo Cristiano, Palabra* y *Telva*–; y en una italiana –*Studi Cattolici*–. Esas homilías fueron apareciendo también en diversos países y en varios idiomas, en forma de folletos, y tres años más tarde aparecerían formando parte del libro *Es Cristo que pasa* (Cfr. *Es Cristo que pasa*, ed. crít.-hist., Apéndice 3).

[134] Consulta de fecha 8-I-1971 (AGP, serie E.3.1).

La acogida que tuvo esa novedad entre los lectores de las revistas fue muy buena, y abrió la puerta para que fueran apareciendo, de la misma forma, otros textos suyos. En concreto:

— *Crónica y Noticias*, III-1971
  "San José, nuestro Padre y Señor", del 19-III-1968
— *Crónica*, X-1971 y *Noticias*, XI-1971
  "En un dos de octubre", del 2-X-1962
— *Crónica*, VII-1972 y *Noticias*, VIII-1972
  "El camino nuestro en la tierra", del 26-XI-1967
— *Crónica y Noticias*, X-1972
  "En las manos de Dios", del 2-X-1971
— *Crónica y Noticias*, XI-1972
  "La lógica de Dios", del 6-I-1970
— *Crónica y Noticias*, XII-1972
  "La oración de los hijos de Dios", del 4-IV-1955
— *Noticias*, V-1974 y *Crónica*, VI-1974
  "Con la docilidad del barro", del 3-XI-1955
— *Noticias*, X-1974 y *Crónica*, XI-1974
  "Señal de vida interior", del 10-II-1963
— *Crónica y Noticias*, I-1975
  "De la familia de José", del 19-III-1971
— *Crónica y Noticias*, VI-1975
  "Vivir para la gloria de Dios", del 21-XI-1954

Además de esas meditaciones, san Josemaría indicó que se publicaran también los textos de algunas tertulias que había tenido con los fieles de la Obra que vivían entonces en Roma. Tras darles forma de meditación, y completarlos en algún caso con frases de otras tertulias de esos mismos días, aparecieron:

— *Crónica y Noticias*, I-1973
  "Tiempo de acción de gracias", del 25-XII-1972
— *Crónica y Noticias*, I-1974
  "La alegría de servir a Dios", del 25-XII-1973
— *Crónica*, I-1975 y *Noticias*, VII-1975
  "Ut videam! Ut videamus! Ut videant!", del 25-XII-1974
— *Crónica*, III-1975 y *Noticias*, VII-1975
  "Los caminos de Dios", del 19-III-1975

Al mismo tiempo, quiso aprovechar ese espacio en las revistas para tocar algunos temas de particular interés, y preparó, directamente para publicar, tomando ideas y palabras que procedían de tertulias y meditaciones de esos meses, otros tres textos que, por su origen, no tienen otra fecha que la de su publicación:

— *Crónica y Noticias*, II-1972
  "Tiempo de reparar"
— *Crónica y Noticias*, IV-1972
  "El talento de hablar"
— *Crónica y Noticias*, VI-1972
  "El licor de la sabiduría"

También los tomos de *Meditaciones* que hemos mencionado antes se beneficiaron de la posibilidad abierta con esos editoriales. En la reedición del primer volumen, en 1973, se incluyó, para el primer día del año litúrgico que abría el tomo –y la colección entera–, una meditación completa de san Josemaría, predicada el 3 de diciembre de 1961, primer domingo de Adviento e inicio del año litúrgico, sobre la necesidad de recomenzar en la lucha ascética. Era un texto más, que se añadía a los que estaban apareciendo en esos años en *Crónica y Noticias*.

En ese mismo tomo, y para el día de Navidad, se volvió a recoger íntegramente la tertulia del 24 de diciembre de 1967 en el Colegio Romano de la Santa Cruz, que ya había sido publicada en *Crónica* de enero de 1968[135].

* * *

En el momento del fallecimiento del fundador, en junio de 1975, habían salido un total de 22 textos completos, incluyendo los tres que se habían publicado antes dentro de artículos narrativos, y el que abría el tomo I de *Meditaciones*.

Un último texto vio la luz en el número de *Crónica y Noticias* de julio de ese año. Se trata de la meditación que había predicado el 27-III-1975, la víspera del día en que celebraba sus bodas de oro sacerdotales, que había aparecido casi completo en las revistas en abril y mayo de 1975, dentro de dos artículos más extensos sobre la Semana Santa y el 50.º aniversario de

---

[135] Ambos textos volverán a aparecer en la reedición que de los tomos de *Meditaciones* se hará a finales de la década de los 80, adaptados al nuevo calendario litúrgico.

la ordenación sacerdotal de san Josemaría. Se reeditó con el título de "Consumados en la unidad".

La mayor parte de esos textos corresponden a su predicación dirigida a varones –alumnos del Colegio Romano de la Santa Cruz y directores del Consejo General–: su predicación a mujeres se recoge sólo en algunas meditaciones compuestas a partir de varias tertulias. Probablemente se deba a que quienes proponían la publicación eran de hecho los redactores de *Crónica*, y el material de que disponían para su trabajo era principalmente el correspondiente a los varones.

6.4. La Causa de canonización

En 1981 se abrió el proceso de canonización de san Josemaría. Entre otros muchos trabajos, el postulador de la Causa, Mons. Flavio Capucci, preparó –entre 1981 y 1986– una colección de todas las obras del fundador del Opus Dei, publicadas e inéditas, para entregar a la Congregación para las Causas de los Santos. Entre esas obras se incluyó un volumen que, bajo el título de *Scritti inediti (7). Meditaciones (textos de la predicación oral a sus hijos)*, agrupaba precisamente las meditaciones que había revisado y corregido para su publicación en *Crónica* y *Noticias*[136].

En la presentación –sin firma– que se incluyó al inicio de ese volumen se daba razón del origen de esos textos:

> «De la abundantísima predicación oral del Siervo de Dios, en este volumen se recoge la transcripción de 23 textos, con palabras dirigidas a los miembros del Opus Dei: se trata de meditaciones predicadas a sus hijos del Consejo General del Opus Dei o a los alumnos del Colegio Romano de la Santa Cruz; de charlas confidenciales dirigidas, en la intimidad de la vida familiar, a esas mismas personas; de retazos de su oración personal en voz alta delante del Sagrario. Habitualmente, alguno de los asistentes tomaba la precaución de apuntar taquigráficamente o, en los últimos años de la vida del Siervo de

---

[136] El conjunto de obras presentadas comprendía, junto a los libros publicados de san Josemaría, varios volúmenes con las *Cartas* e *Instrucciones* colectivas escritas a los fieles del Opus Dei, el epistolario, un tomo con escritos varios, y el que estamos tratando aquí con las meditaciones (Cfr. Flavio CAPUCCI, *San Josemaría Escrivá de Balaguer. Itinerario de la Causa de Canonización*, Madrid, Rialp, 2002; y AGP, serie J.2.JEB).

Dios, de grabar en cinta magnetofónica las palabras vivas del Fundador, mina inagotable de enseñanzas ascéticas y apostólicas.

Los textos que se presentan aquí son los que se transcribieron en su día y aparecieron impresos en las revistas (*Crónica* para la Sección de varones y *Noticias* para la Sección femenina) que se publican, para uso interno, con el fin de alimentar la formación doctrinal y la vida espiritual de los miembros. Abarcan un arco de tiempo que va desde noviembre de 1954 al 27 de marzo de 1975, víspera de las bodas de oro sacerdotales del Siervo de Dios, pocos meses antes de su marcha al Cielo»[137].

El volumen, de un total de 205 páginas, quedaba constituido por los siguientes veintitrés textos, ordenados no por el orden de aparición en *Crónica* o *Noticias*, sino por la fecha:

— Vivir para la gloria de Dios (21-XI-1954)
— La oración de los hijos de Dios (4-IV-1955)
— Con la docilidad del barro (3-XI-1955)
— ¡Que se vea que eres tú! (1-IV-1962)
— En un dos de octubre (2-X-1962)
— Señal de vida interior (10-II-1963)
— Los pasos de Dios (14-II-1964)
— El camino nuestro en la tierra (26-XI-1967)
— Los sueños se han hecho realidad (9-I-1968)
— San José, nuestro Padre y Señor (19-III-1968)
— Rezar con más urgencia (24-XII-1969)
— La lógica de Dios (6-I-1970)
— Ahora que comienza el año (31-XII-1970)
— De la familia de José (19-III-1971)
— En las manos de Dios (2-X-1971)
— Tiempo de reparar (II-1972)
— El talento de hablar (IV-1972)
— El licor de la sabiduría (VI-1972)
— Tiempo de acción de gracias (25-XII-1972)

---

[137] Presentación del volumen de meditaciones preparado para la Causa de Canonización de Josemaría Escrivá de Balaguer en 1986. El texto completo de esa Presentación se encuentra en el Apéndice 1 de esta edición.

— La alegría de servir a Dios (25-XII-1973)
— *Ut videam! Ut videamus! Ut videant!* (25-XII-1974)
— Los caminos de Dios (19-III-1975)
— Consumados en la unidad (27-III-1975)

Abría el volumen la breve presentación, ya mencionada, y lo cerraba un sencillo sumario. El libro recogía las diecinueve meditaciones –aunque en algún caso, como ya se ha señalado, se trataba en realidad de una larga tertulia, o bien de un texto redactado *ad hoc*– editadas a modo de editoriales en *Crónica* y *Noticias* hasta ese momento, y dos de los textos que, como ya hemos visto en el apartado anterior, habían aparecido en las revistas antes de que, en 1971, se adoptara el sistema de publicar las meditaciones de san Josemaría en el lugar del editorial: del 9 de enero de 1968 y de la Navidad de 1969.

A esos textos se añadieron otros dos que habían salido posteriormente a junio de 1975, y que recogían dos textos del fundador que no habían sido revisados por él en su totalidad[138]:

— *Noticias*, VI-1976 y *Crónica*, VII-1976
   "Los pasos de Dios", del 14-II-1964. Bastantes párrafos de esta meditación habían sido recogidos en diversos artículos; en esta ocasión se recogió íntegra, incluyendo también los pocos párrafos aún inéditos.
— *Crónica* y *Noticias*, XII-1982
   "¡Que se vea que eres tú!", del 1-IV-1962. Se trataba de una meditación a los miembros del Consejo General del Opus Dei, ya en gran parte contenida en el editorial de *Crónica* y de *Noticias* de enero de 1970. En ese rato de oración san Josemaría había recorrido las distintas etapas del camino jurídico de la Obra, que entonces –diciembre de 1982– estaba culminando.

Quedaron fuera de ese volumen dos textos que, por sus características, podrían haber sido incluidos: la meditación de diciembre de 1961 que había aparecido en el tomo I de los libros de *Meditaciones*; y la tertulia de la Navidad de 1967, que, como ya hemos visto, se había publicado entera en *Crónica* de enero de 1968, dentro de un largo artículo sobre esas fiestas en el Colegio Romano. Anota al respecto José Antonio

---

[138] Más adelante nos ocuparemos de esta cuestión con más detalle.

Loarte, que ayudó en la selección de textos, que esos dos se les pasaron por alto, probablemente por estar publicados en un lugar y de un modo distintos del resto[139].

6.5. *En diálogo con el Señor*

En enero de 1994, ya después de la beatificación del fundador, Roberto Dotta, en esos años miembro del Consejo General del Opus Dei, hizo llegar a Mons. Álvaro del Portillo la sugerencia de publicar en un volumen dirigido a los fieles de la Obra «unas meditaciones o charlas de nuestro Padre que han aparecido como editoriales de *Crónica* en los años 1970-75»[140]. Se refiere, como es fácil adivinar, a los textos de los que estamos tratando en esta edición.

Mons. Javier Echevarría, entonces vicario general de la Prelatura, anotó sobre esa propuesta que ya se habían preparado para la *Positio*, y señaló que se estudiara el modo de hacer una edición como la que se sugería en esa nota[141]. El fallecimiento del beato Álvaro del Portillo poco después, el 23 de marzo, interrumpió momentáneamente ese proyecto.

Unos meses más tarde, en noviembre de ese mismo año, llegó de la Comisión regional de España una propuesta similar. Señalaban que esos textos de san Josemaría, que tanto bien hacían a quienes los meditaban, no estaban al alcance de muchas personas de la Obra, ya que en muchos lugares no estaban los ejemplares de *Crónica* de los años 70 y anteriores[142].

José Antonio Loarte –que estaba en esos años al frente de la oficina de las publicaciones– preparó un informe sobre la propuesta: señalaba que «es un proyecto de fácil realización, porque ese volumen ya se preparó y

---

[139] Recuerdos de José Antonio Loarte sobre los textos inéditos de san Josemaría (AGP, serie A.3, 87-2-7).

[140] Propuesta de Roberto Dotta, del 20-I-1994 (AGP, serie A.4).

[141] *Ibid.*

[142] Comunicación de la Comisión regional de España al Consejo General, 5-XI-1994 (AGP, serie A.4). La Comisión regional –y la Asesoría regional para las mujeres– son los consejos que ayudan en el gobierno de la Obra a los vicarios del prelado del Opus Dei en las diversas circunscripciones en que se organiza la Prelatura (cfr. Mercedes MORADO GARCÍA, "Organización y gobierno del Opus Dei", en DSJEB, pp. 917-924).

fue presentado en su momento a la Congregación para las Causas de los Santos»[143]. Haciendo suya la sugerencia recibida, proponía editar el volumen completo, añadiendo un breve prólogo del prelado, e incluyendo en unas notas a pie de página, «junto con la fecha, una breve explicación de las circunstancias históricas (tres o cuatro líneas), que ayude a encuadrar cada uno de esos textos»[144]. La propuesta era que el volumen pudiera estar en todos los centros de la Obra en junio de 1995, 20.º aniversario del fallecimiento de san Josemaría.

El 1 de diciembre de 1994 el prelado, entonces Mons. Javier Echevarría, aprobó el proyecto[145]. A partir de ese momento se preparó todo con rapidez. El 23 de diciembre estaban escritas la presentación de Mons. Javier Echevarría y las breves notas introductorias. José Antonio Loarte, que era quien se estaba encargando del trabajo, propuso incluir unos «ladillos para facilitar la lectura del texto»[146]. También sugirió incluir al principio del libro una foto de san Josemaría.

En una nota posterior, del 7 de febrero de 1995[147], junto a otros detalles, se proponían diversos títulos para el libro, todos seguidos del mismo subtítulo, *Textos de la predicación oral*:

— Tesoros de oración
— De la mano de nuestro Padre
— Al tiempo de la oración
— Para estar con Cristo
— Al compás de la oración
— Siempre junto a Jesús.

Mons. Echevarría, tras consultar a varios miembros del Consejo General tachó esos títulos, y escribió al lado el que finalmente quedó: *En diálogo con el Señor*, manteniendo en cambio el subtítulo propuesto[148].

---

[143] Consulta de fecha 1-XII-1994 (AGP, serie A.4).

[144] *Ibid.*

[145] *Ibid.*

[146] Consulta de fecha 23-XII-1994 (AGP, serie A.4).

[147] Consulta de fecha 7-II-1995 (AGP, serie A.4).

[148] *Ibid.* Los autores de esta edición preguntamos a Mons. Echevarría el motivo de ese título: explicó que lo escogió porque era una expresión que san Josemaría empleaba mucho. En efecto, a lo largo de las meditaciones del libro aparece en diversas ocasiones la palabra *diálogo*,

Tal como se había previsto, en una nota a pie de página situada al inicio de la primera de las meditaciones, se señalaba que «para facilitar la meditación y lectura se han introducido ladillos o subtítulos, tanto en éste como en los demás textos que se recogen en este libro. También, cuando era conveniente, se han resumido a pie de página, en pocos trazos, algunas circunstancias históricas que ayudan a entender con mayor profundidad las palabras de nuestro santo Fundador»[149].

El tomo vio la luz en junio de 1995. Se trata de un volumen de 231 páginas, con los mismos veintitrés textos que se habían preparado para el proceso de canonización, precedidos por un sumario y la presentación escrita por Mons. Javier Echevarría, que lleva la fecha de 9 de enero de 1995[150]. Entre los meses de julio y septiembre se distribuyó a los centros del Opus Dei en todo el mundo.

En los años sucesivos, el volumen se tradujo al alemán (1997), francés (2000), inglés (2002), portugués (2003) e italiano (2013), siempre para uso de los fieles del Opus Dei en los diversos países en los que se hablan esas lenguas.

7. ALGUNOS ASPECTOS DEL MENSAJE DE *EN DIÁLOGO CON EL SEÑOR*

7.1. Los temas de la predicación de san Josemaría en este volumen

Como ya se ha explicado, estos textos tienen muchos puntos de contacto con las *homilías* publicadas del Autor. Pero también hay diferencias. Las homilías fueron saliendo a la luz en distintos momentos y después la mayoría se reunió en dos volúmenes, y en ese proceso de composición san Josemaría siguió un plan unitario[151]. Con *Es Cristo que pasa*, deseaba reco-

---

referida siempre a la oración, que ha de ser «un diálogo lleno de afectos de amor y de dolor, de acciones de gracias y de deseos de mejora» (1.2a), un «diálogo de amor» (2.3c).

[149] *En diálogo con el Señor*, ed. de 1995, p. 17, nota n. 1.

[150] Como sucedía con el volumen de 1986, del que este de 1995 no es sino una reelaboración, seguían ausentes los mismos dos textos de 1961 y 1967.

[151] Ver José Luis ILLANES, *Obra escrita...*, en SetD 2 (2009), p. 263.

rrer el año litúrgico, desde el Adviento hasta la solemnidad de Cristo Rey; en *Amigos de Dios,* en cambio, quiso trazar «un panorama de las virtudes humanas y cristianas básicas»[152].

La realidad de *En diálogo con el Señor* es distinta: no hubo una unidad de intención al componerlo, ni tampoco se pensó en una posible estructura, o en un hilo conductor. Los diferentes textos fueron apareciendo a lo largo de unos ocho años, sin un plan determinado. Cuando, después de la muerte de san Josemaría, se reunieron en un volumen para presentarlo en la causa de canonización y más tarde, en los años noventa, para facilitar su acceso a los fieles del Opus Dei, tampoco se pensó en ordenarlos de acuerdo con un esquema temático.

No se pretendió seleccionar las palabras más significativas de su predicación a los miembros del Opus Dei ni las que exponen de forma más completa su mensaje. De hecho, temas muy importantes en otros escritos y enseñanzas del fundador están menos desarrollados aquí y, en cambio, se abordan con más extensión otras cuestiones que están relacionadas con el momento en que hablaba –una fiesta litúrgica, un aniversario de la Obra...– o con la situación de sus oyentes.

Le escuchaban miembros del Opus Dei que se encontraban en Roma por razones de gobierno o de formación. Por tanto, habla del espíritu de la Obra a personas que ya lo conocen y lo viven, exhortándoles a llevar una vida santa, correspondiendo a la llamada de Dios que han recibido.

Hay por eso numerosas menciones a virtudes como la sinceridad, la docilidad o la humildad, útiles para todos los cristianos, pero subrayadas para quienes se encontraban en un periodo más intenso de formación espiritual, como era el caso de los alumnos del Colegio Romano de la Santa Cruz que le escuchaban.

Esto no quiere decir que la presente edición crítico-histórica se dirija exclusivamente a los fieles de la Obra. Las características de estos textos los hacen interesantes para un grupo de lectores mucho más amplio. No sólo por razones históricas –conocer lo que Escrivá de Balaguer predicaba– sino también por motivos teológicos, espirituales y vitales.

En la historia de la espiritualidad ha ocurrido muchas veces que palabras pronunciadas ante un auditorio restringido han tenido después una

---

[152] Beato Álvaro DEL PORTILLO, presentación a *Amigos de Dios,* Madrid, Rialp, 14.ª ed., 1988, p. 12.

utilidad muy amplia, e incluso se han difundido como clásicos de espiritualidad, válidos para todos. Baste mencionar a santa Teresa de Jesús, cuyos escritos a sus monjas han tenido un influjo universal.

En el caso de san Josemaría, nos encontramos con una predicación que –de por sí– se adapta a variadas situaciones. La mayor parte de sus enseñanzas, tal como las leemos aquí, tienen utilidad para quienes deseen buscar la santidad en medio del mundo, obedeciendo a la exhortación del Concilio Vaticano II, aunque no pertenezcan al Opus Dei ni participen de su orientación espiritual.

Un ejemplo, entre muchos, puede ilustrar la anterior afirmación. En uno de los párrafos de este volumen, san Josemaría plantea gráfica y profundamente la espiritualidad del hombre y de la mujer del Opus Dei, que buscan vivir en plenitud su vocación cristiana en medio de la vida ordinaria:

> «Hemos de estar –y tengo conciencia de habéroslo dicho muchas veces– en el Cielo y en la tierra, siempre. No *entre* el Cielo y la tierra, porque somos del mundo. ¡En el mundo y en el Paraíso a la vez! Esta sería como la fórmula para expresar cómo hemos de componer nuestra vida, mientras estemos *in hoc sæculo*. En el Cielo y en la tierra, endiosados; pero sabiendo que somos del mundo y que somos tierra»[153].

Parece evidente que no es preciso pertenecer al Opus Dei para sacar provecho espiritual de una recomendación como esta: basta querer practicar una intensa vida cristiana en el mundo. Lo que dice san Josemaría es que no cabe separar la unión con Dios del "ser mundo" y "ser tierra". En otras palabras, esta refiriéndose a la "unidad de vida", de la que tanto habló[154].

En esa misma óptica, enseña que las normales circunstancias de la vida no deben apartar del diálogo constante con Dios:

> «Debemos ser en el mundo, en medio de la calle, en medio de nuestro trabajo profesional, cada uno en lo suyo, almas contemplativas, almas que estén constantemente hablando con el Señor, ante lo que

---

[153] 25.4b. Como ya se ha dicho, los textos de san Josemaría de este libro se citan indicando en primer lugar el número de orden de la meditación y después los números marginales.

[154] Sobre la "unidad de vida" trataremos en la introducción a la meditación n. 20.

parece bueno y ante lo que parece malo: porque, para un hijo de Dios, todo está dispuesto para nuestro bien»[155].

La santificación del trabajo ocupa un lugar central en esta visión, porque es un elemento clave del espíritu enseñado por san Josemaría. La ocupación profesional, como todo lo demás, es instrumento que sirve para unirse más a Dios:

> «El trabajo, si lo realizamos con el orden debido, no nos quita el pensamiento de Dios: nos refuerza el deseo de hacerlo todo por Él, de vivir por Él, con Él, en Él»[156].

La vida secular, unida al sacrificio eucarístico de Cristo, sube a Dios como una ofrenda agradable. El mundo, para san Josemaría, es lugar en el que el cristiano corriente "restituye" al Padre la creación, sirviéndole y ofreciéndole un sacrificio de adoración. El mundo entero, dice audazmente, «es altar para nosotros. Todas las obras de los hombres se hacen como en un altar, y cada uno de vosotros, en esa unión de almas contemplativas que es vuestra jornada, dice de algún modo *su misa*, que dura veinticuatro horas»[157].

Son sólo algunos ejemplos del porqué estos textos tienen un interés espiritual y vital para un público amplio. Digamos algo ahora sobre los periodos que abarcan.

La predicación que se recoge en el presente volumen cubre casi veinte años: desde 1954 a 1975, aunque los textos fueron revisados por san Josemaría en el último periodo de su vida. Transmiten, por tanto, su plena madurez espiritual. A lo largo de ese tiempo, se observan algunas constantes en los temas que trata, pero también aparecen de vez en cuando aspectos nuevos, que se conectan con el momento histórico que estaba viviendo el mundo, la Iglesia y el Opus Dei.

Los tres primeros textos, entre 1954 y 1955, proceden de meditaciones a los alumnos del Colegio Romano de la Santa Cruz, y tratan de cuestiones como la oración mental, la docilidad en la labor de acompañamiento espiritual, la vida contemplativa, la libertad en el Opus Dei, la necesidad de formación para la santidad y el apostolado, la fecundidad de la obediencia, etc.

---

[155] 13.2a.

[156] 23.1c.

[157] 12.3h.

Las siguientes meditaciones, entre 1962 y 1967, fueron predicadas a los que vivían en el centro del Consejo General o, como ocurrió con la última de este periodo, a los consiliarios del Opus Dei, que se encontraban en Roma para trabajar unos días con el fundador. Aquí se alternan temas relacionados con la lucha por la santidad, la responsabilidad, o la vocación al Opus Dei como determinación de la única vocación cristiana de seguir a Cristo. Hay reflexiones sobre la humildad, la fidelidad en la entrega, el amor a la Cruz, el hacer todo por Amor a Dios y otros temas espirituales. Se encuentran también numerosas referencias a la historia de la Obra y a los sentimientos de indignidad que embargaban al fundador cuando consideraba la llamada que Dios le había dirigido. La última meditación de este periodo, "El camino nuestro en la tierra", es uno de los textos más importantes para conocer el itinerario espiritual que propone para llegar a la unión con Dios. En esas palabras de 1967, aparece una primera mención a la crisis doctrinal y disciplinar que estaba tomando fuerza en la Iglesia y que explotaría en los años siguientes.

En los textos que van desde 1969 a 1975 se alternan meditaciones, una homilía y tertulias. La mayoría recogen palabras pronunciadas ante los alumnos del Colegio Romano de la Santa Cruz, pero también hay varias meditaciones al Consejo General. Los temas son más o menos los mismos que en años anteriores: se alternan consideraciones sobre el espíritu del Opus Dei con recuerdos de su historia y, a partir del 6 de enero de 1970, "La lógica de Dios", se hace más presente la situación de la Iglesia, que había mencionado ya brevemente en ocasiones anteriores. Desde ese momento, las referencias a la crisis eclesial en curso serán más numerosas, vigorosas y doloridas. En "Tiempo de reparar", dedica especial atención a este tema.

Sabemos que en aquellos años trató por extenso de esa cuestión, de palabra y por escrito. Como se verá, el problema está presente siempre indirectamente, aunque no lo mencione: al referirse a los temas de siempre –el amor y gratitud a Dios, el afán de santidad, la fidelidad...–, se nota que late en él un deseo de desagraviar a Dios, de amarle más y de serle más fiel, a causa de esa situación.

A san Josemaría no le gustaba hablar de "crisis del postconcilio". Esa expresión implica de hecho admitir un nexo, una relación causa-efecto, entre el Concilio Vaticano II y los desórdenes que vinieron en esos años y que tanto le afligían. Con buen humor solía decir que «estamos en época postconciliar desde unos treinta años después de la muerte de Nuestro Señor Jesucristo: desde el Concilio de Jerusalén»[158].

En una entrevista de 1968 declaró que una de sus mayores alegrías había sido «ver cómo el Concilio Vaticano II ha proclamado con gran claridad la vocación divina del laicado»[159]. En los textos de este volumen nunca atribuye al Concilio la turbulenta situación que se creó después. San Josemaría se lamenta de la "contestación" a la jerarquía eclesiástica, patente en la opinión pública especialmente desde 1968, y también deplora las desviaciones doctrinales, los abandonos vocacionales de tantos sacerdotes y religiosos, los abusos contra los sacramentos, la pasividad de quienes deberían corregir esos errores y no lo hacen... Se trata de realidades bien conocidas, que le dolían profundamente y que no sólo afectaron a la Iglesia Católica[160].

La reacción de san Josemaría ante esos hechos fue muy sobrenatural. Confiando en el auxilio de Dios, recuperaba la paz:

> «No es posible considerar estas calamidades sin pasar un mal rato. Pero estoy seguro, hijas e hijos de mi alma, de que con la ayuda de Dios sabremos sacar abundante provecho y paz fecunda. Porque insistiremos en la oración y en la penitencia. Porque afianzaremos la seguridad de que todo se arreglará»[161].

Una última observación general sobre los temas de este libro. En él encontramos abundantes referencias autobiográficas, que constituyen una fuente interesante sobre la vida del fundador y sobre la conciencia que él tenía acerca de su misión. Sobresalen en este sentido los dos únicos textos de 1975, que parecen una despedida de quien, tal vez, presentía ya cercana su partida.

En esas ocasiones, era común que manifestara su asombro ante la eficacia de la Providencia divina; sentía también la necesidad de dar gracias a Dios y de pedirle perdón. El 27 de marzo de 1975, por ejemplo, decía:

---

[158] Cit. por Salvador BERNAL, *Mons. Josemaría Escrivá de Balaguer. Apuntes sobre la vida del Fundador del Opus Dei*, Madrid, Rialp, 1976, p. 233.

[159] *Conversaciones*, n. 72. Ver otros ejemplos en *ibid.* nn. 26, 47.

[160] Cfr. Hugh MCLEOD, *The religious crisis of the 1960s*, Oxford (UK), New York, Oxford University Press, 2007.

[161] 21.4b.

«Una mirada atrás... Un panorama inmenso: tantos dolores, tantas alegrías. (...) *Gratias tibi, Deus, gratias tibi!* Un cántico de acción de gracias tiene que ser la vida de cada uno. Porque ¿cómo se ha hecho el Opus Dei? Lo has hecho Tú, Señor, con cuatro *chisgarabís...* *"Stulta mundi, infirma mundi, et ea quæ non sunt"* (1 Cor 1, 27-28). Toda la doctrina de San Pablo se ha cumplido: has buscado medios completamente ilógicos, nada aptos, y has extendido la labor por el mundo entero»[162].

7.2. Algunas claves interpretativas sobre el contenido

Veamos ahora algunas de las líneas fundamentales del mensaje que san Josemaría transmite en estos textos.

7.2.1. *La identificación con Cristo*

Al comienzo del volumen, en una frase de 1954, nos da una explicación cabal de la vida cristiana: «Seguir a Cristo (...) es nuestra vocación. Y seguirle tan de cerca que vivamos con Él, (...) que nos identifiquemos con Él, que vivamos su Vida»[163]. Cristo está en el centro del camino de santidad que propone: seguirle, amarle, compartir su vida, identificarse con Él en la vida cotidiana, civil y secular, ser *alter Christus,* aún más, *ipse Christus.*

Sus palabras están presididas por un gran amor al Verbo encarnado. Cristo llama y requiere una respuesta libre por parte de cada persona: en este contexto se desarrollan sus reflexiones sobre el sentido de la vocación al Opus Dei, que es una determinación de la vocación del cristiano que vive en medio del mundo.

El amor a Cristo no aparece nunca como un postulado teórico, sino que se despliega en un trato afectuoso con la Humanidad Santísima, con el Jesús de carne y hueso, Dios y Hombre verdadero[164]. Habla de Él y

---

[162] 25.2a-2b.

[163] 1.1b-1c.

[164] Ver sobre este tema José María YANGUAS SANZ, "Amar 'con todo el corazón' (Dt 6, 5). Consideraciones sobre el amor del cristiano en las enseñanzas del Beato Josemaría Escrivá", *Romana* 14 (1998), pp. 144-157; Luis ROMERA, "Amor a Dios", en DSJEB, pp. 105-110; Joaquín PANIELLO PEIRÓ, "En torno al núcleo de la mirada cristológica de S. Josemaría

con Él como se hace con un amigo, con un hermano muy querido. No ama una idea, un dogma, o un personaje de la historia. Su cariño no es tampoco el resultado de un esfuerzo artificial. Es simplemente afecto a una Persona concreta, que contempla en sus principales misterios: el Nacimiento, la vida oculta en Nazaret, su vida pública, la Pasión y la Cruz... y naturalmente la Eucaristía, donde lo ama de manera más intensa.

Como ya se ha dicho, el Evangelio es su principal fuente de meditación y de predicación[165]. Se entretiene a gusto en las diversas escenas, descubriendo aspectos muy provechosos para la vida cristiana[166].

Su modo de contemplar el Evangelio es muy personal, incluso «puso de relieve aspectos nuevos, a veces inadvertidos durante siglos»[167]. Pero al mismo tiempo, su predicación se mueve en el surco de la tradición espiritual católica. Concretamente, en esa corriente que principalmente en la Edad Media y en la Edad Moderna[168] ha llevado a tantos santos y santas,

---

Escrivá de Balaguer", AnTh 18 (2004), pp. 449-468; Flavio CAPUCCI, "Dios en sus santos. El radicalismo cristiano del Beato Josemaría Escrivá", ScrTh 24 (1992), pp. 439-455.

[165] Sobre este tema, ver José María CASCIARO RAMÍREZ, "La 'lectura' de la Biblia en los escritos y en la predicación del beato Josemaría Escrivá de Balaguer", ScrTh 34 (2002), pp. 133-167; Bernardo ESTRADA, "Sagrada Escritura", en DSJEB, pp. 1097-1102; Francisco VARO PINEDA, "San Josemaría Escrivá de Balaguer, 'Palabras del Nuevo Testamento, repetidas veces meditadas. Junio - 1933'", SetD 1 (2007), pp. 259-286; Francisco VARO PINEDA, "La Sagrada Biblia en los escritos de san Josemaría Escrivá", en Gonzalo ARANDA PÉREZ - Juan Luis CABALLERO GARCÍA (eds.), *La Sagrada Escritura, palabra actual: XXV Simposio Internacional de Teología de la Universidad de Navarra,* Pamplona, Universidad de Navarra. Servicio de Publicaciones, 2005, pp. 525-547; Scott HAHN, "Passionately Loving the Word: The Use of Sacred Scripture in the Writings of Saint Josemaria", *Romana* 18 (2002), pp. 382-390; Santiago AUSÍN OLMOS, "La lectura de la Biblia en las 'Homilías' del beato Josemaría Escrivá de Balaguer", ScrTh 25 (1993), pp. 191-220; *Es Cristo que pasa,* ed. crít.-hist., Introducción general, pp. 24-28; Joaquín PANIELLO PEIRÓ, *Las 'homilías' de san Josemaría Escrivá, meditaciones del ministerio de Cristo. Un análisis de forma y contenidos de "Es Cristo que pasa" y "Amigos de Dios",* Roma, Pontificia Università della Santa Croce, 2004.

[166] Cfr. Álvaro DEL PORTILLO, *Entrevista,* p. 149. Para Benedicto XVI, «cada santo es como un rayo de luz que sale de la Palabra de Dios» y concretamente aplicaba esta afirmación a san Josemaría, al referirse a «su predicación sobre la llamada universal a la santidad», Exhort. *Verbum Domini,* 30-IX-2010, n. 48.

[167] Álvaro DEL PORTILLO, *Entrevista,* p. 148.

[168] Cfr. André RAYEZ - Tomás DE LA CRUZ, "Humanité du Christ", en DSp7, cols. 1064-1095 y 1096-1108.

y a numerosos maestros espirituales, a elegir como itinerario espiritual la Humanidad Santísima de Cristo. Así lo afirma san Josemaría:

«Para llegar a Dios hemos de tomar el camino justo, que es la Humanidad Santísima de Cristo»[169].

7.2.2. *La filiación divina y el Amor a Dios*

Junto al amor por Jesucristo, otro tema central es la experiencia de la filiación a Dios Padre y la confianza con el Espíritu Santo. San Josemaría propone una vida espiritual cristocéntrica y a la vez profundamente trinitaria. Su trato amoroso con las Tres Personas divinas aparece ligado a su veneración por la Sagrada Familia: Jesús, María y José. Es más, habla de un itinerario que va "de la trinidad de la tierra a la Trinidad del Cielo".

Destaca su sentido de la filiación a Dios Padre, que consideraba un tema fundamental en la vida cristiana y que ha sido objeto ya de variados estudios teológicos[170]. Como ponen de manifiesto las páginas de *En diálogo con*

---

[169] 9.3c.

[170] Ver: Ernst BURKHART - Javier LÓPEZ DÍAZ, *Vida cotidiana y santidad* (II); Francisco FERNÁNDEZ CARVAJAL - Pedro BETETA LÓPEZ, *Hijos de Dios: la filiación divina que vivió y predicó el Beato Josemaría Escrivá*, Madrid, Palabra, 1995; Fernando OCÁRIZ BRAÑA - Ignacio DE CELAYA URRUTIA, *Vivir como hijos de Dios: estudios sobre el Beato Josemaría Escrivá*, Pamplona, Eunsa, 1993; Catalina BERMÚDEZ MERIZALDE, "Hijos de Dios Padre en la vida cotidiana. El sentido de la filiación divina en las enseñanzas del beato Josemaría Escrivá de Balaguer", *Pensamiento y cultura: revista del Instituto de Humanidades* (2002), pp. 155-167; Antonio ARANDA LOMEÑA, «El bullir de la sangre de Cristo»: estudio sobre el cristocentrismo del beato Josemaría Escrivá, Madrid, Rialp, 2001, especialmente pp. 27-30; Antonio ARANDA LOMEÑA, "Llamados a ser hijos del Padre. Aproximación teológica a la noción de filiación divina adoptiva", en José Luis ILLANES MAESTRE (ed.), *El Dios y Padre de Nuestro Señor Jesucristo: XX Simposio Internacional de Teología de la Universidad de Navarra*, Pamplona, Universidad de Navarra. Servicio de Publicaciones, 2000, pp. 251-272; José Luis ILLANES MAESTRE, "Experiencia cristiana y sentido de la filiación divina en san Josemaría Escrivá de Balaguer", *PATH: Pontificia Academia Theologica* 7 (2008), pp. 461-475; Lucas Francisco MATEO SECO, "Dios Padre", en DSJEB, pp. 334-339; Johannes STÖHR, "La vida del cristiano según el espíritu de filiación divina", ScrTh 24 (1992), pp. 879-893; Francisco Javier SESÉ ALEGRE, "La conciencia de la filiación divina, fuente de vida espiritual", ScrTh 31 (1999), pp. 471-493; Jutta BURGGRAF, "El sentido de la filiación divina", en Manuel BELDA PLANS, *et al.* (eds.), *Santidad y mundo: actas del simposio teológico de estudio en torno a las enseñanzas del beato Josemaría Escrivá (Roma, 12-14 de octubre de 1993)*, Pamplona, Eunsa, 1996, pp. 109-127.

el Señor, san Josemaría lo consideraba un elemento fundacional del Opus Dei. En 1967, decía, por ejemplo:

> «Ha querido Dios que seamos hijos suyos. No me invento nada, cuando os digo que es parte esencial de nuestro espíritu la filiación divina: todo está en las Santas Escrituras. Es verdad que, en una fecha de la historia interna de la Obra, hay un momento preciso en el que Dios quiso que nos sintiéramos sus hijos, que al espíritu del Opus Dei incorporásemos ese espíritu de filiación divina. Lo sabréis a su hora. Dios ha querido que, por primera vez en la historia de la Iglesia, fuera el Opus Dei el que corporativamente viviese esta filiación»[171].

Dos años después, en 1969, se refirió a aquel suceso con más detalle:

> «Aprendí a llamar Padre, en el Padrenuestro, desde niño; pero sentir, ver, admirar ese querer de Dios de que seamos hijos suyos..., en la calle y en un tranvía –una hora, hora y media, no lo sé–; *Abba, Pater!*, tenía que gritar.
>
> (...) Aquel día quiso de una manera explícita, clara, terminante, que, conmigo, vosotros os sintáis siempre hijos de Dios, de este Padre que está en los cielos y que nos dará lo que pidamos en nombre de su Hijo»[172].

Su biógrafo Vázquez de Prada sitúa el episodio el 16 de octubre de 1931[173]. La relación filial con Dios, tan vivamente percibida desde ese año, influye sobre múltiples aspectos de la vida espiritual que el fundador ha transmitido a los miembros del Opus Dei. En realidad, se podría decir que presenta la entera relación con Dios bajo un prisma particular. Pero entre las diversas manifestaciones positivas que esa actitud induce, hay una a la que san Josemaría se refiere frecuentemente en estas meditaciones. Se trata de la primacía del Amor en el trato con Dios.

El Dios que predica no infunde miedo, sino deseos de amar. Ante la realidad del pecado, el fundador no se detiene a ponderar su fealdad ni el

---

[171]   10.2b.

[172]   13.3a-3c.

[173]   Cfr. *AVP* I, pp. 388-389.

castigo que se merece; prefiere hablar de la confianza en un Dios misericordioso que nos ama con locura:

> «Cada uno, en el fondo de su conciencia, después de confesar: Señor, te pido perdón de mis pecados, puede dirigirse a Dios con confianza absoluta, filial; con la confianza que merece este Padre que –no me canso de repetirlo– nos ama a cada uno de nosotros como una madre a su hijo... Mucho más, no *como*; mucho más que una madre a su hijo y que un padre a su hijo primogénito»[174].

La conciencia del amor que Dios nos tiene, amor paterno y materno, es el fruto maduro, para el Autor, de la constatación de ser hijos de Dios. Y el amor llama al amor: hace brotar en la criatura el deseo de corresponder, o al menos, el impulso para volver a la casa del Padre sin miedo, para recibir la acogida del perdón. San Josemaría es muy consciente de la grandeza de Dios y del respeto y veneración que merece, pero da una interpretación muy personal al *timor Domini*[175], derivada de lo que estamos diciendo: «Bienaventurado el hombre que teme al Señor, bienaventurada la criatura que ama al Señor y evita darle un disgusto. Este es el *timor Domini*, el único temor que yo comprendo y siento»[176].

La vida espiritual, tal como la predica san Josemaría a los fieles del Opus Dei en estas páginas, se delinea claramente como una vía de amor a Dios Nuestro Señor. Sólo ese amor da razón de ser a la vida en el Opus Dei, y explica el seguimiento de Jesucristo. El apostolado, la vida de oración, la lucha interior, la santificación del trabajo, la práctica de las virtudes... son otras tantas manifestaciones de ese único principio, que lo debe llenar todo y que debe ser su motor: «Lo esencial es que cada uno (...) viva de Amor, y trabaje por Amor, y se sienta siempre sostenido con ese Amor, con esa fortaleza de Dios»[177].

Hace ver que la vida cristiana no es mera oposición, no es sólo combate negativo. Es, ante todo, un esfuerzo de enamoramiento, de correspondencia

---

[174] 14.3a.

[175] Esta convicción proviene de una vivencia espiritual sucedida en otoño de 1931, en un momento de intensas experiencias de la filiación divina y de pruebas interiores. Todo está muy bien relatado en *Camino*, ed. crít.-hist., com. al n. 435. Ver también *AVP* I, pp. 392-393.

[176] 12.4b.

[177] 24.4b.

al cariño de Dios, que nos quiere con locura[178]. Es lo que garantiza la fidelidad, para san Josemaría, porque es en última instancia lo que da sentido a una vida de entrega a Dios y la preserva de los peligros que pueden arruinarla: «Sólo llenando de amor el corazón podemos tener la seguridad de que no se encabritará ni se desviará, sino que permanecerá fiel al amor purísimo de Dios»[179].

El Amor da importancia a lo que verdaderamente la tiene a los ojos de Dios. Participa —si se puede hablar así— de la percepción divina de las cosas. «Todo es grande»: he aquí otra clave interpretativa para profundizar en las enseñanzas de nuestro Autor[180]. Muchas cosas en la vida, buenas o malas, son objetivamente pequeñas, pero subjetivamente pueden convertirse en cuestiones de entidad. Para una persona enamorada, una pequeñez puede adquirir una importancia grande. Cuanto más enamorada está, más relevancia le dará. Si pensamos que quien nos ama no sólo está enamorado, sino que es el Amor mismo, se comprende mejor la afirmación de Escrivá de Balaguer.

Como consecuencia de esta espiritualidad basada en el Amor y en el sentido de la filiación divina, sus meditaciones hablan de la vocación en el Opus Dei como de una existencia imbuida de confianza en Dios, llena de paz y de alegría. Nada más lejano de su pensamiento que una vida cristiana agitada, angustiada por las dificultades o por un malentendido perfeccionismo, y mucho menos atormentada. Paz y serenidad, por tanto, ante los sucesos y ante las propias debilidades.

7.2.3. La oración y la vida contemplativa

Un tema al que san Josemaría dedica bastantes párrafos es la oración y la vida contemplativa. A este último tema nos referiremos más extensamente en las introducciones a las meditaciones 2 y 9, pero digamos algo ahora. ¿Qué es la oración para el Autor? Es una «conversación amorosa con el

---

[178] Cfr. Luis ROMERA, "Amor a Dios", en DSJEB, pp. 105-110.

[179] 16.2b.

[180] La expresión se encuentra ya textualmente en *Camino*: «Hacedlo todo por Amor. —Así no hay cosas pequeñas: todo es grande», n. 813.

Amor eterno»[181]; un «rato de tertulia»[182] con Dios, llevado con sencillez, «como se habla con un hermano, con un amigo, con un padre»[183].

Sus meditaciones no eran meras pláticas formativas o instructivas, sino verdaderos ratos de oración, en los que trataba de ayudar a sus oyentes a mantener una conversación íntima con Dios: «Cuando hago mi oración en voz alta es, como siempre, para que la sigáis por vuestra cuenta y aprovechemos todos un poquito»[184], decía.

Aunque no seguía un "método" proprio y animaba a tener una gran libertad interior en la oración[185], es posible reconocer un cierto esquema, que se repite con alguna frecuencia:

— comienza siempre con una breve oración preparatoria, que reza despacio, sopesando las palabras[186];

— terminada la preparación, toma casi siempre, como punto de partida, algún pasaje bíblico o un texto litúrgico;

— cuando el texto proviene del Evangelio, el Autor pone en juego la imaginación, para representarse la escena de una manera viva, como si fuera una película o una obra teatral;

— a menudo pasa a considerarse un actor en esa escena, eligiendo un papel que le inspira la vida de infancia espiritual, y que le lleva a verse a sí mismo como un niño u otro ser ingenuo y humilde (un borrico, un perrito fiel, etc.);

— ese proceso intelectivo, muy rápido e intuitivo, le lleva a explayarse en actos de amor a Dios, especialmente con la Santísima Humanidad de Jesucristo y con María y José, la "trinidad de la tierra";

— como consecuencia de esas reflexiones, surgen deseos, propósitos de mejora o actos de contrición, y también acciones de gracias o peticiones...;

---

[181] 2.2d.

[182] 16.3g.

[183] 2.3g.

[184] 8.1a.

[185] En *Amigos de Dios* se lee: «Cada uno de vosotros, si quiere, puede encontrar el propio cauce, para este coloquio con Dios. No me gusta hablar de métodos ni de fórmulas, porque nunca he sido amigo de encorsetar a nadie», n. 249.

[186] Ver nota a 4.1a.

— al acabar el tiempo de la meditación, que es de una media hora, san Josemaría concluye con una plegaria final, siempre la misma, simétrica a la del principio.

Él mismo hace una descripción sintética de esa forma de oración, que se coloca en el surco de la tradición espiritual católica, aunque con una cierta originalidad: «Te representas la escena o el misterio que deseas contemplar; después aplicas el entendimiento, y buscas enseguida un diálogo lleno de afectos de amor y de dolor, de acciones de gracias y de deseos de mejora. Por ese camino debes llegar a una oración de quietud, en la que es el Señor quien habla, y tú has de escuchar lo que Dios te diga»[187].

Veamos un ejemplo en el que se puede reconocer esa estructura, tomada de un comentario al misterio de la Epifanía:

«Han llegado los Magos a Belén. (...) Hijos míos, vamos a acercarnos al grupo formado por esta trinidad de la tierra: Jesús, María, José. Yo me meto en un rincón; no me atrevo a acercarme a Jesús, porque todas las miserias mías se ponen de pie: las pasadas, las presentes. Me da como vergüenza, pero entiendo también que Cristo Jesús me echa una mirada de cariño. Entonces me acerco a su Madre y a San José, este hombre tan ignorado durante siglos, que le sirvió de padre en la tierra. Y a Jesús le digo: Señor, quisiera ser tuyo de verdad, que mis pensamientos, mis obras, mi vivir entero fueran tuyos. Pero ya ves: esta pobre miseria humana me ha hecho ir de aquí para allá tantas veces... (...) Delante del Señor y, sobre todo, delante del Señor Niño, inerme, necesitado, todo será pureza; y veré que si bien tengo, como todos los hombres, la posibilidad brutal de ofenderle, de ser una bestia, esto no es una vergüenza si nos sirve para luchar, para que manifestemos el amor; si es ocasión para que sepamos tratar de un modo fraterno a todos los hombres, a todas las criaturas. Es necesario hacer continuamente un acto de contrición, de reforma, de mejora»[188].

En otro ejemplo, vemos a san Josemaría identificarse con el borrico, un animal muy querido para él y lleno de significado en su vida espiritual[189].

---

[187] 1.2a.

[188] 14.4a-5a.

[189] Ver *Camino*, ed. crít.-hist., com. a los nn. 606 y 998; Luis CANO, "San Josemaría, peregrino a Santiago", *Compostellanum* 56 (2011), pp. 295-298.

En este caso, representa el personaje del asno durante la huida a Egipto y en la entrada triunfal de Jesús en Jerusalén, durante el Domingo de Ramos:

> «Me ha conmovido la figura del borriquito, que es leal y no tira la carga. Soy un borriquito, Señor; aquí estoy. No creáis, hijos míos, que esto es una necedad. No lo es. Os estoy planteando el modo de orar que empleo yo, y que va bien.
>
> Y presto mis espaldas a la Madre de Dios, que lleva en brazos a su Hijo, y nos vamos a Egipto. Más tarde le prestaré de nuevo mis espaldas para que se siente Él encima: *perfectus Deus, perfectus Homo!* (*Symb. Athan.*). Y me convertiré en el trono de Dios.
>
> ¡Qué paz me dan estas consideraciones! Qué paz nos debe dar saber que nos perdona siempre el Señor, que nos ama tanto, que conoce tanto de las flaquezas humanas»[190].

Otro tema fundamental en estas páginas es la contemplación a lo largo de la jornada: «Los hijos de Dios en su Opus Dei han de ser contemplativos, almas contemplativas en medio del mundo», afirma, deben mantener «una continua vida de oración, de la mañana a la noche y de la noche a la mañana»[191]. Lo veremos con más detalle al tratar de "El camino nuestro en la tierra", de 1967, que más tarde amplió y corrigió, con el título de "Hacia la santidad", y que era para él una *falsilla* que podía guiar a los miembros del Opus Dei hacia esa meta de contemplación.

7.2.4. *La búsqueda del amor en la vida ordinaria*

Aunque para san Josemaría era importante progresar en las virtudes y luchar contra las malas inclinaciones, da la impresión de que en este libro insiste más en la correspondencia a la gracia, en la contemplación y en la búsqueda del amor de Dios en la vida ordinaria[192]. Tal vez por eso habla de «esta ascética nuestra, que es mística»[193].

---

[190] 14.5b-5d.

[191] 1.5b.

[192] Cfr. Francisco Javier SESÉ ALEGRE, "Mística", en DSJEB, pp. 837-841, p. 839.

[193] 17.2d.

Las palabras que acabamos de citar son de 1971 y parecen un replanteamiento del tema que había dejado en suspenso en 1967: «¿Ascética? ¿Mística? No lo sabría decir»[194]. Ahora parece afirmar que la lucha por amor a Dios –"la ascética"– es ya unión mística con Dios, precisamente porque es un acto de amor[195].

Habla de lucha interior con tono vigoroso, mostrando a sus oyentes la responsabilidad que tienen de no ceder ante el enemigo de su santidad o ante las propias flaquezas. Pero su lenguaje incluye siempre una referencia al motivo que impulsa ese esfuerzo: el amor a Dios, la fidelidad a su llamada, la lealtad a la Iglesia... La lucha que propone tiene poco de voluntarismo perfeccionista: se trata de un esfuerzo por amar más, secundando la gracia y abandonándose humildemente en la misericordia de Dios[196]. Sin actitudes blandengues, con una batalla constante por ser fieles a Dios y derrotar al egoísmo: «No intentéis nunca compaginar una conducta floja, con la santidad que os exige la Obra»[197], dice.

Se requiere, por tanto, un empeño serio, una "determinada determinación"[198] como diría santa Teresa de Jesús, para no cejar nunca, para ir siempre adelante, procurando no desviarse del camino que lleva al Cielo:

> «Soy muy amigo de la palabra camino, porque todos somos caminantes de cara a Dios; somos *viatores*, estamos andando hacia el Creador desde que hemos venido a la tierra. Una persona que emprende un camino, tiene claro un fin, un objetivo: quiere ir de un sitio a otro; y, en consecuencia, pone todos los medios para llegar incólume a ese fin; con la prisa suficiente, procurando no descaminarse por veredas laterales, desconocidas, que presentan peligros de barrancos y de fieras. ¡A caminar seriamente, hijos! Hemos de poner en las cosas de Dios y en las de las almas el mismo empeño que los demás ponen en las cosas de la tierra: un gran deseo de ser santos»[199].

---

[194] 9.4f.

[195] Cfr. Javier LÓPEZ DÍAZ, "Lucha ascética", en DSJEB, pp. 769-775.

[196] Cfr. José María GALVÁN, "Gracia", en *ibid.*, pp. 579-585.

[197] 19.5f.

[198] Santa TERESA DE JESÚS, *Camino de perfección*, 21, 2.

[199] 15.4a.

Todo eso sin pretender heroicidades clamorosas ni empresas muy difíciles; al contrario, perseverando día a día en santificar las situaciones ordinarias de la vida: «Dios os exige a vosotros, y me exige a mí –explica–, lo que exige a una persona normal. Nuestra santidad consiste en eso: en hacer bien las cosas corrientes»[200].

La suya es una "ascética deportiva" –la metáfora viene de san Pablo– que se apoya en la humildad, virtud a la que se refiere a menudo. Sobre esta deportividad en la vida cristiana, trataremos en otro lugar[201].

7.2.5. La humildad del barro

Podría hablarse también de una "ascética del barro", porque san Josemaría usa mucho esta comparación –también de resonancia paulina– con distintos significados: humildad, docilidad, saberse frágiles, posibilidad de recomponerse –como la loza quebrada– después de una caída, etc.

El barro es, en principio, un material pobre: por sí mismo habla de humildad. Es algo corriente y hasta despreciable. Además, ensucia: mancharse de barro es para el Autor una imagen negativa del pecado. Pero también existe la arcilla, que en manos de un alfarero puede convertirse en enseres de diverso tipo y hasta en piezas artísticas. La arcilla tiene para él un significado positivo: es un material que se deja moldear, y aunque sea de poco valor, permite que lo trabajen con maestría.

También la Sagrada Escritura lo utiliza con diversos significados. Jeremías presenta a Dios como el alfarero que modela a su pueblo, según sus designios (Jr 18, 1-12). El barro recuerda la creación del género humano, cuando Yavé modeló al primer hombre usando tierra húmeda (cfr. Gn 2, 7). En otros pasajes de la Biblia (Si 33, 10-13 e Is 29, 16; 45, 9), se escarnece la soberbia de la arcilla que reniega del alfarero, su Creador, mientras que en Is 64, 7 esa humilde materia reconoce su filiación y llama Padre a su Dios, acordándose de su propio origen y poniéndose confiadamente en sus manos. En esa misma línea, san Pablo emplea la imagen de la arcilla y del artesano para explicar la dependencia del hombre respecto a su Hacedor y la necesidad de confiar en

---

[200] 15.4c.

[201] Ver introducción a la meditación n. 7.

los designios de la Providencia, sin rebelarse o querer entenderlo todo (cfr. Rm 9, 19-24).

Tomándola de san Pablo (cfr. 2 Co 4, 7), san Josemaría emplea la imagen de la vasija de cerámica para explicar que los hombres llevamos los dones de la gracia y la santidad en un recipiente quebradizo. La arcilla, una vez cocida en el horno, llega a adquirir una gran consistencia. Pero esa dureza esconde, sin embargo, una gran fragilidad. Aunque si se quiebra, también puede recomponerse y seguir sirviendo para algo.

De todo esto, como veremos, san Josemaría saca ejemplos para referirse a la humildad: «Os recordaré con San Pablo, para que nunca os coja de sorpresa, que llevamos este tesoro en vasos de barro: *habemus autem thesaurum istum in vasis fictilibus* (II *Cor.* IV, 7). Un recipiente tan débil, que con facilidad puede romperse (...). Hemos de mantener el vaso íntegro, para que no se derrame ese licor divino»[202]. La lucha interior, para el Autor, debe prevenir que ese vaso se quiebre y pierda su rico contenido, que es la gracia. Es preciso preservarlo –con una vigilancia atenta– de los peligros que pueden destrozarlo[203].

Un significado parecido lo encontramos en la imagen de los pies de barro, que está inspirada en el pasaje de la estatua descrita en Dn 2, 31-45, y que ha pasado a la sabiduría popular. San Josemaría la emplea para recordar la fragilidad humana, a pesar de la fortaleza aparente, que debe mover a la humildad y a la confianza en los medios que Dios nos brinda para ayudarnos, como el sacramento de la confesión: «Hijos, escuchad a vuestro Padre: no hay mejor acto de arrepentimiento y de desagravio que una buena confesión. Allí recibimos la fortaleza que necesitamos para luchar, a pesar de nuestros pobres pies de barro»[204].

Ya hemos recordado que el relato antropomórfico del *Génesis* nos presenta a Dios creando al ser humano a partir de la tierra húmeda, a la que después insufla un hálito de vida. El Autor explica que el recuerdo de nuestros orígenes –«somos de barro, formados del polvo de la tierra»[205]– es un motivo de humildad y, a la vez, de confianza en Dios:

---

[202] 20.2a.

[203] Ver 12.4c.

[204] 18.7h.

[205] 8.4h.

«Qué paz nos debe dar saber que nos perdona siempre el Señor, que nos ama tanto, que conoce tanto de las flaquezas humanas, que sabe de qué barro tan vil estamos hechos. Pero también sabe que nos ha inspirado un soplo, la vida, que es divino»[206].

La experiencia y el propio conocimiento le daban la prueba de la debilidad humana. «Conozco (...) el barro vuestro y el mío»[207], decía, y se refería a ese conjunto de defectos y malas inclinaciones que empujan hacia lo más pobre y material de nuestro ser, «que tiran hacia el barro»[208], como dice en otro lugar: «Humildes, humildes. Porque conocemos muy bien el barro de que estamos hechos, y percibimos al menos un poquito de nuestra soberbia, y un poquito de nuestra sensualidad... Y no lo sabemos todo»[209]. Para san Josemaría, la fragilidad se vuelve fortaleza gracias a la humildad de saberse barro de poco valor, «de una pasta muy frágil: de barro de botijo»[210]. Usa también la metáfora de las lañas, esas grapas que antiguamente se utilizaban para unir los fragmentos de los cacharros rotos, para referirse a la contrición, como veremos en otro lugar[211].

A lo largo de estos textos se encuentran otras exhortaciones a fomentar una serena humildad que proviene del propio conocimiento. Hablaba a personas que llevaban años esforzándose por seguir a Cristo y les prevenía frente al posible desconcierto que puede surgir ante la evidencia de las bajezas que cada uno experimenta. En estos casos, la humildad lleva a buscar la ayuda de Dios y a poner los remedios que la prudencia aconseja: sinceridad en la dirección espiritual y en la confesión, para obtener orientación y aliento, o en su caso, el perdón sacramental. «No os asustéis de nada», exhorta san Josemaría. «Evitad que vengan los sustos, hablando claro antes; y si no, después»[212].

Sólo aceptando los propios límites y profundizando en la humildad es posible evitar la desesperación ante una derrota. La soberbia reacciona mal ante esa realidad: «Vosotros y yo no nos vamos a maravillar si encontramos

---

[206] 14.5d.

[207] 24.2a.

[208] 19.2c.

[209] 4.1f.

[210] 22.6b.

[211] Ver introducción a la meditación n. 15.

[212] 15.3e.

que, en todas las cosas –no sólo en la sensualidad, sino en todo–, tenemos una inclinación natural al mal. Algunos se maravillan, se llenan de soberbia y se pierden»[213].

La humildad, para Escrivá de Balaguer, es productiva, pues evita los dos extremos de infecundidad a los que lleva la soberbia, esto es, deprimirse por las propias miserias o vanagloriarse de los éxitos: «Nos daremos cuenta de que todas las cosas grandes, que el Señor quiere hacer a través de nuestra miseria, son obra suya. (...) Luego no nos hemos de admirar (...) si sentimos bullir las pasiones –es lógico que esto ocurra, no somos como una pared–, ni si el Señor, por nuestras manos, obra maravillas, que es cosa habitual también»[214].

Cuando arrecia la tentación, aconseja no perder la serenidad, acudir a la misericordia de Dios y a la intercesión de su Madre. De este modo, todo tiene arreglo: «Después, echaos a reír: ¡me trata Dios como a un santo! No tiene importancia ninguna: persuadíos de que en cualquier momento puede levantarse la criatura vieja que todos llevamos dentro. ¡Contentos, y a luchar como siempre!»[215].

7.2.6. Formación y caridad fraterna

Entre los temas que más trata, teniendo presente la situación de los miembros del Opus Dei que le escuchaban, está la necesidad de la formación y de la caridad fraterna. En la primera meditación que recoge este volumen, pronunciada en 1954, el fundador recuerda por qué en el Opus Dei es absolutamente necesaria la formación doctrinal:

> «Los fines que nos proponemos corporativamente son la santidad y el apostolado. Y para lograr estos fines necesitamos, por encima de todo, una formación. Para nuestra santidad, doctrina; y para el apostolado, doctrina. Y para la doctrina, tiempo, en lugar oportuno, con los medios oportunos. No esperemos unas iluminaciones extraordinarias de Dios, que no tiene por qué concedernos, cuando nos da unos medios humanos concretos: el estudio, el trabajo. Hay que

---

[213] 15.3c.

[214] 15.5d-5e.

[215] 19.2b.

formarse, hay que estudiar. De esta manera, os disponéis a vuestra santidad actual y futura, y al apostolado, cara a los hombres»[216].

La formación que deseaba para los miembros del Opus Dei no debía ser puramente libresca. Les hablaba de una sabiduría que sólo puede dar el Espíritu Santo, como fruto de un trato familiar con Dios. «Para ser verdaderamente sabios –os lo he dicho muchas veces–, no es preciso tener una cultura amplia. Si la tenéis, bien; y si no, igualmente estupendo, si sois fieles, porque recibiréis siempre la ayuda del Espíritu Santo»[217].

En el contexto de la vida del Opus Dei, habla bastante de la gran comprensión y cariño, verdadero afecto familiar, que debe existir entre sus miembros: «Que os comprendáis, que os disculpéis, que os queráis, que os sepáis siempre en las manos de Dios (...). Nunca os sintáis solos, siempre acompañados, y estaréis siempre firmes: los pies en el suelo, y el corazón allá arriba, para saber seguir lo bueno»[218].

Esa caridad, humana y sobrenatural a la vez, se debe extender a todos, también a quienes parecen más alejados de la Iglesia o de la práctica cristiana: «Caridad, hijos, con todas las almas. (...) con las personas que están equivocadas hay que procurar, por medio de la amistad, que salgan del error; hay que tratarlas con cariño, con alegría»[219].

Por último, cabe referirse al conjunto de cuestiones autobiográficas e históricas que trata, siempre con gratitud a Dios y contrición. Recorre su vida y la de la Obra, considerando que la amorosa Providencia de Dios ha guiado la historia. Reconoce una y otra vez, con frases semejantes, lo que expresaba en una meditación de 1971: «Siento de verdad la humillación de que no tengo, ni tenía, ni he tenido nunca las condiciones personales necesarias para hacer una labor tan divina»[220]. Se sentía guiado por Dios, en medio de una existencia corriente y maravillosa a la vez: «Jesús, Señor Nuestro, el Padre y el Espíritu Santo, con la sonrisa amabilísima de la Madre de Dios, de la Hija de Dios, de la Esposa de Dios, me han hecho ir para adelante siendo lo que soy: un pobre hombre, un borrico que Dios ha querido coger de su mano»[221].

---

[216] 1.3a; ver un texto semejante en: 3.4d-4e.

[217] 20.1d.

[218] 17.4e.

[219] 1.6e.

[220] 17.2e.

[221] 8.4g.

TERCERA PARTE
LA PRESENTE EDICIÓN

8. CONTENIDO DE LA EDICIÓN

Este libro se presenta como una edición corregida, aumentada y comentada del volumen que, con textos de la predicación oral de san Josemaría, se preparó en 1995 para uso de los fieles del Opus Dei, y de cuya historia nos hemos ocupado en la primera parte de esta Introducción general[222].

Casi todos los textos habían sido publicados ya en *Crónica* y *Noticias* entre 1969 y 1975, antes del fallecimiento de san Josemaría, y habían sido corregidos por el Autor. Sólo dos de ellos aparecieron en esas revistas después de su muerte[223], aunque habían sido ya vistos parcialmente por san Josemaría en distintos momentos: se ocupó de la revisión general el beato Álvaro del Portillo[224].

Se trata también de una edición *aumentada* porque, como ya se ha señalado, hemos incorporado dos textos que pasaron inadvertidos a los

---

[222] Como hemos dicho, en 1986 se habían reunido los textos para el Proceso de beatificación y canonización de san Josemaría en un volumen, aunque no llevaba ese título. Para todos los efectos de esta edición, cuando nos referimos a *En diálogo con el Señor*, aludimos al libro de 1995, no al de 1986.

[223] Los nn. 5 y 8.

[224] Otros dos textos más, los nn. 24 y 25, aparecieron en dos versiones cada uno: una, en vida de san Josemaría y otra, más ampliada, meses después de su fallecimiento. Junto a los nn. 5 y 8, la edición de estos textos plantea algunas cuestiones particulares de crítica textual que explicamos a continuación y en la introducción de cada uno de ellos.

primeros editores en 1986 y 1995 y que reúnen las mismas características de los demás[225].

Se han mantenido las notas originales numeradas, ya aparecidas en las publicaciones de 1986 y 1995, que hacen referencia habitualmente a citas de la Escritura o de la Liturgia. En algún caso –lo advertimos en su lugar–, hemos añadido otras referencias bíblicas o litúrgicas, porque la fuente original no las traía.

Las demás notas de los editores no forman parte del texto: son explicaciones o datos históricos. Para distinguirlas de las que sí forman parte del texto las hemos colocado en otra caja distinta de las referencias (bíblicas, litúrgicas, patrísticas, etc.) y usan la numeración marginal para indicar el lugar que se comenta.

Cada texto va precedido por una introducción que la sitúa históricamente, señala las fuentes que existen y, en su caso, el material previo[226] (transcripciones, grabaciones, etc.), y hace una sucinta descripción de sus contenidos principales. En cada caso, se señala la fecha y el lugar de la predicación, así como el público a quien se dirigía. También se ha anotado la fecha y la publicación en que apareció por primera vez.

Al inicio de este volumen se han incluido facsímiles de los guiones de predicación que empleó san Josemaría en tres de estas meditaciones, y algunas fotografías.

Las dos ediciones provisionales del libro contaban con sendas presentaciones, la primera sin firmar, la segunda escrita por Mons. Javier Echevarría, prelado del Opus Dei. Las hemos incluido como apéndices 1 y 2.

Al final del libro se ofrecen tres índices –de Sagrada Escritura, de personas citadas, y uno de contenido analítico o temático– que no aparecían en las dos ediciones previas: son los apéndices 3, 4 y 5. Cierran esta edición la Bibliografía empleada para la elaboración de la Introducción y las notas, y el Índice general de la obra.

---

[225] Concretamente, se trata de la meditación del 3 de diciembre de 1961 que hemos titulado "Un día para recomenzar" (n. 4 de este volumen) y una parte de la tertulia del 24 de diciembre de 1967 que hemos llamado "Rezar sin interrupción" (n. 10 de este libro).

[226] Entendemos por "material previo" el conjunto de testimonios documentales que ayudaron al Autor a formar el texto, mientras que las fuentes son, en propiedad, los textos de *En diálogo con el Señor* y de las publicaciones dirigidas a fieles del Opus Dei.

9. ALGUNAS CARACTERÍSTICAS DE LA EDICIÓN

9.1. Uso de las fuentes

Las fuentes de este volumen son la edición para uso de los fieles de la Prelatura de *En diálogo con el Señor* (1995) y los volúmenes de *Crónica, Noticias* y *Meditaciones* en los que aparecieron originalmente esos textos.

Además de esos escritos impresos, contamos con un material compuesto por las transcripciones mecanografiadas de las meditaciones, tertulias y homilías de san Josemaría. También disponemos de cinco grabaciones magnetofónicas, y de guiones manuscritos que san Josemaría utilizó para predicar en tres de esas ocasiones. Se conservan también algunas fotografías de la Misa en que el Autor pronunció la homilía "Los sueños se han hecho realidad", del 9 de enero de 1968, y de varias tertulias.

Este material ha sido utilizado para resolver dudas de crítica textual, para proporcionar detalles complementarios a la predicación, que se incluyen en nuestros comentarios y también, aunque no era el objeto específico de esta edición, para conocer cómo corregía san Josemaría su propio discurso oral.

Como es natural, las transcripciones contienen digresiones o incisos que son usuales en el lenguaje oral y que el Autor suprimió al revisar ese material, porque rompían el hilo conductor o simplemente no quedaban bien en un texto escrito. En las notas de comentario nos hacemos eco de algunos de esos párrafos suprimidos, que contienen detalles de interés histórico o espiritual, tanto para comprender mejor sus palabras como para recuperar noticias que sólo proporcionan esas fuentes. Lógicamente no forman parte del texto, entre otras cosas, porque san Josemaría no los hizo suyos e incluso es posible que los excluyera expresamente, por algún motivo: hay que tener presente que las transcripciones son imperfectas, habida cuenta de que muchas se hicieron sin la ayuda de una grabación magnetofónica[227].

---

[227] A veces muestran lagunas o frases poco comprensibles, consecuencia del método con que se tomaban las notas, por fallos de memoria, etc. Cuando se pudo utilizar un aparato magnetofónico, había veces en que la grabación no salía bien o san Josemaría hablaba en voz más baja de lo ordinario y alguna frase no se entendía del todo.

9.2. Aparato crítico

Nuestro trabajo, según la orientación dada a esta colección por el Instituto Histórico San Josemaría Escrivá de Balaguer, ha consistido, ante todo, en fijar un texto críticamente seguro.

El punto de partida ha sido *En diálogo con el Señor*, de 1995, pues como ya hemos dicho nuestro objetivo es realizar una edición destinada al público en general de esos textos inéditos, es decir, sólo conocidos por quienes reciben asistencia espiritual y formación por parte del Opus Dei. Aunque estemos hablando de muchos miles de personas que han leído la publicación de 1995, es siempre un texto *técnicamente* inédito.

Hemos cotejado esa versión con las versiones que salieron en *Crónica*, *Noticias* y *Meditaciones*. Los textos que se publicaron allí antes del 26 de junio de 1975 pueden considerarse a todos los efectos como aprobados por el fundador, pues para que se utilizaran sus palabras era necesario someterlas previamente a su revisión. Tienen, por lo tanto, un valor crítico mayor, en el plano estrictamente técnico, que cualquier otro material. Por lo tanto, una primera tarea de crítica textual ha sido depurar el texto de esta edición, tras un cotejo cuidadoso, de posibles erratas o divergencias respecto al texto aprobado. Se trata de detalles muy pequeños, en su mayoría, como se puede ver en el aparato crítico, que explicaremos a continuación.

Este criterio ha tenido en cuenta algunas excepciones: la versión de 1986 o 1995, por ejemplo, corregía algunas erratas del texto original, añadía notas donde faltaban, etc. En esos casos, lógicamente, hemos dado por buenas esas correcciones, informando de todo ello al lector.

Un caso especial, más complejo técnicamente, se ha presentado en relación con cuatro textos que san Josemaría no había revisado en su totalidad.

Nos hemos encontrado con que la parte que había revisado san Josemaría presentaba varias versiones, lo que se explica conociendo el modo de trabajar en aquellos años. La redacción de las revistas le presentaba un artículo dedicado, por ejemplo, a comentar un tema espiritual determinado, dentro del cual se incluían –claramente diferenciados por el tipo de letra– algunas citas tomadas de la predicación oral del fundador.

San Josemaría revisaba y corregía esos párrafos teniendo en cuenta el contexto de ese artículo, escrito por los redactores. Una vez aprobado, se tomaba nota de ese texto ya corregido, pero era posible que algunos años después le pasaran otra vez ese mismo párrafo, incluido en otro artículo distinto, y que lo volviera a corregir, dando lugar, aunque fuera solo en cosas de detalle, a una nueva variación. Ese conjunto de versiones de textos parciales está cuidadosamente registrado y ha sido muy útil en nuestro trabajo de edición. Pero ¿qué opción elegir?

Hemos optado por efectuar un discernimiento caso por caso, con flexibilidad. En la mayoría de los textos la versión preferible es la más moderna, porque nos ha parecido que una corrección de san Josemaría puede haber precisado o enriquecido una expresión más antigua.

Pero hay que tener en cuenta que ese criterio no siempre sirve. El lugar en el que se encontraba cada texto parcial, cuando el Autor lo revisó, influyó en el tipo de enmiendas que efectuó. Si, por ejemplo, un párrafo que le habían pasado en 1965 se lo volvían a entregar en 1970, dentro de un artículo muy distinto al de 1965, es posible que lo modificara para respetar la concordancia o para adaptarlo a ese nuevo entorno. Cuando ese condicionamiento ha sido preponderante en la realización de la versión más moderna, hemos considerado que era preferible tomar la más antigua, que estaba mejor situada en su contexto original.

En los cuatro textos que sólo parcialmente había revisado san Josemaría se realizó una labor de recomposición, que requirió adaptar, aunque fuera en cosas mínimas, textos ya vistos por san Josemaría. Este trabajo lo realizó con cuidado y con el hondo conocimiento que poseía de la doctrina y la expresión del fundador, el beato Álvaro del Portillo. Hemos dado por buenas esas adaptaciones, excepto en algunos pocos casos –se trata de detalles pequeños, que señalamos en el aparato crítico–, donde la comparación con las fuentes nos ha llevado a apoyar otra solución, y a recuperar alguna de las versiones parciales revisadas por san Josemaría, con la idea de limitar a lo estrictamente necesario las adaptaciones que no eran de su mano.

Otros criterios para la elección entre dos versiones, prácticamente equivalentes, han sido: preferir el texto que más se acerca a la transcripción y en su defecto, el más perfecto gramatical y sintácticamente.

En estos cuatro textos, parcialmente póstumos, el beato Álvaro del Portillo tuvo que revisar también aquellos párrafos que san Josemaría no había podido ver. Obró tratando de respetar al máximo el tenor literal de las transcripciones, y allí donde, por deficiencia de esos documentos no era posible, interpretando el pensamiento del fundador, que conocía muy bien. También dominaba la forma que tenía san Josemaría de corregir sus textos, después de haber sido su más estrecho colaborador durante decenios y de haberle ayudado en la redacción de múltiples escritos. En las correspondientes introducciones, explicamos con más detalle cómo son esas correcciones.

Digamos por adelantado que en principio las hemos dado por buenas, sin pretender realizar una versión diferente que se apoyara en una comparación de las transcripciones –lagunosas y peor reportadas precisamente en aquellos pasajes donde Álvaro del Portillo intervino más a fondo– que no llegaría a un resultado mejor que el que ya tenemos. Por tanto, hemos preferido dejar como está el texto revisado por el beato Álvaro y distinguir en el aparato crítico aquellas partes que sí habían sido corregidas por san Josemaría, para que el lector y el estudioso lo tengan en cuenta.

Como ya se ha señalado, la mayor parte de los textos de *En diálogo con el Señor* (1995), en adelante *EdcS,* habían sido publicados en *Crónica* y *Noticias*, con un título propio. En cambio, los textos que se habían incluido dentro de un artículo más general carecen de esos títulos. Al ponerlos en el volumen de 1986, y luego en *EdcS*, por coherencia con el resto de textos, se les añadió un encabezamiento, que obviamente no proviene de san Josemaría. Hemos decidido mantener esos títulos, poniéndolos entre corchetes, pues nos parece claro que el Autor hubiera preferido que se pusieran a que no llevaran ninguno. Hemos actuado también así con los dos textos que no estaban en esas ediciones anteriores.

Hemos suprimido, sin embargo, los titulillos que se introdujeron en la versión de 1995. La razón es que no estaban en *Crónica* y *Noticias*: el Autor no los introdujo, a pesar de que era normal que los editoriales de las revistas los llevaran. Otra razón para no ponerlos es que se trataría de una intervención demasiado *invasiva* en el texto por parte de los editores, aun poniéndolos entre corchetes, pues una edición crítica debe evitar añadir nuevos elementos que no estén justificados y sean estrictamente necesarios.

Hemos adaptado el texto a las reglas ortográficas vigentes actualmente[228]: por ejemplo, se ha puesto en mayúscula la primera letra de una cita textual después de dos puntos, como está preceptuado; también hemos colocado la tilde sobre mayúsculas y corregido la forma "Nazareth" por la castellana "Nazaret". Hemos respetado, en cambio, algunas mayúsculas que san Josemaría usaba, aunque no sean obligatorias.

---

[228] Cfr. Real Academia Española, *Ortografía de la lengua española*, Madrid, Espasa libros, 2010.

En la introducción a cada texto, en el apartado de "Fuentes y material previo", hemos señalado el número y las páginas de *Crónica* y *Noticias* donde apareció. En el aparato crítico, para no complicarlo innecesariamente, se ha hecho referencia solamente a la versión de *Crónica*, una vez comprobado que coincide plenamente con la de *Noticias*.

Veamos cómo se recogen las diversas incidencias en el aparato crítico:

— cuando no se dice nada, se sobreentiende que no hay diferencias con *EdcS* ni con otras fuentes.

— Cuando se quiere señalar de qué fuente proviene un determinado párrafo que revisó san Josemaría (esto sucede en las cuatro meditaciones que sólo corrigió parcialmente) se pone el íncipit y el final del párrafo en cuestión, y la fuente se señala en cursiva. Esta parte del aparato crítico, cuando existe, aparece en primer lugar y se separa del resto por tres rayas verticales: |||

— Si existen diferencias entre varias fuentes, en primer lugar aparece la lección canónica (es decir, la que adoptamos en esta edición). Luego va un corchete derecho y la variante (desechada). La referencia a las respectivas fuentes se indica siempre en cursiva. Si la lección canónica no indica fuente alguna, quiere decir que se trata de una versión nuestra (es lo que hacemos, por ejemplo, cuando corregimos una errata). En el caso de que exista más de una variante desechada, referida siempre al mismo pasaje, se separa una de otra por una barra vertical: |

— Cuando en el mismo párrafo hay otras incidencias, pero referidas a frases distintas de las que se acaba de hablar, se separan una de la otra con una doble barra vertical: || A partir de ahí, se procede del mismo modo que hemos explicado, en caso de existir variantes (utilizando corchetes derechos y barra simple, etc.).

— Puede ocurrir que todo lo anterior afecte no al texto principal, sino a las notas o referencias bíblicas, etc. que puso el Autor. Para diferenciar las correcciones o variantes de esta parte del aparato crítico utilizamos cuatro barras verticales: ||||

Expliquémoslo con un ejemplo, tomado de la meditación n. 5:

5g Señor, te pedimos que no te escondas, que vivas siempre con nosotros, que te veamos, que te toquemos, que te sintamos: que queramos estar siempre junto a Ti, en la barca y en lo alto del monte, llenos de fe, confiadamente y con sentido de responsabilidad, de cara a la muchedumbre: «*Ut salvi fiant*», para que todos se salven.

5g   Señor, te pedimos ... «*ut salvi fiant*». *Cro1965*,7,59 *Cro1970*,14 ||| junto a Ti *Cro1970*,14] junto a ti *Cro1965*,7,59 *EdcS*,54 || y en lo alto del monte, *m620401-A,B,C Cro1965*,7,59 | *Cro1970*,14 *EdcS*,54 *del*. || llenos de fe, confiadamente y con sentido de responsabilidad, *Cro1970*,14 *EdcS*,54 *add*. || muchedumbre: *Cro1965*,7,59] muchedumbre, *EdcS*,54 || para que todos se salven *Cro1970*,14 *EdcS*,54 *add*.

El ejemplo pertenece a uno de los textos que había sido publicado sólo parcialmente en vida de san Josemaría. El aparato crítico señala en primer lugar la procedencia de las frases que sí han sido revisadas por el Autor: en este caso, casi todo el párrafo había aparecido en *Crónica* de 1965 (*Cro1965*,7,59 quiere decir esa revista, número 7, es decir julio, en página 59). Después volvió a salir otra vez en 1970 (*Cro1970*,14, aquí ya no hay indicación del mes, porque se había adoptado ya entonces una doble numeración de páginas, una anual, que aquí seguimos, y otra propia de cada ejemplar). A continuación, tras una triple barra, se indican las variantes existentes. Ante todo, vemos que en *Cro1970*,14 san Josemaría puso con mayúscula el "Ti" referido a Dios, que en *Cro1965*,7,59 había escrito con minúscula. Inexplicablemente, tal vez porque no era necesaria gramaticalmente, esa mayúscula se transformó en minúscula en *EdcS*. Los editores hemos preferido volver a ponerla en mayúscula, tal como se lee en la última versión revisada por san Josemaría. Por eso, la lección canónica aparece a la izquierda del corchete.

En el mismo párrafo, pero en frase diferente (por tanto, separada de la anterior anotación por una barra doble ||) encontramos las palabras "y en lo alto del monte" que se encontraban en la versión de *Cro1965*,7,59, pero que fueron suprimidas tanto en *Cro1970*,14 como en *EdcS*,54. Nos ha parecido a los editores que esa supresión podía haberse debido a una necesidad de contexto de *Cro1970*,14 que ya no era necesaria en la publicación integral de la meditación. Además, mantenerla tenía a su favor el hecho de que las transcripciones la reportan como se encuentra en *Cro1965*,7,59. Por eso incluimos la referencia *m620401-A,B,C* que indica tres versiones de la misma transcripción concordantes en ese fragmento y que corroboran esa lección. Se trata de uno de los pocos casos en que hemos citado las transcripciones como fuente, precisamente para apoyar una decisión de los editores que suponía una restauración del texto. La sigla *del.* significa *deletum*, es decir, que había sido borrado por otra versión, en este caso *Cro1970*,14 y *EdcS*,54.

Curiosamente, en seguida encontramos el caso opuesto, siempre dentro del mismo párrafo, pero en frase diferente (separada por tanto con doble barra ||). Aquí la fuente *Cro1970*,14 y *EdcS*,54 añaden una frase (*add.* = *additum*) que no estaba en la versión de *Cro1965*,7,59. Simplemente lo hacemos notar, porque no hay variantes.

También en el mismo párrafo hay otras dos incidencias: un cambio de puntuación (se sustituyeron dos puntos por coma, y hemos preferido seguir la versión de 1965, es decir, mantener los dos puntos) y un añadido "para que todos se salven" que apareció en *Cro1970*,14 y en *EdcS*,54 y que no presenta variantes.

Veamos otro caso (meditación n. 22):

2b   Es razonable. Los que se quieren, procuran verse. Los enamorados sólo tienen ojos para su amor. ¿No es lógico que sea así? El corazón humano siente esos imperativos. Mentiría si negase que me mueve tanto el afán de contemplar la faz de Jesucristo. «*Vultum tuum, Domine, requiram*»[4], buscaré, Señor, tu rostro. Me ilusiona cerrar los ojos, y pensar que llegará el momento, cuando Dios quiera, en que podré verle, no «como en un espejo, y bajo imágenes oscuras... sino cara a cara»[5]. Sí, hijos, «mi corazón está sediento de Dios, del Dios vivo. ¿Cuándo vendré y veré la faz de Dios?»[6].

[4] Cfr. *Ps.* XXVI, 8.
[5] I *Cor.* XIII, 12.
[6] Cfr. *Ps.* XLI, 3.

2b   del Dios vivo. ¿Cuándo...] del Dios vivo, ¿Cuándo *Cro1974*,5 | del Dios vivo: ¿cuándo *EdcS*,200 |||| [4] Cfr. *Ps.*XXVI, 8.] *Ps.* XXVI, 8. *EdcS*,200 || [6] Cfr. *Ps.* XLI, 3.] [6] *Ps.* XLI, 3. *EdcS*,200.

Aquí se trata de un texto corregido enteramente por el Autor, que fue recogido en *EdcS* después de haber salido en *Crónica y Noticias* de 1974. Como se puede imaginar, el número de incidencias críticas es mucho menor aquí que en el caso que hemos analizado antes. Afectan a una sola frase del texto principal, en una pequeña cuestión. En *Cro1974*,5 había una errata, pues aparecía una mayúscula después de una coma y el signo de apertura de interrogación. En *EdcS,*200 se corrigió esa errata poniendo la mayúscula en minúscula y sustituyendo la coma por dos puntos. Los editores hemos optado por poner un punto, seguido de mayúscula. La razón es que la traducción de la Biblia que aquí emplea san Josemaría es la de Nácar-Colunga[229] y esa versión castellana del salmo 41 de la *Vulgata* pone un punto después de "vivo", a la vez que coincide literalmente en todo lo demás. Otro motivo es que la elección de los dos puntos en ese lugar supone atribuir al Autor un recurso estilístico muy personal, y esto se hace sin que existan elementos de juicio suficientes para deducir esa posible elección. Lo más probable es que se trate simplemente de un error de cajista, que cambió un punto por una coma. Por ese motivo, aparece en primer lugar la versión de los editores, sin referencia a una fuente, y separada por corchete derecho encontramos las dos versiones anteriores, separadas a su vez una de otra por la barra simple | para indicar que son dos variantes.

A continuación, vemos cuatro barras para indicar que las que siguen son anotaciones críticas sobre las notas originales del texto. En la relativa a la nota n. 4, los editores proponemos introducir un "Cfr." porque la cita de *Ps.* XXVI, 8 de la *Vulgata* no es literal, ya que el *"Vultum tuum, Domine, requiram"* no se encuentra así en la *Vulgata,* donde se lee *"Faciem, tuam Domine, requiram"* (ni ha sido introducido en la posterior *Neovulgata*) sino que se encuentra en el *Missale Romanum*[230]. Algo parecido ocurre con la nota n. 6, donde el texto citado no es literal, por lo que hemos introducido el "Cfr.".

Por último, sigue un raro ejemplo de un párrafo cambiado de sitio en alguna de las versiones del texto. Proviene de la meditación del 19 de marzo de 1975, n. 24. En este caso escribimos sólo la nota de aparato crítico:

2e   No vengo aquí a predicar ... Dios se servirá de esto para vuestro bien y para el mío. *Cro1975,*358] *Cro1975,*800 *cam. EdcS,*218 *del.*

El aparato crítico indica que la frase señalada, publicada en la versión de *Crónica* de 1975, pág. 358, apareció cambiada de lugar cuando se volvió a publicar unos meses más tarde (pág. 800), y se suprimió en *EdcS.* Simplemente, en *Cro1975,*800 se había sacado del texto y se había colocado entre las palabras

---

[229] *Sagrada Biblia,* versión de Eloíno NÁCAR FUSTER y Alberto COLUNGA, Madrid, BAC, 1961, 11.ª ed. Sobre las versiones de la Biblia que usaba san Josemaría, ver el siguiente epígrafe.

[230] Concretamente, de la *Antiphona ad Introitum* del Domingo II de Cuaresma y de la misma *antiphona* del Domingo VII de Pascua.

introductorias que había escrito la redacción de las revistas. Luego, al pasar a *EdcS* se olvidó ese párrafo. En este caso, simplemente lo hemos recuperado y vuelto a poner en el lugar en el que estaba la versión revisada por san Josemaría, tras haber comprobado con la grabación de esa tertulia que su lugar es ese.

9.3. Otras informaciones sobre la edición

Aunque en la publicación original de estos textos no se incluyó, hemos añadido una numeración marginal, como en otras ediciones crítico-históricas de esta colección. En esa numeración hemos asignado una letra minúscula para cada párrafo, de modo que resulte sencillo referirse a un texto concreto en las notas de los editores.

Las notas de comentario aparecen siempre debajo de las de crítica textual y generalmente comienzan con un íncipit entre comillas y en cursiva, que señala la parte que se está comentando. Además, se pone también la referencia al número y a la letra del párrafo que sea.

Para su predicación, san Josemaría empleaba con frecuencia frases de la Sagrada Escritura en latín. De ordinario son citas de la *Vulgata*, pero también las tomaba directamente del Misal Romano o de la Liturgia de las Horas. En otras ocasiones, usaba traducciones castellanas de la Biblia, principalmente la de Nácar-Colunga[231], que ya hemos mencionado, y, más antiguamente, las de Torres-Amat[232], de Carmelo Ballester[233] o de Felipe Scio de San Miguel[234].

---

[231] *Sagrada Biblia,* versión de Eloíno Nácar Fuster y Alberto Colunga, Madrid, BAC; de esta versión se encuentran tres ediciones de la Biblia completa (de 1949, 1953 y 1955) y dos del Nuevo Testamento (1948 y 1964). Cfr. Jesús Gil Sáenz, *La biblioteca de trabajo de san Josemaría Escrivá de Balaguer en Roma,* Roma, EDUSC, 2015, p. 388.

[232] Félix Torres Amat, *La Sagrada Biblia traducida de la Vulgata Latina. Nueva edición corregida con esmero,* Barcelona, Viuda e hijos de J. Subirana, 1876; y *Los cuatro evangelios de Nuestro Señor Jesucristo, Versión de la Vulgata latina, por el Ilmo. don Félix Torres Amat, con anotaciones del padre Eusebio Tintori,* O.F.M., Bilbao, Pía Sociedad de San Pablo, 1938. Ambas obras se encontraban en la biblioteca de san Josemaría (cfr. Jesús Gil Sáenz, *op. cit.,* p. 462).

[233] Carmelo Ballester Nieto, *El Nuevo Testamento de Nuestro Señor Jesucristo,* Tournai, Desclée y Cía., 1936. También un ejemplar de este libro estaba en la biblioteca de san Josemaría (cfr. *ibid.,* p. 256).

[234] Felipe Scio de San Miguel, *La Sagrada Biblia: Antiguo Testamento.* Traducida al español de la Vulgata latina, Barcelona, Trilla y Sierra, 1878, 4 vols.; y *La Sagrada Biblia: Nuevo Testamento,*

Las notas de la Escritura o patrísticas se han mantenido como estaban, corrigiendo algunos errores y añadiendo alguna que faltaba. En la publicación original, estas notas iban unas veces dentro del texto y otras a pie de página, y en algún caso faltaban en absoluto. El criterio adoptado en 1995 fue unificarlas, poniendo todas a pie de página y con el estilo antiguo de citar la Biblia, que empleaba san Josemaría en sus escritos, es decir con abreviaturas latinas de los libros de la Escritura y con números romanos para los capítulos. Hemos mantenido ese sistema, también cuando ha habido que añadir alguna nueva referencia. Se ha mantenido también la numeración de los Salmos según la *Vulgata*.

En algunos casos, las citas bíblicas difieren de la *Vulgata* o de los textos de la Liturgia, según las ediciones que se empleen, en detalles marginales, como el uso de acentos, la sustitución de 'J' por 'I' en palabras como *Iesus*, o *Ioseph*, o algunos cambios en los signos de puntuación. Hemos optado por mantener los modos de citar de san Josemaría, sin señalar en cada caso la diferencia. Cuando se ha tratado de algo de mayor entidad –ausencia de una palabra, por ejemplo–, lo hemos indicado en el aparato crítico.

En *Crónica* y *Noticias*, las citas de la Escritura y todo aquello que normalmente debería ir en cursiva se ponía en negrita. En la presente edición hemos sustituido la negrita por letra redonda entre comillas bajas y hemos utilizado la cursiva allí donde procedía, según las reglas tipográficas en uso.

---

traducida al español de la Vulgata latina, Barcelona, Sociedad editorial La Maravilla, 1867, 2 vols. También están estos volúmenes en la biblioteca de san Josemaría (cfr. *ibid.* p. 429).

TEXTO Y COMENTARIO
CRÍTICO-HISTÓRICO

1. VIVIR PARA LA GLORIA DE DIOS
(21 de noviembre de 1954)

1. Contexto e historia

La meditación tuvo lugar en un día de retiro del Colegio Romano de la Santa Cruz. El diario –que como en todos los centros del Opus Dei, consignaba los hechos más importantes de la jornada– explica que desde días antes san Josemaría había prometido predicar en esa ocasión. Así lo hizo, efectivamente, a las diez de la mañana del 21 de noviembre de 1954. «Ya nos había dicho el Padre –se lee en el diario– de qué iba a hablarnos: de barcas y de mares, de nuestra vocación y nuestra libertad dentro de la entrega, dentro de la barca de Cristo... y de la maravillosa misión del sacerdote en Casa»[235].

El contexto temporal es el comienzo del curso académico en el Colegio Romano. Los nuevos alumnos se incorporaban generalmente en el mes de octubre y a veces en noviembre o diciembre. Las actividades formativas estaban a pleno ritmo, las clases habían comenzado y los recién llegados a Roma habían tenido tiempo de ambientarse y habituarse a las nuevas condiciones de vida en Villa Tevere. Era un buen momento para que el fundador les transmitiera las ideas que consideraba más importantes para ese periodo de formación, en relación a la vida espiritual y a la búsqueda de la santidad, como efectivamente hizo.

El presente texto fue revisado por san Josemaría para ser incluido en los números de *Crónica* y *Noticias* de junio de 1975, que salieron unas semanas después de su fallecimiento, acaecido el 26 de ese mes. Nadie podía imaginar, cuando se lo pasaron para aprobación, que el título y el contenido de la meditación, "Vivir para la gloria de Dios", adquirirían un nuevo significado, al haber muerto el fundador. La redacción

---

[235] Diario del Colegio Romano de la Santa Cruz, 21-XI-1954 (AGP, serie M.2.2, 427-27).

escribió una nota en la que se decía que esas páginas resumían «el sentido de nuestro camino en la tierra, que el Padre nos ha abierto con su propia vida santa de la mano de Dios. Mientras se prepara –continuaba la nota–, para publicarla en los números de julio y agosto, la narración detallada de estos días que acabamos de vivir –entre lágrimas y a la vez con paz profunda–, será de gran consuelo para todos la lectura de esta meditación, que hace poco tiempo el Padre había aprobado para la publicación interna, en la que nos recuerda algunos puntos fundamentales del espíritu que Dios le confió, y que ya inunda el mundo entero. (...) Las palabras suyas, que aquí transcribimos, son una muestra más de las providencias que tomó en la tierra para que –con la gracia de Dios y nuestra correspondencia fiel– jamás se enturbie nuestro rumbo, y la Obra sea siempre fermento de vida cristiana entre los hombres de todos los tiempos»[236].

2. Fuentes y material previo

EdcS,17-28; *Cro1975*,527-538; *Not1975*,463-473. En el expediente de AGP (serie A.4, m541121) se conservan siete versiones mecanografiadas de la transcripción, que se designan por las letras (escritas a mano) A, B, C, D, E, F y la séptima por el número 3; además hay veintiocho fichas manuscritas con apuntes tomados por los presentes, pasados a limpio o copiados entre ellos. Se conserva también el autógrafo de san Josemaría que le sirvió como guion de predicación y que reproducimos en el apartado de facsímiles y fotografías.

Aquí, como en las meditaciones que siguen, nos atenemos al texto que apareció en *EdcS*, *Crónica* y *Noticias*, sin intentar analizar los cambios que introdujo respecto a las transcripciones.

3. Contenido

San Josemaría, dirigiéndose a los fieles del Opus Dei que le escuchaban, desarrolla el tema del seguimiento de Cristo, propio del cristiano, y que la vocación al Opus Dei refuerza. El bautizado está llamado a vivir

---

[236] *Cro1975*,526 y *Not1975*,462.

en intimidad con Cristo, a compartir su Vida y a buscar identificarse con Él. Esta identificación, que el fundador anima a perseguir cada día, con el propio esfuerzo y la ayuda de la gracia, es la misma que san Pablo expresa en su epístola a los Gálatas: «No vivo yo, sino que Cristo vive en mí»[237].

Al Autor le gustaba recrearse en los lugares del Evangelio, pero hay un escenario que le era especialmente querido: la orilla del lago de Galilea. Hablando de barcas, redes y mares revivía la predicación y los milagros de Jesús, deteniéndose en considerar la vocación de los Apóstoles. Pasando de la barca de Pedro, que es la Iglesia, a la barca del Opus Dei, preguntaba: «Señor, ¿a qué he venido yo a esta barca?». Su respuesta, que era también su propia oración en voz alta, consistió en hablar de la libertad y la entrega.

En ese contexto trata de la fidelidad a Dios y a la misión que cada uno ha recibido. La entrega total y sin fisuras tiene como manifestaciones la docilidad y la unidad con los directores, y la decisión de ser fiel a la propia vocación. Explica que se necesita mucha humildad y sacrificio para vivir así: es preciso «entregarse, quemarse, hacerse holocausto», dice con expresión rotunda. Habla después de la necesidad de la formación para la santidad y para el apostolado.

Además de realizar los estudios eclesiásticos superiores, los que estaban en el Colegio Romano recibían una formación espiritual específica. Muchas veces se la impartía el propio fundador, por medio de meditaciones y frecuentes tertulias, en las que se conversaba sobre diversos aspectos del espíritu o de la historia del Opus Dei.

Les decía que se encontraban en Roma como la levadura que se prepara antes de ser mezclada en la masa, o también como el material atómico que se conserva para usos civiles. Sin casi actividad externa de apostolado, tenían eficacia sobrenatural. Y deseaba que, al volver a sus países de origen, fueran fermento de santidad entre los demás.

Pasa después a tratar de la necesidad de sacerdotes en el Opus Dei y de la total libertad de que gozan los que pueden plantearse esa forma de entrega.

Para san Josemaría la libertad y el amor en la respuesta a la llamada divina son temas importantes[238]. Se lo recuerda a sus oyentes, subrayando que están allí, en ejercicio de su libre albedrío. Lo expresa con una frase castiza:

---

[237] Ga 2, 20.

[238] Ver Paul OLIVIER, "La filiation divine: vocation et liberté", en Antonio MALO PÉ (ed.), *La dignità della persona umana,* Roma, Edizioni Università della Santa Croce, 2003, pp. 43-58.

«Has subido a la barca, a esta barca del Opus Dei, porque te dio la gana, que a mí me parece la más sobrenatural de las razones»[239].

Estas palabras del fundador del Opus Dei son una afirmación de la libertad total de que gozan los cristianos para seguir a Cristo[240]. Y al mismo tiempo, contienen una profunda enseñanza: la entrega libre sólo se explica por el amor. A veces, el amor tiene manifestaciones que, para quien las observa desde fuera, pueden parecer gestos irracionales (la famosa paradoja de Pascal: «El corazón tiene sus razones, que la razón no conoce»[241]). Quien se entrega se fía de Jesús, que ha dicho: «El que pierda su vida por mí y por el Evangelio, la salvará» (Mc 8, 35).

Para san Josemaría, esa elección libre y amorosa es «la más sobrenatural de las razones»[242]. El amor que lleva a la entrega no puede existir sin libertad, pero al mismo tiempo implica poner en juego esa libertad, "gastarla" en algo o en alguien. Y después de la decisión inicial, la libertad continúa siendo decisiva para renovar el amor: «Tened esto muy claro: nuestra perseverancia es fruto de nuestra libertad, de nuestra entrega, de nuestro amor»[243].

En rápida sucesión, transmite otras ideas importantes: humildad, vida contemplativa, serenidad, corrección fraterna, alegría... Habla de ser eslabones que servirán de cadena transmisora del espíritu del Opus Dei a las futuras generaciones e instrumentos para su expansión.

Algunas ideas sobre la libertad en san Josemaría en Lluís CLAVELL, "La libertà conquistata da Cristo sulla Croce. Approccio teologico ad alcuni insegnamenti del Beato Josemaría Escrivá sulla libertà", *Romana* 33 (2001), pp. 240-269; Alejandro LLANO CIFUENTES, "Libertad y trabajo", en Jon BOROBIA LAKA, *et al.* (eds.), *Trabajo y espíritu: sobre el sentido del trabajo desde las enseñanzas de Josemaría Escrivá en el contexto del pensamiento contemporáneo*, Pamplona, Eunsa, 2004, pp. 183-202; Mireille HEERS, "La liberté des enfants de Dieu", en GVQ (I), 2002, pp. 199-219.

[239] 1.2d.

[240] La frase se remonta, al menos, al principio de la década de los 40, como recuerda Francisco Ponz: «El Padre proclamaba a gritos su gran amor a la libertad, y nos repetía que debíamos portarnos bien porque nos saliera de dentro, libremente: "Porque me da la gana, que es la razón más sobrenatural"», Francisco PONZ PIEDRAFITA, *Mi encuentro con el Fundador del Opus Dei. Madrid, 1939-1944* (277), Pamplona, Eunsa, 2000, p. 43.

[241] Cfr. Blaise PASCAL, *Pensées*, n. 585 (ed. de las *Oeuvres complètes*, Paris, 1904-1914).

[242] 1.2d. En 20.4d vuelve sobre lo mismo: «La razón más sobrenatural: porque nos da la gana, por amor».

[243] 1.2i.

4. Texto y notas

VIVIR PARA LA GLORIA DE DIOS

1a «*Emitte lucem tuam et veritatem tuam*»[1]; envía, Señor, tu luz y tu verdad.

1b Hijos míos, seguir a Cristo –«*venite post me et faciam vos fieri piscatores hominum*»[2]– es nuestra vocación. Y seguirle tan de cerca que vivamos con Él, como los primeros Doce; tan de cerca que nos identifiquemos con Él, que vivamos su Vida, hasta que llegue el momento, cuando no hemos puesto obstáculos, en el que podamos decir con San Pablo: «No vivo yo, sino que Cristo vive en mí»[3].

1c ¡Qué alegría tan grande sentirse metidos en Dios! ¡Endiosados! Y al mismo tiempo, ¡qué gozo también notar toda la pequeñez, toda la miseria, toda la debilidad de nuestra pobre naturaleza terrena, con sus flaquezas y con sus defectos! Por eso, cuando Cristo nos habla con parábolas, como a los primeros, muchas veces no le entendemos,

---

[1] *Ps*. XLII, 3.
[2] *Matth*. IV, 19.
[3] *Galat*. II, 20.

1b «*seguir a Cristo ... es nuestra vocación*»: no hay una definición más clara y profunda de lo esencial de la vocación cristiana y de la concreción de esa única vocación que es la llamada al Opus Dei. Pero no es un mero "seguir" de lejos sino un "vivir" con Cristo, «que vivamos su Vida», que acaba en la cristificación transformante del discípulo, de la que habla san Pablo. Con pocas diferencias, este texto aparece también en la homilía *Hacia la santidad*: «Seguir a Cristo: éste es el secreto. Acompañarle tan de cerca, que vivamos con Él, como aquellos primeros doce; tan de cerca, que con Él nos identifiquemos», *Amigos de Dios*, n. 299.

y hemos de hacer nuestro el ruego de los Apóstoles: «*Edissere nobis parabolam!*»[4]; Señor, explícanos la parábola.

2a   Cuando haces oración, mi hijo –no me refiero ahora a esa oración continuada, que abarca el día entero, sino a los dos ratos que dedicamos exclusivamente a tratar con Dios, bien recogidos de todo lo exterior–, cuando empiezas esa meditación, frecuentemente –dependerá de muchas circunstancias– te representas la escena o el misterio que deseas contemplar; después aplicas el entendimiento, y buscas enseguida un diálogo lleno de afectos de amor y de dolor, de acciones de gracias y de deseos de mejora. Por ese camino debes llegar a una oración de quietud, en la que es el Señor quien habla, y tú has de escuchar lo que Dios te diga. ¡Cómo se notan entonces esas mociones interiores y esas reconvenciones, que llenan de ardor el alma!

2b   Para facilitar la oración, conviene materializar hasta lo más espiritual, acudir a la parábola: la enseñanza es divina. La doctrina ha de llegar a nuestra inteligencia y a nuestro corazón, por los sentidos: ahora no te extrañará que yo sea tan aficionado a hablaros de barcas y de mares.

2c   Hijos, hemos subido a la barca de Pedro con Cristo, a esta barca de la Iglesia, que tiene una apariencia frágil y desvencijada, pero que ninguna tormenta puede hacer naufragar. Y en la barca de Pedro, tú y yo hemos de pensar despacio, despacio: Señor, ¿a qué he venido yo a esta barca?

---

[4] *Matth.* XIII, 36.

2a   «*los dos ratos que dedicamos*»: de ordinario, los miembros del Opus Dei reservan dos momentos a la oración mental, cada día: uno por la mañana y otro por la tarde, generalmente de media hora cada uno.

2b   «*de barcas y de mares*»: por su conexión con el Evangelio, el tema de las barcas, redes y mares, es constante en la predicación del Autor, como afirma Rodríguez (*Camino*, ed. crít.-hist., com. al n. 792). El contexto es casi siempre la vida del apóstol cristiano, llamado por Cristo a ser "pescador de hombres". Ver por ejemplo, *Camino*, nn. 629, 799, 808 y 978; *Surco*, n. 377 y cap. 3.º, titulado precisamente "Pescadores de hombres"; *Forja*, nn. 356, 574; *Es Cristo que pasa*, nn. 159, 175; *Amigos de Dios*, nn. 14, 21, 23, 259, 260, 262, 265, 273.

2d   Esta pregunta tiene un contenido particular para ti, desde el momento en que has subido a la barca, a esta barca del Opus Dei, porque te dio la gana, que a mí me parece la más sobrenatural de las razones. Te amo, Señor, porque me da la gana de amarte: este pobre corazón podría haberlo entregado a una criatura... ¡y no! ¡Lo pongo entero, joven, vibrante, noble, limpio, a tus pies, porque me da la gana!

2e   Con el corazón, también le diste a Jesús tu libertad, y tu fin personal ha pasado a ser algo muy secundario. Puedes moverte con libertad dentro de la barca, con la libertad de los hijos de Dios[5] que están en la Verdad[6], cumpliendo la Voluntad divina[7]. Pero no puedes olvidar que has de permanecer siempre dentro de los límites de la barca. Y esto porque te dio la gana. Repito lo que os decía ayer o anteayer: si te sales de la barca, caerás entre las olas del mar, irás a la muerte, perecerás anegado en el océano, y dejarás de estar con Cristo,

---

[5] Cfr. *Rom.* VIII, 21.

[6] Cfr. *Ioann.* VIII, 32.

[7] Cfr. *Matth.* VII, 21.

2d   «*la más sobrenatural de las razones*»: expresión que, como ya hemos dicho, san Josemaría usaba desde hacía muchos años, para expresar la libertad interior que debe reinar en la vida cristiana (ver la introducción a esta meditación). En este pasaje, san Josemaría está hablando a personas que viven el celibato apostólico, como sacerdotes o seglares, la mayoría jóvenes, que se encontraban en Roma para formarse más intensamente junto al fundador y, en su caso, prepararse al sacerdocio. Pero el fondo de su enseñanza es universal: el amor y la perseverancia en la entrega son fruto de una libertad plena, como explica en los siguientes párrafos.

2e   «*tu fin personal*»: el fin personal que cada persona busca en el orden profesional, cultural, etc., y que la llamada al Opus Dei no niega, se sitúa ahora en un contexto más amplio, el de realizar la Obra, con disponibilidad para lo que Dios pida.

   «*ayer o anteayer*»: en una tertulia que tuvo lugar dos días antes, el 19 de noviembre, había estado comentando esas mismas ideas (cfr. Diario del Colegio Romano de la Santa Cruz, 19-XI-1954, en AGP, serie M.2.2, 427-27).

   «*si te sales de la barca*»: en los siguientes párrafos, san Josemaría acude al símil de "la barca" para referirse, en realidad, a dos barcas: la de la Iglesia y la de la Obra, que son distintas, aunque la metáfora sea única. Como es sabido, los Padres de la Iglesia, para ilustrar la necesidad de la Iglesia para la salvación, utilizaban las imágenes de la barca, del arca, de la casa, del templo, etc. «Fuera de esta casa, lo que significa fuera de la

perdiendo esta compañía que voluntariamente aceptaste, cuando Él te la ofreció.

2f   Piensa, hijo mío, qué grato es a Dios nuestro Señor el incienso que se quema en su honor. Piensa en lo poco que valen las cosas de la tierra, que apenas comienzan y ya se acaban. Piensa que todos los hombres somos nada: «*Pulvis es, et in pulverem reverteris*»[8]; volveremos a ser como el polvo del camino. Pero lo extraordinario es que, a pesar de eso, no vivimos para la tierra, ni para nuestra honra, sino para la honra de Dios, para la gloria de Dios, para el servicio de Dios. ¡Esto es lo que nos mueve!

2g   Por lo tanto, si tu soberbia te susurra: aquí pasas inadvertido, con tus talentos extraordinarios..., aquí no vas a dar todo el fruto que podrías..., que te vas a malograr, a agotar inútilmente... Tú, que has subido a la barca de la Obra porque te dio la gana, porque inequívocamente te llamó Dios –«nadie puede venir a Mí, si el Padre que me envió no le atrae»[9]–, has de corresponder a esa gracia quemándote,

---

[8] *Feria IV Cinerum, Ant.*
[9] *Ioann.* VI, 44.

Iglesia, nadie puede salvarse, porque aquel que sale de ella es culpable de su propia muerte» (Orígenes, *In Iesu Nave, Hom.* 5, 3: PG 12, 841). «Si alguien ha escapado (al diluvio) fuera del arca entonces el que sale de la Iglesia puede escapar (a la condenación)» (San Cipriano, *De Unit. Eccl.*, 6: PL 4, 503). Las citas podrían multiplicarse. Análogamente, san Josemaría echa mano del símil de la barca para hablar de la perseverancia en la Obra a personas espiritualmente maduras, de vocación probada y que son conscientes de su responsabilidad moral ante el Señor («inequívocamente te llamó Dios», 1.2g); en esa situación, la resistencia consciente a la voluntad de Dios conocida como tal, puede conllevar un dejar de «estar con Cristo», que podría conducir incluso a la «muerte espiritual» (1.2j); de ahí la fuerza, incluso la dureza del lenguaje que emplea. Al mismo tiempo, dejó siempre claro que solo Dios sabe lo que acontece en cada caso y recomendó que, si alguien dejaba el Opus Dei, se procurara que no se alejara de la labor apostólica e incluso que fuera admitido como cooperador.

2g   «*holocausto*»: se refiere a uno de los sacrificios hebraicos, en los que la víctima era completamente consumida por el fuego. La metáfora es clara: la entrega a Dios ha de ser completa, el servicio a Cristo puede exigir renunciar a la propia vida, "perderla", como se quema la ofrenda del holocausto, para recuperarla después en la eternidad (cfr. Mc 8, 35).

haciendo que nuestro sacrificio gustoso, nuestra entrega sea una ofrenda: ¡un holocausto!

2h   Hijo mío, ya te has persuadido, con esta parábola, de que si quieres tener vida, y vida eterna, y honor eterno; si quieres la felicidad eterna, no puedes salir de la barca, y debes prescindir en muchos casos de tu fin personal. Yo no tengo otro fin que el corporativo: la obediencia.

2i   ¡Qué hermoso es obedecer! Pero sigamos con la parábola. Ya estamos en esta barca vieja, que lleva veinte siglos navegando sin hundirse; en esta barca de la entrega, de la dedicación al servicio de Dios. Y en esta barca, pobre, humilde, te acuerdas de que tú tienes un avión, que puedes manejar perfectamente, y piensas: ¡qué lejos puedo llegar! ¡Pues, vete, vete a un portaviones, que aquí tu avión no hace falta! Tened esto muy claro: nuestra perseverancia es fruto de nuestra libertad, de nuestra entrega, de nuestro amor, y exige una dedicación completa. Dentro de la barca no se puede hacer lo que nos venga en gana. Si toda la carga que está en sus bodegas se amontona en un mismo punto, la barca se hunde; si todos los marineros abandonan su quehacer concreto, la pobre barquichuela se pierde. Es necesaria la obediencia, y las personas y las cosas deben estar donde se dispone que estén.

2j   Hijo mío, convéncete de ahora para siempre, convéncete de que salir de la barca es la muerte. Y de que, para estar en la barca, se necesita rendir el juicio. Es necesaria una honda labor de humildad: entregarse, quemarse, hacerse holocausto.

2h   *«tu fin personal»*: la llamada de Dios requiere a menudo prescindir de legítimas aspiraciones personales y dejarlo todo para seguir a Cristo. En ese contexto, de obediencia a la voluntad divina, se encuadra esta enseñanza de san Josemaría.

2i   *«¡Qué hermoso es obedecer!»*: la obediencia en el Opus Dei se refiere solo a lo que es misión propia de la prelatura (la búsqueda de la santidad en medio del mundo), mientras que en las demás cuestiones (políticas, culturales, profesionales, etc.) los miembros de la Obra gozan de la misma libertad que los demás fieles católicos.

   «lleva veinte siglos navegando»: como ya hemos dicho, el Autor está utilizando la misma metáfora para designar dos realidades distintas, aunque relacionadas, y en el vivo de su predicación pasa de aludir a la Iglesia a referirse después a la entrega en el Opus Dei.

3a Sigamos adelante. Los fines que nos proponemos corporativamente son la santidad y el apostolado. Y para lograr estos fines necesitamos, por encima de todo, una formación. Para nuestra santidad, doctrina; y para el apostolado, doctrina. Y para la doctrina, tiempo, en lugar oportuno, con los medios oportunos. No esperemos unas iluminaciones extraordinarias de Dios, que no tiene por qué concedernos, cuando nos da unos medios humanos concretos: el estudio, el trabajo. Hay que formarse, hay que estudiar. De esta manera, os disponéis a vuestra santidad actual y futura, y al apostolado, cara a los hombres.

3b ¿No habéis visto cómo preparan la levadura, cómo la tienen encerrada, con unas temperaturas determinadas, para meterla luego en la masa...? Cuento con vosotros como con el motor más potente para mover la labor de todo el mundo. Ninguno de vosotros es ineficaz: todos estáis llenos de eficacia con sólo cumplir las Normas, con sólo estudiar, y trabajar, y obedecer.

3c No entiendo casi nada de esas cosas del material atómico, y lo que sé, lo conozco por los periódicos. Pero he visto fotografías, y sé que lo entierran, si es preciso, a muchos metros bajo tierra, que lo recubren con grandes planchas de plomo y lo guardan entre gruesas paredes de cemento. Y sin embargo actúa, y lo llevan de acá para allá, y lo aplican a personas para curar tumores, y lo emplean en otras cosas, y obra de mil modos maravillosos, con una eficacia extraordinaria. Así sois vosotros, hijos míos, cuando estáis dedicados a las labores internas o en esos Centros de formación que tiene la Obra. ¡Más eficaces!, porque tenéis la eficacia de Dios cuando os endiosáis por vuestra entrega, como Cristo, que se anonadó a sí

3a «*en lugar oportuno*»: recordemos que se está dirigiendo a personas que se encuentran en un periodo de formación y con un horizonte de servicio –como laicos o mediante el ejercicio del ministerio sacerdotal– al Opus Dei, que en 1954 se encontraba en pleno desarrollo y expansión internacional.

3b «*el motor más potente*»: por la Comunión de los santos, los alumnos del Colegio Romano podían prestar una ayuda muy eficaz al desarrollo del Opus Dei en todo el mundo, santificándose en sus actuales circunstancias, aun sin poder dedicarse a un apostolado directo con sus colegas de profesión.

mismo[10]. Y nosotros nos anonadamos, perdemos en apariencia nuestra libertad, haciéndonos libérrimos con la libertad de los hijos de Dios[11].

3d Formación, pues, para dar doctrina y para vuestra santidad personal. Formación con el tiempo necesario, en lugar oportuno, con los medios oportunos; pero de cara al universo entero, a la humanidad entera, pensando en todas las almas. Y mientras vuestros hermanos van rompiendo el frente en nuevos países, no se encontrarán solos, porque desde aquí, dentro de estas paredes que parecen de piedra y son de amor, vosotros estaréis enviando toda la eficacia de vuestra santidad y de vuestro entregamiento, y haciendo que esos hermanos se sientan muy acompañados. Y luego llegará el momento de decir: «*Ite, docete omnes gentes*»...[12], id y enseñad a todas las gentes: apostolado de la doctrina –con vuestro ejemplo primero–, en medio del trabajo profesional. ¡Con qué alegría os diré unas palabricas al salir...!

3e Hijos de mi alma: vosotros sabéis que el Padre ama mucho la libertad. No me gusta coaccionar, ni que se coaccione a las almas. Ningún hombre debe quitar a los demás la libertad de que Dios nos ha hecho el don. Y si eso es así, pensad si voy a coaccionaros a vosotros... ¡Al contrario! Yo soy el defensor de la libertad de cada uno de vosotros dentro de la barca..., dentro de la barca y sin avión.

3f Pero se nos está pasando el tiempo, y quisiera todavía hablaros de muchas cosas más.

4a Nuestro Opus Dei es eminentemente laical, pero los sacerdotes son necesarios. Hasta hace poco, amando como amo el sacerdocio, cada vez que se ordenaba uno de vuestros hermanos, sufría. Ahora, al contrario, me da mucho gozo. Pero ha de ser sin coacción, con una libertad

---

[10] Cfr. *Philip*. II, 7.

[11] Cfr. *Rom*. VIII, 21.

[12] Cfr. *Matth*. XXVIII, 19.

3d [12] Cfr. *Matth*. XXVIII, 19.] [12] *Matth*. XXVIII, 19. *EdcS*,22.

4a «*sufría*»: le hacía sufrir –en un primer momento– que dejaran el estado laical, al que habían sido llamados por Dios para santificarse en el Opus Dei. Pero ese "sufrimiento"

absoluta. A Dios no le molesta que un hijo mío no quiera ser sacerdote. Además, hacen falta muchos seglares, santos y doctos. Por lo tanto, los que son llamados al sacerdocio, hasta el mismo día, hasta el mismo momento de la ordenación, tienen una libertad completa. —*Padre, no.* Muy bien, hijo mío. Que Dios te bendiga. No me da ningún disgusto.

4b　Sin embargo, nos hacen falta muchos sacerdotes, que sirvan como esclavos, gustosamente, a sus hermanas y a sus hermanos, y a esas vocaciones tan encantadoras que son los sacerdotes diocesanos. Hacen falta para la labor de San Rafael y para la de San Gabriel, para atender en el terreno sacramental a todos los socios de la Obra, para ayudar a esos grandes ejércitos de Cooperadores, que si son formados como se debe, serán mucho más eficaces –lo están siendo ya– que todas las asociaciones piadosas conocidas. Pero sin sacerdotes, no es posible.

4c　La Obra se está extendiendo por el mundo de una manera prodigiosa. ¡Señor, estoy confundido! No es fácil, no se recuerda un caso en el que quienes comenzaron a trabajar en una obra tuya hayan visto, aquí en la tierra, tantas maravillas como yo estoy viendo: en extensión, en número, en calidad.

---

quedaba compensado por el gran don que supone para la Iglesia todo nuevo sacerdote, que es otra llamada divina, y aun más excelsa.

4b　　*«esas vocaciones tan encantadoras que son los sacerdotes diocesanos»*: se refiere a los socios de la Sociedad Sacerdotal de la Santa Cruz, intrínsecamente unida al Opus Dei, que son sacerdotes seculares provenientes de diversas diócesis. Viven el espíritu del Opus Dei desempeñando la propia labor pastoral, en dependencia plena de sus obispos.

socios *Cro1975*,533] miembros *EdcS*,23.

La terminología "socios", que aquí emplea san Josemaría, quería recalcar que los miembros o fieles del Opus Dei no son religiosos. La situación jurídica de la Obra en aquellos momentos no era la más adecuada, por lo que tampoco el modo de denominar a los miembros o a los fieles –como se diría hoy, con una terminología precisa– era el ideal. De ahí que el fundador emplee "socios" a veces, a pesar de que el Opus Dei no era una asociación ni una sociedad, sino una realidad distinta de comunión eclesial. En *EdcS* se corrigió "socios" por "miembros", un término más exacto, que también empleaba san Josemaría otras veces. Como corresponde a esta edición crítico-histórica, hemos restaurado aquí la lección original del Autor.

4d Nos hacen falta sacerdotes para el proselitismo. Porque aunque la gran labor la hacen los seglares, llega el momento del *muro sacramental*, y si hubiera que acudir a clérigos que no tienen nuestro espíritu –unos porque no sabrían, otros porque no querrían– se entorpecería toda la labor.

4e Hacen falta sacerdotes también para el gobierno de la Obra: pocos, porque los cargos locales están en manos de mis hijos seglares, y dos tercios de los cargos del Consejo General y de las Comisiones Regionales, lo mismo; el resto serán sacerdotes que hayan trabajado mucho, que conozcan el tejemaneje de nuestra labor en todo el mundo. Llegará un momento en que los hermanos vuestros, que van a comenzar la labor en muchos sitios, vuelvan a recogerse y formen esos grupos directivos que, con su santidad personal y su experiencia, lleven con mucho garbo las riendas del gobierno.

4f Hacen falta sacerdotes como instrumentos de unidad. Luego el sacerdote debe poner un cuidado particular en no hacer capillitas... ¡Hay que despegarse de las almas! Yo no tenía quien me lo enseñara

---

4d «*proselitismo*»: este término, que se ha usado durante siglos como sinónimo de cristianizar, evangelizar o de llevar a cabo una acción misionera, tiene un significado preciso en san Josemaría, inspirado en el Evangelio y en la Tradición de la Iglesia: contagiar y provocar en los demás el amor a Jesucristo y los deseos de entregarse en su servicio. A causa de su evolución semántica, hoy día tiende a identificarse cada vez más el proselitismo con la conquista agresiva de adeptos para una causa, pero en el Autor no tiene este sentido; es más, en diversos momentos subraya el delicado respeto a la libertad que debe acompañar la acción evangelizadora. Sobre la acepción de *proselitismo* en san Josemaría ver *Camino*, ed. crít.-hist., p. 786 y ss.; Javier LÓPEZ DÍAZ, "Proselitismo", en DSJEB, pp. 1029-1033.

«*muro sacramental*»: expresión gráfica para significar que los sacerdotes son necesarios para confesar y celebrar la Eucaristía y de esa forma hacer llegar a los fieles la gracia sacramental, sin la que no es posible la vida sobrenatural y el crecimiento espiritual.

«*acudir a clérigos*»: san Josemaría tuvo algunas malas experiencias al respecto en los primeros tiempos, con los sacerdotes a los que acudían los miembros del Opus Dei para confesarse y que a veces, no conociendo bien el espíritu del Opus Dei, les desorientaban con sus consejos. Vid. *AVP* III, pp. 661 y ss.

4f «*hacer capillitas*»: significa crear grupos de gente muy adicta a la propia persona, algo que san Josemaría quería evitar en la labor apostólica en general y especialmente en el caso de los sacerdotes. Ver el comentario al n. 963 de *Camino*, ed. crít.-hist.

–no he tenido un Padre como vosotros–, era el Señor quien me indicaba que evitase siempre la cosa personal, aun antes de saber lo que Dios quería de mí. A las gentes que venían a mi confesonario, a veces les aconsejaba: vete a otro sacerdote; hoy no te confieso. Lo hacía para que se *ventilaran*, para que no se apegasen, para que no acudieran al sacramento por un motivo de afecto a la criatura, sino por motivos divinos, sobrenaturales: por amor de Dios.

5a   Hijo, no pienses nunca en ti. Huye de la soberbia de imaginar que eres eso que en mi tierra llaman *el palico de la gaita*. Cuando no te acuerdes de ti, entonces haces buena labor. No podemos creernos el centro, de modo que pensemos que todo debe girar alrededor de nosotros. Y lo peor es que, si caes en este defecto, cuando te digan que eres soberbio, no te lo creerás; porque mientras el humilde se cree soberbio, el soberbio se cree humilde.

5b   Os miro, hijos... ¡Qué alegría cuando te llegue el momento de enseñar a tus hermanos que los hijos de Dios en su Opus Dei han de ser contemplativos, almas contemplativas en medio del mundo! Tenéis que mantener una continua vida de oración, de la mañana a la noche y de la noche a la mañana. ¿De la noche a la mañana, Padre? Sí, hijo, también durmiendo.

5c   Tú admiras, como yo, la vida silenciosa de esos hombres que se encierran en un viejo convento, ocultos en sus celdas; vida de trabajo y de oración. Cuando alguna vez he visitado a los cartujos, salgo de allí edificado y queriéndoles mucho. Comprendo su vocación, su apartamiento del mundo, y me alegro por ellos, pero... allí dentro siento mucha tristeza. En cuanto vuelvo a la calle, me digo: ¡mi

---

5a   *«palico de la gaita»*: se refiere a quien busca llamar la atención de los demás, estar a la vista de todos.

5b   «*durmiendo*»: san Josemaría lo tenía bien experimentado; en sus *Apuntes íntimos* había escrito que Dios «me daba continua oración, aun durmiendo» (Cuaderno VI, n.º 877, 24-XI-1932, en *Camino*, ed. crít.-hist., p. 8). Es una experiencia que entronca con la tradición espiritual de la "oración continua", cultivada en la Iglesia desde antiguo, que sigue la recomendación evangélica de «orar siempre y no desfallecer» (Lc 18, 1) y el consejo de san Pablo: «orad sin cesar» (1 Ts 5, 17). Vuelve a mencionarlo en 9,4c y 10,2c.

celda, ésta es mi celda! Nuestra vida es tan contemplativa como la suya. Dios nos da los medios para que nuestra celda –nuestro retiro– esté en medio de las cosas del mundo, en el interior de nuestro corazón. Y pasamos el día –si hemos adquirido la formación específica nuestra– en un continuo diálogo con Dios.

5d Cristo, María, la Iglesia: tres amores para llenar una vida. María, tu Madre –se te iba a escapar: mamá; no importa, díselo también–, con San José y tu Ángel Custodio.

5e Enseñarás a tus hermanos que han de ser contemplativos y serenos. Aunque todo el mundo se hunda, aunque todo se pierda, aunque todo se agriete..., nosotros, no. Si somos fieles, tendremos la fortaleza del que es humilde, porque vive identificado con Cristo. Hijos, somos lo permanente; lo demás es transeúnte. ¡No pasa nada!

5f Padre, ¿y si me pegan dos tiros? ¡Santa cosa! No es nuestro camino, pero aceptaríamos la gracia del martirio como un mimo de Dios: no a nosotros, sino a nuestra familia del Opus Dei, para que ni siquiera por eso nos venza la soberbia. No nos faltará ese mimo..., pero pocas veces, porque no es el camino nuestro.

6a ¡Serenos! Procuremos que no nos falte sentido de responsabilidad, sabiéndonos eslabones de una misma cadena. Por lo tanto –hemos de decir de veras cada uno de los hijos de Dios, en su Obra– quiero que ese eslabón, que soy yo, no se rompa: porque, si me rompo, traiciono a Dios, a la Iglesia Santa y a mis hermanos. Y nos gozaremos en la fortaleza de los otros eslabones; me alegrará que los haya de oro, de plata, de platino, engastados en piedras preciosas. Y cuando parece que me voy a quebrar, porque las pasiones me han turbado; cuando parece que un eslabón se resquebraja... ¡tranquilos! Se le

---

6a «*sabiéndonos eslabones*»: el símil de los eslabones, que utiliza en otros lugares (cfr. *Amigos de Dios*, n. 76), habla de la importancia de la fidelidad a Dios, para que la "cadena" –la Comunión de los Santos– no se rompa. La fuerza de la cadena depende de la resistencia a la tracción de cada uno de sus anillos. Por eso, lo decisivo es que todos juntos resistan, pues la ruptura de uno significa la inutilidad del conjunto. No le importa a san Josemaría la materia con que está hecho el eslabón, pues uno de humilde hierro –una persona con menos cualidades– puede llegar –por su santidad– a sostener más peso y más responsabilidad que otro de un material más valioso.

ayuda, para que siga adelante con más amor, con más dolor, con más humildad.

6b Dirás a tus hermanos que deben ser contemplativos y serenos, con sentido de responsabilidad en la vida ordinaria, porque nuestro heroísmo está en lo pequeño. Nosotros buscamos la santidad en el trabajo ordinario, cotidiano.

6c Les dirás también que deben vivir la caridad, que es cariño. «*Deus caritas est!*»[13], el Señor es amor. Cariño para vuestros hermanos, cariño especialísimo para vuestros Directores, ayudándoles también con la corrección fraterna. Tenéis todos los medios para decir la verdad, sin herir, de manera que sea útil sobrenaturalmente. Se consulta: ¿puedo hacer esta corrección fraterna? Te pueden responder que no conviene, porque no se trata de algo objetivo, o porque ya se lo ha dicho otro, o porque no hay motivo suficiente, o por otras razones. Si te responden que sí, haces la corrección fraterna enseguida, cara a cara, porque la murmuración no cabe en la Obra, no puede haberla, ni siquiera la indirecta; la murmuración indirecta es propia de personas que tienen miedo a decir la verdad.

6d Hay un refrán que advierte: *el que dice las verdades, pierde las amistades*. En el Opus Dei es al revés. Aquí la verdad se dice, por motivos de cariño, a solas, a la cara; y todos nos sentimos tan felices y seguros, con las espaldas bien guardadas. No toleréis nunca la menor murmuración, y mucho menos si es contra algún Director.

---

[13] I *Ioann*. IV, 8.

6c «*la corrección fraterna*»: enseñada por Cristo (cfr. Mt 18, 15), en el Opus Dei se ejercita siguiendo los precisos criterios de prudencia y caridad que aquí indica san Josemaría. Es una advertencia afectuosa a otra persona, realizada a solas y con la máxima delicadeza, después de recibir la autorización del director competente, para corregir un hábito o una falta externa o progresar en una virtud. El fundador la consideraba una manifestación de verdadera preocupación por el progreso espiritual y humano de los demás, una muestra del cariño auténtico que debe existir entre los fieles del Opus Dei. Insistía en que no se dejara de practicar nunca, especialmente para ayudar a los que tienen misión de gobierno.

6e   Caridad, hijos, con todas las almas. El Opus Dei no va contra nadie, no es anti-nada. No podemos ir del brazo con el error, porque podría dar ocasión a que se apoyen en nosotros y lo extiendan; pero con las personas que están equivocadas hay que procurar, por medio de la amistad, que salgan del error; hay que tratarlas con cariño, con alegría.

6f   «*Iterum dico: gaudete!*»[14]. Estad siempre alegres, hijos míos. He llenado estos edificios con palabras de la Escritura en las que se recomienda la alegría. «*Servite Domino in lætitia*»[15]; servid al Señor con alegría. ¿Vosotros creéis que en la vida se agradece un servicio prestado de mala gana? No. Sería mejor que no se hiciera. ¿Y nosotros vamos a servir al Señor con mala cara? No. Le vamos a servir con alegría, a pesar de nuestras miserias, que ya las quitaremos con la gracia de Dios.

6g   Sed obedientes. Para obedecer, es preciso escuchar lo que nos dicen. ¡Si vierais qué pena da mandar a almas buenas que no saben obedecer...! Quizá es una persona encantadora, muy santa, pero llega el momento de obedecer, ¡y no! ¿Por qué? Porque a veces hay quienes tienen el defecto casi físico de no escuchar; tienen tan buena voluntad, que mientras escuchan, están pensando en el modo de hacerlo de otra manera, en cómo desobedecer. No, hijos; se exponen las posibilidades contrarias, si las hay; se dicen las cosas con claridad, y después se obedece, estando dispuestos a seguir rendidamente la solución opuesta a nuestro consejo.

6h   Obedientes y objetivos. ¿Cómo podréis informar vosotros –que no sois soldados rasos, sino capitanes del ejército de Cristo, y por tanto habéis de informar objetivamente a vuestros Directores de lo que

---

[14]   *Philip.* IV, 4.
[15]   *Ps.* XCIX, 2.

6f   [15] *Ps.* XCIX, 2] [15] *Ps.* XVI, 2 *EdcS*,27.

6h   «*capitanes del ejército de Cristo*»: da por supuesto que todos los que le escuchan tendrán, de una forma u otra, encargos y funciones de formación, e incluso puestos directivos en labores del Opus Dei, de ahí que los llame «capitanes», es decir, personas

pasa en vuestro sector– si no sois objetivos? ¿Sabéis lo que le ocurre a un general que recibe treinta, cincuenta, cien informes falsos? Que pierde la batalla. Cristo no pierde batallas, pero se entorpece la eficacia de nuestra labor, y el trabajo no rinde todo lo que debería rendir.

6i Hijos míos, ya van casi cuarenta minutos de meditación. No me gusta saltar el parapeto –ya que hablamos en términos militares– de los treinta; de los cuarenta, nunca. Habéis visto cuántas cosas debéis aprender y practicar, para enseñárselas a vuestros hermanos. Llenaos de deseos de formaros. Y, si no tenéis deseos, os aconsejo que tengáis deseos de tener deseos: eso ya es algo... Deseos de entrega, de formación, de santidad, de ser muy eficaces: ahora, después y siempre.

---

con mayor responsabilidad, a quienes se pide una especial objetividad en su colaboración con la actividad de dirección. El uso del término "capitanes" no connota superioridad en lo espiritual, sino diversidad de funciones.

2. LA ORACIÓN DE LOS HIJOS DE DIOS
(4 de abril de 1955)

1. Contexto e historia

El 4 de abril de 1955, san Josemaría dirigió esta meditación a los alumnos del Colegio Romano de la Santa Cruz, que la noche anterior habían comenzado su curso de retiro anual. Fue la tercera de ese día, que era Lunes Santo[244].

El texto apareció en *Crónica y Noticias* en diciembre de 1972. Poco después sirvió de pauta al fundador del Opus Dei para preparar la homilía titulada "Vida de oración", que se publicó en forma de folleto en 1973 (Folleto MC, núm. 168, Madrid, Ed. Palabra, 1973, 42 pp.), y que se incluiría más tarde en el volumen de homilías *Amigos de Dios*.

2. Fuentes y material previo

EdcS,29-36; *Cro1972*,1098-1105; *Not1972*,1027-1034. Se conservan varias transcripciones mecanografiadas y manuscritas en el expediente de AGP, serie A.4, m550404a; las mecanografiadas son: B (dos copias, con pequeñas diferencias), C, F y 19; las manuscritas son: A, D y E. Hay también once fichas breves con apuntes de varias personas. Además, el diario del Colegio Romano ofrece un resumen muy completo.

3. Contenido

Como hemos dicho, parte de este texto se utilizó para la homilía "Vida de oración". Varias frases coinciden literalmente, pero en "Vida de oración"

---

[244] Cfr. Diario del Colegio Romano de la Santa Cruz, 4-IV-1955 (AGP, serie M.2.2, 427-22).

el Autor desarrolla ampliamente temas que aquí sólo esboza. Al mismo tiempo, en la homilía omite cuestiones que había abordado en la meditación, quizá por tratarse de digresiones más propias de la predicación oral que de una elaboración escrita, o tal vez porque le parecían muy específicas del Opus Dei.

El tema es la oración y la vida contemplativa. Es un asunto al que san Josemaría dedicó siempre especial atención. En *Camino* había escrito: «¿Santo, sin oración?... –No creo en esa santidad»[245]. Y en esta meditación leemos: «¿Qué han hecho, hijo mío, todos los santos? Pienso que no ha habido uno solo sin oración»[246]; «Para ser santo, hijo, hay que rezar: no tengo otra receta»[247]; y también: «La oración, hijos, es el fundamento de toda labor sobrenatural»[248].

La define como una «conversación amorosa con el Amor eterno»[249], un «diálogo de amor» que se basa en la consideración de la filiación divina del cristiano. Sus palabras son un modelo de coloquio afectuoso con el Señor. Hace su oración en voz alta, al mismo tiempo que invita a quienes le escuchan a que entablen por su cuenta un diálogo interior con Dios y saquen propósitos. San Josemaría busca llevar las almas a Dios. Su discurso no atrae la atención hacia sí, sino que sirve para que sus oyentes encuentren las palabras sinceras y personales que deben emplear con el Señor.

Para él, hablar con Dios es conversar con una persona querida. En esto sigue la tradición espiritual católica, desde los Padres de la Iglesia y autores antiguos hasta los místicos castellanos y los de la época moderna y contemporánea[250]. El fundador del Opus Dei enseña que a Dios hay que hablarle con nuestro lenguaje: con el máximo respeto y reverencia, ciertamente, pero también con la mayor confianza. «Yo no cuento con un corazón para amar a Dios, y con otro para amar a las personas de la tierra –enseñaba–. Con el mismo corazón con el que he querido a mis padres y quiero a mis

---

[245] n. 107.

[246] 2.2b.

[247] 2.3a.

[248] 2.1a.

[249] 2.2d.

[250] Podrían citarse muchos, pero baste mencionar aquí a santa Teresa de Jesús, san Juan de la Cruz, san Francisco de Sales, san Alfonso María de Ligorio, san Ignacio de Loyola, Luis de Granada o a santa Teresa de Lisieux, cuyas obras conocía bien san Josemaría.

amigos, con ese mismo corazón amo yo a Cristo, y al Padre, y el Espíritu Santo y a Santa María»[251].

La oración es –por tanto– una conversación: «Procura dialogar con Dios, en el centro de tu alma, con toda confianza y sinceridad»[252]. Las luces interiores que recibió en 1931[253] le llevaron a practicar durante toda su vida un tipo de oración filial en la que Dios se muestra siempre como Padre, y en la que también se formulan propósitos concretos de cumplir su Voluntad, de ser hijos suyos en todo momento, transformando las propias obras, las tareas ordinarias, en una continuación de esa charla sincera y sobrenatural: «Yo quiero para vosotros la oración de los hijos de Dios; no la oración de los hipócritas (...). Nuestra oración, nuestro clamar: ¡Señor!, ¡Señor!, va unido al deseo eficaz de cumplir la Voluntad de Dios. Ese clamor se manifiesta en mil formas diversas: eso es oración, y eso es lo que yo quiero para vosotros»[254].

Cuando predicaba, exhortaba a entablar un diálogo personal con Dios, sin limitarse a escuchar pasivamente: «Este rato de charla que hacemos juntos, pegadicos al Sagrario, producirá en ti una huella fecunda si, mientras yo hablo, tú hablas también en tu interior. Mientras yo trato de desarrollar un pensamiento común que a cada uno de vosotros haga bien, tú, paralelamente, vas sacando otros pensamientos más íntimos, personales»[255].

Para el fundador del Opus Dei el Amor debe llevar a que ese diálogo sea constante. El tema de la "oración continua" aparece en el Nuevo Testamento (cfr. Lc 18, 1; 1 Ts 5, 1) y en la espiritualidad cristiana de la antigüedad[256]. Históricamente había sido considerado como algo propio de la vida monástica, pero san Josemaría propone ese ideal al cristiano que

---

[251] *Es Cristo que pasa*, n. 166.

[252] 2.5d.

[253] Cfr. *AVP* I, pp. 388-390.

[254] 2.2c.

[255] 2.4c.

[256] Cfr. Michel DUPOY, "Oraison", DSp 11, col. 831-846; Manuel BELDA PLANS, "La contemplazione in mezzo al mondo nella vita e nella dottrina di San Josemaría Escrivá de Balaguer", en Laurent TOUZE (ed.), *La contemplazione cristiana: esperienza e dottrina: atti del IX Simposio della Facoltà di Teologia, Pontificia Università della Santa Croce, Roma, 10-11 marzo 2005*, Città del Vaticano, Libreria editrice vaticana, 2007, pp. 151-176.

vive en medio de los afanes del mundo moderno, transformando el trabajo y la vida cotidiana en oración.

Para sostener ese diálogo constante, compuso un "plan de vida" para los miembros del Opus Dei: un conjunto de prácticas de piedad que se adaptan flexiblemente a la situación de cada uno. Está formado por "normas" y "costumbres" de frecuencia diaria, semanal, mensual, anual, o que se sugiere practicar "siempre", en todo momento[257].

San Josemaría le concedía mucha importancia, para llegar a la "oración continua" y en consecuencia a la vida contemplativa, y por eso decía que era el primer medio para alcanzar la santidad en el Opus Dei[258]:

> «Al cumplir las Normas, sin darte cuenta, de la mañana a la noche y de la noche a la mañana, estás haciendo oración: actos de amor, actos de desagravio, acciones de gracias; con el corazón, con la boca, con las pequeñas mortificaciones que encienden el alma. No son cosas que puedan considerarse pequeñeces: son oración constante, diálogo de amor»[259].

Lejos de constituir un rígido esquema que ha de cumplirse formalmente, el Autor lo concebía como punto de partida para que el alma se explaye libremente con Dios, siguiendo su propio camino de amor:

> «Reza oraciones vocales, las que forman parte de nuestro plan de vida de piedad. Dirígete luego a Dios con oraciones vocales tuyas, personales: las que mayor devoción te den. No te quedes sólo en lo que todos tenemos el deber y el gozo de cumplir: añade lo que tu iniciativa y tu generosidad te dicten. Finalmente, no olvides la oración mental continua»[260].

---

[257] Algunos ejemplos de esas normas o prácticas de piedad: la oración mental, la Santa Misa, la lectura espiritual, el Rosario, etc., que se hacen diariamente; el rezo semanal de una antífona mariana, los sábados, a la que se acompaña una pequeña mortificación; mensualmente: un día de retiro; cada año: curso de retiro espiritual. Las normas de "siempre" son, entre otras, considerar a menudo la presencia de Dios y la filiación divina, las acciones de gracias, la alegría, etc.

[258] Ver, por ejemplo, en estas meditaciones: 3.3g; 6.4b, 12.4c, 18.3c.

[259] 2.3b-3c.

[260] 2.5d.

Las prácticas de piedad que sugiere son instrumento, no fin. El esfuerzo por mantener ese diálogo de amor –que no es cumplimiento obsesivo o rutinario– no «producirá ninguna deformación psicológica, porque para un cristiano debe ser algo tan natural y espontáneo como el latir del corazón. Cuando todo eso sale con facilidad: ¡gracias, Dios mío! Cuando llega un momento difícil: ¡Señor, que no me dejes!»[261].

En varios momentos, recuerda que la eficacia en el servicio de Dios presupone llevar una verdadera vida contemplativa. De ese modo, asegura, «llegarás a ser lo que el Señor desea de ti: un alma que da consuelo y que es eficaz a la hora del apostolado»[262]. Glosando la parábola de la sal, la luz y el fermento, dice que «la luz será tinieblas, si tú no eres contemplativo, alma de oración continua; y la sal perderá su sabor, sólo servirá para ser pisada por la gente, si tú no estás metido en Dios»[263].

El cristiano, y en concreto el fiel del Opus Dei, debe buscar la conjunción de la vida contemplativa con la misión apostólica: «La llamada divina tiene una finalidad muy concreta: meterte en todas las encrucijadas de la tierra, estando tú bien metido en Dios»[264].

---

[261] 2.3c.

[262] 2.2d.

[263] 2.5c.

[264] 2.5b.

4. Texto y notas

LA ORACIÓN DE LOS HIJOS DE DIOS

1a   «Conviene orar perseverantemente y no desfallecer»[1]. La oración, hijos, es el fundamento de toda labor sobrenatural.

1b   Mirad a Jesucristo, que es nuestro modelo. ¿Qué hace en las grandes ocasiones? ¿Qué nos dice de Él el Santo Evangelio? Antes de iniciar su vida pública se retira «cuarenta días con cuarenta noches»[2] al desierto, para rezar. Después, cuando va a escoger definitivamente a los primeros Doce, cuenta San Lucas que «pasó toda la noche haciendo oración a Dios»[3]. Y ante la tumba ya abierta de Lázaro, «levantando los ojos al cielo, dijo: Padre, gracias te doy porque me has oído»[4]. ¿Y qué hace en la intimidad de la Última Cena, en la angustia de Getsemaní, en la soledad de la Cruz? Con los brazos extendidos habla también con el Padre.

2a   Contemplad ahora a su Madre bendita: ¿qué ejemplo nos ha dejado? Cuando el Arcángel va a comunicarle la divina embajada, la encuentra retirada en oración. ¿Y los primeros cristianos? Los Hechos de los

---

[1] *Luc.* XVIII, 1.

[2] *Matth.* IV, 2.

[3] *Luc.* VI, 12.

[4] *Ioann.* XI, 41.

2a   *«la encuentra retirada en oración»*: san Lucas no menciona este detalle, que viene de la tradición espiritual cristiana. En muchas obras de arte se ha representado a María haciendo oración al recibir el anuncio de san Gabriel. San Máximo el Confesor la imagina orando y en ayuno (cfr. Maxime le Confesseur, *Vie de la Vierge*, ed. y trad. de Michel-Jean van Esbroeck, *Corpus Scriptorum Christianorum Orientalium*, vol.

Apóstoles nos han transmitido una escena que a mí me enamora, porque es un ejemplo vivo para nosotros; por eso la he hecho grabar en tantos oratorios y en otros lugares: «Perseveraban todos en las enseñanzas de los Apóstoles, y en la comunicación de la fracción del pan, y en la oración»[5].

2b   ¿Qué han hecho, hijo mío, todos los santos? Pienso que no ha habido uno solo sin oración; ninguno ha llegado a los altares sin que haya sido alma de oración.

2c   Hay muchas maneras de orar. Yo quiero para vosotros la oración de los hijos de Dios; no la oración de los hipócritas, que han de escuchar de Jesús aquello de que «no todo el que dice: ¡Señor!, ¡Señor!, entrará en el reino de los cielos»[6]. Nosotros hacemos la voluntad de su Padre, después de haber hecho la dedicación de nuestra vida. Nuestra oración, nuestro clamar: ¡Señor!, ¡Señor!, va unido al deseo eficaz de cumplir la Voluntad de Dios. Ese clamor se manifiesta en mil formas diversas: eso es oración, y eso es lo que yo quiero para vosotros.

2d   ¡Hijo de mi alma! Si tú, en estos días de retiro, piensas despacio lo que te dicen los hermanos tuyos sacerdotes que dirigen las meditaciones; si haces un examen serio, definitivo, de tu vida pasada; si concluyes con el propósito ¡firme! de procurar vivir en oración, de buscar la conversación amorosa con el Amor eterno; te aseguro que llegarás a ser lo que el Señor desea de ti: un alma que da consuelo y que es eficaz a la hora del apostolado.

---

[5] *Act.* II, 42.

[6] *Matth.* VII, 21.

479, Lovanii, E. Peeters, 1986, p. 14), del mismo modo que Epifanio Monje (en PG 120, col. 195) y otros autores.

2d   «*los hermanos tuyos sacerdotes*»: san Josemaría dirigió sólo alguna meditación en ese curso de retiro; de las demás se ocuparon otros sacerdotes.

3a   Tú has vivido bien las primeras nociones que aprendiste sobre la oración, cuando comenzaste a recibir la dirección espiritual que se imparte en nuestro Opus Dei. Luego, has ido escuchando a tus hermanos tantos consejos maravillosos, que has procurado poner en práctica. Y ahora, después de los años –muchos o pocos– que llevas trabajando por el Señor, el Padre vuelve a insistirte de nuevo en la oración. ¿Por qué? Porque, para ser santo, hijo, hay que rezar: no tengo otra receta para alcanzar la santidad.

3b   Si no lo has experimentado ya, verás cómo te ocurrirá que, al cumplir las Normas, sin darte cuenta, de la mañana a la noche y de la noche a la mañana, estás haciendo oración: actos de amor, actos de desagravio, acciones de gracias; con el corazón, con la boca, con las pequeñas mortificaciones que encienden el alma.

3c   No son cosas que puedan considerarse pequeñeces: son oración constante, diálogo de amor. Una práctica que no te producirá ninguna deformación psicológica, porque para un cristiano debe ser algo tan natural y espontáneo como el latir del corazón.

3a   *«que has procurado poner en práctica»*: en las transcripciones se encuentran, después de esta frase, unas palabras referidas a los alumnos recién llegados a Roma: «Y ahora que has venido a esta casa –es una gracia muy grande que estés aquí, es un derroche de bondad de Dios, gracia que nos obliga a corresponder con delicadeza, con firmeza, varonilmente, con fidelidad– estamos insistiendo en la oración» (m550404a-B). Las suprimió, evidentemente, para que el texto sirviera a todos los fieles del Opus Dei, dispersos por el mundo, que leerían sus palabras.

3b   *«cumplir las Normas»*: las "Normas de piedad", las "Normas del plan de vida" o simplemente, "las Normas", designan el conjunto de prácticas de piedad que jalonan la vida de los fieles del Opus Dei, ayudándoles a mantener un continuo diálogo con Dios, en medio de sus quehaceres (ver introducción a esta meditación).

3c   *«como el latir del corazón»:* metáfora que el autor usaba a menudo en el contexto de la oración continua y de la vida contemplativa (cfr. *Es Cristo que pasa*, n. 8; *Amigos de Dios*, n. 247; *Surco*, n. 516) y también para referirse a la necesidad de multiplicar los pequeños sacrificios y mortificaciones en la existencia diaria (cfr. *Amigos de Dios*, n. 134, *Forja*, n. 518). En este último sentido, la misma expresión se encuentra en un libro de Francisca Javiera DEL VALLE, *Decenario al Espíritu Santo*, Madrid, Rialp, 1989, p. 68, que san Josemaría conocía muy bien.

3d   Cuando todo eso sale con facilidad: ¡gracias, Dios mío! Cuando llega un momento difícil: ¡Señor, que no me dejes! Y ese Dios, «manso y humilde de corazón»[7], ¿cómo va a decirte que no?

3e   Yo quiero que toda nuestra vida sea oración: ante lo agradable y lo desagradable, ante el consuelo... y ante el desconsuelo de perder una vida querida. Ante todo, enseguida, la charla con tu Padre Dios, buscando al Señor en el centro de tu alma.

3f   Para eso, hijo, debes tener una disposición clara, habitual y actual, de aversión al pecado. Varonilmente, has de tener horror, recio horror al pecado grave. Y también la actitud, hondamente arraigada, de abominar del pecado venial deliberado.

3g   Dios preside nuestra oración, y tú, hijo mío, estás hablando con Él como se habla con un hermano, con un amigo, con un padre: lleno de confianza. Dile: ¡Señor, que eres toda la Grandeza, toda la Bondad, toda la Misericordia, sé que Tú me escuchas! Por eso me enamoro de Ti, con la tosquedad de mis maneras, de mis pobres manos ajadas por el polvo del camino. De este modo es gustosa la abnegación, es alegre lo que quizá antes humillaba, y es feliz la vida de entrega. ¡Saberse tan cerca de Dios! Por eso, pase lo que pase, estoy firme, seguro contigo, que eres la roca y la fortaleza[8].

3h   Padre —me estás como diciendo al oído—, pero eso que nos dice, por una parte es algo muy sabido, y por otra parece tan arduo... Y volveré a repetirte que es preciso ser alma de oración. Sólo así se puede ser feliz, aun cuando te desconozcan, aunque te encuentres grandes dificultades en el camino.

4a   El Señor te quiere feliz en la tierra. Feliz también cuando quizá te maltraten y te deshonren. Mucha gente a alborotar: se ha puesto de moda escupir sobre ti, que eres *«omnium peripsema»*[9], como basura...

---

[7] *Matth.* XI, 29.

[8] Cfr. II *Reg.* XXII, 2.

[9] I *Cor.* IV, 13.

3g   de Ti, *Cro1972*,1101] de ti, *EdcS,*32.

4b   Eso, hijo, cuesta; cuesta mucho. Es duro hasta que –por fin– un
hombre se acerca al Sagrario y se ve considerado como toda la por-
quería del mundo, como un pobre gusano, y dice de verdad: Señor,
si Tú no necesitas mi honra, ¿yo, para qué la quiero? Hasta entonces,
no sabe el hijo de Dios lo que es ser feliz: hasta llegar a esa desnudez,
a esa entrega, que es de amor, pero fundamentada en el dolor y en la
penitencia.

4c   No quisiera que todo lo que te estoy diciendo, hijo mío, pasara como
una tormenta de verano: cuatro goterones, luego el sol y, al rato, la
sequedad otra vez. No, esta agua tiene que entrar en tu alma, formar
poso, eficacia divina. Y eso sólo lo conseguirás si no me dejas a mí,
que soy tu Padre, hacer la oración solo. Este rato de charla que hacemos juntos, pegadicos al Sagrario, producirá en ti una huella fecunda si, mientras yo hablo, tú hablas también en tu interior. Mientras
yo trato de desarrollar un pensamiento común que a cada uno de
vosotros haga bien, tú, paralelamente, vas sacando otros pensamientos más íntimos, personales. De una parte, te llenas de vergüenza,
porque no has sabido ser hombre de Dios plenamente; y, por otra
parte, te llenas de agradecimiento, porque a pesar de todo has sido
elegido con vocación divina, y sabes que no te faltará nunca la gracia
del cielo. Dios te ha concedido el don de la llamada, escogiéndote
desde la eternidad, y ha hecho resonar en tus oídos aquellas palabras
que a mí me saben a miel y a panal: «*Redemi te, et vocavi te nomine
tuo: meus es tu!*»[10]. Eres suyo, del Señor. Si te ha hecho esa gracia, te
concederá también toda la ayuda que necesites para ser fiel como
hijo suyo en el Opus Dei.

---

[10] *Isai.* XLIII, 1.

4b   «*un hombre se acerca al Sagrario*»: se trata de un hecho autobiográfico, que refiere
aquí veladamente. Durante las contradicciones sufridas en los años cuarenta en
España, una noche se levantó de la cama y se fue al oratorio a desahogarse ante el
Señor, pronunciando las palabras que aquí recuerda, y que le devolvieron la paz: ver
AVP II, p. 480.

4c   vergüenza, *Cro1972*,1101] vergüenza *EdcS*,33.

4d   Con esta lealtad que tienes, hijo mío, procurarás mejorar cada día, y serás un modelo viviente del hombre del Opus Dei. Así lo deseo, así lo creo, así lo espero. Tú, después que has oído hablar al Padre de este espíritu nuestro de almas contemplativas, vas a esforzarte por serlo de verdad. Pídeselo ahora a Jesús: ¡Señor, mete estas verdades en la vida mía, no sólo en la cabeza, sino en la realidad de mi modo de ser! Si lo haces así, hijo, te aseguro que te ahorrarás muchas penas y disgustos.

4e   ¡Cuántas tonterías, cuántas contrariedades desaparecen inmediatamente, si nos acercamos a Dios en la oración! Ir a hablar con Jesús, que nos pregunta: ¿qué te pasa? Me pasa..., y enseguida, luz. Nos damos cuenta muchas veces de que las dificultades nos las creamos nosotros mismos. Tú, que te crees de un valor excepcional, con unas cualidades extraordinarias, y cuando los demás no lo reconocen así te sientes humillado, ofendido... Acude enseguida a la oración: ¡Señor!... Y rectifica; nunca es tarde para rectificar, pero rectifica ahora mismo. Sabrás entonces lo que es ser feliz, aunque notes todavía en las alas el barro que se está secando, como un ave que ha caído por tierra. Con la mortificación y la penitencia, con el afán de fastidiarte para hacer más amable la vida a tus hermanos, caerá ese barro, y –perdona la comparación que se me viene ahora a la cabeza– serán tus alas como las de un ángel, limpias, brillantes, y ¡a subir!

4f   ¿Verdad, hijo mío, que vas haciendo tus propósitos concretos? ¿Verdad que en la charla fraterna y en la confesión, vividas con el sentido

---

4d   «*Tú, después que has oído hablar al Padre*»: en algunas versiones de la transcripción m550404a se lee: «Tú, que has convivido con el Padre, después de que una vez le oíste hablar de cuál era su espíritu, de ser alma contemplativa»... Es plausible que hiciera el cambio pensando en todos los fieles de la Obra que leerían sus palabras. En ocasiones empleaba esta forma de hablar para espolear la responsabilidad de quienes habían recibido directamente del fundador las enseñanzas sobre el espíritu del Opus Dei: ver Salvador BERNAL, *Mons. Josemaría Escrivá de Balaguer. Apuntes sobre la vida del Fundador del Opus Dei*, Madrid, Rialp, 1976, pp. 314-315; *AVP* III, p. 395.

4f   «*en la charla fraterna*»: el fundador daba especial importancia a la ayuda de consejo y guía espiritual que se recibe en el Opus Dei a través de dos medios: la confesión y la conversación fraterna con un sacerdote o con un laico, en la que se reciben consejos para mejorar la vida de oración, para progresar en las virtudes, afinar la fidelidad al espíritu de la Obra, para desempeñar mejor la propia tarea de apostolado, etc. Esta conversación orientadora, que se recomienda a todos los fieles del Opus Dei,

sobrenatural que se os enseña, irás viéndote como eres, cara a Dios, con humildad? En la dirección espiritual no dejes nunca de tratar de tu vida de oración, de cómo va la presencia de Dios, de cómo es tu espíritu contemplativo.

5a   Hijos de mi alma, os estoy queriendo llevar por un camino de maravilla, por una vida de amor y de aventura sobrenatural, por la que el Señor me ha conducido a mí; una vida de felicidad, con sacrificio, con dolor, con abnegación, con entrega, con olvido de uno mismo.

5b   *«Si quis vult post me venire...* Si alguien quiere venir en pos de mí, niéguese a sí mismo, tome su cruz cada día y sígame»[11]. Estas palabras las hemos oído todos: por eso estamos aquí. También hemos escuchado estas otras: «No me elegisteis vosotros a mí, sino que yo soy el que os he elegido a vosotros»[12]. La llamada divina tiene una finalidad muy concreta: meterte en todas las encrucijadas de la tierra, estando tú bien metido en Dios. Ser sal, ser levadura, ser luz del mundo. Sí, hijo mío: tú en Dios, para iluminar, para dar sabor, para acrecentar, para ser fermento.

5c   Pero la luz será tinieblas, si tú no eres contemplativo, alma de oración continua; y la sal perderá su sabor, sólo servirá para ser pisada por la gente, si tú no estás metido en Dios. La levadura se pudrirá y perderá su virtud de fermentar toda la masa, si tú no eres alma verdaderamente contemplativa.

5d   Reza oraciones vocales, las que forman parte de nuestro plan de vida de piedad. Dirígete luego a Dios con oraciones vocales tuyas, personales: las que mayor devoción te den. No te quedes sólo en lo

---

[11] *Luc.* IX, 23.
[12] *Ioann.* XV, 16.

---

se denomina simplemente la "charla", o la "confidencia". Para san Josemaría era una de las ayudas más importantes que, aparte de los sacramentos, tiene a su disposición cada persona en la Obra, en su camino de santidad. Ver también nota a 19.4b-4d.

5d   *«oraciones vocales»*: dentro del "plan de vida" del que ya se ha hablado, figuran algunas prácticas de oración vocal: visita al Santísimo Sacramento, Santo Rosario, las *preces* propias del Opus Dei, etc. Además, como es tradicional en la espiritualidad católica, el Autor recomienda el rezo de otras oraciones sacadas de la Sagrada Escritura, de la liturgia, de la experiencia de los santos, o incluso de invención personal, para

que todos tenemos el deber y el gozo de cumplir: añade lo que tu iniciativa y tu generosidad te dicten. Finalmente, no olvides la oración mental continua. Procura dialogar con Dios, en el centro de tu alma, con toda confianza y sinceridad.

5e Hijo, pienso que te he dicho ya todo lo que te tenía que decir. Ahora resta que tú te decidas, de verdad, a ser un alma entregada, enamorada, en trato constante con Dios. Entonces sí que estoy seguro de tu fidelidad.

5f Termino, pues, con tres citas de la Escritura:

5g *«Oportet semper orare et non deficere»*[13]: hay que rezar siempre, sin cesar.

5h *«Erat pernoctans in oratione Dei»*[14]: Cristo pasaba la noche hablando con Dios.

5i *«Erant autem perseverantes in doctrina apostolorum, et communicatione fractionis panis, et orationibus»*[15]: los primeros cristianos perseveraban en la doctrina de los Apóstoles, en la comunicación de la fracción del pan y en la oración.

---

[13] *Luc.* XVIII, 1.

[14] *Luc.* VI, 12.

[15] *Act.* II, 42.

---

mantener despierta la devoción durante el día, en medio de las circunstancias ordinarias, de modo que se recuerde frecuentemente que se está en la presencia amorosa de Dios.

3. CON LA DOCILIDAD DEL BARRO
(3 de noviembre de 1955)

1. Contexto e historia

El texto que presentamos fue pronunciado el 3 de noviembre de 1955, durante un día de retiro, que los miembros del Opus Dei suelen hacer cada mes.

Como se estaba a comienzos del curso académico, después de la incorporación al Colegio Romano de la Santa Cruz de los alumnos que habían ido llegando durante las últimas semanas, el fundador del Opus Dei quiso reforzar las buenas disposiciones de sus oyentes, dándoles algunos consejos para aprovechar la intensa formación que se disponían a recibir en los próximos meses. El redactor del diario escribió ese día: «Hemos tenido Retiro, el primero del Curso. Un buen momento para pararnos y hacer propósitos muy concretos para este año en el Colegio Romano en que hay que aprovechar al máximo la formación y el espíritu de la Obra que vamos a recibir de su misma fuente, del Padre. Incluso el mismo Padre nos ha dado una de las meditaciones como nos había prometido»[265].

2. Fuentes y material previo

EdcS,37-43; *Cro1974*,599-605; *Not1974*,513-519. Se conservan cinco transcripciones mecanografiadas en AGP serie A.4, m551103, versiones A, B, C, D y 6, con pequeñas variaciones entre sí, y nueve fichas, dos de ellas bastante largas, con varias cuartillas de notas. También el diario del Colegio Romano ofrece un resumen muy detallado.

---

[265] Diario del Colegio Romano de la Santa Cruz, 3-XI-1955 (AGP, serie M.2.2, 428-3).

3. Contenido

San Josemaría comienza explicando a los presentes que son como la levadura de la que habla el Evangelio[266]. El Opus Dei es fermento de santidad en medio de la humanidad, pero ellos, por el hecho de estar formándose en el Colegio Romano, serán a su vez levadura dentro de la Obra, «que dé gracia, que dé sabor, ¡que dé volumen!, con el fin de que, luego, este pan de Cristo pueda alimentar a todas las gentes»[267]. A continuación, comienza a desarrollar la metáfora del barro en las manos del alfarero, que da el título a la meditación.

El tema central es la docilidad a las exhortaciones que se reciben para progresar en la santidad. Hay que tener en cuenta que –como escribe Derville– «la palabra "dirección" connota en sus escritos una función de orientación y consejo, pues no pertenece al régimen de gobierno, sino a otro orden: el de la fraternidad»[268]. El mismo fundador afirma en otro lugar: «La autoridad del director espiritual no es potestad»[269]. La considera un ejercicio consciente de la propia libertad, que se abandona humildemente en Dios, secundando todo aquello que dispone la voluntad divina para la propia santificación. Incluidos los consejos que se reciben para progresar en la vida espiritual.

Sin abandonar del todo los ejemplos del alfarero y de la levadura, acude después a los pasajes evangélicos de las dos pescas milagrosas, para abundar en el mismo tema. La primera de esas pescas le sirve para comentar la fecundidad de la docilidad. La asombrosa captura vino porque los discípulos siguieron el mandato del Maestro, echando las redes donde les indicaba. La segunda pesca le sugiere un comentario parecido, pero esta vez aplica la escena a un apostolado específico del Opus Dei: el de buscar "otros apóstoles" que quieran seguir a Cristo en la Obra. Ya la red no está llena de todo género de peces, de personas llamadas a muy diversos caminos, sino de pescados contados, en este caso llamados al Opus Dei, que Pedro lleva hasta los pies de Cristo.

---

[266] Cfr. Lc 13, 21.

[267] 3.1b.

[268] Guillaume DERVILLE, "Dirección espiritual", en DSJEB, p. 340.

[269] *Carta 8-VIII-1956*, n. 38, citada en Ernst BURKHART - Javier LÓPEZ DÍAZ, *Vida cotidiana y santidad* (III), p. 589.

Las parábolas y escenas bíblicas le sirven para mantener el hilo conductor de toda la meditación: la necesidad de entregarse, de dejarse formar, con fe y total abandono en Dios. Y para lograrlo es necesario un ejercicio fuerte de la libertad, que acepta y ama todo lo que contribuye a conformarla con Cristo.

Es fácil imaginar su tono de voz –vigoroso y a la vez lleno de cariño– cuando anima a sus hijos a decir a Cristo: «¡Me dejaré meter en la barca, me dejaré cortar, rajar, romper, pulir, comer! ¡Me entrego!»[270]. Les enseña a tener con Dios una conversación sincera, con deseos grandes, con propósitos efectivos: «¡Sé audaz, sé valiente, sé osado! Continúa con tu oración personal y comprométete: ¡Señor, ya no más! No más tardanzas, no más poner dificultades, no más resistencias a tu gracia; deseo ser esa buena levadura que haga fermentar toda la masa»[271]. Abre ante sus ojos el horizonte de una vida fecunda, destinada a continuar la misión de Cristo entre los hombres: «Tú, mi hijo: ¿vas a entorpecer la labor de Jesús o la vas a facilitar? ¿Estás jugando con tu felicidad o quieres ser fiel y secundar la voluntad del Señor, y marchar con eficacia por todos los mares, pescador de hombres con misión divina? ¡Hala, hijo mío, a pescar!»[272].

---

[270] 3.3f.

[271] 3.3i.

[272] 3.4h.

4. Texto y notas

CON LA DOCILIDAD DEL BARRO

1a   He encontrado unos viejos papeles, que me han servido muchas veces para hablar a vuestros hermanos que ahora son mayores. Y hay un texto del Apóstol a los de Corinto, en el que se lee: «*Modicum fermentum totam massam corrumpit*»[1]. ¿Veis? Una pequeña cantidad de levadura hace que fermente toda la masa.

1b   ¡Hijos de mi alma! Si dentro de esta gran masa de los hombres –nos interesan todas las almas–, si dentro de esta gran muchedumbre humana, el Opus Dei es un fermento, dentro del Opus Dei, por un amor de predilección del Señor, vosotros sois fermento, sois levadura. Estáis aquí mis hijos para que –con la ayuda de la gracia divina y de vuestra correspondencia– os preparéis para ser, en todos los lugares del mundo, la levadura que dé gracia, que dé sabor, ¡que dé volumen!, con el fin de que, luego, este pan de Cristo pueda alimentar a todas las gentes.

2a   Y habéis venido decididos a dejaros formar, a dejaros preparar. Esa formación, mientras hará que vuestra personalidad –la de cada uno– se mejore con sus características particulares, os dará ese común

---

[1] I *Cor.* V, 6.

1b   «*vosotros sois fermento*»: por el hecho de estar en el Colegio Romano de la Santa Cruz, quienes le escuchaban tenían la responsabilidad de dar buen ejemplo a los demás, siendo instrumentos fieles al servicio de la unidad, de la extensión de los apostolados y de la santificación de los demás miembros del Opus Dei.

2a   «*común denominador*»: se refiere a la doctrina de la Iglesia y al espíritu del Opus Dei, que todos comparten en la Obra, tanto jóvenes como mayores, mujeres u hombres, solteros o casados, laicos o sacerdotes. Al mismo tiempo cada cual puede

denominador, esta sangre de nuestra familia sobrenatural, que es la misma para todos. Pero si hemos de lograr esto, tú, hijo mío –porque hablo para ti solo–, tienes que estar dispuesto a ponerte en manos de los Directores como se pone el barro en manos del alfarero. Y te dejarás hacer y deshacer, y cortar, y bruñir. Si hasta ahora no hubiera sido así, es éste el momento de rectificar, de decir al Señor que te abandonas en Él con la docilidad con que un pedazo de lodo deja hacer a los dedos del artesano.

2b   Mientras yo hablo –Jesús nos preside desde el Sagrario, como presidía a los primeros Doce–, tú haces tu oración, y vas preparando unos propósitos concretos, que hagan realidad el gran propósito tuyo del amor. Hay momentos difíciles en la vida, en los que viene muy bien ese propósito concreto, aunque yo he repetido tantas veces que en muchas ocasiones no hacen falta. ¿Qué propósito concreto hacía mi madre para tratarme con tanto cariño? Me quería tanto, que no lo necesitaba. Pero a ti, ahora, te hace falta, y por eso te digo que hagas un propósito concreto: ¡Señor, con tu gracia, con la ayuda de Nuestra Madre del Cielo, yo, que me encuentro aquí, en esta gran red, en esta gran barca del Opus Dei, dejaré que las manos de los Directores me moldeen, para hacerme hermoso en tu presencia, fuerte, recio, eficaz! Para tener, de veras, en toda la vida interior y en el trabajo externo, este bullir limpio, sobrenatural, de la sangre de familia.

2c   ¿Quién de vosotros no ha visto cómo se procede en una clínica, cuando hay que operar? El cuidado que se pone, la asepsia, la

---

y debe tener un "numerador diversísimo": su modo de ser, sus inclinaciones personales, sus gustos o aficiones, etc., y sus opciones en el terreno político, económico, cultural..., en todo aquello que es opinable para un católico. «Somos como quebrados con el mismo denominador –escribía en una de sus cartas–. Un numerador amplísimo, sin orillas: conforme siempre a las circunstancias de cada uno de los miembros. Un denominador común: con una doctrina espiritual específica o peculiar, que nos empuja a buscar la santidad personal», *Carta 8-XII-1949*, n. 29 (en *AVP* III, p. 312).

2c   *«¿Quién de vosotros no ha visto cómo se procede en una clínica»...:* describe el Autor, con ayuda de una comparación médica, la delicada tarea de estimular las virtudes y ayudar a combatir los defectos a quien se ha propuesto avanzar por la senda de la santidad. Difícil cometido, que pide un acompañamiento exigente y lleno de caridad,

limpieza extraordinaria por parte de los médicos; esos mil detalles que muchos conoceréis mejor que yo. Pues debes dejar que hagan contigo lo mismo. Te quitarán la ropa, que estorba. Después, quizá te la devolverán, si va bien, tras de meterla en el autoclave para desinfectarla. Y más tarde, porque te quieren, quizá tendrán que coger el bisturí. Vas entonces a decirle a Jesús: «*Sicut lutum in manu figuli!*»[2]; como barro en manos del alfarero, así quiero estar en las manos de los Directores. Pongo todo mi empeño, toda mi pobre buena voluntad, para dejar que corten, que operen, que sanen, que me rehagan cuando haga falta.

3a   Vamos a seguir ahora, hijos, con dos textos de la Sagrada Escritura: de San Lucas, uno; el otro de San Juan. El Señor entre barcas y redes halló a sus primeros discípulos, y muchas veces comparaba la labor de almas con las faenas pesqueras.

3b   ¿Te acuerdas de aquella pesca milagrosa, cuando se rompían las redes?[3]. En ocasiones, en la labor apostólica también se rompe la red por nuestra imperfección, y, aun cuando sea abundante, la pesca no es todo lo numerosa que podría ser.

3c   A esa pesca apostólica, abierta a todas las almas, podríamos aplicar aquel texto de San Mateo, que habla de «una red barredera, que

---

[2] *Ierem.* XVIII, 6.
[3] Cfr. *Luc.* V, 6.

---

una prudente discreción y mucha visión sobrenatural. Como el cirujano, que ha de aplicar su ciencia con humanidad pero también con decisión, para sanar al enfermo, aunque duela.

«*Te quitarán la ropa, que estorba*»: metafóricamente se refiere a los apegamientos a cosas o deseos terrenos, que estorban la libertad espiritual o dificultan la curación del alma. La imagen de la ropa es bien expresiva: se pega al cuerpo e impide al médico ver la herida y curarla. Quizá es también origen de enfermedades y antes de volver a usarla es preciso *desinfectarla*, por medio del amor a Dios, que todo purifica. Tal es, a nuestro juicio, la interpretación de este ejemplo, que recuerda los años pasados por san Josemaría entre los enfermos de Madrid.

echada en el mar, allega todo género de peces»[4], de cualquier tamaño y calidad, porque en sus mallas cabe todo lo que nada en las aguas del mar. Esa red no se rompe, hijo mío, porque no hemos sido ni tú ni yo, sino nuestra Madre buena, la Obra, la que se ha puesto a pescar.

3d   Pero no quería hablarte ahora de esa pesca, ni de esa red inmensa. Deseo hacerte considerar más bien la que, en el capítulo XXI, cuenta San Juan: cuando Simón Pedro sacó a tierra, y puso a los pies de Jesús, una red «llena de ciento cincuenta y tres peces grandes»[5]. En esa red de peces grandes, escogidos, te metió Cristo con la gracia soberana de la vocación. Quizá una mirada de su Madre le conmovió hasta el extremo de concederte, por la mano inmaculada de la Santísima Virgen, ese don grandioso.

3e   Hijos míos, mirad que todos estamos metidos en una misma red, y la red dentro de la barca, que es el Opus Dei, con su criterio maravilloso de humildad, de entrega, de trabajo, de amor. ¿No es hermoso esto, hijos míos? ¿Acaso tú lo has merecido?

---

[4] *Matth.* XIII, 47.
[5] *Ioann.* XXI, 11.

3d   «*En esa red de peces grandes*»: al preparar este texto para su publicación, san Josemaría suprimió las referencias circunstanciales al Colegio Romano que había pronunciado y las adaptó a todos los miembros del Opus Dei. En la transcripción se entiende que la segunda pesca milagrosa es la llamada a incorporarse al Colegio Romano: «Esta vez los pescadores no somos ni tú ni yo: ha sido nuestra Madre buena la Obra la que se ha puesto a pescar. Porque en esta red del Colegio Romano de la Santa Cruz, podemos decir que se cumplen las palabras de San Juan (XXI, 11) ya que está llena de "magnis piscibus", que esta red del Colegio Romano está llena de grandes peces, "centum quinquaginta tribus": casi los mismos que estáis aquí. De una parte os metió en la red Cristo, con la gracia soberana de la vocación. Quizá una mirada de su Madre le conmovió hasta el extremo de darte esa gracia, por la mano inmaculada de la Santísima Virgen. Y, después, a través de vuestros Superiores, oyendo esta pobre voz mía, la voz de Cristo, Él os ha cogido de nuevo y os ha metido en esta red, contados, numerados», m551103-A. "Superiores" equivale a "Directores", en terminología que acabó por preferir.

3f   Este es el momento de volver a decir: ¡me dejaré meter en la barca, me dejaré cortar, rajar, romper, pulir, comer! ¡Me entrego! ¡Díselo de veras! Porque luego resulta que, a veces, por tu soberbia, cuando se te hace una indicación que es para tu santidad, parece como si te rebelaras: porque tienes en más tu juicio propio –que no puede ser certero, porque nadie es buen juez en causa propia– que el juicio de los Directores; porque te molesta la indicación cariñosa de tus hermanos, cuando te hacen la corrección fraterna...

3g   ¡Que te entregues, que te des! Pero dile a Jesucristo: ¡tengo esta experiencia de la soberbia! ¡Señor, hazme humilde! Y Él te responderá: pues, para ser humilde, trátame, y así me conocerás y te conocerás. Cúmpleme esas Normas que Yo, a través de tu Fundador, te he dado. Cúmpleme esas Normas. Sé fiel a tu vida interior, sé alma de oración, sé alma de sacrificio. Y, a pesar de los pesares, que en esta vida no faltan, te haré feliz.

3h   Hijo mío, sigue con tu oración personalísima, que no necesita del sonido de palabras. Y habla con el Señor así, cara a cara, tú y Él a solas. Lo contrario es muy cómodo. En el anonimato la gente se atreve a mil cosas que no osaría hacer a solas. Aquella persona encogida, cobarde, cuando está en medio de la multitud no se recata en coger un puñado de barro y arrojarlo. Yo deseo que tú, mi hijo,

---

3f   «*me dejaré cortar, rajar, romper, pulir, comer!*»: usa verbos que expresan gráficamente la humildad y docilidad que se necesitan en la búsqueda de la identificación con Cristo. Son parte de ese "negarse a sí mismo", de esa plena superación del egoísmo, que Jesús pide a sus discípulos (cfr. Mc 8, 34 y par.). Los primeros verbos recuerdan la labor del médico, o también del escultor, al que se refiere en *Camino*: «Se precisa mucha obediencia al Director y mucha docilidad a la gracia. –Porque, si no se deja a la gracia de Dios y al Director que hagan su obra, jamás aparecerá la escultura, imagen de Jesús, en que se convierte el hombre santo» (n. 56). Si no se deja cortar, rajar, romper, pulir..., incluso la mejor madera no pasará de ser un «un leño informe, sin labrar» (*ibid.*). Si deja hacer, respetando el propio modo de ser, esa labor «hará que vuestra personalidad –la de cada uno– se mejore con sus características peculiares...» (n. 2a).

«*nadie es buen juez en causa propia*»: refrán popular, que expresa el principio jurídico de que no se puede ser juez y parte. Aquí lo aplica a la vida espiritual: nadie es buen consejero de sí mismo cuando se trata de detectar y corregir los propios defectos o malas inclinaciones. Por eso es prudente acudir a un guía que aconseje con objetividad.

en la soledad de tu corazón –que es una soledad bien acompañada–
te encares con tu Padre Dios y le digas: ¡me entrego!

3i   ¡Sé audaz, sé valiente, sé osado! Continúa con tu oración personal y
comprométete: ¡Señor, ya no más! No más tardanzas, no más poner
dificultades, no más resistencias a tu gracia; deseo ser esa buena levadura que haga fermentar toda la masa.

4a   ¿Quieres ahora que continuemos recordando estos pasajes de la Escritura Santa, que contemplemos a los Apóstoles entre las redes y
las barcas, que compartamos sus afanes, que escuchemos la doctrina
divina de los labios del mismo Cristo?

4b   «Dijo a Simón: boga mar adentro, y echad vuestras redes para la
pesca. Replicó Simón: Maestro, toda la noche hemos estado fati-
gándonos, y nada hemos cogido»[6]. Con estas palabras, los Apóstoles
reconocen su impotencia: en una noche entera de trabajo no han
podido pescar ni siquiera un pez. Y así tú, y así yo, pobres hombres,
soberbios. Cuando queremos trabajar solos, haciendo nuestra voluntad, guiados por nuestro propio juicio, el fruto que conseguimos
se llama infecundidad.

4c   Pero hemos de seguir oyendo a Pedro: «No obstante, en tu nombre
echaré la red»[7]. Y entonces, ¡llena, llena se manifiesta la mar, y han
de venir las otras naves a ayudar, a recoger aquella cantidad de peces!
¿Lo ves? Si tú reconoces tu nulidad y tu ineficacia; si tú, en lugar de
fiarte del propio juicio, te dejas guiar, no sólo te llenarás de maravillosos frutos, sino que, además, de la abundancia tuya tendrán también abundancia los otros. ¡Cuánto bien y cuánto mal puedes hacer!
Bien, si eres humilde y te sabes entregar con alegría y con espíritu

---

[6] *Luc.* V, 4-5.
[7] *Luc.* V, 5.

4c   «*en lugar de fiarte del propio juicio*»: para sacar el mayor fruto de los consejos que se
reciben en la vida espiritual, el Autor recomienda una sana desconfianza a la hora de
juzgar el propio comportamiento. Esta forma de humildad capacita para aprovechar
la corrección que viene de un observador externo, que tiene un punto de vista más
objetivo. Este ánimo dócil y humilde defiende de la soberbia, el principal enemigo de
la santidad.

de sacrificio; bien para ti y para tus hermanos, para la Iglesia, para esta Madre buena, la Obra. Y cuánto mal, si te guías por tu soberbia. Tendrás que decir: «*Nihil cepimus!*»[8], ¡nada he podido lograr!, en la noche, en plena oscuridad.

4d   Hijo mío: tú, ahora, quizá eres joven. Por eso, yo tengo más cosas por las que pedir perdón al Señor, aunque tú también tendrás tus rincones, tus fracasos, tus experiencias... Dile a Jesús que quieres ser «como el barro en manos del alfarero»[9], para recibir dócilmente, sin resistencias, esa formación que la Obra maternalmente te da.

4e   Te veo con esta buena voluntad, te veo lleno de deseos de hacerte santo, pero quiero recordarte que, para ser santos, hemos de ser almas de doctrina, personas que han sabido dedicar el tiempo necesario, en los lugares precisos, para poner en su cabeza y en su corazón, en su vida toda, este bagaje del que se han de servir para continuar siendo, con Cristo y con los primeros Doce, pescadores de almas.

4f   Recordando la miseria de que estamos hechos, teniendo en cuenta tantos fracasos por nuestra soberbia; ante la majestad de ese Dios, de Cristo pescador, hemos de decir lo mismo que San Pedro: «Señor, yo soy un pobre pecador»[10]. Y entonces, ahora a ti y a mí, como antes a Simón Pedro, Jesucristo nos repetirá lo que nos dijo hace tanto tiempo: «Desde ahora serás pescador de hombres»[11], por mandato divino, con misión divina, con eficacia divina.

4g   En este mar del mundo hay tantas almas, tantas, entre la turbulencia de las aguas. Pero oye estas palabras de Jeremías: «He aquí, dice el

---

[8] *Luc.* V, 5.
[9] *Ierem.* XVIII, 6.
[10] *Luc.* V, 8.
[11] *Luc.* V, 10.

4e   «*para ser santos, hemos de ser almas de doctrina*»: santidad y doctrina son dos elementos que el Autor une con frecuencia, para enseñar que la profundización en las verdades de la fe es condición necesaria para la piedad y el trato con Dios. Dejó siempre muy claro que la vida espiritual debe asentarse sobre una sólida formación doctrinal, acorde con las circunstancias de cada uno; ver un texto semejante en 1.3a.

Señor, que yo enviaré a muchos pescadores —a vosotros y a mí— y pescaré esos peces»[12], con celo por la salvación de todas las almas, con preocupación divina.

4h   Vosotros, tú, mi hijo: ¿vas a entorpecer la labor de Jesús o la vas a facilitar? ¿Estás jugando con tu felicidad o quieres ser fiel y secundar la voluntad del Señor, y marchar con eficacia por todos los mares, pescador de hombres con misión divina? ¡Hala, hijo mío, a pescar!

4i   Voy a acabar con las mismas palabras con que comencé: tú eres la levadura que hace fermentar toda la masa. Déjate preparar, no olvides que con la gracia de tu vocación y la entrega tuya, que es la correspondencia a esta gracia, bajo el manto de nuestra Madre Santa María, que siempre ha sabido protegerte bien entre las olas, bajo el manto y protección de nuestra Madre del Cielo, tú, pequeño fermento, pequeña levadura, sabrás hacer que toda la masa de los hombres fermente, y sufrirás aquellas ansias que me hacían escribir: *omnes* —¡todos: que ni una sola alma se pierda!—, *omnes cum Petro ad Iesum per Mariam!*

---

[12] *Ierem.* XVI, 16.

4i   «*omnes cum Petro ad Iesum per Mariam!*»: se trata de una expresión antigua en san Josemaría: la anotó en sus *Apuntes íntimos* en los primeros años treinta, y se encuentra en múltiples notas suyas. Manifiesta, como escribe Rodríguez, que «la dimensión mariana y la dimensión petrina de la Iglesia se fundían en su corazón a la hora de buscar a Cristo», *Camino,* ed. crít.-hist., com. al n. 573.

4. UN DÍA PARA RECOMENZAR
(3 de diciembre de 1961)

1. Contexto e historia

San Josemaría pronunció estas palabras en el oratorio de Pentecostés, en Villa Tevere, para los que vivían en el centro del Consejo General del Opus Dei. El diario de ese centro dice solamente que fue la primera meditación del retiro mensual de diciembre[273]. Era el primer Domingo de Adviento y el fundador fue comentando las lecturas y el propio de la Misa de ese día.

El texto fue incluido en la reedición del primer tomo de *Meditaciones*, realizada en 1973[274]. Cuando se preparó *EdcS* pasó inadvertida, a pesar de haber sido revisada enteramente por san Josemaría[275].

2. Fuentes y material previo

Med1964,I,11-18; *Med1987*,I,13-19. En el expediente de AGP, serie A.4, m611203 se conservan dos transcripciones mecanografiadas, que no están identificadas con letras mayúsculas a lápiz, como casi siempre ocurre, sino con números y anotaciones de significado desconocido, tal vez referencias a las colecciones en las que se encontraban reunidas. Una de ellas (con una copia idéntica) tiene un número 1, mientras que en otra distinta aparece el 147. Hay también una breve cita de la meditación, en un papel distinto.

---

[273] Diario del centro del Consejo General, 3-XII-1961 (AGP, serie M.2.2, 430-9).

[274] La fecha que aparece en el tomo es 1964; sobre los tomos de *Meditaciones*, ver *Introducción general*, § I, 4.4.

[275] Ver *Introducción general*, § I, 6.4.

3. Contenido

San Josemaría predica tomando pie de la liturgia del día. Va pasando de un tema a otro, a medida que los textos que tiene delante le van sugiriendo distintas ideas. Lo que busca es hacer oración e impulsar a que sus oyentes conversen con Dios, para sacar propósitos de mejora. Por eso, en ocasiones como esta, no siente la necesidad de desarrollar un tema concreto, como ocurre cuando se propone predicar sobre una virtud o una cuestión determinada. Se limita a profundizar en un texto bíblico o litúrgico, dejando que el Espíritu Santo sugiera los derroteros por los que debe fluir la oración. Y vuelve a recurrir a la lectura cuando parece agotarse el tema. Es una manifestación más de esa "oración litúrgica" de la que habla en *Camino*[276].

El comienzo del Adviento le brinda la ocasión de comentar una idea muy suya: la de "recomenzar". En el camino de la santidad es necesario levantarse siempre, después de cada tropiezo, para volver a Dios. Ese recomenzar, que para nuestro Autor debe ser algo continuo, consiste en renovar el Amor y la confianza en Dios en cada momento y especialmente cuando se percibe algo que hemos hecho mal: «Cada vez que hago un acto de contrición recomienzo»[277].

La confianza en Dios lo preside todo: al afrontar las incomprensiones, al medirse con las propias miserias y pecados, al conocer «el barro de que estamos hechos»[278], es decir la pobreza de nuestra condición. La humildad, enseña, refuerza la seguridad de que la fortaleza viene de Dios y su perdón no se acaba. Todo esto mueve a la contrición, que para el Autor tiene un contenido muy positivo: es otro modo de amar a Dios. El recuerdo de los fracasos no desanima, sino que renueva el ímpetu para perseverar en el camino de la santidad, sin conformarse con la medianía, sin renunciar a ser apóstoles de Jesucristo en medio del mundo, «con luz de Dios, con sal de Dios»[279].

---

[276] «Tu oración debe ser litúrgica. –Ojalá te aficiones a recitar los salmos, y las oraciones del misal, en lugar de oraciones privadas o particulares», *Camino*, n. 86. Sobre este aspecto de la oración de san Josemaría ver *Camino*, ed. crít.-hist., com. al n. 86.

[277] 4.1b.

[278] 4.1f.

[279] 4.3c.

[UN DÍA PARA RECOMENZAR]

1a   Después de esta oración preparatoria, que es un acto de fe, que es un acto de amor de Dios, un acto de arrepentimiento, un acto de esperanza –"creo firmemente que estás aquí, que me ves, que me oyes; te adoro con profunda reverencia, te pido perdón de mis pecados"–, que es una acción de gracias, que es un acto de devoción a la Madre de Dios... Después de esta oración preparatoria, que ya es oración mental, nos vamos a meter, como todas las mañanas, como todas las tardes, en una consideración para ser mejores.

1b   Hijos míos: hoy, que empieza el nuevo año litúrgico con un tiempo lleno de afecto hacia el Redentor, es buen día para que nosotros recomencemos. ¿Recomenzar? Sí, recomenzar. Yo –me imagino que tú también– recomienzo cada día, cada hora, cada vez que hago un acto de contrición recomienzo.

1a   Después de esta oración ... para ser mejores. *Med1964*,I,7-8.

     Originariamente, este párrafo se publicó en una página que presentaba el conjunto de la colección de *Meditaciones*. Lo volvemos a colocar en su sitio original, según atestiguan las transcripciones m611203-1 y 147.

     «*oración preparatoria*»: se refiere a la que siempre utilizaba antes de comenzar un rato de oración mental: «Señor mío y Dios mío; creo firmemente que estás aquí, que me ves, que me oyes. Te adoro con profunda reverencia, te pido perdón de mis pecados y gracia para hacer con fruto este rato de oración. Madre mía Inmaculada, san José, mi Padre y Señor, Ángel de mi guarda, interceded por mí».

1b   En la transcripción aparece una mención a los ejercicios espirituales en la Curia Romana: «Yo –me imagino que tú también–, recomienzo cada día, cada hora; cada vez que hago un acto de contrición recomienzo. Ayer terminaron en la Curia Romana los ejercicios. El Papa no ha podido asistir. Y un buen fraile capuchino les ha hablado dos veces por la tarde, para renovar sus almas, para recomenzar», m611203-1.

1c   *«Ad te Domine levavi animam meam: Deus meus, in te confido, non erubescam»*[1]; a Ti, Señor, levanté mi alma: Dios mío, en Ti confío; no sea yo avergonzado. ¿No es la fortaleza del Opus Dei, esta confianza en el Señor? A lo largo de muchos años, así ha sido nuestra oración, en el momento de la incomprensión, de una incomprensión casi brutal: *«Non erubescam!»* Pero no somos sólo nosotros los incomprendidos. La incomprensión la padecen todas las personas, físicas y morales. No hay nadie en el mundo que, con razón o sin ella, no diga que es un incomprendido: incomprendido por el pariente, por el amigo, por el vecino, por el colega... Pero si va con rectitud de intención, dirá enseguida: *«Ad te levavi animam meam»*. Y continuará con el salmista: *«Etenim universi, qui te exspectant, non confundentur»*[2], porque todos los que esperan en Ti, no quedarán confundidos.

1d   *«In te confido»*... Ya no se trata de incomprensión, sino de personas que odian, de la mala intención de algunos. Hace años no me lo creía, ahora sí: *«Neque irrideant me inimici mei»*[3]. Hijo mío, hijo de mi alma, dale gracias al Señor porque ha puesto en la boca del salmista estas palabras, que nos llenan de la fortaleza mejor fundada. Y piensa en las veces que te has sentido turbado, que has perdido la tranquilidad, porque no has sabido acudir a este Señor –*Deus tuus*, Dios tuyo– y confiar en Él: no se burlarán de ti esas gentes.

1e   Luego, ahí, en esa lucha interna del alma, y en aquella otra por la gloria de Dios, por llevar a cabo apostolados eficaces en servicio de Dios y de las almas, de la Iglesia. En esas luchas, ¡fe, confianza! "Pero, Padre –me dirás–, ¿y mis pecados?" Y te contestaré: ¿y los míos? *«Ne respicias peccata nostra, sed fidem»*[4]. Y recordaremos otras palabras de la Escritura: *«Quia tu es, Deus, fortitudo mea»*[5]: ya no tengo miedo porque Tú,

---

[1] *Ant. ad Intr.* (*Ps.* XXIV, 1-2).

[2] *Ibid.*

[3] *Ibid.*

[4] *Ordo Missæ.*

[5] *Ps.* XLII, 2.

1c   [1]*Ant. ad Intr.* (*Ps.* XXIV, 1-2).] [1]*Ant. ad Intr.* (*Ps.* XXIV, 1) *Med1964*,I,11.

Señor, miras mi fe, más que mis miserias, y eres mi fortaleza; porque estos hijos míos –yo os presento a Dios, a todos vosotros– son también la fortaleza mía. Fuertes, decididos, seguros, serenos, ¡victoriosos!

1f   Pero humildes, humildes. Porque conocemos muy bien el barro de que estamos hechos, y percibimos al menos un poquito de nuestra soberbia, y un poquito de nuestra sensualidad... Y no lo sabemos todo. ¡Que descubramos lo que estorba a nuestra fe, a nuestra esperanza y a nuestro amor! Y tendremos serenidad. Barruntaremos, en una palabra, que somos más hijos de Dios, y seremos capaces de tirar para adelante en este nuevo año. Nos sentiremos hijos del Padre, del Hijo, del Espíritu Santo.

1g   Ciertamente a nosotros el Señor nos ha enseñado el camino del Cielo, y de igual manera que dio al Profeta aquel pan cocido debajo de las cenizas, así nos lo ha dado a nosotros, para seguir adelante en el camino. Camino que puede ser del hombre santo, o del hombre tibio, o –no lo quiero pensar– del hombre malo. «*Vias tuas, Domine, demonstra mihi; et semitas tuas edoce me*»[6]: muéstrame, Señor, tus caminos y enséñame tus sendas. El Señor nos ha enseñado el camino de la santidad. ¿Quieres pensar un poco en todo esto?

2a   «*Excita, quæsumus, Domine, potentiam tuam, et veni*»[7]. Señor, demuestra tu poder y ven. ¡Cómo conoce el paño la Iglesia, la liturgia, que es la oración de la Iglesia! Fíjate si conoce tu deseo y el mío, el

---

[6] *Ant. ad Intr.* (*Ps.* XXIV, 4).

[7] *Orat.*

1g   «*Profeta*»: se trata de Elías. El suceso está narrado en 1 Reg 19, 6-8, durante la huida al monte Horeb. Para el Autor, ese alimento milagroso que permitió a Elías caminar cuarenta días y cuarenta noches hasta llegar al monte de Dios, es figura de la fuerza divina que Dios otorga cuando da una vocación sobrenatural, como la del Opus Dei. Esa gracia es la garantía de la perseverancia y el sustento para no desfallecer en el camino, como lo fue para el profeta, en su largo caminar. Este pasaje se ha considerado tradicionalmente una alusión a la Eucaristía, que para san Josemaría es "centro y raíz" de la vida interior (ver nota a 22.4a).

2a   «*conoce el paño*»: expresión coloquial que según el DRAE (21.ª ed.) significa «estar bien enterado del asunto de que se trata»; en este caso, el Autor subraya la hondura de la liturgia, que conoce y llena las necesidades espirituales del cristiano.

modo de ser tuyo y el modo de ser mío...: *excita, Domine, potentiam tuam et veni.* La potencia de Dios viene a nosotros. Es el *Deus absconditus* que pasa, pero que no pasa inútilmente.

2b   Ven, Jesús, «para que con tu protección merezcamos ser libres en los peligros que nos amenazan por nuestros pecados, y ser salvos con tu gracia»[8]. Da gracias al Señor, protector y liberador nuestro. No pienses ahora si tus faltas son grandes o pequeñas: piensa en el perdón, que es siempre grandísimo. Piensa que la culpa podía haber sido enorme y da gracias, porque Dios ha tenido −y tiene− esta disposición de perdonar.

2c   Hijo, este comienzo del Adviento es una hora propicia para hacer un acto de amor: para decir creo, para decir espero, para decir amo, para dirigirse a la Madre del Señor −Madre, Hija, Esposa de Dios, Madre nuestra− y pedirle que nos obtenga de la Trinidad Beatísima más gracias: la gracia de la esperanza, del amor, de la contrición. Para que cuando a veces en la vida parece que sopla un viento fuerte, seco, capaz de agostar esas flores del alma, no agoste las nuestras.

2d   Y aprende a alabar al Padre, al Hijo y al Espíritu Santo. Aprende a tener una devoción particular a la Santísima Trinidad: creo en Dios Padre, creo en Dios Hijo, creo en Dios Espíritu Santo: creo en la Trinidad Beatísima. Espero en Dios Padre, espero en Dios Hijo,

---

[8] *Orat.*

«*Deus absconditus*»: «Dios oculto», es una cita de Is 45, 15.

2d   «*aunque no siempre se traduzca en palabras*»: al acabar este párrafo se lee en la transcripción una mención al *Soneto a Cristo crucificado*, joya de la poesía mística española del siglo XVI, de autor desconocido: «Y vienen a la memoria recuerdos de otros tiempos, cosas que parecen de beatería pero son de amor, de amor fuerte: "No me mueve, mi Dios, para quererte, el cielo que me tienes prometido; ni me mueve el infierno tan temido para dejar por eso de ofenderte. Muévesme tú, muéveme el verte clavado en una cruz y escarnecido, muéveme el verte tan herido, muévenme tus afrentas y tu muerte...". Ese anónimo castellano sabía llevar las almas a Dios. "Aunque no hubiera infierno, te temiera... aunque no hubiera cielo, yo te amara...". Pero pensad en el cielo. Es bueno. Es esperanza», m611203-1.

espero en Dios Espíritu Santo: espero en la Trinidad Beatísima. Amo a Dios Padre, amo a Dios Hijo, amo a Dios Espíritu Santo: amo a la Trinidad Beatísima. Esta devoción hace falta como un ejercicio sobrenatural, que se traduce en estos movimientos del corazón, aunque no siempre se traduzca en palabras.

3a   Sabemos muy bien lo que nos dice hoy San Pablo: «*Fratres: scientes quia hora est iam nos de somno surgere*»[9]. ¡Ya es hora de trabajar! De trabajar por dentro, en la edificación de nuestra alma; por fuera, en la edificación del Reino de Dios. Y otra vez viene a nuestros labios la contrición: Señor, te pido perdón por mi vida mala, por mi vida tibia; te pido perdón por mi trabajo mal hecho; te pido perdón porque no te he sabido amar, y por eso no he sabido estar pendiente de Ti. Una mirada despectiva de un hijo a su madre, le causa un dolor inmenso; si es a una persona extraña, no importa demasiado. Yo soy tu hijo: *mea culpa, mea culpa!*...

3b   «Sabed que ya es hora de despertar del sueño...». ¿Con qué sentido sobrenatural se ven las cosas? Ese sentido que no se nota por fuera, pero que se manifiesta en las acciones, incluso a veces por la mirada. Eres tú quien debe mirar muy dentro. ¿No es verdad que un poco de sueño ha habido en tu vida? ¿Un poco de *facilonería*? Piensa cómo nos facilitamos el cumplir sin demasiado amor. ¡Cumplir!

---

[9] *Ep.* (*Rom.* XIII, 11).

3a   [9] *Ep.* (*Rom* XIII, 11).] [9]*Ep., Rom* XIII, 11. *Med1964*,I,16.

3b   «*facilonería*»: vocablo que no existe propiamente en español. Posiblemente se trata de un préstamo del italiano *faciloneria*, que remite a una actitud fruto de la superficialidad o de escasa preparación, en la línea de lo que parece querer decir el Autor.

«*cumplir*»: en el vocabulario espiritual de san Josemaría, este verbo tiene a veces un sentido peyorativo, porque indica la actitud de quien se limita a no hacer más que lo estrictamente obligatorio, con poca generosidad y escaso amor a Dios; o a hacer las normas de piedad por formalismo, sin convertirlas en momentos de trato íntimo con Dios (cfr. *Surco*, n. 527).

3c «*Nox præcessit, dies autem appropinquavit: abiiciamus ergo opera te-nebrarum, et induamur arma lucis*»[10]; desechemos, pues, las obras de las tinieblas, y vistámonos de las armas de la luz. ¡Tiene mucha fuer-za el Apóstol! «*Sicut in die honeste ambulemus*»[11]. Hemos de andar por la vida como apóstoles, con luz de Dios, con sal de Dios. Con naturalidad, pero con tal vida interior, con tal espíritu del Opus Dei, que alumbremos, que evitemos la corrupción que hay alrededor, que llevemos como fruto la serenidad y la alegría. Y en medio de las lágrimas –porque a veces se llora, pero no importa–, la alegría y la paz, *el gaudium cum pace*.

3d Sal, fuego, luz; por las almas, por la tuya y por la mía. Un acto de amor, de contrición. *Mea culpa*... Yo pude, yo debía haber sido instrumento... Te doy gracias, Dios mío, porque, a pesar de todo, me has dado una gran fe, y la gracia de la vocación, y la gracia de la perseverancia. Por eso en la Santa Misa nos hace decir la Iglesia: «*Dominus dabit benignitatem, et terra nostra dabit fructum suum*»[12]. Esa bendición de Dios es el origen de todo buen fruto, de aquel clima necesario para que en nuestra vida podamos hacernos santos y *cultivar* santos, hijos suyos.

3e «*Dominus dabit benignitatem...*». Fruto espera el Señor nuestro. Si no lo damos, se lo quitamos. Pero no un fruto raquítico, desmedra-do, porque no hayamos sabido darnos. El Señor da el agua, la lluvia,

---

[10] *Ibid.*, 12.

[11] *Ibid.*, 13.

[12] *Ant. ad Comm.* (*Ps.* LXXXIV, 13).

3c «*¡Tiene mucha fuerza el Apóstol!*»: después de esta frase, las transcripciones contienen un párrafo, que san Josemaría no incluyó en la versión final: «Tú debes seguir la oración por tu cuenta, sin ruido de palabras, especialmente cuando yo callo. Es el momento de los afectos», m611203-1.

3d vocación *Med1987*,I,19] devoción *Med1964*,I,17.

La edición de 1987 corrige un lapsus de la de 1964 (y de las transcripciones, aunque en una de ellas ya está corregido a lápiz: m611203-147). Por el contexto parece claro que está refiriéndose a la vocación, no a la devoción.

el sol, esa tierra... Pero espera la siembra, el trasplante, la podadura; espera que reservemos los frutos con amor, evitando si es preciso que vengan los pájaros del cielo a comérselos.

3f   Vamos a terminar, acudiendo a Nuestra Madre, para que nos ayude a cumplir esos propósitos que hemos hecho.

5. QUE SE VEA QUE ERES TÚ
(1 de abril de 1962)

1. Contexto e historia

Meditación en el oratorio de Pentecostés, el 1 de abril de 1962, Domingo IV de Cuaresma (*Laetare*). Unos meses antes, concretamente el 7 de enero, el fundador había solicitado al Papa la revisión del estatuto jurídico del Opus Dei, para transformarlo en una prelatura *nullius*. Ahora sabía que iba a haber en los próximos días una reunión en la Santa Sede para examinar esa petición[280]. «Nos ha recordado la intención especial –se lee en el diario del centro del Consejo del día anterior, sábado 31 de marzo–, y nos ha impulsado a pedir con fuerza estos días, especialmente el lunes, porque se hace una gestión importante. Prácticamente nos ha dado la fórmula de nuestra petición: ¡Señor, haz una de las tuyas! ¡Señor, que se note que eres Tú!»[281].

Al final, la solicitud sería desestimada, dejando la solución para después del Concilio Vaticano II. Veinte años después, el 28 de noviembre de 1982, el Opus Dei era por fin erigido como prelatura personal por san Juan Pablo II, coronando así tantos años de oración por ese propósito. En un volumen especial de *Crónica* y *Noticias*, en diciembre de 1982, dedicado monográficamente a ese importante hito, apareció un artículo titulado "Cincuenta años de oración", que recogía textos de san Josemaría, entre los que se incluyó este, del 1 de abril de 1962, donde se mencionan las gestiones ante el papa san Juan XXIII, para obtener un nuevo estatuto jurídico[282].

---

[280] El 4 de abril se reunía el Cardenal Ciriaci con el Secretario de Estado Cicognani acerca de esa revisión institucional. Todo está contado con detalle en *Itinerario*, pp. 332-338.

[281] Diario del centro del Consejo, 31-III-1962 (AGP, serie M.2.2, 430-9).

[282] También apareció en el volumen *Rendere amabile la verità: raccolta di scritti di Mons. Alvaro del Portillo: pastorali, teologici, canonistici, vari*, Ateneo Romano de la Santa Cruz, Città del Vaticano, Libreria Editrice Vaticana, 1995, pp. 40-90.

Como se explicaba en 1982, «gran parte de las notas tomadas en esa meditación se publicaron ya, aunque fragmentariamente, en nuestras revistas internas»[283]. En efecto, más de la mitad del texto apareció en 1970, en un editorial de *Crónica* y *Noticias* titulado "Las intenciones del Padre" (*Cro1970*,8-14; *Not1970*,188-195). Otro fragmento salió en 1965, en un comentario a la multiplicación de los panes y de los peces (*Cro1965*,7,58-59).

2. Fuentes y material previo

EdcS,45-54;   *Cro1965*,7,58-59;   *Cro1970*,8-14;   *Not1970*,188-195; *Cro1982*,1379-1385; *Not1982*,1415-1421. En el expediente de AGP, serie A.4, m620401, se conservan varias versiones de las transcripciones: A, dos copias; B, cuatro copias; C; D y E; todas ellas son bastante completas y presentan pequeñas diferencias entre sí. La versión que se incorporó a *EdcS* es la de 1982.

En aquellas partes que no consta que fueran revisadas por san Josemaría, y que proceden, como ya hemos dicho, de transcripciones *en bruto*, hemos mantenido las correcciones que hizo el beato Álvaro. Se trata en general de pequeñas modificaciones, necesarias para adaptar al lenguaje escrito unas frases que provenían de las notas rápidas y de la memoria de algunos que habían estado presentes. Del Portillo asumió esta tarea, conociendo el estilo y la mente de san Josemaría, tras haber trabajado muchos años junto a él y haber observado cómo corregía sus propios escritos o los textos de su predicación oral. Además, el beato Álvaro había estado presente en esa meditación y podía precisar alguna expresión o colmar alguna pequeña laguna, con su gran memoria. Nos ha parecido que, por estas razones, valía la pena mantener esos párrafos tal como los corrigió, advirtiendo al lector de esta circunstancia.

Veamos, con dos ejemplos, qué tipo de adaptaciones realizó, partiendo del texto no revisado por san Josemaría, es decir, de las transcripciones en bruto. En la columna de la izquierda está la versión revisada y corregida por Álvaro del Portillo, tal como apareció en 1982 y después en *EdcS*. En la columna de la derecha, se encuentra el texto de una de las transcripciones:

---

[283]   *Cro1982*,1378.

Texto de 1982	*Texto en m620401-A*
La primera consideración, hijos míos, es examinar por qué hemos seguido nosotros a Jesucristo, y por qué estamos con Él, asentados con Él, en íntima familiaridad, con el deber gustoso de buscar de continuo su trato.	La primera consideración es pensar por qué hemos seguido nosotros a Jesucristo, y por qué estamos con El —asentados con El—, en su familia más íntima, con el deber gustoso de tener que tratarle de continuo.

Como se puede observar, las dos versiones dicen sustancialmente lo mismo. Se ha sustituido "en su familia más íntima" por "en íntima familiaridad", que resulta una expresión más precisa. También se ha sustituido "deber gustoso de tener que tratarle de continuo" por "deber gustoso de buscar de continuo su trato", que describe mejor la voluntariedad y libertad que presiden la vida contemplativa, al mismo tiempo que resulta más familiar con las enseñanzas de san Josemaría, que hablaba de "buscar a Cristo" como condición previa para tratarle y amarle[284]. Por otro lado, "tener que" tiene en castellano un matiz algo peyorativo en bastantes contextos, pudiendo indicar un deber que no se cumple con gusto; de ahí que se haya querido evitar esa expresión.

Veamos el segundo ejemplo:

Texto de 1982	*Texto en m620401-A y B*
Somos para la muchedumbre, pero cerca de nosotros hay tantos amigos y compañeros que reciben más inmediatamente el influjo del espíritu del Opus Dei. El Señor nos coloca en un monte alto, como a sus discípulos, pero a la vista de la muchedumbre. Lo mismo sucede con	"Subiit ergo in montem Iesus; et ibi sedebat cum discipulis suis" (Ioann VI, 2). Y ahora viene la muchedumbre. Pero era un monte alto, en sitio que se le viera, con sus discípulos. Como vosotros: veis, que, entre vuestros hermanos, sois los que estáis más a la

---

[284] Cfr. *Camino*, n. 383: «Al regalarte aquella Historia de Jesús, puse como dedicatoria: "Que busques a Cristo: Que encuentres a Cristo: Que ames a Cristo". / –Son tres etapas clarísimas. ¿Has intentado, por lo menos, vivir la primera?».

vosotros: entre vuestros hermanos –todos somos iguales en la
Obra–, por el cargo que ahora
ocupáis, vosotros estáis más a la
vista. No lo olvidéis, y no me
perdáis nunca de mira este sentido de responsabilidad.

vista. ¡Esto no se puede perder, eh! ¡Hay que tener consideración!

Nos encontramos aquí ante una corrección del texto más profunda que
la anterior. El párrafo en cuestión se encuentra sólo en las versiones A y B de
las transcripciones, pero falta en las demás. Es, como puede verse, lagunoso
y algo oscuro. La versión revisada por Álvaro del Portillo ha completado y
redondeado la idea que aparece apenas esbozada en las transcripciones A
y B. Se extiende a todos los miembros del Opus Dei una consideración que
al principio iba dirigida sólo al pequeño grupo de directores del Consejo
General que le escuchaban en el oratorio de Pentecostés: todos, no sólo los
directores, deben considerarse obligados a dar buen ejemplo entre quienes les rodean, entre la muchedumbre. Se ha conservado, en la versión de
1982, una referencia al "cargo que ahora ocupáis", por fidelidad histórica
al contexto, para que, aun teniendo validez general, quedara constancia
de que en ese momento san Josemaría se estaba dirigiendo a personas con
cargos de dirección o de formación en el Opus Dei. Se añade, además, la
apostilla –muy de san Josemaría– de que "todos somos iguales en la Obra",
que no estaba en las transcripciones, pero que reiteró en muchas ocasiones. Se toma también prestada una idea que se desarrolla en otro lugar del
mismo texto: que las personas del Opus Dei deben vivir de cara a la muchedumbre, a la que deben tratar de atraer hacia Cristo.

Es legítimo preguntarse si desde el punto de vista estrictamente fi-
lológico hubiera sido mejor incluir en esta edición el texto de las transcripciones, en lugar de los párrafos corregidos por el beato Álvaro del
Portillo. Nos hemos inclinado por no hacerlo, manteniendo la versión de
1982. El carácter poco literal de las transcripciones –no provenían todavía de grabaciones magnetofónicas, sino de notas tomadas a toda prisa,
en la penumbra del oratorio– romperían la unidad que alcanzó este texto, que es de san Josemaría, aunque con una intervención, en ocasiones
profunda, de su sucesor.

Caso distinto es el de algunos párrafos que san Josemaría había revisado antes de 1975 para que los incluyeran en algún artículo de las revistas. Habían aparecido en forma de frases sueltas, casi siempre sin indicar su fuente, a lo largo de los años. No sabemos si al prepararlos en 1982, se señaló siempre cuáles eran los párrafos que ya había visto el fundador. En todo caso, aunque se hubiera indicado, podía ser necesario hacer alguna corrección, para devolverlos a su contexto original, porque san Josemaría los había revisado para una utilización fragmentaria y para ser incluidos, a modo de cita, dentro de un escrito preparado por los redactores de las revistas (comentario a la multiplicación de los panes y de los peces en *Cro1965*,7,58-59, o el editorial titulado "Las intenciones del Padre", en *Cro1970*,8-14 y *Not1970*,188-195).

En estos casos, aunque se trate de pequeñas modificaciones, siendo un texto ya revisado por san Josemaría, nos ha parecido a los editores que convenía devolverlo –después de un atento análisis crítico– a la lección aprobada por el fundador.

Para ilustrar la labor crítica que hemos realizado y de la que queda constancia en el aparato a pie de página, veamos un ejemplo. En 5,4d encontramos un texto que había aparecido ya en *Cro1970*,12 con el siguiente tenor: «Pero no <u>tenían</u> dinero: *doscientos denarios de pan no bastan para que cada uno de ellos tome un bocado (Ioann. VI, 7)*. No <u>tenían</u> ni mucho ni poco dinero» (el subrayado es nuestro). En 1982 se cambió un pequeño detalle de estilo: se evitó la repetición del verbo "tenían", sustituyéndolo por "contaban", pues parecía que a san Josemaría no le gustaban esas repeticiones. La versión de 1982 quedó así: «Pero no <u>contaban con</u> dinero: *doscientos denarios de pan no bastan para que cada uno de ellos tome un bocado (Ioann. VI, 7)*. No <u>tenían</u> ni mucho ni poco dinero».

En este caso, hemos devuelto ese párrafo a la versión de 1970, que fue la revisada por san Josemaría, quien, en esta ocasión, no consideró necesario evitar la repetición de palabras, ni buscar un sinónimo del muy usado verbo "tener". Leyendo sus escritos, se ve que no siempre evitaba esas repeticiones y hasta nos parece advertir aquí que la reiteración es buscada. Véase el evidente efecto retórico que produce: «No <u>tenían</u> dinero... No <u>tenían</u> ni mucho ni poco dinero».

El trabajo crítico ha llevado, sin embargo, a aplicar con flexibilidad este modo de proceder, si la comparación de las fuentes lo justificaba. Por ejemplo: en 5.4a-5.4c se encuentra un párrafo que el Autor eliminó en 1970:

«Sólo la meditación de esta frase nos llevaría horas». Al preparar el texto de 1982 se recuperaron esas palabras, que ahora se señalan en el aparato crítico como una adición. Lo mismo ocurrió con otro párrafo, un poco más adelante: «Es natural que venga ahora a nuestra mente el pensamiento de tantas cosas que no iban, y que quizá todavía no van. Por eso te digo:». En 1970 se desecharon estas frases, tal vez porque no encajaban bien –por su tono de predicación– en el contexto del artículo "Las intenciones del Padre" (*Cro1970*,8-14; *Not1970*,188-195), que no se proponía reproducir una meditación, sino exponer un tema utilizando algunas citas del fundador. Se entiende que san Josemaría eliminara esos párrafos en su momento, pues no le servían, debido al contexto del artículo. Al publicar el texto completo, nos ha parecido que tenía sentido recuperarlos. Por eso hemos mantenido el añadido de 1982.

Señalemos por último que varios párrafos de esta meditación fueron revisados dos veces por san Josemaría: una en 1965 y otra en 1970, con diferencias entre una y otra versión. En estos casos, que son pocos, hemos procurado elegir la versión que nos parecía mejor para el contexto de la entera meditación y que más se acercaba al texto de las transcripciones. De todo esto informamos en el aparato crítico, donde pueden verse en detalle las diferencias entre las fuentes que poseemos.

En las referencias bíblicas, la versión de 1982 añadió el dato de su relación con las lecturas de la misa del día, que también hemos mantenido. También el título, que hemos puesto entre corchetes, es de 1982.

3. Contenido

En realidad, a pesar de la ocasión que propició su aparición en el volumen especial de *Crónica* y *Noticias* –la erección de la Obra en prelatura personal– san Josemaría habla poco de la figura jurídica del Opus Dei: la menciona solo veladamente.

El tema central es la correspondencia a la llamada de Cristo. Era el Domingo *Lætare* –cuarto de Cuaresma–, después de las jornadas de retiro espiritual que habían hecho buena parte de los que vivían en el centro del Consejo General del Opus Dei. Ese día, san Josemaría dirigió la oración[285], aunque quizá no estaba previsto: al comenzar, afirma que no era su intención

---

[285] Cfr. Diario del Consejo General, 1-IV-1962 (AGP; serie M.2.2, 430-9).

predicar, sino simplemente proporcionar unos puntos de meditación a quienes se encontraban junto a él. En realidad, como veremos, su discurso se alargó y, aunque en algún momento guardó silencio para que cada uno se esforzara por su cuenta en dialogar con Dios, el resultado es un texto de extensión similar a otros de este volumen. Es también muy posible que hablara pausadamente, para que se sopesaran las preguntas que iba formulando.

Encontramos aquí un ejemplo más de cómo empleaba san Josemaría los textos bíblicos y litúrgicos en su predicación. Sus comentarios impulsan a la oración, llevan a lo esencial en el trato con Dios. No hay divagaciones teóricas o que distraigan la atención de lo importante, que es estimular el amor, renovar el esfuerzo en el camino de la santidad, dar gracias a Dios, confiar plenamente en Él, llenarse de deseos de llevar la salvación de Cristo a la muchedumbre, siendo sal y luz en el mundo... Todo esto va saliendo de su corazón, a medida que relee los textos de la Misa de aquel Domingo *Lætare*.

Plantea aquí cuestiones fundamentales: «¿Por qué estás con Cristo en el Opus Dei? ¿Desde cuándo sentiste la atracción de Jesucristo? ¿Por qué? ¿Cómo has sabido corresponder desde el principio hasta ahora? (...) ¿En qué piensas desde que tienes todos esos compromisos? ¿En ti o en la gloria de Dios? ¿En ti o en los demás? ¿En ti, en tus cosas, en tus pequeñeces, en tus miserias, en tus detalles de soberbia, en tus cosas de sensualidad? ¿En qué piensas habitualmente? Medítalo, y luego deja que el corazón actúe en la voluntad y en el entendimiento»[286].

El tema de la confianza en Dios, de la fe total en su Providencia, está muy presente aquí, quizá por los interrogantes que en ese momento se abrían delante de la historia de la Iglesia y de la Obra: el comienzo del Concilio Vaticano II, de ahí a unos meses, y la búsqueda de una solución jurídica definitiva para el Opus Dei. Cuestiones por las que, como es fácil suponer, rezaba con intensidad en esos momentos. Estamos en la barca de Cristo, dice, y «con Cristo, la barca no se hunde»[287]. Pero al mismo tiempo, espolea el sentido de responsabilidad de todos, explicando que Dios busca la cooperación humana, también para realizar milagros, como el de alimentar espiritualmente a las muchedumbres: esa es la misión apostólica del Opus Dei –asegura– y lo que justifica la búsqueda de un estatuto jurídico adecuado a esa misión.

---

[286] 5.2c.

[287] 5.3e.

4. *Texto y notas*

[QUE SE VEA QUE ERES TÚ]

1a   No es mi intención, hijos míos, dirigir hoy la meditación. Me limitaré a señalaros algunos puntos de la Misa de este domingo *Lætare* de Cuaresma, para que los meditéis.

1b   *«Abiit Iesus trans mare Galilææ...* Pasó Jesús al otro lado del mar de Galilea, también llamado Tiberiades, y como le siguiese una gran muchedumbre de gentes, porque veían los milagros que hacía con los enfermos, subiose a un monte y se sentó allí con sus discípulos»[1]. La primera consideración, hijos míos, es examinar por qué hemos seguido nosotros a Jesucristo, y por qué estamos con Él, asentados con Él, en íntima familiaridad, con el deber gustoso de buscar de continuo su trato.

2a   Estas gentes, de que habla el Evangelio, le seguían porque habían visto milagros: las curaciones que hacía Jesús. Vosotros y yo, ¿por qué? Cada uno de nosotros ha de plantearse esta pregunta y ha de buscar una respuesta sincera. Y una vez que te hayas interrogado y respondido, en la presencia del Señor, llénate de hacimiento de gracias porque estar con Cristo es estar seguro. Poderse mirar en Cristo es poder ser cada día mejor. Tratar a Cristo es necesariamente amar a Cristo. Y amar a Cristo es asegurarse la felicidad: la felicidad eterna, el amor más pleno, con la visión beatífica de la Trinidad Santísima.

2b   He dicho antes, hijos, que no os daría la meditación, sino puntos para vuestra oración personal. Medita por tu cuenta, hijo mío.

---

[1] *Ev. (Ioann.* VI, 1-2).

¿Por qué estás con Cristo en el Opus Dei? ¿Desde cuándo sentiste la atracción de Jesucristo? ¿Por qué? ¿Cómo has sabido corresponder desde el principio hasta ahora? ¿Cómo el Señor con su cariño te ha traído a la Obra, para que estés muy cerca de Él, para que tengas intimidad con Él?

2c   Y tú ¿cómo has correspondido? ¿Qué pones de tu parte para que esa intimidad con Cristo no se pierda y para que no la pierdan tus hermanos? ¿En qué piensas desde que tienes todos esos compromisos? ¿En ti o en la gloria de Dios? ¿En ti o en los demás? ¿En ti, en tus cosas, en tus pequeñeces, en tus miserias, en tus detalles de soberbia, en tus cosas de sensualidad? ¿En qué piensas habitualmente? Medítalo, y luego deja que el corazón actúe en la voluntad y en el entendimiento.

2d   A ver si lo que el Señor ha hecho contigo, hijo mío, no ha sido mucho más que curar enfermos. A ver si no ha dado vista a nuestros ojos, que estaban ciegos para contemplar sus maravillas; a ver si no ha dado vigor a nuestros miembros, que no eran capaces de moverse con sentido sobrenatural; a ver si quizá no nos ha resucitado como a Lázaro, porque estábamos muertos a la vida de Dios. ¿No es para gritar: «*Lætare, Ierusalem?*»[2]. ¿No es para que yo os diga: «*Gaudete cum lætitia, qui in tristitia fuistis*»[3]; alegraos los que habéis estado tristes?

2e   Hemos de agradecer al Señor, en este primer punto, el premio inmerecido de la vocación. Y le prometemos que la vamos a estimar cada día más, custodiándola como la joya más preciosa que nos haya

---

[2] *Ant. ad Intr.* (*Isai.* LXVI, 10).

[3] *Ibid.*

2e   «*la joya más preciosa*»: se sobreentiende que el don más valioso es la fe y la redención, de la que la vocación personal forma parte y es una expresión concreta. Quiere destacar que esa vocación determina la igualdad de todos en la Obra, de modo que ningún cargo de gobierno conlleva una posición más brillante: el único brillo es el que se desprende de la *joya* de la llamada divina, que es la misma para todos. Ser llamados a desempeñar un cargo de gobierno en el Opus Dei implica sólo un mayor deber de ser humildes, de vivir sacrificadamente para que los demás sean santos. Esto comporta un mayor sentido de responsabilidad y el deber de ser ejemplares, porque, por su cargo, los que gobiernan están puestos por Dios «en un monte alto», a la vista de los demás.

podido regalar nuestro Padre Dios. Al mismo tiempo, entendemos una vez más que, mientras estamos desempeñando este mandato de gobierno que la Obra nos ha confiado, nuestro afán ha de ser especialmente buscar la santidad para santificar a los demás: vosotros, a vuestros hermanos; yo, a mis hijos. Porque «no nos ha llamado Dios a inmundicia, sino a santidad»[4].

3a   Pero volvamos al Evangelio. Es interesante comprobar cómo se recoge repetidamente la distinción entre los Apóstoles, los discípulos y la muchedumbre; y aun dentro de los Apóstoles, entre un grupo de ellos –los tres predilectos del Señor– y los demás. También en esto me parece que nuestra Obra tiene una profunda entraña evangélica. Somos para la muchedumbre, pero cerca de nosotros hay tantos amigos y compañeros que reciben más inmediatamente el influjo del espíritu del Opus Dei. El Señor nos coloca en un monte alto, como a sus discípulos, pero a la vista de la muchedumbre. Lo mismo sucede con vosotros: entre vuestros hermanos –todos somos iguales en la Obra–, por el cargo que ahora ocupáis, vosotros estáis más a la vista. No lo olvidéis, y no me perdáis nunca de mira este sentido de responsabilidad.

3b   «Se acercaba la Pascua, la gran fiesta de los judíos. Habiendo, pues, Jesús levantado los ojos y viendo venir a un grandísimo gentío»[5]... Fijaos en esa muchedumbre, insisto. El Señor tiene puestos los ojos y el corazón en la gente, en todos los hombres, sin excluir a nadie.

---

[4] I *Thess.* IV, 7.

[5] *Ev. (Ioann.* VI, 5).

3b   Pascua *EdcS*,48] pascua *Cro1982*,1380 || este modo, *Cro1982*,1380] este modo *EdcS*,48.

«no podemos ser intransigentes con las personas»: el apostolado y la labor pastoral del Opus Dei siguen ese principio, inculcado desde los inicios por el fundador, que requiere una gran comprensión con todos, especialmente si están en el error. Pero al mismo tiempo es necesario mantenerse firmes para no ceder en cuestiones de fe o de moral, lo que san Josemaría llama «la doctrina». Es un tema ya tratado por el Autor en otros lugares (cfr. *Camino*, nn. 397-398 y 192; *Surco*, n. 192). Sobre el binomio transigencia-intransigencia, antiguo en san Josemaría, ver *Camino*, ed. crít.-hist., coment. a los nn. 393-398.

No se nos escapa la lección de que no podemos ser intransigentes con las personas. Con la doctrina, sí. Con las personas, nunca, ¡nunca! Actuando de este modo, necesariamente seremos –ésa es nuestra vocación– sal y luz, pero entre la muchedumbre. De cuando en cuando nos retiraremos a la barca o nos apartaremos a un monte, como Jesús; pero lo ordinario será vivir y trabajar entre la gente, como uno más.

3c   Entonces Jesús «dijo a Felipe: ¿dónde compraremos panes para dar de comer a toda esa gente? Mas esto lo decía para probarle, pues bien sabía Él mismo lo que había de hacer»[6]. Yo, muchas veces a lo largo de la historia de la Obra, he pensado que el Señor tiene las cosas previstas desde la eternidad, pero que por otra parte nos deja libérrimos. El Señor a veces parece que nos tienta, que quiere probar nuestra fe. Pero Jesucristo no nos deja: si nos mantenemos firmes, Él está dispuesto a hacer milagros, a multiplicar los panes, a cambiar las voluntades, a dar luz a las inteligencias más oscuras, a hacer –con una gracia extraordinaria– que sean capaces de rectitud los que quizá nunca lo han sido.

3d   ¡Hijos míos, qué confianza! Esto es lo que yo querría que fuese el segundo punto. He querido que consideréis, en primer lugar, que estamos en la Obra, junto a Cristo, no para aislarnos, sino, por el contrario, para darnos a la muchedumbre; primero a vuestros hermanos, y luego, a los demás. Después, que no nos debe inquietar que nos asalte el pensamiento de las necesidades, porque el Señor acudirá en nuestra ayuda. Si alguna vez sentimos ese *tentans eum* –para probarle– de que habla el Santo Evangelio, no nos hemos de preocupar, porque es eso: que Dios nuestro Señor juega con nosotros. Estoy seguro de que pasa por encima de nuestras miserias: porque conoce nuestra flaqueza, porque conoce nuestro amor y nuestra fe y nuestra esperanza. Todo esto

---

[6] *Ev. (Ioann.* VI, 5-6).

3c   Yo, muchas veces a lo largo de la historia de la Obra ... los que quizá nunca lo han sido. *Cro1970*,8 ||| a veces *Cro1970*,8] en ocasiones *Cro1982*,1381 *EdcS*,48.

3d-e   no nos debe inquietar ... multiplicando el pan. *Cro1970*,9-10.

lo resumo en una palabra: confianza. Pero una confianza que, como está fundamentada en Cristo, tiene que ser delante de Dios una oración urgente, bien sentida, bien recibida: más, si llega a la Trinidad Beatísima por las manos de nuestra Madre, que es la Madre de Dios.

3e   Sentido de responsabilidad: que estamos en la barca. Con Cristo, la barca no se hunde. ¡Con Cristo! Sentido de responsabilidad: de nosotros, de nuestra vida, de nuestra conducta, de nuestra manera de pedir tanta cosa divina. Y luego no nos faltarán los medios. Tendremos lo necesario para continuar con nuestro apostolado a través de los siglos, dando el alimento a todos, multiplicando el pan.

3f   Ésta es la segunda consideración: sentido de responsabilidad. Por eso, pedimos perdón a Nuestro Señor por tantas tonterías que cada uno habrá hecho. Pedimos perdón, con el deseo eficaz de rectificar. Y damos gracias, las damos con fe: seguros de que, pase lo que pase, al final madurará el fruto. Sentido de responsabilidad y una gran confianza en ese Señor que es Padre nuestro, que es Todopoderoso, que es la Sabiduría y el Amor... Yo ahora me callo; sigue tú por tu cuenta unos minutos.

4a   Os he dicho tantas veces, hijos míos –y vosotros lo habéis repetido otras tantas–, que Dios nuestro Señor, en su providencia amorosísima, en el cariño que tiene a los hombres –«*deliciæ meæ esse cum filiis*

3f   sentido de responsabilidad. Por eso ... que es la Sabiduría y el Amor. *Cro1970*,10.

«*Yo ahora me callo*»: no son raras estas pausas, con las que el Autor subraya que el protagonista de la oración es Dios y cada persona en particular, y estimula a convertir en verdadero diálogo esos momentos. En esto se diferencian las meditaciones de las pláticas o charlas, destinadas a exponer o glosar un tema.

4a-c Os he dicho tantas veces ... en nuestra alma y en la de todos los hombres. *Cro1970*,10-11.

«*hacernos corredentores con Él*»: la teología distingue entre redención en sentido objetivo (la obra salvadora de Jesucristo) y en sentido subjetivo (la aplicación de los frutos de la salvación a cada hombre). Cuando habla de ser *corredentores*, se entiende en el segundo sentido, en conformidad con el dicho de san Pablo en Col 1, 24.

hominum»[7], son sus delicias estar con los hijos de los hombres–, ha querido, de algún modo, hacernos corredentores con Él. Por eso, para ayudarnos a comprender esta maravilla, hace relatar al evangelista con todo detalle este prodigio grande. Él podía sacar el pan de donde quisiera, porque «mías son todas las bestias de los bosques y los miles de animales de los montes. Y en mi mano están todas las aves del cielo y todos los animales del campo..., mío es el mundo y cuanto lo llena»[8]. Pues, no. Busca la cooperación humana.

4b   «Dícele uno de sus discípulos, Andrés, hermano de Simón Pedro: aquí está un muchacho que tiene cinco panes de cebada y dos peces; mas ¿qué es eso para tanta gente?»[9]. Necesita de un niño, de un muchacho, de unos trozos de pan y de unos peces. Le hacemos falta tú y yo, hijo mío: ¡y es Dios! Esto nos urge a ser generosos en nuestra correspondencia. No necesita para nada de ninguno de nosotros, y –al mismo tiempo– nos necesita a todos. ¡Qué maravilla! Lo poco que somos, lo poco que valemos, nuestros pocos talentos nos los pide, no se los podemos escatimar. Los dos peces, el pan: todo.

4c   Cada uno deberá ahora preguntarse: ¿qué he hecho yo con mis sentidos hasta ahora? ¿Qué he hecho con mis potencias: con la memoria, con el entendimiento, con la voluntad? Sólo la meditación de esta frase nos llevaría horas. ¿Qué habremos de hacer con todo el ser nuestro, de aquí en adelante? Es natural que venga ahora a nuestra mente el pensamiento de tantas cosas que no iban, y que quizá todavía no van. Por eso te digo: hijo mío, ¿tienes deseos de rectificación, de purificación, de mortificación, de tratar más al Señor, de aumentar tu piedad, sin teatro ni cosas externas, con naturalidad? Porque todo eso es aumentar la eficacia de la Obra, en nuestra alma y en la de todos los hombres. Si te detienes en un

---

[7] *Prov.* VIII, 31.

[8] *Ps.* XLIX, 10-12.

[9] *Ev. (Ioann.* VI, 8-9).

4c   Sólo la meditación de esta frase nos llevaría horas. *Cro1982,1382 EdcS*,50 *add.* ǁ Es natural que venga ahora a nuestra mente el pensamiento de tantas cosas que no iban, y que quizá todavía no van. Por eso te digo: *Cro1982,1382 EdcS*,51 *add.*

examen de la vida tuya más reciente, te será más fácil seguir las consideraciones que yo comento en voz alta, en vuestro nombre y en el mío.

4d   Dijo entonces Jesús: «Haced sentar a esas gentes»...[10]. Los discípulos sabían que Jesús quería dar de comer a aquellas gentes, pero no tenían dinero: «Doscientos denarios de pan no bastan para que cada uno de ellos tome un bocado»[11]. No tenían ni mucho ni poco dinero, y se necesitaba un capitalón para dar de comer a aquella muchedumbre. El Señor va a poner remedio: «Haced sentar a esas gentes. El sitio estaba cubierto de hierba. Sentáronse, pues, alrededor de cinco mil hombres»[12]. ¡Cinco mil! Oyen la voz del Señor y obedecen todos, todos, ¡todos!, empezando por los discípulos.

---

[10]   *Ev. (Ioann.* VI, 10).

[11]   *Ev. (Ioann.* VI, 7).

[12]   *Ev. (Ioann.* VI, 10).

4d   Los discípulos sabían ... Todo se quiere poner en tela de juicio. *Cro1970*,11-12 ‖ ¡Cinco mil! ... tela de juicio. *Cro1965*,7,58 ‖‖ Dijo entonces Jesús: «haced sentar a esas gentes» *Cro1982*,1382 *add.* ‖ quería *Cro1970*,11] deseaba *Cro1982*,1382 *EdcS*,51 ‖ no tenían *Cro1970*,12] no contaban con *Cro1982*,1382 *EdcS*,51 ‖ ¡Qué pena! *Cro1982*,1384 *EdcS*,51 *add.* ‖ Todo se quiere *Cro1970*,12] Todo lo quieren *Cro1982*,1384 *EdcS*,51.

«En el Opus Dei ... mientras no sea ofensa de Dios»: los fieles del Opus Dei son cristianos que aspiran a buscar la santidad y a ejercer el apostolado en medio del mundo. La incorporación a la Obra hace concreto ese afán, con la responsabilidad de continuar la misión recibida por san Josemaría el 2 de octubre de 1928. En el Opus Dei encuentran una asistencia espiritual que les ayuda a perseverar en ese objetivo y a realizar una fecunda labor apostólica. La dirección espiritual y el impulso al apostolado presuponen, respetan y potencian la libertad de cada uno. En las cuestiones profesionales, sociales, políticas, etc., los fieles de la Obra tienen plena libertad, dentro de los límites de la fe católica, como los demás fieles, y las autoridades de la prelatura deben abstenerse de entrar en esas materias (cfr. *Codex iuris particularis Operis,* n. 88, §§2 y 3, en *Itinerario,* p. 641). San Josemaría reivindica una plenitud de vida cristiana en el mundo, unida a un sentido profundamente laical de la existencia. En lo que atañe a la vida espiritual y al apostolado, la obediencia no puede admitir componendas: «Se puede mandar todo (...) mientras no sea ofensa a Dios». En cambio, en todo lo opinable y en lo que atañe a la acción profesional, social, política, cultura, etc., no se puede mandar nada.

¡Cómo anda a veces la obediencia por ahí...! ¡Qué pena! Todo se quiere poner en tela de juicio. Aun en la vida de entrega a Dios, hay algunas personas para quienes todo es ocasión de disquisiciones: si pueden mandar los superiores esto, si pueden mandar lo otro, si pueden mandar aquí, si pueden mandar allá... En el Opus Dei sabemos esto: se puede mandar todo –con el máximo respeto a la libertad personal, en materias políticas y profesionales–, mientras no sea ofensa de Dios.

5a   Pero mirad el fruto de la obediencia de éstos: un milagro. Jesús hace un milagro pasmoso. Y en la Obra, ¡los hace tantas veces! Unos, por providencia ordinaria; otros, por providencia extraordinaria. Dios está dispuesto, lo que hace falta es que obedezcamos, que obliguemos al Señor procurando tener mucha fe en Él. Y entonces es cuando se luce. Entonces es cuando hace cosas en las que se ve que está Él por medio. Entonces es cuando hace una de las suyas: como ésta, como ésta.

5b   «Jesús tomó entonces los panes; y después de haber dado gracias, los repartió entre los que estaban sentados; y lo mismo hizo con los

---

5a   Pero mirad el fruto de la obediencia ... una de las suyas, como ésta. *Cro1965*,7,58 *Cro1970*,12 ||| Señor *Cro1965*,7,58 *Cro1970*,12] Señor, *Cro1982*,1384 *EdcS*,52 || pasmoso *Cro1970*,12 *Cro1982*,1384 *EdcS*,52 *add.* || hace falta *Cro1965*,7,58 *Cro1970*,12] se necesita *Cro1982*,1384 *EdcS*,52 || Y entonces *Cro1965*,7,58 *m620401-A,B,C,E*] Entonces *Cro1970*,12 *Cro1982*,1384 *EdcS*,52 || hace cosas *Cro1965*,7,58 *Cro1970*,12] realiza cosas *Cro1982*,1384 *EdcS*,52 || como ésta, como ésta. *m620401-A,B,C,E Cro1982*,1384 *EdcS*,52] como ésta *Cro1965*,7,58 *Cro1970*,12

5b   Jesús tomó entonces los panes ... y va más lejos que nosotros. *Cro1970*,12 || Así, con generosidad ... y va más lejos que nosotros. *Cro1965*,7,58 ||| Por eso, al considerar en estos días ... ¡antes, más, mejor! *m620401-A,B,C,E* (con pequeñas variantes) *Cro1982*,1384 *EdcS*,52 *add.* || ve las cosas *Cro1965*,7,58 *Cro1970*,12] ve los sucesos *Cro1982*,138 || con sabiduría divina *Cro1965*,7,58] con sabiduría *Cro1970*,12 *Cro1982*,1384 || ¡El Señor ve más allá que nuestra lógica! Hace las cosas antes, más generosamente, y las hace mejor. *Cro1970*,12 *Cro1982*,1384 *EdcS*,52] ¡El Señor ve más allá que nuestra lógica! Y hace las cosas antes, y más generosamente, y las hace mejor *Cro1965*,7,58.

«ese asunto»: se refiere a la solución jurídica para el Opus Dei, que se acababa de plantear de nuevo a la Santa Sede. Ver *Itinerario,* pp. 332 y ss.

peces, dando a todos cuanto querían»[13]. Así, con generosidad. ¿Qué me pedís?: ¿dos, tres? Él da cuatro, da seis, da cien. ¿Por qué? Porque Cristo ve las cosas con sabiduría divina, y con su omnipotencia puede y va más lejos que nosotros. Por eso, al considerar en estos días —meses, años— ese asunto del que no sabemos si se consigue ahora o más adelante —tengo fe en que pueda ser ahora—, al discurrir con mi cabeza humana y concluir que no saldrá, digo: ¡antes, más, mejor! ¡El Señor ve más allá que nuestra lógica! Hace las cosas antes, más generosamente, y las hace mejor.

5c «Después que quedaron saciados, dijo a sus discípulos: recoged los pedazos que han sobrado, para que no se pierdan. Hiciéronlo así y llenaron doce cestos de los pedazos que habían sobrado de los cinco panes de cebada, después que todos hubieron comido»[14]. Ya sabéis, es conocidísima, la manera de comentar esta parte del Evangelio un buen predicador. ¿Y para qué recoger los restos? ¿Para qué? Para que, con esos doce grandes cestos de pan que han sobrado, comamos nosotros ahora y nos alimentemos de la fe. De la fe en Él, que es capaz de hacer todo eso superabundantemente, por el amor que tiene a los hombres, por el amor que tiene a la Iglesia, por el deseo que tiene de redimir, de salvar a las gentes. ¡Señor, que sobren cestos ahora mismo! ¡Hazlo generosamente! ¡Que se vea que eres Tú!

5d «Habiendo visto el milagro que Jesús había hecho, decían aquellos hombres: Este es, sin duda, el Profeta que ha de venir al mundo»[15].

---

[13] *Ev. (Ioann.* VI, 11).

[14] *Ev. (Ioann.* VI, 12-13).

[15] *Ev. (Ioann.* VI, 14).

5c Después que quedaron saciados ... ¡Que se vea que eres tú! *Cro1970*,13 ‖ ¿Y para qué recoger los restos? ... ¡Que se vea que eres tú! *Cro1965*,7,58 ‖ Ya sabéis *Cro1970*,13] Ya recordáis *Cro1982*,1384 *EdcS*,52 ‖ hacer todo *Cro1970*,13 *Cro1965*,7,58] obrar todo *Cro1982*,1385 *EdcS*,52.

5d-e Habiendo visto el milagro ... estos años de la Obra? *Cro1970*,13-14 ‖ Este es sin duda ... años de la Obra? *Cro1965*,7,58-59 ‖‖ Habiendo visto *Cro1970*,13-14] Habiendo contemplado *Cro1982*,1385 *EdcS*,53 ‖ había hecho *Cro1970*,13] había realizado *Cro1982*,1385 *EdcS*,53 ‖ el Profeta *Cro1970*,13] el gran profeta *Cro1965*,7,58 ‖

Querían raptarlo, ¿recordáis?, para hacerle rey. Nosotros le hemos hecho ya Rey nuestro, desde que pusieron la semilla de la fe en nuestros corazones. Después, cuando nos llamó, le hemos vuelto a entronizar.

5e ¡Perfecto Dios! Si estos hombres, por un pedazo de pan –aun cuando el milagro sea grande–, se entusiasman y te aclaman hasta el punto de tener que esconderte, ¿qué haremos nosotros, por tantas cosas como nos has dado, a lo largo de todos estos años de la Obra?

5f Yo he formulado una colección de propósitos para cuando se resuelva la situación jurídica definitiva de la Obra. Además de mandar que se celebren tantas Misas, y de mover a rezar a todos, y de pedir mortificaciones, y de importunar continuamente –día y noche– a Dios Nuestro Señor; además de todo esto, entre mis propósitos figuraba éste: Señor, en cuanto esté hecho, pondremos dos lámparas delante del Sagrario, en los Centros del Consejo General y de la Asesoría Central, en las Comisiones y Asesorías Regionales, y en los Centros de Estudios. Y me dio una vergüenza tremenda: ¿cómo iba a portarme así, con tanta roñosería, con un Rey tan generoso? E inmediatamente dispuse que se enviara un aviso a todo el mundo, mandando que en esos Centros se colocaran enseguida dos

---

hacerle rey *Cro1970*,14 *Cro1965*,7,59] proclamarlo rey *Cro1982*,1385 *EdcS*,53 ‖ le hemos hecho ya Rey nuestro *Cro1970*,14 *Cro1965*,7,59] le hemos reconocido ya como Rey nuestro *Cro1982*,1385 *EdcS*,53 ‖ todos estos años *Cro1970*,14 *EdcS*,53] estos treinta y siete años *Cro1965*,7,59.

«*Nosotros le hemos hecho ya Rey nuestro*»: la realeza de Cristo está presente en la vida espiritual del Opus Dei desde muy antiguo y con un carácter propio, que se basa en la luz sobrenatural que el fundador recibió el 7 de agosto de 1931. Ese día, comprendió que el reinado de Cristo había de afirmarse sobre todas las realidades humanas honestas si en cada encrucijada del mundo había un cristiano que fuera *alter Christus*, otro Cristo; ver *AVP* I, p. 380. En san Josemaría la consideración de la realeza de Cristo se sitúa en un contexto decididamente espiritual, distinto de las interpretaciones de cuño tradicionalista, que eran frecuentes en la España de entreguerras (ver Luis Cano, *Reinaré en España: la mentalidad católica a la llegada de la Segunda República*, Madrid, Encuentro, 2009). Ver también 21.2e.

5f «*dispuse que se enviara un aviso*»: la indicación a que se refiere san Josemaría está contenida en un escrito del 3 de marzo de 1962, dirigido a todas las regiones, en el que se

lamparillas delante del Santísimo. Son pocas, pero como si fueran trescientas mil: ¡es el amor con que lo hacemos!

5g   Señor, te pedimos que no te escondas, que vivas siempre con nosotros, que te veamos, que te toquemos, que te sintamos: que queramos estar siempre junto a Ti, en la barca y en lo alto del monte, llenos de fe, confiadamente y con sentido de responsabilidad, de cara a la muchedumbre: «*Ut salvi fiant*»[16], para que todos se salven.

---

[16] I *Cor.* X, 33.

---

alude también a los oratorios de las casas de retiro, además de los que aquí menciona. Si bien esa disposición está motivada por la *intención especial*, su alcance va más allá. En ese texto, en efecto, se lee que «en todos esos oratorios continuará haciéndose siempre así, como muestra de devoción al Santísimo Sacramento». En 1967 indicó que en todos los centros de la Obra hubiera dos lámparas aunque sólo ardiera una (la segunda debía encenderse antes de que la otra terminara de consumirse, de modo que nunca se apagara esa llama ante el Santísimo), en AGP, serie E.1.3, leg. 4532.

5g   Señor, te pedimos ... «*ut salvi fiant*». *Cro1965,7,59 Cro1970,14* ||| junto a Ti *Cro1970,14*] junto a ti *Cro1965,7,59 EdcS,54* || y en lo alto del monte, *m620401-A,B,C Cro1965,7,59* | *Cro1970,14 EdcS,54 del.* || llenos de fe, confiadamente y con sentido de responsabilidad, *Cro1970,14 EdcS,54 add.* || muchedumbre: *Cro1965,7,59*] muchedumbre, *EdcS,54* || para que todos se salven *Cro1970,14 EdcS,54 add.*

6. EN UN 2 DE OCTUBRE
(2 de octubre de 1962)

1. Contexto e historia

San Josemaría dirigió estas palabras en el oratorio de Pentecostés de Villa Tevere, a los que vivían en el centro del Consejo General. Era la fiesta de los Ángeles Custodios y el aniversario de la fundación del Opus Dei[288]. Al parecer, habló en un tono más bajo de lo ordinario, como de confidencia. Dijo que experimentaba en esos momentos «una gran dificultad, como un gran encogimiento»[289], porque no quería estar en el centro de la atención de los demás. El recuerdo de las fechas fundacionales[290] le movía a un profundo agradecimiento hacia Dios, pero también le provocaba sentimientos de indignidad personal y de contrición, porque pensaba que había correspondido pobremente a los dones divinos.

Nueve años después, en 1971, corrigió el texto para su circulación entre los miembros del Opus Dei. Apareció en *Crónica* y *Noticias* con el sencillo título que ahora tiene. En 1989 salió al público en la revista *Palabra* y, traducido al italiano, en *Studi Cattolici*.

2. Fuentes y material previo

EdcS,55-62; *Cro1971*,983-991; *Not1971*,833-841; "En un 2 de octubre: un texto inédito del fundador del Opus Dei", en *Palabra* 288 (1989), pp. 331-335; "Meditazione per un anniversario. Un inedito di mons.

---

[288] Cfr. Diario del centro del Consejo General, 2-X-1962 (AGP, serie M.2.2, 430-10).

[289] 6.1a.

[290] Esas fechas son el 2 de octubre (aniversario de la fundación, en 1928) y el 14 de febrero (aniversario del comienzo del apostolado con las mujeres, en 1930, y de la Sociedad Sacerdotal de la Santa Cruz, en 1943).

Josemaría Escrivá", en *Studi Cattolici* XXXIII 335 (1989), pp. 12-15. El material proveniente de las notas o transcripciones se conserva en el expediente de AGP, serie A.4, m621002, y consiste en un cliché para realizar copias a velógrafo y una de esas copias (D), además de otras transcripciones mecanografiadas (A, B, C, 465 y 513bis).

3. Contenido

Contiene abundantes datos autobiográficos e históricos sobre san Josemaría y el Opus Dei. Los sentimientos del fundador ante los treinta y cuatro años que han transcurrido desde 1928 son, en primer lugar, de profunda humildad: está convencido de su propia indignidad y lo argumenta ante sus oyentes, resaltando sus pocos méritos. Quiere dejar ver que ha sido Dios quien ha hecho todo, no él, y la prueba que aduce es la desproporción entre los medios con que se contaba y los resultados obtenidos. De esa consideración nace en él una gratitud a Dios que quiere ser, a la vez, un deseo de corresponder más a sus dádivas, a la fecundidad con que ha bendecido el Opus Dei.

Recuerda las dificultades de los comienzos: las defecciones, las incomprensiones, la pobreza, la ausencia de un marco teológico y jurídico que permitiera la adecuada inserción de una realidad pastoral nueva como el Opus Dei. Él no se siente víctima y no quiere que le compadezcan. Lo que desea hacer ver es que en aquellas circunstancias –en las que había pocas esperanzas humanas de éxito– Dios abrió los caminos. Lo mismo sucederá hoy, quiere decir a sus oyentes: la Obra saldrá adelante porque Dios lo quiere. No importa si hay que superar situaciones difíciles o hay que luchar contra defectos y miserias, porque, a pesar de las propias traiciones, «el Señor sí que es fiel»[291]. Más arduos fueron los comienzos, más dificultades hubo, y, sin embargo, la realidad de la Obra muestra cómo se superaron gracias a la providencia divina, viene a decir el fundador.

Este mensaje de esperanza estaba dirigido de forma inmediata a personas que tenían las más altas responsabilidades de dirección en el Opus Dei y que le escuchaban en el oratorio de Pentecostés. A la vez, era una llamada a la fidelidad, que tenía una actualidad particular en 1971, cuando san Josemaría aprobó este texto para que llegara a todos los

---

[291] 6.4d.

miembros de la Obra. Eran momentos en que sufría mucho por la deslealtad de algunos en la Iglesia y quería exhortar a sus hijas e hijos a ser
muy fieles a Dios.

El fundador insiste en los puntos esenciales del espíritu que ha difundido desde 1928: la búsqueda de la santidad en lo cotidiano; el esfuerzo
y la docilidad a la gracia para tener una verdadera vida contemplativa; el
examen personal para rectificar, si no se está siendo el instrumento que
Dios pide. Y una profunda humildad, para confiar siempre en Dios, para
vivir entregándose por los demás, "gastándose" para que todos sean felices.
«Este –afirma– es el gran secreto de nuestra vida y la eficacia de nuestro
apostolado»[292]. O por decirlo con frase lapidaria: «Esta es la finalidad nuestra, no tenemos otra: santidad, santidad, santidad»[293].

[292] 6.4e.

[293] 6.5a.

EN UN 2 DE OCTUBRE

1a   Es razonable que os dirija unas palabras en el día de hoy, cuando comienzo un año nuevo de mi vocación al Opus Dei. Sé que vosotros lo esperáis, aunque debo deciros, hijos de mi alma, que siento una gran dificultad, como un gran encogimiento de mostrarme en este día. No es la natural modestia. Es el constante convencimiento, la claridad meridiana de mi propia indignidad. Jamás me había pasado por la cabeza, antes de aquel momento, que debería llevar adelante una misión entre los hombres. Y ahora...

1b   Esto no es humildad, es algo que me cuesta porque va contra mi modo de ser, que huye de las exhibiciones. ¡Por eso me produce tanta vergüenza! Otras veces os he contado que, de pequeño, sentía mucha resistencia a aparecer en público, delante de alguna visita, o cuando me ponía un traje nuevo. Me metía debajo de la cama hasta que mi madre, con un bastón de los que usaba mi padre, daba unos ligeros golpes en el suelo, con delicadeza. Sí, naturalmente soy enemigo de solemnidades y de singularidades. Por eso, cuando he tenido que disponer alguna cosa que afecta al Presidente General del Opus Dei, es porque ha sido necesaria.

2a   Pero vamos al primer punto de nuestra meditación. Desde que Tú comenzaste, Señor, a manifestarte a mi alma, a los quince o dieciséis años; desde que a los dieciséis o diecisiete supe ya de algún modo que me buscabas, sintiendo los primeros impulsos de tu Amor, pasaron muchos años... Después de poner yo tantas dificultades, por

---

1b   «*Otras veces os he contado ... con delicadeza*»: sobre estos detalles de la educación que le proporcionaron sus padres, ver *AVP* I, pp. 32-34.

comodidad y por cobardía –lo he dicho muchas veces, y he pedido perdón a mis hijos–, rompió la Obra en el mundo, aquel 2 de octubre de 1928.

2b   Vosotros me ayudaréis a dar gracias al Señor y a pedirle que, por grandes que sean mis flaquezas y mis miserias, no se enfríe nunca la confianza y el amor que le tengo, el trato fácil con el Padre y con el Hijo y con el Espíritu Santo. Que se me note –sin singularidades, no sólo por fuera, sino también por dentro–, y que no pierda esa claridad, esa convicción de que soy un pobre hombre: *«Pauper servus et humilis»!* Lo he sido siempre: desde el primer hasta el último instante de mi vida, necesitaré de la misericordia de Dios.

2c   Pedid al Señor que me deje trabajar bien y que esas cosas que tienen un fundamento humano, natural, yo las sepa convertir –con sentido sobrenatural cada vez más hondo– en fuente de propio conocimiento, de humildad sin rarezas, con sencillez.

2d   ¿Cuándo se ha muerto el Fundador?, preguntan algunos, pensando que la Obra es vieja. No se dan cuenta de que es jovencísima; el Señor ha querido enriquecerla ya con esta madurez sobrenatural y humana, aunque en algunas Regiones estemos todavía comenzando, como la misma Iglesia Santa comienza también a la vuelta de veinte siglos.

2e   Sólo yo sé cómo hemos empezado. Sin nada humano. No había más que gracia de Dios, veintiséis años y buen humor. Pero una vez más se ha cumplido la parábola de la pequeña simiente: y hemos de llenarnos de agradecimiento a Nuestro Señor. Ha pasado el tiempo y el Señor nos ha confirmado en la fe, concediéndonos tanto y más de lo que veíamos entonces. Ante esta realidad maravillosa en todo el mundo –realidad que es como un ejército en orden de batalla

---

2b   *«Pauper servus et humilis!»*: esta expresión, utilizada a modo de jaculatoria por san Josemaría, se encuentra en el himno *Sacris Sollemniis*, compuesto por santo Tomás de Aquino para la fiesta del Corpus Christi. Concretamente es el último verso de su penúltima estrofa, más conocida como *Panis angelicus*, que fue célebremente musicalizada por César Franck.

2e   *«ejército en orden de batalla»*: es una cita implícita de Cant 6, 4. Utilizaba estas palabras, especialmente en latín, para referirse a la necesidad de mantener, en la Obra

para la paz, para el bien, para la alegría, para la gloria de Dios–; ante esta labor divina de hombres y de mujeres en tan diferentes situaciones, de seglares y de sacerdotes, con una expansión encantadora que necesariamente encontrará puntos de aflicción, porque siempre estamos comenzando; tenemos que bajar la cabeza, amorosamente, dirigirnos a Dios y darle gracias. Y dirigirnos también a Nuestra Madre del Cielo, que ha estado presente, desde el primer momento, en todo el camino de la Obra.

2f   Hemos de sonreír siempre. Hemos de sonreír en medio de la dureza de algunas circunstancias, repitiendo al Señor: *gratias tibi, Deus, gratias tibi!* Aprovechad estos momentos de vuestra oración para recorrer el mundo, para ver cómo van las cosas. Es preciso que vivamos la caridad, que impulsemos las labores, que formemos a la gente. Recorred –os decía– todas las Regiones del mundo. Deteneos especialmente en aquella que debe estar más en vuestro corazón; deteneos con hacimiento de gracias, poniendo en actividad, con vuestra oración, a los Santos Ángeles Custodios.

---

y en la Iglesia, la unidad «que nos hace fuertes y eficaces en el servicio de Dios, *ut castrorum acies ordinata*, como un ejército en orden de batalla», *Carta 28-III-1955*, n. 31, en *AVP* III, p. 309.

2f   «*Deteneos especialmente en aquella que debe estar más en vuestro corazón*»: está hablando a quienes vivían y trabajaban junto a él en el gobierno central de la Obra, en Roma, procedentes de diversos países, llamados a tener un conocimiento más vivo de la realidad del Opus Dei en aquellas regiones a las que estaban más vinculados, por motivos de gobierno o de procedencia. En las transcripciones originales se lee: «Recorred –os decía–, con ese conocimiento que tenéis, todas las Regiones del mundo. Deteneos especialmente en aquella que una vez os interesó más, que debe estar más en vuestro corazón –porque habéis estado allí, porque habéis comenzado allí, porque habéis comenzado la Obra allí–; deteneos allí con hacimiento de gracias», m621002-A. También en las transcripciones se lee una consideración sobre la situación de la Obra en esos países, destinada a infundir aliento en los directores que le escuchan: «Yo os aseguro que en el sitio donde van peor, van bien. Yo comparo con mis comienzos. Van bien. Es necesario que tengamos pulso, que tengamos caridad, que formemos a la gente», m621002-A.

3a		Llevará la fecha de hoy un aviso disponiendo que, en el despacho de los Directores locales, haya una representación del Ángel Custodio con las palabras de la Escritura: «*Deus meus misit angelum suum*»[1]. Es una Costumbre que tiene por objeto meter, en el corazón de todos los que gobiernan, y en el de mis hijos todos, una devoción práctica, real y constante, al Ángel Custodio de la Obra, y al de cada Centro, y al de cada uno.

3b		«*Deus meus misit angelum suum*». Siento necesidad de explicároslo. Por años he experimentado la ayuda constante, inmediata, del Ángel Custodio, hasta en detalles materiales pequeñísimos. El trato y la devoción a los Santos Ángeles Custodios está en la entraña de nuestra labor, es manifestación concreta de la misión sobrenatural de la Obra de Dios. *Gratias tibi, Deus; gratias tibi, Sancta Maria Mater nostra!* Y gracias a los Ángeles Custodios: *defendite nos in prœlio, Sancti Angeli Custodes nostri!*

3c		Padre, ¿realmente comenzó la Obra el 2 de octubre de 1928? Sí, hijo mío, se comenzó el día 2 de octubre de 1928. Desde ese momento no tuve ya *tranquilidad* alguna, y empecé a trabajar, de mala gana, porque me resistía a meterme a fundar nada; pero comencé a trabajar, a moverme, a hacer: a poner los fundamentos.

3d		Me puse a trabajar, y no era fácil: se escapaban las almas como se escapan las anguilas en el agua. Además, había la incomprensión más brutal: porque lo que hoy ya es doctrina corriente en el mundo, entonces no lo era. Y si alguno afirma lo contrario, desconoce la verdad.

---

[1]		*Dan.* VI, 22.

3a		«*un aviso*»: se trata de un escrito dirigido a las diversas regiones, fechado el 2-X-1962. Ahí se leen, casi a la letra, las palabras del fundador en esta meditación: «Con esta costumbre que ahora os señalo, deseo aumentar en el corazón de todos los hijos míos que gobiernan, una devoción práctica, real, constante al Ángel Custodio de la Obra y al de cada casa y de cada uno» (AGP, serie E.1.3, 5038b).

3e   Tenía yo veintiséis años –repito–, la gracia de Dios y buen humor:
      nada más. Pero así como los hombres escribimos con la pluma, el Se-
      ñor escribe con la pata de la mesa, para que se vea que es Él el que es-
      cribe: eso es lo increíble, eso es lo maravilloso. Había que crear toda la
      doctrina teológica y ascética, y toda la doctrina jurídica. Me encontré
      con una solución de continuidad de siglos: no había nada. La Obra
      entera, a los ojos humanos, era un disparatón. Por eso, algunos decían
      que yo estaba loco y que era un hereje, y tantas cosas más.

3f   El Señor dispuso los acontecimientos para que yo no contara ni con
      un céntimo, para que también así se viera que era Él. ¡Pensad cómo
      hice sufrir a los que vivían a mi alrededor! Es justo que aquí dedique
      un recuerdo a mis padres. ¡Con qué alegría, con qué amor llevaron
      tanta humillación! Era preciso triturarme, como se machaca el trigo
      para preparar la harina y poder elaborar el pan; por eso el Señor me
      daba en lo que más quería... ¡Gracias Señor! Porque esta hornada de
      pan maravillosa está difundiendo ya «el buen olor de Cristo»[2] en el
      mundo entero: gracias, por estos miles de almas que están glorifi-
      cando a Dios en toda la tierra. Porque todos son tuyos.

---

[2] II *Cor.* II, 15.

3e   «*con la pata de la mesa*»: frase de sabor proverbial, con la que el Autor explica la
      desproporción que existe entre los instrumentos humanos que Dios utiliza y los re-
      sultados que con ellos obtiene, como enseña san Pablo: «Dios escogió la necedad
      del mundo para confundir a los sabios y Dios eligió la flaqueza del mundo para
      confundir a los fuertes; escogió Dios a lo vil, a lo despreciable del mundo, a lo que
      no es nada, para destruir lo que es, de manera que ningún mortal pueda gloriarse
      ante Dios» (1 Cor 1, 27-28). San Josemaría la utilizó en otras ocasiones (cfr. *Amigos
      de Dios,* n. 117), para referirse al protagonismo de Dios en el desarrollo del Opus Dei
      y para confesar un sentimiento de propia indignidad como fundador.

3f   gracias, por estos *Cro1971*,988] gracias por estos *EdcS*,59.

      «*¡Con qué alegría, con qué amor llevaron tanta humillación!*»: se refiere a la ruina eco-
      nómica familiar. San Josemaría consideraba que la Providencia se había servido de
      ese descalabro económico para forjarle en las virtudes que necesitaría como futuro
      fundador, y para que el Opus Dei comenzara sin medios económicos en los que
      apoyarse. Ver *AVP* I, pp. 58 y ss. Las dificultades económicas fueron especialmente
      agudas en los comienzos, especialmente entre 1931 y 1934, aunque hubo otros mo-
      mentos –en los años 40-50, en Roma, por poner otro ejemplo– en que volvieron a
      presentarse de manera angustiosa. Ver *DYA,* y *AVP* III, pp. 118 y ss.

4a   Llegamos al tercer punto de nuestra meditación y, en este tercer punto, no soy yo el que os propone determinadas consideraciones: sois vosotros quienes habéis de enfrentaros con vosotros mismos, ya que el Señor nos ha escogido para la misma finalidad y, en vosotros y en mí, ha nacido toda esta maravilla universal. Este es el momento en que cada uno debe mirarse a sí mismo, para ver si es o no es el instrumento que Dios quiere: una labor personalísima, una labor íntima y singular de vosotros con Dios.

4b   Convenceos, hijos míos, de que el único camino es el de la santidad: en medio de nuestras miserias –yo tengo muchas–, con toda nuestra alma, pedimos perdón. Y a pesar de esas miserias, sois almas contemplativas. Yo lo entiendo así, no considero sólo vuestros defectos: puesto que contra ese lastre reaccionamos constantemente, buscando al Señor Dios nuestro y a su Bendita Madre, procurando vivir las Normas que os he señalado. Como una necesidad, vamos a Dios y a Santa María –a nuestra Madre–, tenemos trato constante con ellos; ¿no es esto lo propio de las almas contemplativas?

4c   Cuando me desperté esta mañana, pensé que querríais que os dijera unas palabras y debí ponerme colorado, porque me sentí abochornado. Entonces, yendo mi corazón a Dios, viendo que queda tanto por hacer, y pensando también en vosotros, estaba persuadido de que yo no daba todo lo que debo a la Obra. Él, sí; Dios, sí. Por eso hemos venido esta mañana a renovar nuestra acción de gracias. Estoy seguro de que el primer pensamiento vuestro, en el día de hoy, ha sido también una acción de gracias.

4d   El Señor sí que es fiel. Pero, ¿y nosotros? Debéis responder personalmente, hijos míos. ¿Cómo se ve, cada uno, en su vida? No pregunto si os veis mejor o peor, porque a veces creemos una cosa y no somos objetivos. A veces el Señor permite que nos parezca que andamos hacia atrás: nos cogemos entonces más fuerte de su mano, y nos llenamos de paz y de alegría. Por eso, insisto, no os pregunto si vais mejor o peor, sino si hacéis la Voluntad de Dios, si tenéis deseos de luchar, de invocar la ayuda divina, de no poner nunca un medio humano sin poner a la vez los medios sobrenaturales.

4e   Pensad si procuráis agrandar el corazón, si sois capaces de pedirle al Se-
      ñor –porque muchas veces no somos capaces o, si pedimos, lo pedimos
      para que no nos lo conceda–, si sois capaces de pedirle, para que os lo
      conceda, ser vosotros los últimos y vuestros hermanos los primeros; ser
      vosotros la luz que se consume, la sal que se gasta. Esto hay que pedir:
      saber fastidiarnos nosotros, para que los demás sean felices. Este es el
      gran secreto de nuestra vida, y la eficacia de nuestro apostolado.

5a   Ayer por la tarde estaba en la sala de Mapas. Sin darme cuenta, eché
      una mirada sobre la puerta y tropecé con uno de esos *despertadores*
      que hay desparramados por estas casas: «*Elegit nos ante mundi cons-*
      titutionem ut essemus sancti in conspectu eius»[3]. Me conmoví. No hay
      más remedio que luchar por ser santos. Esta es la finalidad nuestra,
      no tenemos otra: santidad, santidad, santidad. Las obras apostólicas
      –que son muchas– no son fines, son medios, como la azada es el
      instrumento para que el hortelano saque de la tierra el fruto que le

---

[3] Cfr. *Ephes.* I, 4.

4e   «*la luz que se consume, la sal que se gasta*»: aplicación de unas palabras del Sermón
      de la Montaña: «Vosotros sois la sal de la tierra. (...) Vosotros sois la luz del mundo»
      (Mt 5, 13-16). San Josemaría las evoca para hablar de la entrega a Dios como un
      vivir "gastándose" por Él («gastarse por Amor» dice en *Es Cristo que pasa*, n. 21; ver
      también: *Amigos de Dios*, nn. 72 y 126; *Forja*, n. 364). Para tener eficacia apostólica
      y sobrenatural en la propia vida es preciso estar dispuestos a diluirse como la sal, para
      dar sabor, y a quemarse como el combustible, para producir luz (cfr. *Forja*, n. 44;
      Surco, n. 883). En otras palabras, ser discípulos de Cristo –ser sal y luz del mundo–
      implica cargar con la cruz de cada día, y consumir la propia existencia, "perder" la
      vida para "salvarla" (cfr. Lc 9, 23-24). El contexto de ese "consumirse" y "gastarse" es
      aquí la entrega a los demás, la caridad fraterna, que lleva a negarse en tantos pequeños
      detalles ordinarios «para que los demás sean felices».

5a   [3] Cfr. *Ephes.* I, 4.] [3] *Ephes.* I, 4. *EdcS*,61.

      «*sala de Mapas*»: es una sala de estar en Villa Tevere –en esos años servía como ofici-
      na–, decorada con pinturas murales de factura reciente, que imitan los mapas de la
      Galleria delle Carte Geografiche de los Museos Vaticanos.

      «*despertadores*»: se refiere a objetos decorativos o elementos arquitectónicos –como
      inscripciones, imágenes, reposteros...– que sirven para recordar o despertar la con-
      ciencia de estar en presencia de Dios. En Villa Tevere hizo colocar muchos de esos
      detalles, no siempre explícitamente religiosos.

alimenta. Hijos míos, por eso hemos de procurar con todas nuestras fuerzas la santidad: *elegit nos... ut essemus sancti!* Pido perdón al Señor por mis faltas de correspondencia, y la gracia para corresponder a esa elección. Si es necesario, pido más gracia que la de la providencia ordinaria: en esto, no me importa excederme.

5b   Hijos míos, no me quiero alargar. Ayudadme a llenarme de gratitud y de reconocimiento a Dios Padre, a Dios Hijo, a Dios Espíritu Santo. Y a la Madre de Dios y Madre nuestra, que nos ha concedido sonrisas maternales siempre que las hemos necesitado. Cuando yo tenía barruntos de que el Señor quería algo y no sabía lo que era, decía gritando, cantando, ¡como podía!, unas palabras que seguramente, si no las habéis pronunciado con la boca, las habéis paladeado con el corazón: «*Ignem veni mittere in terram et quid volo nisi ut accendatur?*»[4]; he venido a poner fuego a la tierra, ¿y qué quiero sino que arda? Y la contestación: «*Ecce ego quia vocasti me!*»[5], aquí estoy, porque me has llamado. ¿Se lo volvemos a decir ahora, todos, a nuestro Dios?

5c   Somos sólo una pobre cosa, Señor, pero te amamos mucho, y deseamos amarte mucho más, porque somos hijos tuyos. Contamos con todo tu poder y con toda nuestra miseria. Reconociendo nuestra

---

[4]   *Luc.* XII, 49.

[5]   I *Sam.* III, 9.

5b   [5] I *Sam.* III, 9.] [5] I *Sam.* III, 8. *EdcS*,62.

    «*Ignem veni mittere in terram*»: en un pasaje de sus *Apuntes íntimos,* fechado en 1934, explica este pensamiento: «¡Haremos que arda el mundo, en las llamas del fuego que viniste a traer a la tierra!... Y la luz de tu verdad, Jesús nuestro, iluminará las inteligencias, en un día sin fin. Yo te oigo clamar, Rey mío, con voz viva, que aún vibra: "ignem veni mittere in terram, et quid volo nisi ut accendatur?" –Y contesto –todo yo– con mis sentidos y mis potencias: "ecce ego: quia vocasti me!"», *Apuntes íntimos,* n. 1741, 16-VII-1934, en *Camino,* ed. crít.-hist., com. al n. 801. Este pensamiento tuvo eco en varios puntos de *Camino,* como señala Rodríguez: vid. comentarios en *Camino,* ed. crít.-hist. a los nn. 790, 801, 835, 984.

5b-c   Los dos últimos párrafos, desde «la Madre de Dios y Madre nuestra» hasta el final, no se encuentran en las transcripciones, por lo que probablemente los añadió san Josemaría en 1971.

miseria, iremos como los hijos pequeños a los brazos de nuestra Madre, al regazo de la Madre de Dios, que es Madre nuestra, y al Corazón de Cristo Jesús. Recibiremos toda la fortaleza, todo el poder, toda la audacia, toda la generosidad, todo el amor que Dios Señor nuestro guarda para sus criaturas fieles. Y estaremos seguros, seremos eficaces y alegres, y habremos cumplido –con esa fortaleza divina– la Santa Voluntad de Dios, con la ayuda de Santa María.

7. SEÑAL DE VIDA INTERIOR
(10 de febrero de 1963)

1. Contexto e historia

Se recogen aquí unas palabras pronunciadas en el oratorio de Pentecostés, el 10 de febrero de 1963, durante un día de retiro. Cuando aparecieron en *Crónica* y *Noticias* de octubre de 1974, se fecharon por error el 3 de marzo de 1963, primer domingo de Cuaresma, día en el que san Josemaría había predicado otra meditación en un curso de retiro. El error nace de las transcripciones, que indican esa fecha.

Al realizar la presente edición, se comprobó que esa datación estaba equivocada. Los textos de la Misa que san Josemaría comentó aquí no eran del primer domingo de Cuaresma, sino del domingo de Septuagésima, que caía aquel año en 10 de febrero. El diario del centro del Consejo General confirmó que esta última fecha era la correcta[294].

Cuando salió en *Crónica* y *Noticias* no se señaló que las citas de la Sagrada Escritura pertenecían a la antífona de entrada y a la primera lectura de aquel domingo de Septuagésima. Tampoco se hizo en *EdcS*. En esta edición, además de poner la fecha correcta, hemos añadido esas referencias, como era habitual en las meditaciones de san Josemaría y como consta en dos de las tres transcripciones que se conservan.

2. Fuentes y material previo

EdcS,63-68; *Cro1974*,1015-1020; *Not1974*,875-880. En AGP, serie A.4, m630303a, se guardan tres versiones mecanografiadas de la transcripción, con muy pequeñas diferencias: 6, 186/2 y una copia a ciclostil sin número.

---

[294] Cfr. Diario del centro del Consejo General, 10-II-1963 (AGP, serie M.2.2, 430-10).

3. *Contenido*

En este breve texto, san Josemaría desarrolla tres temas: la caridad, como predisposición a pensar habitualmente en los demás; el amor a la Cruz, que permite dar al sufrimiento humano un valor corredentor; y el espíritu "deportivo" en la lucha ascética.

Con un lenguaje gráfico, llama «*prejuicio psicológico* de pensar habitualmente en los demás»[295] a una manifestación de caridad que consiste en orientar los actos y pensamientos hacia el servicio de los demás. Este hábito o "prejuicio" bueno, ayudado por la gracia de Dios, es una formulación en positivo del "olvido de sí", del que san Josemaría habla en otros lugares (ver 1.5a), y una de cuyas manifestaciones es «procurar activamente la santidad de los demás»[296].

Las consideraciones acerca del amor a la Cruz hay que leerlas a la luz de su propia biografía. La vida cristiana que propone no es un camino de rosas, sino de sacrificio, lleno de alegría y serenidad, el mismo que él ha recorrido, aunque no lo diga expresamente. El dolor y el sufrimiento, siempre presentes e inevitables, incluso en la existencia más risueña, se iluminan de esperanza con estas enseñanzas. La serenidad y la paz, el gozo, no nacen de un estoicismo resignado, sino del amor a Cristo, que siempre está junto al cristiano, especialmente en los momentos más duros.

El espíritu deportivo en la vida cristiana es una enseñanza característica de san Josemaría. Se inspira en san Pablo, que comparó al discípulo de Cristo con el atleta del mundo grecorromano. El fundador no era muy aficionado a los deportes, pero conocía el interés con que los seguían muchos de sus oyentes, y valoraba esa actividad humana en toda su nobleza. Por eso empleaba símiles muy gráficos, sacados del deporte moderno, especialmente del atletismo, consciente de que se recordaban las escenas transmitidas por la televisión, por ejemplo durante los juegos olímpicos. Admiraba el esfuerzo del atleta y su tenacidad, en esa lucha pacífica que es la competición deportiva. El corredor busca conquistar la meta final, superando los obstáculos, con la esperanza —que nunca abandona al verdadero deportista— de conseguir la victoria. También la vida cristiana puede verse como una sucesión de afirmaciones, de vencimientos, de metas positivas y

---

[295] 7.2c.

[296] 7.1b.

atrayentes. «La lucha ascética –se lee en *Forja*– no es algo negativo ni, por tanto, odioso, sino afirmación alegre. Es un deporte»[297]. El premio no es la satisfacción del ganador, sino la posesión del Amor divino.

En sus charlas ante muchas personas, san Josemaría llegó a imitar gráficamente los gestos de un saltador de pértiga, dando pruebas de buen humor y capacidad escénica[298]. Quería grabar en la mente de todos que la vida cristiana no es una áspera batalla, puro sufrimiento y resignación, sino una experiencia alegre y emocionante, como la competición atlética.

Hablaba, pues, de "ascética deportiva", para referirse a este característico modo de afrontar la vida espiritual: «Si alguna ascética dentro de la Iglesia tiene ese carácter deportivo, es la ascética propia de nuestra Obra»[299].

El atleta suele tener que enfrentarse al problema de las lesiones. Esos percances son semejantes, para san Josemaría, a las caídas y flaquezas que se experimentan en la vida cristiana. Con una diferencia: el deportista profesional puede ver truncada definitivamente su carrera por una grave lesión, mientras que en la vida espiritual siempre hay posibilidad de curarse. No cabe pensar que, por haber cometido un error, todo está perdido: «Dan pena los que se han torcido un pie, y no saben sufrir con espíritu cristiano, deportivo, y no toleran que intervenga el médico y el masajista, ¡y dicen que no quieren volver a saltar!»[300].

La lucha que el fundador del Opus Dei propone es semejante a una *gimnasia* espiritual. El esfuerzo por realizar con amor las normas y costumbres, los pequeños vencimientos para vivir la caridad con los demás o la superación de los defectos y tantas pequeñas batallas más, mantienen al alma en un entrenamiento constante. De este modo, la voluntad está preparada para superar con más facilidad otros desafíos que puedan presentarse. Tiene mayor prontitud para cumplir los deseos de Dios.

---

[297] n. 169.

[298] Cfr. Salvador BERNAL, *Mons. Josemaría Escrivá de Balaguer. Apuntes sobre la vida del Fundador del Opus Dei*, Madrid, Rialp, 1976, p. 205. Ver las imágenes en *http://www.es.josemariaescriva.info/articulo/la-pertiga-del-cristiano* [consultado el 1-12-2015].

[299] 7.4a-4b.

[300] 7.4c-4e.

4. *Texto y notas*

SEÑAL DE VIDA INTERIOR

1a   Cada persona acomoda las cosas generales a su necesidad, y a sus circunstancias concretas. Con el mismo género de tela se hacen trajes muy distintos: unos más grandes y otros más pequeños, unos más anchos y otros más estrechos. Millones de hombres toman la misma medicina, y cada uno la usa según su necesidad personal. Cuando esas particularidades o esas circunstancias son más o menos permanentes, originan un modo específico de mirar la vida. Todos tenemos experiencia, por ejemplo, de lo que podríamos llamar la psicología o el prejuicio psicológico de la profesión. Un médico, si se fija en una persona por la calle, instintivamente quizá piense: está enfermo del hígado; si la ve un sastre, dirá: va mal vestido; si es un zapatero, posiblemente pensará: qué buenos zapatos lleva...

1b   Mirad, hijos míos: si esto pasa en la vida profesional, en las cosas humanas, también en lo espiritual sucede lo mismo. Nosotros tenemos una vida interior particular, propia, en parte común sólo a nosotros. Característica de esa vida interior de los socios de la Obra, que ha de darnos a cada uno un modo particular de ver las cosas, es procurar activamente la santidad de los demás. No amamos a Dios si nos dedicamos a pensar sólo en nuestra propia santidad: hay que pensar en los demás, en la santidad de nuestros hermanos y de todas las almas.

1b   socios *Cro1974*,1016] miembros *EdcS*,64.

     «*procurar activamente la santidad de los demás*»: san Josemaría ve aquí una concreción específica de la universal ley de la caridad, como señal de identidad del cristiano (Jn 13,34-35).

[184]

2a   Después de mi muerte, podéis romper el silencio que vengo guardando desde hace tanto tiempo, y gritar, gritar. He tenido que callar por años y años. Entre mis papeles encontraréis muchas exhortaciones a la prudencia, al silencio, a vencer las dificultades con la oración y la mortificación, con la humildad, con el trabajo y los hechos, y no sólo con la lengua. Había una cosa que me impedía hablar, que me llevaba a callar, y que tiene relación con todo el preámbulo que he venido haciendo. Yo tenía —no es cosa mía, es gracia de Dios Nuestro Señor— la psicología del que no se encuentra nunca solo, ni humana ni sobrenaturalmente solo. Tenía un gran compromiso divino y humano. Y quisiera que vosotros participaseis también de este gran compromiso que persiste y persistirá siempre.

2b   No me he encontrado nunca solo. Esto me ha hecho callar ante cosas objetivamente intolerables: ¡hubiera podido producir un buen escándalo! Era muy fácil, muy fácil... Pero no, he preferido callar, he preferido ser yo personalmente el escándalo, porque pensaba en los demás.

2c   No tenemos más remedio que contar con ese —vamos a llamarlo así— *prejuicio psicológico* de pensar habitualmente en los demás, tener este punto de vista determinado, propio, exclusivo nuestro. Querría que lo considerarais cuando estéis dispersos por todas las Regiones. No os asustéis nunca de la *imprudencia* de la gente, pero los que tenemos misión de velar por los demás, no podemos permitirnos ese

---

2a   he venido haciendo *Cro1974*,1016] vengo haciendo *EdcS*,64.

«*Después de mi muerte*»: encontramos aquí la razón de su silencio ante las críticas y murmuraciones que —como tantos otros santos en la historia— tuvo que afrontar. Era consciente de que, en algunos casos, hablar para defender su honor implicaría necesariamente sacar a la luz pública los errores e injusticias de personas de Iglesia. Prefería, precisamente por esa ley de la caridad, padecer la injusticia y tratar de superarla con la confianza en Dios: con oración, humildad y entrega; y también trabajando para restablecer la verdad, si de eso dependía el bien de las almas.

2c   «*cuando estéis dispersos por todas las Regiones*»: está dirigiéndose a quienes —tras un periodo de trabajo en la sede central del Opus Dei— volverían a los diversos países, quizá a puestos de dirección o formación. Recalca que, quien debe velar por la santidad de los demás desde esos encargos, debe tener muy viva la necesidad de la caridad y de la prudencia, para saber ayudar.

lujo: al contrario, hemos de concedernos el *lujo* de la prudencia, de la serenidad, de la caridad que a nadie excluye.

3a   El Señor nos ha dado el sistema, en el Opus Dei, para que la Cruz que Él mismo nos impone –o permite que nos impongan las circunstancias, las cosas o las personas–, para que la Cruz que Él ha hecho para nosotros, no pese: y ese sistema es amar la Cruz de Cristo, es llevar la Cruz serenamente, a plomo, sin dejarla caer, sin arrastrarla; es abrazarse a la contradicción, la que sea –interna y externa–, y saber que todas tienen su fin, y que todas son un tesoro maravilloso. Cuando se trata realmente de la Cruz de Cristo, esa Cruz ya no pesa, porque no es nuestra: no es ya mía, sino de Él, y Él la lleva conmigo. De este modo, hijos, no hay pena que no se venza con rapidez, y no habrá nadie que pueda quitarnos la paz y la alegría.

3b   «*Diligam te, Domine, fortitudo mea!*»[1]: te amo, Señor, porque Tú eres mi fortaleza: «*Quia tu es, Deus, fortitudo mea*»[2]. ¡Descanso en Ti! ¡No sé hacer ninguna cosa, ni grande ni pequeña –no hay cosas pequeñas, si las hago por Amor–, si Tú no me ayudas! Pero si pongo mi buena voluntad, el brazo poderoso de Dios vendrá a fortalecer, a templar, a sostener, a llevar aquel dolor; y ese peso ya no nos abruma.

3c   Pensadlo bien, hijos míos; pensad en las circunstancias que a cada uno os rodean: y sabed que nos sirven más las cosas que aparentemente *no van* y nos contrarían y nos cuestan, que aquellas otras que al parecer van sin esfuerzo. Si no tenemos clara esta doctrina, estalla el desconcierto, el desconsuelo. En cambio, si tenemos bien cogida toda esta sabiduría espiritual, aceptando la voluntad de Dios –aunque cueste–, en esas circunstancias precisas, amando a Cristo Jesús

---

[1] *Intr.* (*Ps.* XVII, 2).

[2] *Ps.* XLII, 2.

3b   [1]*Intr.* (*Ps.* XVII, 2).] [1]*Ps.* XVII, 2. *Cro1974*,1017 *EdcS*,65 ‖ [2]*Ps.* XLII, 2.] [2]*Ps.*XVII, 2. *Cro1974*,1017 *EdcS*,65.

3c   «*corredentores con Él*»: ver nota a 5.4a.

y sabiéndonos corredentores con Él, no nos faltará la claridad, la fortaleza para cumplir con nuestro deber: la serenidad.

3d   Decidle a Jesús conmigo: ¡Señor, queremos sólo servirte! ¡Sólo queremos cumplir nuestros deberes particulares, y amarte como enamorados! Haznos sentir tu paso firme a nuestro lado. Sé Tú nuestro único apoyo. Nada os robará la paz, hijos míos; si vivís con esa confianza, nada os podrá quitar la alegría; nadie podrá hacer vacilar nuestra serenidad: en la vida todo tiene arreglo menos la muerte, y la muerte es, para nosotros, Vida.

4a   «¿No sabéis que los que corren en el estadio, todos corren, pero uno solo alcanza el premio?»[3]. Si alguna ascética dentro de la Iglesia tiene ese carácter deportivo, es la ascética propia de nuestra Obra. El deportista insiste, el buen deportista pasa mucho tiempo entrenándose, preparándose. Si se trata de saltar, lo intenta una y otra vez. Le ponen la barra más alta, y quizá no logra superarla; pero porfía tenazmente, hasta que sobrepasa el obstáculo.

4b   Hijos míos, la vida es esto. Si comenzáis y recomenzáis, va bien. Si tenéis moral de victoria, si hay lucha, con la ayuda de Dios, ¡saltáis! ¡No hay dificultad que no se venza! Cada día será para nosotros ocasión de renovarnos, con la seguridad de que llegaremos al final de nuestro camino, que es el Amor.

---

[3] *Ep.* (I *Cor.* IX, 24).

3d   *«en la vida todo tiene arreglo ... para nosotros, Vida»*: san Josemaría emplea el refrán castellano «todo tiene arreglo menos la muerte», al que añade un corolario lleno de esperanza sobrenatural. Incluso la muerte –de la que puede decirse que "no tiene arreglo"– es para el cristiano un tránsito positivo, la puerta para penetrar en la "Vida" con mayúscula, como escribía san Josemaría ya desde muchos años atrás (ver, por ejemplo, *Camino*, n. 737, *passim*).

4a   [3]*Ep.* (I *Cor.* IX, 24).] [3]I *Cor.* IX, 24. *Cro1974*,1018 *EdcS*,66.

    «Si alguna ascética dentro de la Iglesia»...: sobre la ascética "deportiva" en el Opus Dei, ver introducción a esta meditación.

4c   Dan pena los que se han torcido un pie, y no saben sufrir con espíritu cristiano, deportivo, y no toleran que intervenga el médico y el
masajista, ¡y dicen que no quieren volver a saltar!

4d   «Quien se prepara para la lucha –os leo de nuevo unas palabras de
San Pablo–, de todo se abstiene, y eso para alcanzar una corona
perecedera, pero nosotros la esperamos eterna»[4]. Hay que poner
los medios, los que consiente nuestra debilidad. Muchos llevan
una vida sacrificada por un motivo simplemente humano; no se
acuerdan esas pobres criaturas de que son hijos de Dios, y se mueven quizá por soberbia, por destacar: «Se abstienen de todo»[5]. Y tú,
hijo mío, que tienes a la Obra, tu Madre; y que tienes a tus hermanos, mis hijos, ¿qué haces?, ¿con qué sentido de responsabilidad
reaccionas?

4e   Más de una vez, a los que se tuercen los tobillos, a los que se dislocan
las muñecas, les he dicho que no están solos. Tú, mi hijo, no tienes
derecho a volver la cara atrás, a condenar tu alma o, al menos, a
ponerte en grave e inminente peligro de perderla. Además, no tienes
derecho a dejar esa carga que el Señor, amorosa y confiadamente,
ha puesto sobre tus hombros. No tienes derecho a prescindir de la
Obra y de tus hermanos, de tus responsabilidades. Yo te quiero pedir, Jesús Señor Nuestro, que nunca más nos apartemos del camino
por las dificultades, que nunca más dejemos de tomar tu Cruz y de
llevarla gustosos sobre nosotros.

4f   ¿Veis cómo en todo se manifiesta esa *psicología* de que os hablaba? ¿Veis cómo hacemos la oración desde nuestro punto de vista, a
la medida, según nuestra necesidad personal, que no es solamente

---

[4] *Ep.* (I *Cor.* IX, 25).
[5] *Ibid.*

4c   «*el médico y el masajista*»: con esta metáfora, se refiere a los cuidados espirituales que
se reciben por parte de quien tiene encargada la orientación de la vida interior.

4d   [4]*Ep.* (I *Cor.* IX, 25).] [4]I *Cor.* IX, 25. *Cro1974*,1019 *EdcS*,67.

4e   «*volver la cara atrás*»: o sea volver la espalda a Dios (cfr. Lc 9,62) abandonando la
propia vocación cristiana. Sobre esta cuestión ver nota a 1.2b.

nuestra, sino necesidad de todos vuestros hermanos, de la Obra entera? Enseñad a los demás esta doctrina, acomodándola a las circunstancias personales de cada uno. Llevad a vuestros hermanos este pensamiento que os he predicado tanto. Repetid, por todos lados, las cosas que hemos considerado juntos en este rato de oración.

4g «Voy corriendo, no como quien corre a la ventura; peleo, no como quien tira golpes al aire, sino que castigo mi cuerpo y lo esclavizo, no sea que, habiendo predicado a los otros, venga yo a ser reprobado»[6]. Piensa si tú y yo podemos decir esto, con el Apóstol. Hijos míos, creo que para la oración de hoy basta ya. Hay que ser fieles a esas pequeñas mortificaciones, las corrientes, las de cada día. Y recibir además todas las mortificaciones pasivas que el Señor nos mande: llevar una vida personal, de tal calidad, que haga imposible ese *ser reprobado* de que nos habla San Pablo.

4h Un hombre que lucha, que comienza y recomienza, que se agarra una y otra vez a la Cruz de Cristo, ése marcha. Pero nosotros también debemos poner siempre, aun en el más pequeño cumplimiento, un motivo de preocupación por los demás, por vuestros hermanos. Hemos de pensar constantemente –como un modo muy nuestro de ver las cosas– que no estamos solos, que no es lógico que estemos solos. Hemos de pensar siempre en los otros: en todas las almas.

---

[6] *Ep.* (I *Cor.* IX, 27).

4g [6]*Ep.* (I *Cor.* IX, 27).] [6]I *Cor.* IX, 27. *Cro*1974,1020 *EdcS*,67.

8. LOS PASOS DE DIOS
(14 de febrero de 1964)

1. Contexto e historia

Esta meditación, en el aniversario de la fundación de la Sección femenina del Opus Dei y de la Sociedad Sacerdotal de la Santa Cruz, tuvo lugar en el oratorio de Pentecostés. El diario dice que «el Padre dirige la oración por la mañana, en el Oratorio del Consejo»[301]. No sabemos si san Josemaría había preparado de antemano lo que iba a decir o bien se trató de una oración espontánea en voz alta, como dan a entender sus primeras palabras.

2. Fuentes y material previo

EdcS,69-76; *Med1970*,5,262; *Cro1975*,218-227; *Not1975*,193-199; *Cro1976*,853-858; *Not1976*,860-866. Como material previo se conserva una transcripción con varias versiones mecanografiadas (en AGP, serie A.4, m640214): la n. 20 (dos copias); una copia a ciclostil con su matriz; una copia carbón con el título "El Padre. Infancia" y una fotocopia desvaída de otra versión mecanografiada con una fecha equivocada, corregida a lápiz. El 1 de diciembre de 1966 predicó a las mujeres de la Obra en Roma una meditación muy parecida, quizá siguiendo el mismo guion.

San Josemaría no revisó por entero esta meditación, pero sí bastantes de sus párrafos, que se incluyeron en las revistas entre 1970 y 1975. En 1976, salió entera en *Crónica* y *Noticias* bajo la supervisión del beato Álvaro del Portillo. Esta vez la firma "Mariano" no aparecía en la habitual reproducción caligráfica, sino en "Bodoni" cursiva, el tipo de letra que se utilizaba y se

---

[301] Diario del centro del Consejo General, 14-II-1964 (AGP, serie M.2.2, 430-12).

sigue empleando para las palabras del fundador del Opus Dei. El título se puso en esta ocasión.

Al revisar en 1976 este texto se realizaron algunas pequeñas correcciones sobre párrafos que san Josemaría había revisado ya para ser utilizados en los libros de *Meditaciones* o en artículos de *Crónica* y *Noticias*. Esas frases sueltas habían sido retocadas para ser leídas fuera de su contexto original, por lo que no todas se podían devolver a su lugar sin alguna adaptación. De ahí que se repasara unitariamente todo el texto, introduciendo alguna ligera modificación.

La labor de corrección fue excelente en este sentido, sobre todo en aquellos fragmentos que san Josemaría no había podido controlar. Intervino adecuándose lo más posible al modo de corregir que empleaba el fundador. En algún texto ya visto por san Josemaría hizo pequeñas correcciones, volviendo a recuperar algo de las transcripciones originales.

Como en el caso de la meditación del 1 de abril de 1962, los editores hemos mantenido las correcciones introducidas por el beato Álvaro, en aquellas partes de las transcripciones que san Josemaría no había verificado.

En los textos que sí habían sido corregidos por el Autor, el trabajo crítico ha requerido contrastar las diversas versiones y sopesar si las pequeñas modificaciones introducidas por Álvaro del Portillo restauraban el texto en su contexto original o bien era preferible mantener la versión que había aparecido en las revistas antes del fallecimiento de san Josemaría.

Para ilustrar mejor cómo se ha llevado a cabo este trabajo crítico, pongamos algún ejemplo. En un fragmento aparecido en 1975, antes de su muerte, san Josemaría se refiere a los años de juventud en que Dios le iba disponiendo interiormente en vistas de la misión que un día habría de manifestarle. Dice textualmente: «El Señor me fue preparando a pesar mío, con cosas aparentemente inocentes de las que se valía para despertar en mi alma una sed insaciable de Dios»[302]. Esa misma frase, al reincorporarse a la meditación en 1976, tras la muerte de san Josemaría, se corrigió del siguiente modo (la cursiva es nuestra): «El Señor me fue preparando a pesar mío, con cosas aparentemente inocentes, de las que se valía para meter en mi alma *esa inquietud divina*». El cambio introducido en 1976 intentaba contextualizar el recuerdo del fundador, subrayando que Dios le iba preparando hacia la fundación del Opus Dei, como san Josemaría

---

[302]　8.3d.

había explicado otras veces. Pero la versión de 1975 dice algo distinto: «Una sed insaciable de Dios». Estas cinco palabras no se encuentran en la transcripción y probablemente fueron introducidas por san Josemaría de su puño y letra, cuando le pasaron ese párrafo. En este caso, parece sin duda preferible esta versión, porque el protagonista está narrando un suceso muy íntimo y elige qué palabras emplear para hacerlo.

Un ejemplo más, pero contrario al anterior. En otro pasaje, aparecido en *Cro1975,219*, san Josemaría está evocando aquellos años en que Dios le preparaba por medio de intervenciones significativas, y se lee que el Señor le mandaba «cosas que me removieron y me llevaron a la comunión diaria, a la purificación, a la penitencia»[303]. En la revisión, se acomodó esta frase al tenor de la transcripción, porque en *Cro1975,219* esas palabras habían aparecido fundidas con otras frases provenientes de meditaciones distintas, que se habían encadenado para formar un solo texto. La transcripción, además, contenía algún detalle que se había perdido al realizar esa amalgama de frases y valía la pena recuperarlo. De manera que el texto de 1976 quedó así: «También a mí me han sucedido cosas de este estilo, que me removieron y me llevaron a la comunión diaria, a la purificación, a la confesión... y a la penitencia». En este caso, nos parece que vale la pena mantener esta versión corregida por el sucesor de san Josemaría en 1976, porque supone una restauración de la frase original y es más completa.

El aparato crítico –como se verá, más nutrido que en otras meditaciones– informa de estas incidencias y de las diversas fuentes de procedencia de los textos.

3. Contenido

San Josemaría recuerda la acción de la Providencia divina en su vida, proporcionándonos varios detalles biográficos. Como en otros aniversarios fundacionales, el tono de sus palabras es de profundo agradecimiento a Dios y de un sentimiento de personal indignidad.

Evoca su infancia en un hogar cristiano, donde recibió una buena formación en la fe, no solo teórica sino práctica. Aprendió de sus padres las virtudes y la confianza en Dios. Su carácter adquirió algunas características,

---

[303] 8.3d.

como la de una repugnancia instintiva a llamar la atención. También alude a su innato amor a la libertad, que le fue inculcado en el hogar, gracias a un tipo de educación nada represivo y tendente a estimular la responsabilidad.

Va desgranando los recuerdos de su vocación sacerdotal, con sus dificultades y desafíos, y al mismo tiempo con los dones y gracias de Dios, que nunca le faltaron. Ve los sufrimientos de la vida como parte del plan divino para forjarle.

Por muchas razones se sentía deudor de su familia y, de alguna manera, pensaba que también el Opus Dei les debía mucho. No sólo por la ayuda que efectivamente proporcionaron en los primeros años de la Obra, cediendo buena parte del patrimonio familiar y prestando inestimables servicios, especialmente su madre y su hermana Carmen. Había algo más. Con la perspectiva de los años, al rememorar la figura de su padre y los trágicos sucesos que sacudieron a la familia Escrivá en los años de Barbastro y Logroño, anidó en su mente el pensamiento de que esos sucesos formaban parte del plan de Dios para prepararle a él como instrumento: «El Señor, para darme a mí, que era el clavo –perdón, Señor–, daba una en el clavo y ciento en la herradura. Y vi a mi padre como la personificación de Job»[304].

Rememoraba su juventud como una época de crecimiento interior, de preparación, en la que Dios le iba llevando suavemente hacia Él: «Me iba dando una gracia tras otra, pasando por alto mis defectos»[305], «con cosas aparentemente inocentes, de las que se valía para meter en mi alma una sed insaciable de Dios»[306]. Poco a poco, comprendió que se le pedía una entrega completa. Entendió que ser sacerdote secular formaba parte de la llamada que le hacía Dios, aunque intuía que había algo más, que todavía no le había sido desvelado. «Aquello no era lo que Dios me pedía –explicaba–, y yo me daba cuenta: no quería ser sacerdote para ser sacerdote, *el cura* que dicen en España. Yo tenía veneración al sacerdote, pero no quería para mí un sacerdocio así»[307]. Pasó sus años de seminarista con la esperanza puesta en que la voluntad de Dios se manifestaría al fin: «Yo, casi sin darme cuenta, repetía:

---

[304] 8.2e.

[305] 8.2a.

[306] 8.3d.

[307] 8.3e-3f.

Domine, ut videam! Domine, ut sit![308]. No sabía lo que era, pero seguía adelante (...) sin cosas raras, trabajando sólo con mediana intensidad... Fueron los años de Zaragoza»[309].

Narra también algunas manifestaciones extraordinarias de Dios en su vida y en la historia del Opus Dei. Son gracias y sucesos sobrenaturales que le proporcionaron luces fundacionales o consuelos interiores en momentos de gran necesidad espiritual. Explica que no eran mérito suyo, y que incluso iban contra sus propias inclinaciones. Le hacían sentirse como «un borrico que Dios ha querido coger de su mano»[310] y llevar adelante, que mira con agradecimiento al Señor, reconociendo que sólo Él merece la gloria.

---

[308] Ver también la narración de 17.1b.

[309] 8.3g.

[310] 8.4g.

4. Texto y notas

[LOS PASOS DE DIOS]

1a Cuando hago mi oración en voz alta es, como siempre, para que la sigáis por vuestra cuenta y aprovechemos todos un poquito, queriendo buscar la raíz de la vida mía: cómo Dios Nuestro Señor fue preparando las cosas para que mi vida fuese normal y corriente, sin nada llamativo.

1b Me hizo nacer en un hogar cristiano, como suelen ser los de mi país, de padres ejemplares que practicaban y vivían su fe, dejándome en libertad muy grande desde chico, vigilándome al mismo tiempo con atención. Trataban de darme una formación cristiana, y allí la adquirí más que en el colegio, aunque desde los tres años me llevaron a un colegio de religiosas, y desde los siete a uno de religiosos.

2a Todo normal, todo corriente, y pasaban los años. Yo nunca pensé en hacerme sacerdote, nunca pensé en dedicarme a Dios. No se me había presentado el problema porque creía que eso no era para mí. Pero el Señor iba preparando las cosas, me iba dando una gracia tras otra, pasando por alto mis defectos, mis errores de niño y mis errores de adolescente...

2b Este camino por el que Dios me llevaba ha hecho que tenga repugnancia al espectáculo, a lo que parece que se sale de lo ordinario,

---

1b *«padres ejemplares»*: se llamaban José Escrivá Corzán (1867-1924) y María Dolores Albás Blanc (1877-1941). Los datos biográficos que conocemos de ellos nos los presentan como unos padres cristianos, de virtudes arraigadas, que dejaron en el fundador una honda huella, como puede comprobarse en las ocasiones en las que refería sucesos de su infancia. Sobre el papel providencial de la familia de san Josemaría, ver *AVP* I, cap. I y II.

configurando de esta manera una de las características de nuestro espíritu: la sencillez, el no llamar la atención, el no exhibir, el no ocultar. Como lo manifiesta aquella anécdota que os he contado tantas veces: cuando vestía un traje nuevo, me escondía debajo de la cama y me negaba a salir a la calle, tozudo...; y mi madre, con un bastón de los que usaba mi padre, daba unos ligeros golpes en el suelo, delicadamente, y entonces salía: por miedo al bastón, no por otra cosa.

2c Nunca me pegaron en casa: sólo una vez mi padre me dio un cachete, que no debió de ser muy fuerte. Nunca me imponían su voluntad. Me tenían corto de dinero, cortísimo, pero libre. El Señor y Padre de los cielos, que me miraba con más cariño que mis padres, permitía que yo padeciera también humillaciones: las que puede sufrir un niño, ya no tan pequeño; tenía por aquel entonces doce o trece años.

2e Yo he hecho sufrir siempre mucho a los que tenía alrededor. No he provocado catástrofes, pero el Señor, para darme a mí, que era el clavo –perdón, Señor–, daba una en el clavo y ciento en la herradura. Y vi a mi padre como la personificación de Job. Perdieron tres hijas, una detrás de otra, en años consecutivos, y se quedaron sin fortuna. Yo sentí el zarpazo de mis pequeños colegas; porque los niños no tienen corazón o no tienen cabeza, o quizá carecen de cabeza y de corazón...

2c Nunca me imponían ... pero libre, *Med1970*,5,261 ||| voluntad. Me tenían *Med1970*,5,261] voluntad; me tenían *Cro1976*,854 *EdcS*,70.

2e Yo he hecho sufrir siempre mucho a los que tenía alrededor ... Y vi a mi padre como la personificación de Job, *Med1970*,5,262.

«*Yo he hecho sufrir...*»: son palabras que hay que atribuir más a la humildad de san Josemaría que a hechos concretos. Por lo que sabemos de su vida de niño y de adolescente, fue un muchacho aplicado en el estudio y que se comportaba bien en casa. Puede que aludiera a una cierta rebeldía, de la que habla después (cfr. 3b), pero es más posible que pensara –así lo manifiesta a continuación– que los sufrimientos familiares (la pérdida de tres hermanas, la ruina familiar...) formaban parte del plan divino para forjarle a él como fundador.

2f   Y fuimos adelante. Mi padre, de un modo heroico, después de haber enfermado del clásico mal –ahora me doy cuenta– que según los médicos se produce cuando se pasa por grandes disgustos y preocupaciones. Le habían quedado dos hijos y mi madre; y se hizo fuerte, y no se perdonó humillación para sacarnos adelante decorosamente. Él, que habría podido quedar en una posición brillante para aquellos tiempos, si no hubiera sido un cristiano y un caballero, como dicen en mi tierra.

2g   No creo que necesite sufragios; si los necesita, yo los hago en este momento. Le vi sufrir con alegría, sin manifestar el sufrimiento. Y vi una valentía que era una escuela para mí, porque después he sentido tantas veces que me faltaba la tierra y que se me venía el cielo encima, como si fuera a quedar aplastado entre dos planchas de hierro.

2h   Con esas lecciones y la gracia del Señor, quizá haya yo perdido en alguna ocasión la serenidad, pero pocas veces.

3a   Pasó el tiempo y vinieron las primeras manifestaciones del Señor: aquel barruntar que quería algo, algo. Nació mi hermano cuando mis padres estaban ya agotados por la vida. Tenía yo quince o

---

2f   «*Si no hubiese sido un cristiano y un caballero*»: ante la quiebra del propio negocio, José Escrivá satisfizo a los acreedores con sus bienes particulares, a pesar de no estar obligado, y quedó totalmente arruinado. Los hechos están explicados en *AVP* I, pp. 59-62. Sobre el contexto de la infancia de san Josemaría, ver también Carlo Pioppi, "Infanzia e prima adolescenza di Josemaría Escrivá, Barbastro 1902-1915. Contesti, eventi biografici, stato delle ricerche e prospettive di approfondimento", en SetD 8 (2014), pp. 149-189.

2g   Lo vi sufrir con alegría ... dos planchas de hierro. *Med1970*,5,262. ||| Le vi *Cro1976*,854 *EdcS*,71] Lo vi *Med1970*,5,262.

3a-d   Pasó el tiempo ... penitencia. *Cro1975*,219. ||| quería algo, algo. *m640214-20 Cro1976*,855 *EdcS*,71] algo de mí. *Cro1975*,219. || quince o dieciséis años *Cro1975*,219] dieciséis años *Cro1976*,855 *EdcS*,71 || para despertar en mi alma una sed insaciable de Dios *Cro1975*,219] para meter en mi alma esa inquietud divina *Cro1976*,855 *EdcS*,72 || También a mí me han sucedido cosas de este estilo, *Cro1976*,855 *EdcS*,72 *add*. || que me removieron y me llevaron a la comunión diaria, a la purificación, a la confesión... y a la penitencia. *m640214-20 Cro1976*,855 *EdcS*,72] : cosas que me removieron y me llevaron a la comunión diaria, a la purificación, a la penitencia. *Cro1975*,219.

dieciséis años, cuando mi madre me llamó para comunicarme: vas a tener otro hermano. Con aquello toqué con las manos la gracia de Dios; vi una manifestación de Nuestro Señor. No lo esperaba.

3b Mi padre murió agotado. Tenía una sonrisa en los labios y una simpatía particular. No me ofusca mi cariño filial, pues yo no era un hijo ejemplar: me rebelaba ante la situación de entonces. Me sentía humillado. Pido perdón.

3c Dios Nuestro Señor, de aquella pobre criatura que no se dejaba trabajar, quería hacer la primera piedra de esta nueva arca de la alianza, a la que vendrían gentes de muchas naciones, de muchas razas, de todas las lenguas.

3d Acuden a mi pensamiento tantas manifestaciones del Amor de Dios. El Señor me fue preparando a pesar mío, con cosas aparentemente inocentes, de las que se valía para despertar en mi alma una sed insaciable de Dios. Por eso he entendido muy bien aquel amor tan humano y tan divino de Teresa del Niño Jesús, que se conmueve cuando por las páginas de un libro asoma una estampa con la mano

---

aquel barruntar que quería algo: san Josemaría usaba ese verbo –o el sustantivo "barruntos"– adaptando el sentido que le atribuye el DRAE («prever, conjeturar o presentir alguna señal o indicio») al entrever la voluntad de Dios, su llamada, su Amor.

«*mi hermano*»: Santiago Escrivá de Balaguer nació el 28 de febrero de 1919. Con la decisión de san Josemaría de ser sacerdote, sus padres quedarían privados de un hijo varón que sacara adelante a la familia. Por eso, suplicó a Dios que diera a sus padres otro hijo. Meses más tarde, cuando su madre le anunció que iba a tener un hermano, comprendió que era un don de Dios. Ver *AVP* I, pp. 101, 108-109.

3b «*Mi padre murió agotado*»: falleció repentinamente el 27 de noviembre de 1924, a los cincuenta y siete años de edad, sin aparentes síntomas de enfermedad. Sobre las circunstancias de su muerte, ver *AVP* I, pp. 182-188.

«*me rebelaba*»: probablemente, como sugiere Vázquez de Prada, experimentaba una resistencia interior al no entender el sentido de los sufrimientos que se abatieron sobre su familia. Cfr. *AVP* I, p. 62.

3d «*una estampa con la mano herida del Redentor*»: el episodio se encuentra en la autobiografía de la santa carmelita: «Un Domingo, mientras estaba mirando una estampa de Nuestro Señor en la Cruz, quedé impresionada por la sangre que caía de una de sus manos Divinas. Sentí inmensa pena pensando que aquella sangre caía al suelo sin que

herida del Redentor. También a mí me han sucedido cosas de este estilo, que me removieron y me llevaron a la comunión diaria, a la purificación, a la confesión... y a la penitencia.

3e   Un buen día le dije a mi padre que quería ser sacerdote: fue la única vez que le vi llorar. Él tenía otros planes posibles, pero no se rebeló. Me dijo: –Hijo mío, piénsalo bien. Los sacerdotes tienen que ser santos... Es muy duro no tener casa, no tener hogar, no tener un amor en la tierra. Piénsalo un poco más, pero yo no me opondré. Y me llevó a hablar con un sacerdote amigo suyo, el abad de la colegiata de Logroño.

3f   Aquello no era lo que Dios me pedía, y yo me daba cuenta: no quería ser sacerdote para ser sacerdote, *el cura* que dicen en España. Yo tenía veneración al sacerdote, pero no quería para mí un sacerdocio así.

---

nadie se apresurase a recogerla. Me resolví a permanecer en espíritu al pie de la Cruz para recibir el rocío divino que de ella goteaba. Y pensaba que yo luego tendría que derramarla sobre las almas...», *Manuscrito A,* 45, 4-5 v.º, 21, en Teodoro H. MARTÍN, *Historia de un alma: manuscritos autobiográficos de Santa Teresa de Lisieux,* Madrid, BAC, 1997, pp. 93-95. La referencia a las páginas de un libro aparece en la versión de *Historia de un alma* que circuló durante muchos años, antes de que se realizara el estudio crítico de los manuscritos de santa Teresa de Lisieux. Allí se escribía que la estampa se encontraba en el misal de Teresa y se deslizó de sus páginas al final de la Misa, cayendo bajo sus ojos y produciendo el efecto descrito. Cfr. Claude LANGLOIS, *Thérèse de Lisieux, L'autobiographie de Thérèse de Lisieux: édition critique du manuscrit A, 1895,* Paris, Cerf, 2009, p. 387.

«También a mí me han sucedido cosas de este estilo»: cabe mencionar el episodio de las huellas en la nieve de los pies descalzos de un carmelita, que vio en las calles de Logroño, y que le llevaron a preguntarse qué hacía él por Dios. Cfr. *AVP* I, p. 96.

3e   *«Es muy duro no tener casa»*: en alguna ocasión, refirió que en esto su padre se equivocaba, porque «no podía imaginarse lo que sería la vida del fundador del Opus Dei, rodeado del cariño humano y sobrenatural de sus hijos espirituales; y también en el sentido de que un sacerdote enamorado de Dios jamás siente soledad, pues va siempre acompañado de su Amor», *AVP* I, p. 101.

3f   *«el cura que dicen en España»*: es decir, el sacerdote secular por antonomasia, generalmente destinado a la atención pastoral de alguna parroquia. Por el contexto, se estaría quizá refiriendo a la figura del clérigo con pocas aspiraciones de santidad, rutinariamente instalado en su *status.*

3g Pasó el tiempo, y sucedieron muchas cosas duras, tremendas, que no os digo porque a mí no me causan pena, pero a vosotros sí que os la darían. Eran hachazos que Dios Nuestro Señor daba para preparar –de ese árbol– la viga que iba a servir, a pesar de ella misma, para hacer su Obra. Yo, casi sin darme cuenta, repetía: *Domine, ut videam!, Domine, ut sit!* No sabía lo que era, pero seguía adelante, adelante, sin corresponder a la bondad de Dios, pero esperando lo que más tarde habría de recibir: una colección de gracias, una detrás de otra, que no sabía cómo calificar y que llamaba operativas, porque de tal manera dominaban mi voluntad que casi no tenía que hacer esfuerzo. Adelante, sin cosas raras, trabajando sólo con mediana intensidad... Fueron los años de Zaragoza.

3h *Domine, ut sit!*; y también, *Domina, ut sit!* Hoy es un día de acción de gracias. Porque el Señor ha tenido mucha paciencia conmigo, y, desde el punto de vista sobrenatural, me ha hecho santificar a los que tenía a mi alrededor. Y yo estoy como estoy, en esta fecha.

4a Y llegó el 2 de octubre de 1928. Yo hacía unos días de retiro, porque había que hacerlos, y fue entonces cuando vino al mundo el Opus Dei. Aún resuenan en mis oídos las campanas de la iglesia de Nuestra Señora de los Ángeles, festejando a su Patrona. El Señor,

---

3g Pasó el tiempo, y sucedieron muchas cosas duras ... Fueron los años de Zaragoza. *Cro1975*,222. || el tiempo, *Cro1975*,222] el tiempo *Cro1976*,856 *EdcS*,72 || intensidad... *Cro1975*,222] intensidad. *Cro1976*,856.

«*Domine, ut videam!, Domine, ut sit!*»: «¡Señor, que vea!», «¡Señor, que sea!». Son jaculatorias que compuso en esos años –la primera tomada del ciego del Evangelio: cfr. Lc 18, 41– para conocer la voluntad de Dios y pedir su efectivo cumplimiento. Cfr. *AVP* I, pp. 100 y ss.

3h «*Domina, ut sit!*»: muchos años más tarde tuvo una prueba material de esa oración suya, cuando le hicieron llegar una imagen de la Virgen del Pilar que le había pertenecido en Zaragoza y en cuya base había grabado esta misma invocación, con la fecha de 1924. Es una pequeña escultura de escayola que está expuesta en Roma, en la sede central del Opus Dei, en una vitrina con recuerdos de san Josemaría.

4a Y llegó el 2 de octubre de 1928. ... la prueba de que a mí no me interesaba ser Fundador de nada. *Cro1975*,225 ||| Nuestra Señora *EdcS*,73] Santa María *Cro1975*,225 *Cro1976*,856 || El Señor, «ludens... *Cro1975*,225] El Señor «ludens... *Cro1976*,856 *EdcS*,73 || Fundador de nada. *Cro1975*,225] fundador de nada... *Cro1976*,856 *EdcS*,72.

«*ludens... omni tempore, ludens in orbe terrarum*»[1], que juega con nosotros como un padre con sus niños pequeños, aunque ya no seamos criaturas de poca edad, viendo mi resistencia y aquel trabajo entusiasta y débil a la vez, me dio la aparente humildad de pensar que podría haber en el mundo cosas que no se diferenciaran de lo que Él me pedía. Era una cobardía poco razonable; era la cobardía de la comodidad, y la prueba de que a mí no me interesaba ser Fundador de nada.

4b   Y no era entonces mejor que ahora; era un pobre hombre. No podía haber jamás de mi parte, cuando sucedía esto, algo que ni de lejos pudiera parecer cosa mía. Era un amor, una muestra de Amor de Dios, que se salía de los cauces de la Providencia ordinaria –porque ha habido intervenciones extraordinarias, cuando era menester; si yo dijera lo contrario, mentiría– y que yo recibía con miedo. Cuando sucedía eso, inmediatamente sentía aquel *soy Yo*. Con mi cabeza,

---

[1] *Prov.* VIII, 30-31.

«*Y llegó el 2 de octubre de 1928*»: san Josemaría estaba realizando los ejercicios espirituales preceptuados para el clero de la diócesis de Madrid, en la Casa Central de los Paúles, situada en la calle García de Paredes. La parroquia de Nuestra Señora de los Ángeles se encuentra a 1,2 km en línea recta, en la calle Bravo Murillo 93. El sonido de esas campanas fue siempre para él un recuerdo sensible de la inspiración interior que Dios le comunicó al hacerle ver el Opus Dei. Por eso, solía evocarlo, como en esta ocasión, cuando rememoraba el nacimiento de la Obra. El 2 de octubre de 1931, por ejemplo, escribía: «Hoy hace tres años (recibí la iluminación sobre toda la Obra, mientras leía aquellos papeles. Conmovido me arrodillé –estaba solo en mi cuarto, entre plática y plática– di gracias al Señor, y recuerdo con emoción el tocar de las campanas de la parroquia de N. Sra. de los Ángeles) (...) Ese día el Señor fundó su Obra», *Apuntes íntimos*, n. 306, en *Itinerario*, p. 26.

«*viendo mi resistencia y aquel trabajo entusiasta y débil a la vez*»: sobre esos primeros momentos de la fundación, ver *AVP* I, pp. 315 y ss.

4b   «*ha habido intervenciones extraordinarias*»: raramente hablaba de estos asuntos. No sólo por humildad, sino también porque quería recalcar que el amor a la vida ordinaria constituye uno de los fundamentos del espíritu del Opus Dei. Si se refería a sucesos sobrenaturales, como en este caso, era por obediencia, como recordaba Mons. Álvaro del Portillo: «De acuerdo con las indicaciones expresas de la Santa Sede, nos hablaba de estos temas pensando en el bien de nuestras almas, pero contando el mínimo indispensable», Álvaro DEL PORTILLO, *Entrevista*, p. 216.

cuando lo examinaba con frialdad, no veía allí nada de nervios. Era una cosa de Dios, y me iba al confesor tranquilo, aun vacilando.

4c   Para que no hubiera ninguna duda de que era Él quien quería realizar su Obra, el Señor ponía cosas externas. Yo había escrito: *nunca habrá mujeres –ni de broma– en el Opus Dei*. Y a los pocos días... el 14 de febrero: para que se viera que no era cosa mía, sino contra mi inclinación y contra mi voluntad.

4d   Yo iba a casa de una anciana señora de ochenta años que se confesaba conmigo, para celebrar Misa en aquel oratorio pequeño que tenía. Y fue allí, después de la Comunión, en la Misa, cuando vino al mundo la Sección femenina. Luego, a su tiempo, me fui a mi confesor, que me dijo: esto es tan de Dios como lo demás.

4c   Para que no hubiera ninguna duda ... contra mi inclinación y contra mi voluntad. *Med1970*,5,117 *Cro1975*,225. ||| hubiera ninguna duda *Med1970*,5,117 *Cro1975*,225] hubiera duda *Cro1976*,857 *EdcS*,74 || días... el 14 de febrero: *Med1970*,5,117 *Cro1975*,225] días..., el 14 de febrero, *Cro1976*,857 *EdcS*,74.

«*el 14 de febrero*»: ese día, de 1930, Dios le mostró que también las mujeres cabían en la Obra.

4d   Yo iba a casa de una anciana señora ... esto es tan de Dios como lo demás. *Med1970*,5,117. || Luego, a su tiempo, *EdcS*,74] Al acabar *Cro1976*,857 || me fui] me fui corriendo *EdcS*,74 *Cro1976*,857.

«*una anciana señora*»: era doña Leónides García San Miguel y Zaldúa, Marquesa de Onteiro y madre de Luz Rodríguez Casanova, la fundadora de las Damas Apostólicas. Ver *AVP* I, p. 323 y ss.

«*me fui a mi confesor*»: san Josemaría está hablando de memoria de un suceso muy lejano en el tiempo. Por sus *Apuntes íntimos* (n. 1871), más cercanos al hecho que narra, queda claro que el "al acabar" que aparece en *Cro1976*,857 no es exacto, pues no fue inmediatamente a hablar con el P. Sánchez, sino en un segundo momento: «Di gracias, y a su tiempo me fui al confesonario del P. Sánchez. Me oyó y me dijo: *esto es tan de Dios como lo demás*». Cfr. *AVP* I, p. 323. La corrección que introduce *EdcS* "Luego, a su tiempo" –tomada de ese texto del fundador, más próximo temporalmente a los hechos– nos parece oportuna. Por coherencia, hemos suprimido también el "corriendo" que se había mantenido en *EdcS*. En las transcripciones que se conservan se lee: «Desde allí fui corriendo al confesonario de aquel padre Valentín Sánchez, que ha muerto hace un par de meses», m640214-A.

4e   Esas intervenciones del Señor eran cosas que me conmovían, que me turbaban, que me llevaban –a pesar de mis cuatro cursos, quizá seis, de Sagrada Escritura con las mejores calificaciones– a ignorar en aquel momento todo lo que dice el Evangelio. ¡Ay, Dios mío, esto es el diablo! Y, en una ocasión, fui desde Santa Isabel a casa de mi madre para ver qué estaba escrito en el Evangelio. Y encontré todo exacto...

4f   Cuando estaba comido de preocupaciones, ante el dilema de si debía pasar, o no, durante la guerra civil española, de un lado a otro, en medio de aquella persecución, huyendo de los comunistas, viene otra prueba externa: esa rosa de madera. Cosas así: Dios me trata como a un niño desgraciado al que hay que dar pruebas tangibles, pero de modo ordinario.

4g   Así, por procedimientos tan ordinarios, Jesús, Señor Nuestro, el Padre y el Espíritu Santo, con la sonrisa amabilísima de la Madre de Dios, de la Hija de Dios, de la Esposa de Dios, me han hecho ir para adelante siendo lo que soy, un pobre hombre, un borrico que Dios

---

4e   «*Y, en una ocasión...*»: se refiere a un episodio del 4 de febrero de 1932, que describió así en sus *Apuntes íntimos*: «Esta mañana, como de costumbre, al marcharme del Convento de Santa Isabel, me acerqué un instante al Sagrario, para despedirme de Jesús diciéndole: Jesús, aquí está tu borrico... Tú verás lo que haces con tu borrico... –Y entendí inmediatamente, sin palabras: "Un borrico fue mi trono en Jerusalem". Este fue el concepto que entendí, con toda claridad. (...) Estaba yo algo apurado, porque recordaba solamente el pasaje del cap. 21 de S. Mateo y creí que Jesús montó en un asna para entrar en Jerusalem, abro ahora mismo el Santo Evangelio (¡cuánta exégesis me hace falta!) y leo en el cap. 11 de S. Marcos, versículos 2, 457: *Et ait illis: ite in castellum, quod contra vos est, et statim introeuntes illuc, invenietis pullum ligatum, (...) Et duxerunt pullum ad Iesum: et imponunt illi vestimenta sua, et sedit super eum*», en *Apuntes íntimos*, n. 543, del 4-I-1932 (en *AVP* I, p. 416, nota 208).

4f   «*esa rosa de madera*»: otro suceso bien conocido de la biografía de san Josemaría (cfr. *AVP* II, p. 184 y ss.). Alude a la rosa de madera estofada que encontró en la iglesia de Pallerols, el 22 de noviembre de 1937, durante el paso de los Pirineos, huyendo de la persecución religiosa. El hallazgo fue para él una prueba de que esa fuga era grata a Dios.

4g   Así, por procedimientos tan ordinarios ... *et ego semper tecum*. *Med1970*,5,117-118. || adelante siendo lo que soy: *Med1970*,5,118] adelante, siendo lo que soy, *Cro1976*,857-858 *EdcS*,75.

ha querido coger de su mano: «*Ut iumentum factus sum apud te, et ego semper tecum*»[2].

4h   Un sacerdote ha criticado recientemente *Camino* diciendo que él no es el cacharro de la basura, que el cuerpo ha de resucitar. No se acuerda de lo que escribe San Pablo: «Todas las cosas las miro como basura»[3], y en otro lugar: «Somos tratados como las heces del mundo, como la escoria de todos»[4]. Y las muchas veces que enseña la Escritura Santa que somos de barro, formados del polvo de la tierra[5]. A mí el Señor me lo hizo entender muy claro, de modo que ni siquiera el cubo, sino lo que hay dentro del cubo: eso es lo que me siento. Perdón, Señor, perdón.

5a   Vamos a terminar. Llegó el 14 de febrero de 1943. No había manera de encontrar la solución jurídica adecuada para nuestros sacerdotes.

---

[2] *Ps.* LXXII, 23.

[3] *Philip.* III, 8.

[4] I *Cor.* IV, 13.

[5] Cfr. *Genes.* III, 19; XVIII, 27; *Iob.* X, 9.

4h   «*ni siquiera el cubo, sino lo que hay dentro del cubo*»: está haciendo un juego de palabras con lo que se afirma en el n. 592 de *Camino*: «No olvides que eres... el depósito de la basura. –Por eso, si acaso el Jardinero divino echa mano de ti, y te friega y te limpia... y te llena de magníficas flores..., ni el aroma ni el color, que embellecen tu fealdad, han de ponerte orgulloso. / –Humíllate: ¿no sabes que eres el cacharro de los desperdicios?».

La transcripción añade algún detalle más: parece que se trataba de un sacerdote americano que había rechazado publicar algunos libros –entre ellos *Camino*– de una editorial irlandesa en la que trabajaban algunas personas de la Obra. No aceptaba la rotunda afirmación de humildad que san Josemaría hace en el n. 592: «Este pobre americano –se lee en la transcripción–, no lo entiende. Y a mí me lo hizo entender el Señor muy claro. Y la pobre conversa Irene de Orange, calvinista de siglos, tiene todos los días Camino en sus manos y se sentía el cubo de la basura. Yo, ni eso: lo de dentro del cubo, me siento. Perdón, Señor, perdón», m640214-20.

La princesa Irene de Orange-Nassau, a la que se refiere en la transcripción, había hecho pública su conversión al catolicismo unas semanas antes, el 29 de enero de 1964, durante un viaje por España (cfr. ABC [30-I-1964], p. 31). Por lo que se lee en la transcripción, tenía un ejemplar de *Camino*.

Mientras, arreciaba la persecución –no hay otra palabra en el diccionario para expresar lo que ocurría–, en la que ya no era el cacharro de la basura, sino la escupidera de todo el mundo. Cualquiera se sentía con derecho a escupir sobre este pobre hombre; y es verdad que tenían derecho y lo siguen teniendo, pero lo ejercitaban los que se llamaban buenos y los que no lo eran tanto.

5b   Vuestros hermanos eran unos santos todos; pero yo elegí para el sacerdocio a tres que económicamente ayudaban mucho... Y otra vez en la Misa, el Señor me hizo ver la solución, con otra prueba tangible: lo que llamamos el sello, y el nombre de Sociedad Sacerdotal de la Santa Cruz. No se enteró nadie, excepto Álvaro, a quien se lo conté enseguida, y dibujé el sello.

5c   Hijos míos, ¿qué os quiero decir? Que demos gracias a Dios Nuestro Señor, que lo ha hecho todo muy bien, porque yo no he sido nunca el instrumento apropiado. Pedid al Señor conmigo que a todos, por los méritos e intercesión de su Madre, que es la Madre nuestra, nos haga instrumentos buenos y fieles.

5b   «*yo elegí para el sacerdocio a tres que económicamente ayudaban mucho...*»: se trataba de los tres primeros miembros del Opus Dei que recibieron la ordenación sacerdotal: Álvaro del Portillo, José María Hernández Garnica y José Luis Múzquiz. Los tres eran ingenieros y por su trabajo profesional obtenían buenos ingresos, que ayudaban a la Obra en aquellos momentos de escasez de medios.

«*el Señor me hizo ver la solución*»: remite a una nueva luz fundacional, el 14 de febrero de 1943, que abriría las puertas del sacerdocio en el Opus Dei y a su primera aprobación por parte de la Santa Sede. En esos momentos, san Josemaría vio también el sello de la Obra (una circunferencia con una cruz en el centro) que representa, en sus propias palabras, «el mundo y, metida en la entraña del mundo, la Cruz» (*AVP* II, p. 609).

9. EL CAMINO NUESTRO EN LA TIERRA
(26 de noviembre de 1967)

1. Contexto e historia

Palabras pronunciadas en el oratorio de Pentecostés, durante una reunión de Consiliarios del Opus Dei[311]. En 1972 se incluyó en *Crónica* y *Noticias,* tras la habitual revisión de san Josemaría. Después, el Autor retomó ese texto y elaboró la homilía "Hacia la santidad", que publicó en 1973 (Folleto MC, núm. 168, Madrid, Ed. Palabra, 1973, 42 pp.) y que más tarde se incluiría en el volumen titulado *Amigos de Dios.*

Aquel día era el domingo XXIV después de Pentecostés, último del año litúrgico en el calendario entonces vigente. Según su costumbre, san Josemaría utilizó algunos textos de la Misa de ese día que le servían para desarrollar el tema de esta meditación. Hemos incluido esas referencias litúrgicas, que no se encontraban en *Crónica* y *Noticias,* ni tampoco en *EdcS.*

San Josemaría concedió mucha importancia a este texto, tanto en su primera versión para las revistas, como en la segunda, bastante más elaborada, pero en continuidad con la anterior. La consideraba una exposición de la vida contemplativa en el Opus Dei y una guía que podría servir a todos los miembros de la Obra o a cualquier otra persona que quisiera tener vida interior[312]. Decía el 25 de agosto de 1973: «Lo que he escrito ahí es como la falsilla que usábamos en la escuela, para que las líneas no se desviaran. Además, teníamos la ayuda del maestro, que tomaba nuestra mano en la suya para enseñarnos a escribir. Como resultado no salía su letra, sino la

---

[311] Los consiliarios o vicarios regionales son nombrados por el prelado y están al frente del gobierno de las circunscripciones en que se organiza el Opus Dei (cfr. *Codex iuris particularis Operis Dei*, 151. § 1, en *Itinerario*, Apéndice documental n. 73).

[312] De la versión publicada en *Amigos de Dios* se ha tomado el texto del oficio de lecturas de la Liturgia de las Horas para el 26 de junio, memoria de san Josemaría.

nuestra con un poco del carácter de la del maestro. Pues en la vida interior es el Espíritu Santo el que nos coge de la mano, y todos, en el Opus Dei, tenemos esa falsilla común que es el espíritu de almas contemplativas en medio del mundo, *nel bel mezzo della strada*»[313].

2. Fuentes y material previo

EdcS,77-88; *Cro1972*,724-735; *Not1972*,671-682. En el expediente de AGP, serie A.4, m671126, hay una transcripción mecanografiada muy completa (A) y unas pocas notas a máquina en cuartilla aparte. Contamos también con una grabación, de buena calidad. Además, se conserva el guion manuscrito que utilizó san Josemaría en esta ocasión (AGP, serie A.3, 186-1-11) y que reproducimos en el apartado de facsímiles.

3. Contenido

San Josemaría comienza recordando que la voluntad de Dios para él y para quienes le escuchan se reduce a estas dos palabras: «Santidad personal». Dice, con frase gráfica, que esa es su «única receta», la sola enseñanza que lleva repitiendo cuarenta años, porque todo el mensaje que Dios ha querido recordar a los hombres por medio del Opus Dei está contenido ahí, en eso que llama también «un solo puchero»[314]. Se lo dice a quienes hacen cabeza en los distintos países en los que está presente la Obra, como queriéndoles remachar que es lo fundamental de su espíritu, y que así habrán de transmitirlo a los demás.

La santidad de la que habla es la unión con Dios, a la que se llega por la oración y la vida contemplativa, en el trabajo y las demás ocupaciones cotidianas. Ese es "el camino nuestro en la tierra" –como dice el título–, que han de recorrer quienes han sido llamados al Opus Dei.

El principio de esa senda es la búsqueda de la oración continua, a través de las prácticas de piedad –oración mental y oraciones vocales– distribuidas a lo largo de la jornada. Pero llega un momento, cuando Dios quiere, en que este esfuerzo deja paso a otra situación que el Autor describe así:

---

[313]   *Cro1973*,834-835.

[314]   9.1b.

«Primero una oración, y luego otra, y otra..., hasta que casi no se puede hablar con la lengua, porque las palabras resultan pobres...: y se habla con el alma. Nos sentimos entonces como cautivos, como prisioneros; y así, mientras hacemos con la mayor perfección posible, dentro de nuestras equivocaciones y limitaciones, las cosas que son de nuestro oficio, ¡el alma ansía escaparse! ¡Se va! Vuela hacia Dios, como el hierro atraído por la fuerza del imán»[315].

La contemplación, para san Josemaría, es un mirar amoroso a Dios: «Ya no se habla, porque la lengua no sabe expresarse; ya el entendimiento se aquieta. No se habla, ¡se mira! Y el alma rompe a cantar, porque se siente y se sabe mirada amorosamente por Dios, a todas horas»[316].

Recordemos que el Autor no está hablando a religiosos de vida contemplativa: está dirigiéndose a miembros del Opus Dei, que son llamados a vivir esa experiencia unitiva en medio de una vida ordinaria: santificando una familia normal, un trabajo corriente, con unas determinadas obligaciones sociales, en medio del tiempo dedicado al descanso o al deporte...: «*Per vicos et plateas quæram quem diligit anima mea*» (*Cant.* III, 2). Buscaré al que ama mi alma por las calles y las plazas... Correré de una parte a otra del mundo –por todas las naciones, por todos los pueblos, por senderos y trochas– para buscar la paz de mi alma. Y la encuentro en las cosas que vienen de fuera, que no me son estorbo; que son, al contrario, vereda y escalón para acercarme más y más, y más y más unirme a Dios»[317].

La vida contemplativa que está describiendo es un don de Dios, no una mera conquista humana, aunque el esfuerzo personal es necesario. ¿Es ascética o mística?, se pregunta. San Josemaría está contando en voz alta su propia experiencia interior. Abre su corazón y habla con vívido realismo, empleando un lenguaje casi poético, no académico, que recuerda el de los místicos. Evita las clasificaciones en fases, estados o vías que emplean los tratados de espiritualidad, cuando intentan describir los progresos del alma contemplativa. Conocía bien la Teología espiritual, pero se pregunta: «¿Ascética? ¿Mística? No lo sabría decir. Pero, sea lo que fuere, ascética o mística, ¿qué más da?: es un don de Dios. (...) Y ésta es la vida de mis hijos en medio de los afanes del mundo, aunque ni siquiera se den cuenta. Una

---

[315]   9.2b.

[316]   9.4b.

[317]   9.5b.

clase de oración y de vida que no nos aparta de las cosas de la tierra, que en medio de ellas nos conduce a Dios»[318].

Se refiere a la oración vocal y a la mental; pasa del amor a la Humanidad Santísima de Jesucristo, a la familiaridad con la Trinidad Beatísima; de la contrición, al mirar amorosamente a Dios; de la purgación pasiva, a la sed de Dios y a la paz profunda del alma a pesar de las contradicciones...

El fundador distingue entre vida mística y fenómenos extraordinarios. La contemplación de la que habla no se nota exteriormente y puede formar parte del camino de santificación del cristiano corriente: «Lo más extraordinario, para nosotros, es la vida ordinaria. Esta es la contemplación, a la que debemos llegar todos los miembros del Opus Dei: sin ningún fenómeno místico externo, a no ser que el Señor se empeñe en hacer una excepción»[319].

En el itinerario de su vida, el cristiano encuentra dificultades y contradicciones que pueden facilitar la contemplación, uniéndose a la Cruz. San Josemaría invita a "meterse" en las llagas del Señor para corredimir con Él: «Al admirar la Humanidad Santísima de Jesús, vamos descubriendo una a una sus Llagas; y en esos momentos de purgación pasiva, dolorosos, fuertes, de lágrimas ¡dulces y amargas! que procuramos esconder, nos sentimos inclinados a meternos dentro de cada una de aquellas Llagas, para purificarnos, para gozarnos con esa Sangre redentora, para fortalecernos»[320].

Esa devoción –de orígenes medievales, y popularizada entre otros por san Bernardo y san Francisco de Asís– estaba arraigada en la vida espiritual de san Josemaría[321]. En las palabras que acabamos de reproducir, parece entenderse que se hizo especialmente viva en su alma en momentos de zozobra interior. La expresión "purgación pasiva", es un término técnico que san Josemaría conocía bien, por su familiaridad con los místicos del Siglo de Oro español. Pero sabemos poco de las pruebas interiores que sufrió, salvo algunas anotaciones de los *Apuntes íntimos*[322]. Podría también refe-

---

[318] 9.4f.

[319] 9.6a.

[320] 9.3e.

[321] Sobre el significado de las Llagas de Cristo en san Josemaría ver *Camino*, ed. crít.-hist., com. a los nn. 58, 288 y 555.

[322] Ver Flavio CAPUCCI, "Croce e abbandono. Interpretazione di una sequenza biografica (1931-1935)", en Mariano FAZIO FERNÁNDEZ (ed.), *San Josemaría Escrivá. Contesto storico,*

rirse a las normales tentaciones, quizá más fuertes en algunos periodos. En esos casos, aconseja acudir a la devoción de las Llagas, para renovar el amor y la fidelidad a Dios: «Cuando la carne quiere recobrar sus fueros perdidos o la soberbia, que es peor, se encabrita, ¡a las Llagas de Cristo! Ve como más te conmueva, hijo, como más te conmueva; mete en las Llagas del Señor todo ese amor humano... y ese amor divino. Que esto es buscar la unión, sentirse hermano de Cristo, consanguíneo suyo, hijo de la misma Madre, porque es Ella la que nos ha llevado hasta Jesús»[323].

La contemplación de las llagas de Cristo le lleva a introducirse en su Sagrado Corazón. Precisamente la meditación de los místicos medievales sobre el significado de la Quinta Llaga, abierta por la lanza en el pecho de Cristo, les hizo descubrir una suerte de "canal" para *entrar* espiritualmente en su Corazón, donde se contiene su amor infinito por los hombres[324]; siglos más tarde, la devoción corazonista alcanzaría una gran popularidad. Además, la tradición de la Iglesia ha visto en la sangre y agua que brotaron de su herida un símbolo de los sacramentos. De esto encontramos también un eco en sus palabras: «Paz. Sentirse metidos en Dios, endiosados. Refugiarse en el Costado de Cristo. (...) Queremos sembrar en el mundo entero la alegría y la paz, regar todas las almas con las aguas redentoras que brotan del Costado abierto de Cristo, hacer todas las cosas por Amor»[325].

También se refiere san Josemaría a la crisis doctrinal y disciplinar en la Iglesia, que estaba mostrando toda su gravedad y que estallaría con más virulencia en años sucesivos. Para contextualizar esas afirmaciones, y otras que saldrán en los siguientes textos, hagamos un poco de historia.

El enorme interés provocado por el Concilio Vaticano II (1962-1965) favoreció que las diversas discusiones –no exentas de tensiones, como en otros concilios– se difundieran en los medios de comunicación, dando pie a un sinfín de debates y expectativas en la opinión pública y a un clima polémico e incluso crítico acerca de numerosos aspectos de la vida cristiana.

Personalità, Scritti, Roma, Edizioni Università della Santa Croce, 2003, pp. 155-179; *AVP* II, pp. 95-106.

[323] 9.3f.

[324] Cfr. Auguste HAMON, *Histoire de la dévotion au Sacré Cœur* (II), Paris, Beauchesne, 1924.

[325] 9.5e.

La confluencia de diversas circunstancias, no siempre relacionadas con el Concilio, provocaron una situación que Pablo VI denunciaba en discursos llenos de dolor y preocupación: «La verdad cristiana sufre hoy día sacudidas y crisis pavorosas. Hay quienes no soportan la enseñanza del magisterio (...) hay quien busca una fe fácil, vaciándola, la fe íntegra y verdadera, de aquellas verdades que no parecen aceptables para la mentalidad moderna (...); otros buscan una fe nueva, especialmente acerca de la Iglesia, intentando acomodarla a las ideas de la sociología moderna y de la historia profana»[326].

Recordando aquellos años, Benedicto XVI hablaba de un concilio "real" y de otro, "creado" por los medios de comunicación, que resultó ser, en diversos momentos, dominante y más eficiente que el auténtico. Este concilio "virtual" que pululaba en la opinión pública, basado en categorías políticas o en cualquier caso ajenas a la fe, habría sido el que –según Benedicto XVI– «ha provocado tantas calamidades, tantos problemas; realmente tantas miserias: seminarios cerrados, conventos cerrados, liturgia banalizada...», mientras que el verdadero Concilio tuvo dificultad para llevar a cabo su misión de reforma y de renovación de la Iglesia[327].

Se publicaban escritos que negaban o contradecían aspectos centrales de la fe, de la moral o de la disciplina eclesiástica, y que se presentaban como católicos e incluso como propuestos por un sector de la Jerarquía. El *Nuevo catecismo holandés* (1966) contenía afirmaciones ambiguas sobre temas como la Eucaristía y la Misa como sacrificio, el pecado original, la

---

[326] La traducción es nuestra: «La verità cristiana subisce oggi scosse e crisi paurose. Insofferenti dell'insegnamento del magistero [...] v'è chi cerca una fede facile vuotandola, la fede integra e vera, di quelle verità, che non sembrano accettabili dalla mentalità moderna [...]; altri cercano una fede nuova, specialmente circa la Chiesa, tentando di conformarla alle idee della sociologia moderna e della storia profana» (Audiencia del 20-V-1970, en *Insegnamenti di Paolo VI*, VIII [1970] p. 520). En un discurso de ese mismo año (22-XII-1970) ponía en guardia contra «il movimento di critica corrosiva verso la Chiesa istituzionale e tradizionale, il quale diffonde da non pochi centri intellettuali dell'Occidente (non esclusa l'America) nell'opinione pubblica ecclesiale, giovani specialmente, una psicologia dissolvitrice delle certezze della fede e disgregatrice della compagine organica della carità ecclesiale» (*Insegnamenti di Paolo VI*, VIII [1970], p. 1447). Ver otras citas de discursos de Pablo VI entre 1968 y 1971 en Antonio MIRALLES, "Aspetti dell'ecclesiologia soggiacente alla predicazione del beato Josemaría Escrivá", en Paul O'CALLAGHAN (ed.), GVQ (V/1), 2004, pp. 177-198, nota 12.

[327] Cfr. Benedicto XVI, a los párrocos y clérigos de la Diócesis de Roma, 14 de febrero de 2013, en AAS 105 (2013), p. 294. La traducción es nuestra.

concepción virginal de Jesús y otros puntos de la doctrina moral y dogmá-tica[328]. La llamada "contestación" teológica de esos años –entendida como crítica al Magisterio– tuvo en ese catecismo uno de sus símbolos.

Hervía otro debate doctrinal que acabaría por desencadenar una crítica sin precedentes a la moral cristiana y al Magisterio: la cuestión de la licitud de la contracepción. La parisina *revolución del 68* fue protagonista –entre otras cosas– de la llamada *liberación sexual* contemporánea. En ese con-texto, precisamente en 1968, el beato Pablo VI publicaba la encíclica *Hu-manæ Vitæ*. Las enseñanzas del Papa desencadenaron una oposición frontal entre algunos representantes de la llamada "contestación" teológica. Por mencionar un caso, el 30 de julio de 1968 doscientos teólogos americanos firmaron un comunicado en una página del *New York Times* para invitar a los fieles católicos a seguir su magisterio y no el del Papa[329]. Un símbolo, si se quiere, del fenómeno del "magisterio paralelo" de los teólogos, al que alude la instrucción *Donum Veritatis*[330] (1990) y cuya génesis ha sido bien expuesta por Scheffczyk[331]. Ese "magisterio" de los teólogos disidentes, no exento a su vez de contradicciones y disensiones recíprocas, era ampli-ficado por los medios de comunicación, sembrando confusión entre los pastores y los fieles católicos.

A este propósito, no sorprende que en esta meditación, san Josemaría invitara a «percatarse de las mañas de los que intentan engañar a las almas con teorías falsas (...). Son gentes que a sí mismos se llaman *teólogos*, pero que no lo son: no tienen más que la técnica de hablar de Dios, y no le confiesan ni con la boca, ni con el corazón, ni con la vida»[332]. Personas que actuaban en oposición al Magisterio o con opiniones dudosas o inclu-so francamente heterodoxas, sin considerarse por ese motivo fuera de la

---

[328] Una comisión cardenalicia, instituida por Pablo VI, decidió el 15 de octubre de 1968 que se corrigieran: cfr. AAS 60 (1968), pp. 685-691.

[329] Cit. por Ralph MCINERNY, *What went wrong with Vatican II: the Catholic crisis explained*, Manchester (NH), Sophia Institute Press, 1998, pp. 60-64.

[330] Cfr. Congregación para la Doctrina de la Fe, instrucción *Donum Veritatis* (24-III-1990), n. 34.

[331] Leo SCHEFFCZYK, "Responsabilità e autorità del teologo nel campo della teologia mo-rale: il dissenso sull'enciclica 'Humanæ vitæ'", *"Humanæ vitæ" 20 anni dopo: atti del II Congresso internazionale di teologia morale, Roma, 9-12 novembre 1988*, Milano, Ares, 1989, pp. 273-286.

[332] 9.7f.

Iglesia, al contrario, presentándose como "reformadores". Por eso exclama: «¡Desde dentro, quieren destrozar la fe del pueblo! ¡Desde dentro, intentan oponerse a Dios!»[333]. Y en 1972, en un texto que recogemos más adelante, expresará su dolor y sus anhelos de reparar a Dios por «el número de almas que se pierden (...) que han abandonado la fe, porque hoy se puede hacer propaganda impune de toda clase de falsedades y herejías»[334].

---

[333] 9.7d.

[334] 18.7e.

4. *Texto y notas*

EL CAMINO NUESTRO EN LA TIERRA

1a Nos sentimos removidos, hijos de mi alma, cada vez que escuchamos en el fondo de nuestro corazón aquel grito de San Pablo: *hæc est voluntas Dei, sanctificatio vestra*[1]. Desde hace cuarenta años no hago más que predicar lo mismo. Me lo digo a mí, y os lo repito también a vosotros y a todos los hombres: ésta es la voluntad de Dios, que seamos santos.

1b No tengo otra receta. Para pacificar a las almas, para remover la tierra, para buscar en el mundo y a través de las cosas del mundo a Dios Señor Nuestro, no sé de otra receta que la santidad personal. Por eso siempre digo que tengo un solo puchero.

2a «*Invocabitis me..., et ego exaudiam vos*»[2], me invocaréis y Yo os escucharé. Y le invocamos hablándole, dirigiéndonos a Él en la oración. Por eso os he de decir también con el Apóstol: «*Conversatio autem*

---

[1] Cfr. I *Thess.* IV, 3.

[2] *Ant. ad Intr.* (*Ierem.* XXIX, 12).

1a   [1]Cfr. I *Thess.* IV, 3.] [1]*I Thess.* IV, 3. *Cro1972,*724 *EdcS,*77.

1b   «*tengo un solo puchero*»: del mismo modo que en una familia hay, de ordinario, un solo tipo de comida para todos, en el Opus Dei hay una misma doctrina y un idéntico espíritu para cada uno de sus miembros. La comparación le sirve para recordar que la santidad que se pide es la misma para los solteros, casados, sacerdotes, jóvenes o mayores... Cada cual debe aplicar esos principios generales a sus circunstancias particulares.

2a   [2]*Ant. ad Intr.* (*Ierem.* XXIX, 12).] [2]*Ierem.* XXIX, 12. *Cro1972,*724 *EdcS,*78 ‖ [3]Cfr. *Philip.* III, 20.] [3]*Philip.* III, 20. *Cro1972,*725 *EdcS,*78.

[215]

nostra in cælis est»[3], que nuestra conversación está en los cielos. Nada nos puede separar de la caridad de Dios, del Amor, del trato constante con el Señor. Hemos comenzado con oraciones vocales, que muchos –probablemente todos, como yo– hemos aprendido de la boca de nuestras madres: cosas dulces y encendidas a la Madre de Dios, que es Madre nuestra. También yo, por las mañanas y por las tardes, no una vez, sino muchas, repito: ¡oh Señora mía, oh Madre mía!, yo me ofrezco enteramente a Vos. Y, en prueba de mi filial afecto, os consagro en este día mis ojos, mis oídos, mi lengua, mi corazón... ¿Qué es esto sino contemplación verdadera, una manifestación de amor? ¿Qué se dicen las gentes cuando se quieren?; ¿qué se dan, qué se entregan? Se sacrifican por la persona que aman. Y nosotros nos hemos dado a Dios con el cuerpo y con el alma: *en una palabra, todo mi ser.*

2b　¿Habíais pensado alguna vez cómo se nos enseña en la Obra a amar las cosas del Cielo? Primero una oración, y luego otra, y otra..., hasta que casi no se puede hablar con la lengua, porque las palabras resultan pobres...: y se habla con el alma. Nos sentimos entonces como cautivos, como prisioneros; y así, mientras hacemos con la mayor perfección posible, dentro de nuestras equivocaciones y limitaciones, las cosas que son de nuestro oficio, ¡el alma ansía escaparse! ¡Se va! Vuela hacia Dios, como el hierro atraído por la fuerza del imán.

---

[3] Cfr. *Philip.* III, 20.

«*¡oh Señora mía, oh Madre mía!*»: esta oración, que aprendió en el hogar paterno, es la versión española de la original *O Domina mea, o Mater mea*, compuesta por el P. Nicola Zucchi S. J. (1586-1670); ver *Camino*, ed. crít.-hist., com. al n. 553.

«*¿qué se dan, qué se entregan?*»: en la grabación, las palabras del Autor son aseverativas, no interrogativas, es decir, a la pregunta «¿Qué se dicen las gentes cuando se quieren?», responde: «Que se dan, que se entregan». Pero al revisar el texto, san Josemaría lo dejó con el sentido que tiene hoy.

2c **«*Et reducam captivitatem vestram de cunctis locis*»**[4]; os libraré de la cautividad, estéis donde estéis. Dejamos de ser esclavos, con la oración. Nos sentimos y somos libres, volando en un epitalamio de alma encariñada, en una canción de amor, hacia ¡la unión con Dios!

---

[4] *Ant. ad Intr.* (cfr. *Ierem.* XXIX, 14).

2c Cfr. *Ierem.* XXIX, 14. *Cro1972,726 EdcS,79.*

«¡la unión con Dios!»: después de esta frase, en la predicación original, el Autor introdujo una digresión que eliminó en el texto escrito. En la transcripción m671126-A está recogida algo confusamente, pero en la grabación se entiende con claridad. El Autor se refiere a dos grandes santas por las que sentía devoción y admiración: santa Teresa de Jesús y santa Catalina de Siena. De la primera, dice: «Yo, que tengo una gran veneración, un gran amor, una devoción grande a Teresa de Jesús, no estoy conforme con ella en bastantes cosas. Y me alegro mucho de que la hayan hecho Doctora. Un poquito he podido influir yo indirectamente, porque yo apreté para Santa Catalina, repetidas veces, con el Romano Pontífice, por escrito, de palabra. Santa Catalina, ¡esa gran murmuradora! ¡qué maravillosa mujer era! ¡y qué murmuradora! Divinamente murmuradora, qué lengua más suelta... ¡Y el amor! Era que detectaba los brillos divinos, que se encierran en los detalles cotidianos. Digo que no estoy conforme con Teresa porque dice que "muero porque no muero". Pero no lo dice ella en su tiempo. Hay montones de letrillas, dedicadas al amor humano, en las que los escritores de aquella época dicen lo mismo: "que muero porque no muero", "que muero porque no muero"». Sobre su veneración hacia santa Catalina de Siena, ver Johannes GROHE, "Santa Caterina da Siena e San Josemaría", SetD 8 (2014), pp. 125-145. Las dos santas fueron nombradas doctoras de la Iglesia en 1970 por Pablo VI, en días distintos: el 27 de septiembre, santa Teresa y el 3 de octubre, santa Catalina.

A continuación del párrafo anterior, añade: «Y hay un antepasado mío que escribió aquello que sabéis tan bien, que da ocasión a Álvaro a gastarme bromas: "ven muerte tan escondida que no te sienta venir, por que el placer de morir no me torne a dar la vida". No estoy conforme, no; no, no tengo yo ese espíritu. Yo digo: ¡que vivo porque no vivo, que es Cristo quien vive en mí!». El antepasado al que se refiere es el Comendador Escrivá, autor de la canción *Ven muerte tan escondida* –que san Josemaría cita aquí libremente– incluida en el *Cancionero General* de Hernando del Castillo (1511). Esta copla gozó de mucha popularidad y fue comentada e imitada muchas veces (Cervantes la incluye en *El Quijote*, y otros autores como Calderón de la Barca, Lope de Vega o Gracián la citan o comentan). La identificación del Comendador Escrivá es discutida (ver Ivan PARISI, "La verdadera identidad del Comendador Escrivá, poeta valenciano de la primera mitad del siglo XVI", *Estudis Romànics [Institut d'Estudis Catalans]* 31 (2009), pp. 141-162). Ver Jaume AURELL CARDONA, "Apuntes sobre el linaje de los Escrivá: desde los orígenes medievales hasta el asentamiento en Balaguer (siglos X-XIX)", *Cuadernos del CEDEJ* 6 (2002), pp. 13-35.

Un nuevo modo de existir en la tierra, un modo divino, sobrenatural, maravilloso. Por eso –recordando a tantos escritores españoles del quinientos– me gusta decir: ¡que vivo, porque no vivo; que es Cristo quien vive en mí![5]. Y siento la necesidad de trabajar en la tierra muchos años, porque Jesús tiene pocos amigos aquí abajo. Desead vivir, hijos míos; debemos vivir mucho tiempo, pero de esta manera, en libertad: «*In libertatem gloriæ filiorum Dei*»[6], «*qua libertate Christus nos liberavit*»[7]; con la libertad de los hijos de Dios, que Jesucristo nos ha alcanzado muriendo sobre el madero de la Cruz.

3a   ¿Y cómo hacemos nuestra esa vida? Siguiendo el camino que nos enseña la Virgen Santísima, nuestra Madre: una senda muy amplia, pero que, necesariamente, pasa a través de Jesús.

3b   A todas las madres de la tierra les ilusiona sentirse queridas por sus hijos, pero todas nos han enseñado a decir antes *papá* que *mamá*. Tengo una experiencia reciente: en Pamplona, en una de aquellas reuniones con tantos centenares de personas, cogí en brazos a uno de los niños que me entregaban para que los bendijera, y lo levanté por encima de mi cabeza. Llevaba un chupete en la boca y, al sentirse elevado, lo soltó complacido y se le escapó un grito: ¡papá! Por lo visto, su padre hacía lo mismo que hice yo con él.

3c   Así nosotros, hijos míos, para llegar a Dios hemos de tomar el camino justo, que es la Humanidad Santísima de Cristo. Por eso he regalado desde el principio tantos libros de la Pasión del Señor: porque es cauce perfecto para nuestra vida contemplativa. Y por eso está

---

[5] Cfr. *Galat.* II, 20.
[6] *Rom.* VIII, 21.
[7] *Galat.* IV, 31.

3b   «*Tengo una experiencia reciente*»...: incisos como este son característicos de la predicación de san Josemaría: una anécdota o un ejemplo gráfico que hacen sonreír a sus oyentes, quitando solemnidad a unas afirmaciones muy profundas que acaba de hacer. Es una muestra también de su forma de entender el trato con Dios, donde lo sublime no está reñido con lo más humano y simpático, y hablar de la vida contemplativa no desentona con mencionar la reacción divertida de un niño. También esto le sirve para hablar con Dios.

también dentro de nuestro espíritu –y la procuramos alcanzar cada día– la contemplación del Santo Rosario, en todos los misterios: para que se meta en nuestra cabeza y en nuestra imaginación, con el gozo, el dolor y la gloria de Santa María, la vida ¡pasmosa! del Señor, en sus treinta años de oscuridad..., en sus tres años de vida pública..., en su Pasión afrentosa y en su gloriosa Resurrección.

3d   También cuando nosotros nos damos a Dios de veras, cuando nos dedicamos al Señor, a veces Él permite que vengan el dolor, la soledad, las contradicciones, las calumnias, las difamaciones, las burlas, por dentro y por fuera: porque quiere conformarnos a su imagen y semejanza, y hace quizá que nos llamen locos y nos tengan por necios.

3e   Entonces, al admirar la Humanidad Santísima de Jesús, vamos descubriendo una a una sus Llagas; y en esos momentos de purgación pasiva, dolorosos, fuertes, de lágrimas ¡dulces y amargas! que procuramos esconder, nos sentimos inclinados a meternos dentro de cada una de aquellas Llagas, para purificarnos, para gozarnos con esa Sangre redentora, para fortalecernos. Vamos allí como las palomas

---

3d   «*cuando nos dedicamos al Señor*»: después de estas palabras, se lee en la transcripción m671126-A y en la grabación, un inciso que –a nuestro juicio– aporta un dato histórico interesante: «Yo antes decía: cuando nos consagramos, pero... han cambiado el sentido de la palabra. Han querido darle un sentido canónico que no tenía. No me interesa». Durante años, para expresar la plena decisión de vida cristiana que implica la pertenencia al Opus Dei, el compromiso radical de llevar adelante una misión divina, empleó a veces la palabra consagración, dándole un sentido genérico. A lo largo de los siglos, hablar de "consagración" no implicaba necesariamente referirse al estado religioso. Significaba el compromiso de hacer algo por Dios y de pertenecerle: baste pensar en la popularidad que tuvieron las consagraciones al Sagrado Corazón, al Corazón inmaculado de María, a san José... y otras semejantes. En esa misma línea, el Concilio Vaticano II ha recordado que todos los cristianos están "consagrados" por el Bautismo (cfr. *Lumen gentium*, n. 10). Aun así, san Josemaría terminó por abandonar esa terminología, cuando percibió que podía dar lugar a equívocos, y que se podía confundir la vida en el Opus Dei con la "vida consagrada", que es como pasó a denominarse la pluralidad de formas del estado religioso. Su decisión se sitúa en el contexto de la defensa del carisma laical de la Obra y del itinerario jurídico del Opus Dei. Ver nota a 16.2f.

3e   «*vamos descubriendo una a una sus Llagas*»: sobre la devoción a las Llagas de Cristo, ver introducción a esta meditación.

que, al decir de la Escritura[8], se esconden en los agujeros de las rocas a la hora de la tempestad.

3f   Cuando la carne quiere recobrar sus fueros perdidos o la soberbia, que es peor, se encabrita, ¡a las Llagas de Cristo! Ve como más te conmueva, hijo, como más te conmueva; mete en las Llagas del Señor todo ese amor humano... y ese amor divino. Que esto es buscar la unión, sentirse hermano de Cristo, consanguíneo suyo, hijo de la misma Madre, porque es Ella la que nos ha llevado hasta Jesús.

4a   Más tarde, el alma necesita tratar a cada una de las Personas divinas. Es un descubrimiento, como los que hace un niño pequeño en la vida terrena, el que realiza el alma en la vida sobrenatural. Y comienza a hablar con el Padre y con el Hijo y con el Espíritu Santo; y a sentir la actividad del Paráclito vivificador, que se nos da sin merecerla: ¡los dones y las virtudes sobrenaturales! Y llegamos sin darnos cuenta, de algún modo, a la unión.

4b   Hemos ido «*quemadmodum desiderat cervus ad fontes aquarum*»[9], de igual modo que el ciervo ansía las fuentes de las aguas: con sed, rota la boca, con sequedad. Queremos beber en ese manantial de agua viva. Y, sin hacer rarezas, a lo largo del día, con la formación que en la Obra se recibe –que se basa en descomplicar el alma humana–, se ha llegado a ese abundante y claro venero de frescas linfas que saltan hasta la vida eterna[10]. Entonces ya no se habla, porque la lengua no sabe expresarse; ya el entendimiento se aquieta. No se habla, ¡se mira! Y el alma rompe a cantar, porque se siente y se sabe mirada amorosamente por Dios, a todas horas.

---

[8] Cfr. *Cant.* II, 14.

[9] *Ps.* XLI, 2.

[10] Cfr. *Ioann.* IV, 14.

3f   «*mete en las Llagas del Señor*»: en la grabación dice «métete en la Llaga del costado. Es amor humano y es amor divino. Es buscar la unión...». Un poco más adelante (9.5e) vuelve a retomar esta idea: «Refugiarse en el Costado de Cristo».

4c No sabéis qué consuelo he tenido cuando, después de repetir duran-te años y años que para un alma contemplativa hasta el dormir es oración, me encontré un texto de San Jerónimo que dice lo mismo.

4d Es con la dedicación completa –dentro de nuestras imperfecciones, por la humillación de nuestros fracasos internos, que nos llevan a volver todos los días a Dios– como se vuelve al camino maestro cuando hay obstáculos. Os lo he dicho muchas veces: siempre estoy haciendo el papel del hijo pródigo. Es ése el momento de la contri-ción, del amor, de la fusión de la criatura, que es nada..., con su Dios y su Amor, que lo es todo.

4e Hijos míos, no os hablo de cosas extraordinarias. Son, tienen que ser, fenómenos ordinarios de nuestra alma. Por allí debéis llevar a vuestros hermanos: hasta esa locura de amor que enseña a saber su-frir y a saber vivir, porque Dios nos concede el don de Sabiduría. ¡Qué serenidad, qué paz entonces!

4f ¿Ascética? ¿Mística? No lo sabría decir. Pero, sea lo que fuere, as-cética o mística, ¿qué más da?: es un don de Dios. Si tú procuras

---

4c *«encontré un texto de San Jerónimo»*: en la *Epistola XXII, ad Eustochium*, n. 37 [PL22, 421], san Jerónimo afirma que para los santos hasta el sueño es oración. Ver también SAN JERÓNIMO, *Tratado sobre los Salmos, Comentario al Salmo I* (CCL 78, 5-6). Sobre este tipo de oración ver 1,5b y 10,2c.

4f *«¿Ascética? ¿Mística?»*: en este punto, la grabación permite entender una digresión de san Josemaría, que quedó reducida a lo esencial en este párrafo, y que contiene algunos datos interesantes para conocer mejor su opinión en este punto. Dice así: «Y alguno se preguntará: Padre, ¿ascética?, ¿mística?, ¿grados?, ¿vías?, ¿caminos? Y yo te digo a ti, que me preguntas eso: hijo mío, esto no es teoría, basada en las pocas almas que han descrito su propio caso. Casos que han servido –¡pocos, poquísimos! a lo largo de la historia de la Iglesia–, casos que han servido a teólogos más o menos serios, muchos de ellos fuertes, recios, para escribir, para catalogar, más que para escribir, diría para describir, ¡sea lo que sea: ascética, mística, oración adquirida u oración infusa, qué más me da a mí! Si tú procuras meditar, llega un momento en que Dios no te niega los dones, el Espíritu Santo te los da. Dejemos a los teóricos».

«Mito del rey Midas»: el legendario rey de Frigia, al que le fue concedido el don de convertir en oro todo lo que tocase, del que habla Ovidio en *Metamorfosis*, XI, 100-150. A san Josemaría le servía para explicar lo que sucede cuando el cristiano sobre-naturaliza sus quehaceres ordinarios y su trabajo, ofreciéndolos a Dios: adquieren entonces un valor divino, se hacen más preciosos que el oro, porque abren las puertas

meditar, llega un momento en el que el Señor no te niega los dones: el Espíritu Santo te los concede. Fe, hijos míos, y obras de fe. Porque eso ya es contemplación y es unión. Y ésta es la vida de mis hijos en medio de los afanes del mundo, aunque ni siquiera se den cuenta. Una clase de oración y de vida que no nos aparta de las cosas de la tierra, que en medio de ellas nos conduce a Dios. Y al llevar las cosas terrenas a Dios, la criatura diviniza el mundo. ¡He hablado tantas veces del mito del rey Midas...! En oro convertimos todo lo que tocamos, a pesar de nuestros errores personales.

5a   «*Benedixisti* –se lee en la Sagrada Escritura–, *Domine, terram tuam; avertisti captivitatem Iacob*»[11]; Señor, has bendecido tu tierra, has destruido la cautividad de Jacob. Repito que ya no nos sentimos esclavos, sino libres: todo nos lleva a Dios. Y, en ese caminar por la senda del Opus Dei, vamos seguros, porque tenemos la dirección que hace imposible que nos equivoquemos: la confesión y la charla confidencial con vuestro hermano, si son sinceras, si no se da cabida al demonio mudo. En nuestro andar espiritual tenemos, en cada momento, algo parecido a esas señales que se ven en las carreteras, para orientar a los viajeros. No es posible –repito–, de ninguna manera, que un socio o una asociada del Opus Dei –si es fiel a nuestro espíritu– se extravíe en las vueltas y revueltas de su vida interior.

5b   Así el alma se enciende con las luces alcanzadas del Cantar: «*Surgam et circuibo civitatem*»[12]; me alzaré y rodearé la ciudad... Y no sólo

---

[11] *Ant. ad Intr.* (*Ps.* LXXXIV, 2).

[12] *Cant.* III, 2.

---

de la eternidad bienaventurada. Ver la misma analogía en *Amigos de Dios* (n. 221): «¡Podéis transformar en divino todo lo humano, como el rey Midas convertía en oro todo lo que tocaba!», y *Forja*, n. 742.

5a   [11]*Ant. ad Intr.* (*Ps.* LXXXIV, 2).] [11]*Ps.* LXXXIV, 2. *Cro1972,*729 *EdcS,*83 || socio o una asociada *Cro1972,*730] miembro *EdcS,*83.

«*demonio mudo*»: referencia al diablo expulsado por Jesús, que impedía hablar (cfr. Mt 9,32-33 y Mc 9,24). Para san Josemaría significa una falta de sinceridad consigo mismo, en el examen de conciencia (ver *Camino,* n. 236), en la confesión o en la dirección espiritual. Ver también 15.5f y 19.5a.

la ciudad: «*Per vicos et plateas quæram quem diligit anima mea*»[13]. Buscaré al que ama mi alma por las calles y las plazas... Correré de una parte a otra del mundo –por todas las naciones, por todos los pueblos, por senderos y trochas– para buscar la paz de mi alma. Y la encuentro en las cosas que vienen de fuera, que no me son estorbo; que son, al contrario, vereda y escalón para acercarme más y más, y más y más unirme a Dios.

5c   Y cuando llega la época –que tiene que llegar, con mayor o menor fuerza– de los contrastes, de la lucha, de la tribulación, de la purgación pasiva, nos pone el salmista en la boca y en la vida aquellas palabras: «*Cum ipso ero in tribulatione*»[14], con Él estoy en el tiempo de la adversidad. ¿Qué vale, Jesús, ante tu Cruz la mía; ante tus Llagas mis rasguños? ¿Qué vale, ante tu Amor inmenso, puro e infinito, esta pobrecita cruz que has puesto Tú en mi alma? Y los corazones vuestros, y el mío, se llenan de un celo santo: «*Ut nuntietis ei quia amore langueo*»[15], para que le digáis que muero de amor. Es una enfermedad noble, divina: ¡somos los aristócratas del Amor en el mundo!, puedo decir con la expresión de un viejo amigo mío.

---

[13] *Ibid.*
[14] Cfr. *Ps.* XC, 15.
[15] *Cant.* V, 8.

5c   Cruz la mía *Cro1972*,730] cruz la mía *EdcS*,84.

«*¿Qué vale, ante tu Amor inmenso*»...: la grabación permite apreciar que san Josemaría desarrolló esta frase de una forma ligeramente diferente, también sugestiva, jugando con la metáfora del fuego y la luz, en vez de referirse a la cruz, de la que estaba hablando: «Ante tu Amor inmenso, como una hoguera infinita, esta pobrecica luz que has puesto Tú en mi alma. Pero si yo, junto a mi luz, a la hoguera, ¡soy hoguera! Y los corazones, los vuestros y el mío, se llenan de un celo santo, *nuntiate Deo!*».

«*aristócratas del Amor en el mundo*»: la expresión proviene de un verso de fray Justo Pérez de Urbel, monje benedictino de Silos y buen amigo de san Josemaría. Se encuentra en la poesía titulada *El ciprés del claustro* (publicada en el diario *ABC* [28-X-1923], p. 9). El verso dice así, refiriéndose a los monjes de aquel monasterio: «Y un día dedujiste ciprés meditabundo / que eran los aristócratas de amor en el mundo». San Josemaría no tuvo inconveniente en tomar prestada esta expresión de su amigo,

5d   No vivimos nosotros, sino que es Cristo quien en nosotros vive[16]. Hay una sed de Dios, un deseo de buscar sus lágrimas, sus palabras, su sonrisa, su rostro... No encuentro mejor modo de decirlo que volviendo a emplear las frases del salmo: «*Quemadmodum desiderat cervus ad fontes aquarum*»[17], como el ciervo desea las fuentes de las aguas, así te anhela mi alma, ¡oh Dios mío!

5e   Paz. Sentirse metidos en Dios, endiosados. Refugiarse en el Costado de Cristo. Saber que cada uno, con ansias, espera el amor de Dios: del Padre, y del Hijo, y del Espíritu Santo. Y el celo apostólico se enciende, aumenta cada día, porque el bien es difusivo. Queremos sembrar en el mundo entero la alegría y la paz, regar todas las almas con las aguas redentoras que brotan del Costado abierto de Cristo, hacer todas las cosas por Amor. Entonces no hay tristezas, ni penas, ni dolores: desaparecen en cuanto se acepta de veras la voluntad de Dios, en cuanto se cumplen con gusto sus deseos, como hacen los hijos fieles, aunque los nervios se rompan y el suplicio parezca insoportable.

6a   Hijos míos, os repito que no estoy hablando de un camino extraordinario. Lo más extraordinario, para nosotros, es la vida ordinaria. Esta es la contemplación, a la que debemos llegar todos los socios del Opus Dei: sin ningún fenómeno místico externo, a no ser que el Señor se empeñe en hacer una excepción.

---

[16] Cfr. *Galat.* II, 20.

[17] *Ps.* XLI, 2.

---

para aplicarla a todo cristiano y a los miembros del Opus Dei en particular, cuya vida debe estar plenamente orientada hacia el Amor de Dios, aunque no sean monjes. Otros poetas han dedicado sus versos al mismo árbol: es famoso el soneto de Gerardo Diego titulado *El ciprés de Silos,* escrito el 4 de julio de 1924.

5e   «*el bien es difusivo*»: es una cita implícita de santo TOMÁS DE AQUINO (*STh*, I-II, q. 2, a. 3).

6a   todos los socios *Cro1972*,731] todos los miembros *EdcS*,85.

6b   Por eso no dejamos nuestras devociones habituales, que nos amarran bien a esta barca del Señor en la que estamos metidos, que es el Opus Dei. Y tratamos de no perder nunca la amistad con los Santos Ángeles Custodios: los sacerdotes, también con su Arcángel ministerial. Es muy probable la opinión de que los sacerdotes tienen un ángel especialmente encargado de atenderles. Pero hace muchos, muchísimos años, leí que cada sacerdote tiene un Arcángel ministerial, y me conmoví. Me he hecho una especie de *aleluya* como jaculatoria, y se la repito al mío, por la mañana y por la noche. A veces he pensado que no puedo tener esta fe porque sí, porque lo haya escrito un Padre de la Iglesia cuyo nombre ni siquiera recuerdo. Entonces considero la bondad de mi Padre Dios y estoy seguro de que, rezando a mi Arcángel ministerial, aunque no lo tuviera, el Señor me lo concederá, para que mi oración y mi devoción tengan fundamento.

6c   Todos necesitamos mucha compañía, hijos: compañía del Cielo y de la tierra. ¡Sed devotos de los Ángeles y de los Arcángeles y de los Santos, de nuestros Santos Patronos e Intercesores! Es muy humana la amistad, pero también es muy divina; como la vida nuestra, que es humana y divina. ¿Os acordáis de lo que dice el Señor?: «*Iam non dicam vos servos..., vos autem dixi amicos*»[18]; ya no os llamo siervos, sino amigos. Hay que tener amistad con los amigos de Dios, que moran ya en el Cielo, y con las criaturas que están en la tierra, muchas veces apartadas del Señor.

---

[18] *Ioann.* XV, 15.

6b   «*Arcángel ministerial*»: no ha sido posible encontrar la referencia que menciona san Josemaría. Varios Padres de la Iglesia han hablado ampliamente de los ángeles como custodios de los hombres y de las naciones: Orígenes, el Pseudodionisio areopagita, Tertuliano, san Hilario, san Basilio, etc. En general, admiten la existencia de un ángel que preside cada Iglesia y de ahí algunos autores, como san Francisco de Sales, sostienen que los obispos son ayudados por dos ángeles (cfr. Carta a M. Antoine de Revol, en Œuvres, ed. complète, Annecy, 1902, vol. 12, pp. 192-193). Otros consideran que personas de especial relieve (gobernantes, etc.) tienen asignado un segundo ángel custodio por su función (cfr. Francisco SUÁREZ, *De Angelis,* I, VI, cap. 17, 24). En esa línea se mueve el texto de san Josemaría.

7a   Así quiso Dios que naciera nuestra Obra, hijos de mi alma. Así germinó el espíritu del Opus Dei: considerando la poquedad vuestra y mía, y la grandeza suya; pensando que nosotros no somos nada, y Él lo es todo; que nosotros no podemos nada, y Él lo puede todo; que nosotros no sabemos nada, y Él es la Sabiduría; que nosotros somos flojos, y Él es la fortaleza: «*Quia Tu es, Deus, fortitudo mea!*»[19].

7b   En alguna ocasión será conveniente que meditéis con calma aquellas palabras divinas, que llenan el alma de temor y le dejan sabores de panal y de miel: «*Redemi te, et vocavi te nomine tuo: meus es tu!*»[20]; te he redimido, y te he llamado por tu nombre: ¡eres mío! No robemos a Dios lo que es suyo. Un Dios que nos ha amado hasta el punto de dar la vida por nosotros, y que «*elegit nos in Ipso ante mundi constitutionem, ut essemus sancti et immaculati in conspectu eius*»[21]: que nos ha elegido desde toda la eternidad, antes de la creación del mundo, para que siempre estemos en su presencia; y continuamente nos brinda ocasiones de santidad y de entrega.

7c   Por si aún quedase alguna duda, tenemos aquellas otras palabras suyas: «*Non vos me elegistis* –no me habéis elegido vosotros–, *sed ego elegi vos, et posui vos, ut eatis* –sino que os he elegido yo, para que vayáis lejos, por el mundo–, *et fructum afferatis* –y deis fruto: ¡si lo estáis ya dando!–, *et fructus vester maneat*»[22], y permanecerá abundante el fruto de vuestro trabajo de almas contemplativas. Luego ¡fe, hijos míos!, ¡fe sobrenatural!

7d   Ayer me conmovía oyendo hablar de un catecúmeno japonés que enseñaba el catecismo a otros, que aún no conocían a Cristo. Y me avergonzaba. Necesitamos más fe, ¡más fe!: y con la fe la

---

[19] *Ps.* XLII, 2.
[20] *Isai.* XLIII, 1.
[21] *Ephes.* I, 4.
[22] *Ioann.* XV, 16.

7d   «*dicitur Deus et colitur ... sit Deus*»: a continuación, la grabación es más explícita: «¿Qué está pasando en la Iglesia ahora? *ita ut audeat stare in templo Dei!* Sí, señor: ¡son sacerdotes, religiosos muchos de ellos, obispos!, vamos a decirlo claro. He hablado

contemplación, más actividad apostólica. Mirad lo que se lee hoy en el Breviario: «*Adversarius elevandus sit contra omne quod dicitur Deus et colitur; ita ut audeat stare in templo Dei, et ostendere quod ipse sit Deus*»[23]; se alzará el adversario contra todo lo que se dice Dios y es adorado, hasta atreverse a estar en el templo de Dios y mostrarse a sí mismo como si fuera Dios. ¡Desde dentro, quieren destrozar la fe del pueblo! ¡Desde dentro, intentan oponerse a Dios!

7e   Terminaré diciendo con San Pablo a los Colosenses: «*Non cessamus pro vobis orantes...*; no cesamos de orar por vosotros y de pedir a Dios que alcancéis pleno conocimiento de su voluntad, con toda sabiduría e inteligencia espiritual»[24]. Contemplativos, con los dones del Espíritu Santo, «*ut ambuletis digne Deo per omnia placentes...*; a fin de que sigáis una conducta digna de Dios, agradándole en todo, produciendo frutos en toda especie de obras buenas y adelantando en la ciencia de Dios, corroborados en toda suerte de fortaleza por el poder de su gracia, para tener siempre una perfecta paciencia y longanimidad acompañada de alegría; dando gracias a Dios Padre, que nos ha hecho dignos de participar de la suerte de los santos iluminándonos con su luz; que nos ha arrebatado del poder de las tinieblas y nos ha trasladado al reino de su Hijo muy amado»[25].

---

[23] *Dom. XXIV post Pent., Ad Mat., In III Noct., L. VII.*

[24] *Ep.* (*Colos.* I, 9).

[25] *Ep.* (*Colos.* I, 10-13).

---

con el Santo Padre de esto. Y él me invitó a rezar con él, reconociendo que era el momento durísimo, también en una buena parte de la Jerarquía. *Ita ut audeat stare in templo Dei et ostendere quod ipse sit Deus.* Desde dentro quieren destrozar la fe del pueblo. Desde dentro quieren oponerse a Dios».

«*Desde dentro*»: comienzan las referencias de san Josemaría a la situación de desorientación doctrinal y de crisis en algunos sectores de la Iglesia, que tanto dolor le causaban: ver introducción a esta meditación y a la n. 18.

7e   [24]*Ep.* (Colos. I, 9).] [24]*Colos.* I, 9. *Cro1972,734 EdcS*,87 ‖ [25]*Colos.* I, 10-13).] [25]*Colos.* I, 10-13. *Cro1972,734 EdcS*,88.

7f   Que la Madre de Dios y Madre nuestra nos proteja, con el fin de que cada uno de vosotros, y cada uno de vuestros hermanos y de vuestras hermanas, ¡la Obra entera!, pueda servir a la Iglesia en la plenitud de la fe, con los dones del Espíritu Santo y con la vida contemplativa. Cada uno en su estado, y en el cumplimiento de los deberes que le son propios; cada uno en su oficio y profesión, y en el cumplimiento de los deberes de su oficio y profesión, sirva gozosamente a la Esposa de Cristo, en el lugar donde el Señor le ha colocado, sabiendo percatarse de las mañas de los que intentan engañar a las almas con teorías falsas, muchas veces difíciles de descubrir y otras veces fáciles de desenmascarar. Son gentes que a sí mismos se llaman *teólogos*, pero que no lo son: no tienen más que la técnica de hablar de Dios, y no le confiesan ni con la boca, ni con el corazón, ni con la vida.

7f   Madre nuestra] Madre nuestra, *Cro1972*,734 *EdcS*,88.

Suprimimos la coma aplicando la corrección que introdujo el Autor en el párrafo paralelo de la homilía "Hacia la santidad" (cfr. *Amigos de Dios*, n. 316).

«*a sí mismos se llaman* teólogos»: sobre el fenómeno de la "contestación" teológica al Magisterio en esos años, ver introducción a esta meditación.

10. REZAR SIN INTERRUPCIÓN
(24 de diciembre de 1967)

1. Contexto e historia

En la noche de Navidad de 1967, san Josemaría estuvo de tertulia con los alumnos del Colegio Romano. La sala de estar de Casa del Vicolo, uno de los edificios de Villa Tevere, estaba abarrotada. Se cantaron villancicos de diversos países. En *Crónica* se lee que, al final, «el Padre nos dice que va a darnos algunos puntos para la meditación y que después se marchará. Nos acercamos para no perder palabra. El Padre saca de la agenda una ficha escrita a mano, y nos explica que leerá unos textos tomados de la Sagrada Escritura. Después comienza a hablar»[335].

En esa ocasión trató de varios temas, entre otros de la historia del Niño Jesús al que llamaba "la primera piedra del Colegio Romano". Se trata de una imagen inspirada en otra más pequeña que se conserva en el Monasterio de Santa Isabel de Madrid[336]. A partir de unas fotos de esa imagen, Manuel Caballero[337] la había modelado en barro y después se talló en madera y se policromó. Más tarde, el fundador la regaló para la sede definitiva del Colegio Romano de la Santa Cruz.

Las palabras que incluimos aquí aparecieron en un artículo titulado "Con fondo de villancico", en *Crónica* de enero de 1968. Además, en esas páginas se narraban los sucedidos de las Navidades de 1967 y se incluían otros comentarios de san Josemaría.

---

[335] *Cro1968*,39.

[336] *AVP* I, p. 414

[337] Manuel Caballero Santos (1926-2002) estudió Bellas Artes en Sevilla, donde conoció el Opus Dei en 1949. Desde 1951 hasta 1966 vivió en Villa Tevere, donde realizó numerosas obras de pintura, escultura, cerámica, mosaico y modelado, en estrecha relación con san Josemaría.

Cuando se recolectaron los textos de su predicación oral para la causa de beatificación y canonización, y después para incluirlos en *EdcS,* se olvidó incluir este. Al preparar la presente edición, nos pareció oportuno recuperarlo, como se hubiera hecho seguramente en 1986 y 1995 de haber reparado en su existencia. Le hemos añadido un título y también las referencias a la Sagrada Escritura, que no estaban en *Crónica.*

2. Fuentes y material previo

*Cro1968,*35-43. En AGP, serie A.4, m671224, se conservan varias versiones de la transcripción mecanografiada de esas palabras: A, B (dos copias) y D (copias carbón de dos cartas de Manuel Rodríguez, que escribe a personas diferentes, trascribiendo largos párrafos de la tertulia). También hay una transcripción a mano, en hojas de un bloc (C).

3. Contenido

Este es el primero de los varios textos de Navidad que se encuentran reunidos en este libro. El tema, como ya anuncia el título que le hemos puesto, es la oración y la vida contemplativa. Dedica buena parte al tema de la oración filial, basada en la conciencia de ser hijos de Dios, que quiere para los miembros del Opus Dei.

Al mismo tiempo, su oración centra la atención y los afectos del corazón en la Humanidad Santísima de Jesús, hecho Niño. Era uno de sus temas preferidos de meditación. Le removía ver a Jesús inerme: «Siendo Dios, se ha hecho Niño desvalido, desamparado, necesitado de nuestro amor». Le parecía que Dios pide el calor de nuestros corazones y por eso invitaba a los demás a arrancar todo aquello que estorba para amar.

San Josemaría explica aquí el origen de su modo de rezar como hijo de Dios; habla de la oración contemplativa en medio de la calle; se refiere a la acción de gracias y a la petición; alude a la contrición, que se inspira en la parábola del hijo pródigo. Se fija en Jesús, modelo para toda oración, que se abandona en el pesebre de Belén; que eleva sus ojos a Dios antes de cada milagro y que pasa la noche rezando; que habla con su Padre desde la cruz, «con los brazos abiertos, extendidos, con gesto de Sacerdote Eterno»[338].

---

[338] 10.3b.

[REZAR SIN INTERRUPCIÓN]

1a ¿Qué vamos a hacer nosotros hoy, el día en que los hombres celebran la fiesta de Navidad? En primer lugar una oración filial que
nos sale de maravilla, porque nos sabemos hijos de Dios, hijos muy
queridos de Dios.

1b Esto dice San Pablo a los de Corinto: «*Si qua ergo in Christo nova
creatura, vetera transierunt: ecce facta sunt omnia nova. Omnia autem
ex Deo, qui nos reconciliavit sibi per Christum*»[1]. Si alguna criatura
está en Cristo, ya han salido fuera todas las cosas sucias, todas las cosas viejas, todo lo que mancha, todo lo que hace sufrir. Desde ahora,
vida nueva de verdad. Se lo hemos dicho tantas veces y parece que
nos hemos quedado tan sólo con los deseos. Pero siempre hemos
avanzado un poquito más. Y esta noche el Señor, por su Madre, nos
mandará tantas gracias nuevas: para que aumentemos en el amor y
en la filiación divina.

1c Hemos de pedir al Señor que sepamos discernir lo que es para gloria
suya de aquello que le ofende; que conozcamos lo que es para bien
de las criaturas, y lo que es para mal; lo que va a hacernos felices, y

---

[1] II *Cor.* V, 17-18.

1c «*Hemos de pedir*»: antes de estas palabras, en la transcripción se encuentra una cita
de la Epístola de san Pablo a los Efesios, con su comentario: «A los de Éfeso dice:
"ut Deus, Domini nostri Iesu Christi Pater gloriae, det vobis spiritum sapientiae et
revelationis, in agnitione eius" (Ef 1, 17); para que el Dios de Nuestro Señor Jesucristo, el Padre de la gloria, os conceda espíritu de sabiduría y de revelación con pleno
conocimiento de Él. ¿Para qué vamos a rezar? ¿Por qué queremos renacer? Para hacernos nuevos. Porque queremos tener el espíritu de sabiduría, que es un buen motivo

lo que nos va a arrancar la felicidad, la felicidad eterna y la relativa que podemos alcanzar en esta tierra.

2a   A los de Galacia, San Pablo les dice una cosa muy hermosa a propósito de la filiación divina: «*Misit Deus Filium suum..., ut adoptionem filiorum reciperemus*»[2]. Envió Dios a su Hijo Jesús, y le hizo tomar la forma de nuestra carne, para que recibiésemos la filiación suya. Mirad, hijos míos, mirad qué agradecimiento debemos rendir a ese Hermano nuestro, que nos hizo hijos del Padre. ¿Habéis visto a esos hermanitos vuestros, a esas pequeñas criaturas, hijas de vuestros parientes, que necesitan de todo y de todos? Así es el Niño Jesús. Es bueno considerarle así, inerme. Siendo el todopoderoso, siendo Dios, se ha hecho Niño desvalido, desamparado, necesitado de nuestro amor.

2b   Pero en aquella fría soledad, con su Madre y San José, lo que Jesús quiere, lo que le dará calor, es nuestro corazón. Por lo tanto ¡arranca del corazón todo lo que estorbe! Tú y yo, hijo mío, vamos a ver todo aquello que estorba en nuestro corazón... ¡Fuera! Pero de verdad. Lo repite San Juan en el capítulo primero: «*Quotquot autem receperunt eum dedit eis potestatem filios Dei fieri*»[3]. Nos ha dado la potestad de ser hijos de Dios. Ha querido Dios que seamos hijos suyos. No me invento nada, cuando os digo que es parte esencial de nuestro espíritu la filiación divina: todo está en las Santas Escrituras. Es verdad que, en una fecha de la historia interna de la Obra, hay un momento preciso en el que Dios quiso que nos sintiéramos sus hijos, que al

---

[2] *Galat.* IV, 4-5.

[3] *Ioann.* I, 12.

---

para rezar. Si digo que la cultura es superior a la ciencia, ¿qué diré de la sabiduría? La sabiduría es superior a la cultura. La sabiduría como don del Espíritu Santo es excepcional. Yo he podido conocer almas sin cultura en las que brillaba la sabiduría de Dios. Que no os quedéis vosotros atrás, ni yo», m671224-A.

2a   Al final de este párrafo se lee en *Crónica*: «El Padre ha dicho estas últimas palabras señalando al Niño en la cuna», *Cro1968*,41.

2b   «*un momento preciso*»: aunque en varios días de septiembre y octubre de 1931 tuvo vivencias de la filiación divina, siempre recordó de modo especial la del 16 de octubre de 1931, a la que parecen referirse estas palabras (ver *AVP* I, p. 388 y ss.).

espíritu del Opus Dei incorporásemos ese espíritu de filiación divina. Lo sabréis a su hora. Dios ha querido que, por primera vez en la historia de la Iglesia, fuera el Opus Dei el que corporativamente viviese esta filiación.

2c   Hagamos, por tanto, una oración de hijos y una oración continua. «*Oro coram te, hodie, nocte et die*»[4]; oro delante de ti noche y día. ¿No me lo habéis oído decir tantas veces: que somos contemplativos, de noche y de día, incluso durmiendo; que el sueño forma parte de la oración? Lo dijo el Señor: «*Oportet semper orare, et non deficere*»[5]. Hemos de orar siempre, siempre. Hemos de sentir la necesidad de acudir a Dios, después de cada éxito y de cada fracaso en la vida interior. Especialmente en estos casos, volvamos con humildad, a decir al Señor: ¡a pesar de todo, soy hijo tuyo! Hagamos el papel del hijo pródigo.

2d   Como dice en otra parte la Escritura: orando siempre, no con largas oraciones vocales[6], sino con oración mental sin ruido de palabras, sin gesto externo. ¿Dónde oramos? «*In angulis platearum...*»[7]. Cuando andamos por medio de las calles y de las plazas, debemos estar orando constantemente. Este es el espíritu de la Obra.

3a   Y ¿por qué debemos orar siempre? Nos lo dice el Señor con Jeremías: «*Orabitis me, et ego exaudiam vos*»[8]. Siempre que acudáis a

---

[4] *Neh.* I, 6.

[5] *Luc.* XVIII, 1.

[6] Cfr. *Matth.* VI, 7.

[7] *Matth.* VI, 5.

[8] Cfr. *Ierem.* XXIX, 12.

2c   «*incluso durmiendo*»: sobre este tema, ver notas a 1.5b y a 9.4c.

2d   Después de este párrafo se lee en *Crónica*: «El Padre hace una pausa. Nos dice también que, si Dios le da vida, pondrá en nuestras manos, dentro de dos años, un libro sobre la oración en el Opus Dei, que quiere llamar *Diálogo*», *Cro1968*,41. En la transcripción se lee además el porqué de ese título: «Como tengo tanta devoción a Santa Catalina de Siena, esa gran indiscreta que no tenía ningún reparo en decir las cosas, le pienso llamar *Diálogo*», m671224-A.

mí, siempre que hagáis oración, Yo os escucharé. «*Exaudi, Domine, vocem meam*»[9]. Yo estaré con mi oído atento. El mismo Cristo Jesús, que es nuestro modelo, llama al Padre. Él, que estaba unidísimo –es imposible separarle del Padre y del Espíritu Santo–, ¿veis cómo levanta el corazón a su Padre, antes de cada milagro? Y cuando iba a escoger los primeros discípulos, pasó la noche en oración, «*pernoctans in oratione*»[10].

3b   Por lo tanto debemos orar y orar siempre: son dos propósitos de esta noche. ¿Y cómo vamos a orar? Orar con acción de gracias. Demos gracias a Dios Padre, demos gracias a Jesús, que se hizo niño por nuestros pecados; que se abandonó, sufriendo en Belén y en la Cruz con los brazos abiertos, extendidos, con gesto de Sacerdote Eterno. A mí no me gusta ver una imagen de Jesucristo encogida en la Cruz, encrespado, como rabioso. ¡Eso no es! Padecía como hombre por nuestros pecados, y sentía todos los dolores: de los azotes, de la coronación de espinas, y de las bofetadas, y de la burla... Pero está en la Cruz, con la dignidad de Sacerdote Eterno, sin padre ni madre, sin genealogía. Allí se entrega, sufriendo por amor. Le doy gracias porque por Él, con Él y en Él, yo me puedo llamar hijo de Dios. Este es otro punto que hay que considerar: la acción de gracias, a pesar de nuestras miserias, a pesar de nuestros pecados.

3c   Y también la petición. ¿Qué hemos de pedir? ¿Qué pide un niño a su padre? Papá..., ¡la luna!: cosas absurdas. «Pedid y recibiréis, llamad

---

[9] *Ps.* XXVI, 7.
[10] *Luc.* VI, 12.

3c   En la transcripción se encuentran también estas palabras, después de «*Quærite primum regnum Dei*»: «¿Veis por qué hemos hecho en el Opus Dei locuras? Nos hemos enfrentado con muchos problemas. Esa futura sede donde estará el Colegio Romano, esas fundaciones nuevas... Y no hay medios humanos. Antes había menos: nos hemos encontrado en momentos peores, en que mil pesetas eran algo inmenso. Escribí entonces: se gasta lo que se debe, aunque se deba lo que se gaste. No me gustan las milagrerías, pero os engañaría si no os dijese cuántas veces el Señor hizo llegar, en el

y se os abrirá»[11]. ¿Qué no podemos pedir a Dios? A nuestros padres les hemos pedido todo. Pedid la luna y os la dará; pedidle sin miedo todo lo que queráis. Él siempre os lo dará, de una manera o de otra. Pedid con confianza. «*Quærite primum regnum Dei...*»[12]. Buscad primero lo que es para gloria de Dios y lo que es de justicia para las almas, lo que las une, lo que las eleva, lo que las hermana. ¡Y todo lo demás nos lo dará Él por añadidura!

3d   Hijos míos, yo he terminado. No he dicho nada mío. Todo está en la Sagrada Escritura: es espíritu de Jesucristo, y Él lo ha querido para su Obra.

3e   Que tengáis buena Pascua de Navidad, como dicen en mi tierra. Que Dios os bendiga. Ahora, antes de marchar, os doy la bendición.

---

[11] *Matth.* VII, 7.

[12] Cfr. *Matth.* VI, 33.

último momento, el dinero al céntimo. Para enseñarnos con cosas concretas a confiar en Él», m671224-A.

3d   Antes de este párrafo, en *Crónica* se anota: «Pasan unos minutos más, el Padre nos va diciendo que debemos estar siempre muy unidos, querernos de verdad, con obras. Después acaba», *Cro1968,43*. En la transcripción se lee: «Que el Dios de la paciencia y de la consolación, como dice en Romanos –con esto terminaré: vosotros lo paladearéis y sacaréis frutos, que este es el espíritu del Opus Dei– quiera daros la gracia de estar unidos mutuamente, en sentimientos de afecto. Que estéis muy unidos, hijos de Dios, hermanos de Jesucristo y hermanos entre vosotros. Cariño de verdad, sincero, noble, limpio, sacrificado. No solo de palabra: "non verbo neque lingua", sino "opere et veritate". A fin de que no teniendo más que un corazón y una boca, glorifiquéis a Dios», m671224-A.

11. LOS SUEÑOS SE HAN HECHO REALIDAD
(9 de enero de 1968)

1. Contexto e historia

Esta es la única homilía, en sentido estricto, que se contiene en este libro. La pronunció san Josemaría en el día de su 66.º cumpleaños, el 9 de enero de 1968, durante la Misa que celebró en el oratorio de Santa María de la Paz, hoy Iglesia prelaticia del Opus Dei. *Crónica* dedicó amplio espacio a ese día, con fotografías más grandes de lo ordinario, una de las cuales en color, lo que era una excepción en las revistas de aquellos años.

El día anterior, el fundador había preguntado a los del Colegio Romano si querían que les celebrase la Misa al día siguiente. Ante la esperada respuesta afirmativa, san Josemaría añadió: «Celebraré la misa, os daré la comunión y predicaré; o mejor, os diré unas palabricas después del Evangelio, que os sirvan como puntos de oración»[339].

La homilía apareció íntegramente en *Crónica*, pero fue publicada de modo que visualmente no pareciera un texto largo, por las razones que sabemos[340]. Por el mismo motivo, la homilía no tenía título y cuando se recogió en 1986 se puso el que ahora tiene, y se añadieron las notas con las referencias a la Sagrada Escritura.

2. Fuentes y material previo

EdcS,89-92; *Cro1968*,149-153. En *Cro2000*,514-521 se reprodujo el facsímil del guion de predicación que utilizó san Josemaría, comentándolo y poniéndolo en relación con el texto de la homilía. Hemos incluido ese

---

[339] *Cro1968*,150.

[340] Ver *Introducción general*, § II, 6.2.

manuscrito en el apartado de facsímiles de este volumen. En el expediente de AGP, serie A.4, h680109, se conservan dos transcripciones mecanografiadas: la n. 333 (dos copias) y otra sin número (en el reverso: "Homily of Father. 9-I-68"), menos completa que la primera. Además hay dos octavillas a mano escritas por las dos caras.

3. Contenido

Cuando san Josemaría predicaba con motivo de aniversarios que podrían ponerle en el centro de la atención general, solía encauzar los sentimientos de sus oyentes hacia el agradecimiento a Dios, rechazando toda consideración o reconocimiento hacia su persona.

En ese día de su cumpleaños de 1968, explica que la edad no es ninguna virtud y que lo único que cuenta es la santidad y el tiempo empleado en el servicio a Dios. Ahí es donde él se siente carente de méritos: se ve a sí mismo como un niño, que está comenzando, que ha hecho muy poco en la vida...

Pasa después a considerar que es Dios quien merece toda alabanza porque la existencia del Opus Dei es puro don divino. Aquel sueño, aquella pequeña semilla, que era la Obra en 1928, es ahora una realidad maravillosa y esto le lleva a dar gracias a Dios. En un día como ese, sólo pide a sus oyentes que le sostengan con la oración, para que sea «bueno, fiel y alegre»[341].

---

[341] 11.1k.

4. *Texto y notas*

[LOS SUEÑOS SE HAN HECHO REALIDAD]

1a   Hijos míos: sólo unas palabras. Pocas, porque –aunque no lo creáis– también los viejos nos conmovemos.

1b   Os he de decir en primer término que los años no dan ni la sabiduría ni la santidad. En cambio, el Espíritu Santo pone en boca de los jóvenes estas palabras: «*Super senes intellexi, quia mandata tua quæsivi*»[1]; tengo más sabiduría que los viejos, más santidad que los viejos, porque he procurado seguir los mandatos del Señor. No esperéis a la vejez para ser santos: sería una gran equivocación. Desde ahora, seriamente, gozosamente, alegremente, a través del trabajo –en este momento vuestro trabajo es el estudio–, a santificar esa tarea santificándoos vosotros, sabiendo que santificáis a los demás.

1c   Me estoy acordando ahora de un viejo sacerdote de Valencia que murió en olor de santidad. Cuando le preguntaban que cuántos años tenía, él respondía siempre: «*Poquets!*, poquitos: los que llevo sirviendo a Dios». Yo, desgraciadamente, llevo sirviendo a Dios pocos años, pero tengo ganas de servirle mucho, mucho, mucho, para luego amarle también mucho –como le estoy amando ya, aunque de otra manera–, con plenitud de amor.

---

[1] *Ps.* CXVIII, 100.

1c   «*un viejo sacerdote de Valencia*»: el protagonista de la anécdota –que está contada más extensamente en *Amigos de Dios,* n. 3– era el venerable Gregorio Ridaura Pérez (1641-1704), que desarrolló un intenso apostolado como director espiritual en Valencia y está enterrado en esa catedral. Ver Juan Luis CORBÍN FERRER, *La Valencia que conoció San Josemaría Escrivá. Fundador del Opus Dei*, Valencia, Carena Editors, 2002, p. 68.

1d	Pocos años de servicio, poca sabiduría, poca plenitud de santidad; tan poca, que siento el afán de decir a mi Dios que me escucha, a ese Dios que va a venir ahora sobre el altar, aquellas palabras de Jeremías: «*A, a, a, Domine Deus! Ecce nescio loqui, quia puer ego sum*»[2]; Señor, mira que soy un niño, que balbuceo, que no sé hablar.

1e	Y me vienen a la memoria también aquellos sueños que he tenido desde joven, sueños que se han hecho realidad. Entonces decía: ¿qué sucederá cuando sea viejo? ¿Sabéis dónde ponía yo la meta de lo viejo? ¡En los cuarenta! Aunque hay un amigo nuestro encantador al que –cuando era niño– le encargaron uno de esos trabajos de escuela, un *compito* se dice en italiano, y que él tituló *Storia di un vecchietto trentenne*, historia de un viejo de treinta años...

1f	Pero con todo, algunos de los que están aquí recordarán lo que yo decía a los hijos míos –pocos entonces– que había a mi alrededor, previendo este extenderse de la Obra de polo a polo, esta expansión, este formar una gran familia...

1g	Les decía: hijos míos, no pongáis mi nombre sobre la losa cuando tengáis que enterrar este pobre cuerpo mortal. ¿Y qué ponemos?, me respondían. Poned: «*Et genuit filios et filias*»[3]; engendró hijos e hijas, como los Patriarcas. Y no era soñar. ¿No veis cómo los sueños se han hecho realidad? La Obra es hoy una familia sin límites de raza, de lengua, de nación; con una hermandad real y sobrenatural de maravilla, en la que cada uno tiene un gran amor a la libertad y a la responsabilidad personales.

1h	Una semilla de Dios, una familia que se va extendiendo después de haber roto la tierra seca, porque tuvo que romper mi inutilidad,

---

[2] *Ierem*. I, 6.

[3] *Genes*. V, 16.

1e	«*un amigo nuestro encantador*»: se trataba de Umberto Farri (1928-2006), que vivió y trabajó muchos años junto al fundador, en Roma. Era proverbial su simpatía y su capacidad de narrar con humorismo sucedidos como el que aquí recuerda san Josemaría.

1g	qué ponemos?, *EdcS*,90] qué ponemos? *Cro1968*,152.

mi ineficacia; porque tuvo que romper tanta oposición brutal... Las cosas de Dios vienen así, pequeñas; vienen con una suave violencia, abriéndose camino con dolor y abnegación. Nace el tallo después de haber muerto la semilla, y luego las flores, que brillan con colores maravillosos y aromas embriagadores; y los frutos, los frutos sois vosotros y vuestras hermanas. Soñad. Tengo sesenta y seis años, y los sueños se han hecho realidades; y además no me siento viejo. ¿Veis cómo con la gracia y bendición de Dios, con la protección de nuestra Madre bendita Santa María –*Spes Nostra, Sedes Sapientiæ, filios tuos adiuva!; Stella Maris, Stella Orientis*: me gusta llamarla así–, la Obra ha roto, ha cuajado, ha producido flores y aromas y frutos abundantes en el mundo entero?

1i   Pero yo siempre estoy recomenzando, hijos míos. Tenéis que rezar por mí; rezad por mí mucho. Yo rezo por vosotros, y esto sería correspondencia; pero corresponder es poco. Por piedad, necesito que me ganéis, que me ayudéis, que me sostengáis. Rezad por mí para que sea niño ante Dios, fuerte en el trabajo –ya soy viejo y se me hace de noche– para que sepa recibir con alegría la llamada definitiva, camino del amor que barrunto. Pedid, queridos míos, que sepa amar como hijo a la Santísima Virgen y, como hijo, contemplar también las grandezas del Señor mi Padre, Trino y Uno.

1j   Encomendadme a mi Ángel Custodio, como hacía que me encomendasen vuestros primeros hermanos –algunos lo recordarán– y los chicos de San Rafael. Como he tenido siempre este bendito espíritu anticlerical –es una bendición de Dios tener amor a los sacerdotes y a la Iglesia santa, y ser santamente anticlerical–, les decía: no vengáis conmigo por la calle, no me saludéis. Si me veis, encomendadme a

---

li   pero corresponder es poco. *Cro1968*,153] pero correspondencia es poco. *EdcS*,91 ‖ hace de noche– *Cro1968*,153] hace de noche–, *EdcS*,91.

lj   *«chicos de san Rafael»:* los muchachos que participan en la labor apostólica del Opus Dei con la juventud, llamada precisamente Obra de San Rafael, porque está puesta bajo el patrocinio de este arcángel, junto al apóstol san Juan.

«bendito espíritu anticlerical»: una de las expresiones aparentemente paradójicas de san Josemaría, con la que quiere subrayar su rechazo del clericalismo, que no comprende la justa autonomía de las cuestiones temporales o busca aprovecharse de la

mi Ángel Custodio; y si subo a un tranvía y estáis ahí vosotros, no os pongáis a mi lado; encomendadme.

1k   Ahora que tengo sesenta y seis años, no sólo no me arrepiento, sino que os doy el mismo consejo. Encomendadme a mi Ángel Custodio, para que me ayude a ser bueno, fiel y alegre; para que pueda recibir, a su tiempo, el abrazo de amor de Dios Padre, de Dios Hijo, de Dios Espíritu Santo y de Santa María.

Iglesia para fines personales. El detalle del saludo requiere explicación. En la España de los años treinta y cuarenta del siglo xx, era frecuente que los buenos católicos saludaran a un sacerdote cuando le veían por la calle y se acercaran a besarle la mano. Este gesto de respeto y veneración podía también convertirse, en algunas personas, en una cierta ostentación de catolicismo, o en una manifestación de una mentalidad clerical o beata. San Josemaría prefería que no le saludaran, porque deseaba que los muchachos adquirieran una mentalidad muy laical, junto a un amor verdadero y profundo por el sacerdocio. Deseaba que le demostraran su cariño y respeto sin llamar la atención, rezando por él.

12. SAN JOSÉ, NUESTRO PADRE Y SEÑOR
(19 de marzo de 1968)

1. Contexto e historia

El fundador del Opus Dei predicó esta meditación en el oratorio de Pentecostés, para los que vivían en el centro del Consejo General de la Obra. El 19 de marzo, solemnidad de san José, es una fiesta grande en el Opus Dei, que tiene a san José como patrono. También era el día del santo de san Josemaría y, por tanto, se añadía un especial significado familiar.

El texto apareció en *Crónica* y *Noticias* del mes de marzo de 1971, con la habitual firma caligráfica de san Josemaría.

2. Fuentes y material previo

EdcS,93-103; *Cro1971*,195-205; *Not1971*,179-189. Se conservan en el expediente de AGP, serie A.4, m680219, tres transcripciones mecanografiadas: A (con una fotocopia), B (en realidad es una fotocopia de A, con alguna anotación a mano en el encabezamiento) y C, más breve.

3. Contenido

El amor por san José estaba muy presente desde los primeros tiempos del fundador del Opus Dei[342], pero en los años precedentes a su muerte

---

[342] Ver, por ejemplo, la anotación del 9-I-1933 en sus *Apuntes íntimos*, en *Camino*, ed. crít.-hist., p. 241. El 19 de marzo de 1935 se realizaron las primeras incorporaciones definitivas de miembros de la Obra, y pocos días después se obtenía el permiso para tener reservado el Santísimo Sacramento, por primera vez en una casa del Opus Dei, algo que Escrivá siempre atribuyó a la intercesión de san José: *AVP* I, pp. 494, 542-545; *DYA*, pp. 315-324.

creció "impetuosamente" y recibió un fuerte impulso durante su segundo viaje a América en 1974[343].

El Autor trata de san José tomando pie de los textos litúrgicos de la solemnidad. Va comentando el *proprium* de la Misa, según el *Misal Romano* entonces vigente[344], y dos oraciones que se contenían en el devocionario de ese Misal: la que comienza con las palabras *O felicem virum,* como preparación del sacerdote antes de la Misa, y la que se utiliza para la acción de gracias después de la Eucaristía, cuyo íncipit es *Virginum custos et pater.*

Sus comentarios a esos textos son breves y tienen siempre una aplicación práctica, inmediata. A veces realiza conexiones de ideas que quizá pueden sorprender a quienes no conozcan el contexto en el que san Josemaría predicaba o los temas en los que más le interesaba insistir. Por ejemplo, el «*Sicut cedrus Lybani multiplicabitur*» de la Antífona le sugiere el tema del apostolado[345]; el «*in atriis domus Dei nostri*», que se lee en esa misma oración, le permite subrayar que los fieles del Opus Dei viven con «el alma dentro de la casa del Señor», al mismo tiempo que están «en medio de la calle, en medio de los afanes del mundo, sintiendo las preocupaciones de sus colegas, de los demás ciudadanos, nuestros iguales»[346]. Y más adelante, glosando las palabras «*tuis sanctis altaribus deservire*», pone de manifiesto que en el Opus Dei se procura servir a Dios «no sólo en el altar, sino en el

---

Sobre este tema, ver la introducción, notas y comentarios de Antonio Aranda a la homilía "En el taller de José": *Es Cristo que pasa,* ed. crít.-hist., pp. 323-371. Puede verse una buena selección de textos de san Josemaría sobre el santo Patriarca, ordenados y comentados por criterios teológicos, en Laurentino María DE LA HERRÁN, "La devoción a San José en la vida y enseñanzas de Mons. Escrivá de Balaguer, fundador del Opus Dei (1902-1975)", *Estudios josefinos* XXXIV (1980), pp. 147-189. Sobre su devoción en general, ver Manuel BELDA, "San José", en DSJEB, pp. 1105-1108, Ignacy SOLER, "San José en los escritos y en la vida de San Josemaría. Hacia una teología de la vida ordinaria", *Estudios josefinos* LIX (2005), pp. 259-284. Acerca de diversos aspectos de la devoción josefina presentes en san Josemaría ver Joaquín FERRER ARELLANO, *San José, nuestro padre y señor: la Trinidad de la tierra: teología y espiritualidad josefina,* Madrid, Arca de la Alianza Cultural, 2007.

[343] Ver *AVP* III, pp. 728-731.

[344] O sea, el Misal reformado en 1962 por san Juan XXIII; el promulgado por el beato Pablo VI no entró en vigor hasta 1970.

[345] Cfr. 12.2d.

[346] 12.2e.

mundo entero, que es altar para nosotros»[347]. Todas las acciones se convierten en ofrenda grata a Dios mediante la unión al sacrificio eucarístico, de modo que la jornada es como *una misa* que dura veinticuatro horas.

El cariño con que el fundador habla de san José refleja su antigua familiaridad con él. Sus virtudes le encantan: la fe, la fortaleza, la pureza, la obediencia. Es un trabajador que se santifica mediante una humilde labor, que procura el sustento a Jesús y a María con sus brazos y su trabajo, llevando una vida contemplativa maravillosa, la misma que desea para los miembros del Opus Dei.

Escrivá de Balaguer se rebela contra la iconografía que representa al glorioso esposo de María como un viejo; él lo imagina como un hombre «joven de corazón y de cuerpo»[348], fuerte y humanamente atractivo. La representación iconográfica como un anciano se basa en las narraciones apócrifas y en algún escritor antiguo que deseaba rebatir a los que negaban la perpetua virginidad de María[349]. Por contra, ya en el siglo xv, Jean Gerson defendía la juventud de san José y su pureza, con las mismas razones con que lo hará Escrivá de Balaguer[350]. Sigue a Gerson un franciscano español del siglo xvi, fray Bernardino de Laredo, autor de un *Tratado de San José* que influyó en santa Teresa de Jesús y en otros santos. El fundador del Opus Dei apreciaba ese *Tratado*[351], en el que –con su estilo llano–, el franciscano criticaba a quienes imaginaban a la «Virgen de edad tierna y

---

[347] 12.3h.

[348] 12.2f.

[349] Los escritos apócrifos, en los que se han inspirado tantos detalles iconográficos cristianos, presentan a san José como de unos cuarenta años –una edad avanzada en aquella época– que desposa a María después de haber enviudado de un precedente matrimonio. Esto les sirve para explicar la presencia de los "hermanos" de Jesús, que serían en realidad hermanastros, hijos de la primera mujer de José, y quizá también apunta a justificar la continencia de José y por tanto la virginidad de María. Se trata del *Protoevangelio de Santiago* y de la *Historia de José el Carpintero*.

[350] Este autor, uno de los pioneros de la devoción a san José, recalcaba que para defender su pureza bastaba el Espíritu Santo, no una supuesta ancianidad, que no preserva de las malas inclinaciones. Y defendía que José era joven cuando se casó con María, aduciendo razones convincentes. Cfr. Jean GERSON, *Sermón en el Concilio de Costanza sobre la natividad de la gloriosa Virgen María y el elogio de su virginal esposo José*, Consideración 3, en Francisco CANALS VIDAL, *San José en la fe de la Iglesia: antología de textos*, Madrid, BAC, 2007, p. 40. Ver también *Es Cristo que pasa*, ed. crít.-hist., p. 340.

[351] Ver *Santo Rosario*, ed. crít.-hist., p. 143, nota 12.

hermosísima (...) casada con un muy viejo» y llamaba «muy gran bobedad» la tendencia de los pintores a representar «a san José en edad de varón viejo», cuando para él «san José fue en extremo hermosísimo»[352].

El texto destaca también el papel que san José juega en el Opus Dei, no sólo como modelo, sino como intercesor y patrón principal. Lo llama el «Patriarca de nuestra casa»[353], verdadero jefe de esa familia sobrenatural que es el Opus Dei. En su fiesta, dice, «nos ligamos con lazos de amor y acostumbramos a renovar nuestra entrega»[354], porque en esa fecha los fieles de la Obra ratifican su vinculación al Opus Dei y ponen su fidelidad bajo el amparo de san José.

---

[352] Cfr. Bernardino DE LAREDO, *Tratado de san José*, Madrid, Rialp, 1977, pp. 18-20. El artista que preparó los relieves del oratorio en el que san Josemaría celebraba habitualmente la Misa se inspiró en la iconografía del José anciano, suscitando, como veremos, la crítica del fundador.

[353] 12.2g.

[354] 12.5g.

SAN JOSÉ, NUESTRO PADRE Y SEÑOR

1a   Celebramos la fiesta de San José, Nuestro Padre y Señor, protector y patrono de la Iglesia universal y de esta familia de hijas e hijos de Dios que es el Opus Dei. A veces pienso que os habréis preguntado: ¿cómo es posible que la devoción a San José tenga en la Obra esta raíz, esta hondura, si es una devoción relativamente reciente, puesto que ha comenzado a florecer en Occidente hacia el siglo xvi? Os responderé entonces que el cariño, la piedad, la devoción a San José, es consecuencia de nuestra vida contemplativa. Porque todos en la Obra estamos obligados a tratar mucho a Jesús y a la Virgen Santísima; y no se puede tratar íntimamente al Señor y a su Madre, a nuestra Madre bendita, si no estamos muy familiarizados con el Santo Patriarca, que era el jefe de la Familia de Nazaret.

1b   De otra parte, hijos, la Iglesia nos lo ha propuesto, con razón, como Patrono de la vida interior. ¿Quién con más vida interior que José? ¿Qué criatura tuvo un trato más íntimo con Jesús y con María? ¿Quién más humilde que José, que pasa totalmente inadvertido?

2a   Hace unos días, leyendo en la misa un pasaje del libro de los Reyes, me vino a la mente y al corazón el pensamiento de la sencillez que el Señor nos pide en esta vida, que es la misma que vivió José. Cuando Naamán, aquel general de Siria, va por fin a ver a Eliseo para ser curado de su lepra, el profeta le pide una cosa sencilla: «Ve y lávate siete veces en el Jordán, y tu carne recobrará la salud, y quedarás limpio»[1].

---

[1]   II *Reg.* V, 10.

1a   Nazaret] Nazareth *Cro1971*,195 *EdcS*,93.

Aquel hombre arrogante piensa: ¿acaso los ríos de mi tierra no son de agua tan buena como los de esta tierra de Eliseo? ¿Para eso me he movido yo de Damasco? Esperaba algo llamativo, extraordinario. ¡Y no! Estás manchado; ve y lávate, le dice el profeta. No una vez sola, sino bastantes: siete. Yo pienso que es como una figura de los sacramentos.

2b   Todo esto me recordó la vida sencilla, oculta, de José, que no hace más que cosas ordinarias. San José pasa totalmente inadvertido. La Sagrada Escritura apenas nos habla de él. Pero nos lo muestra realizando la labor de jefe de familia.

2c   Por eso también, si San José es Patrono para nuestra vida interior, si es acicate para nuestro andar contemplativo, si es su trato un bien para todos los hijos y las hijas de Dios en su Opus Dei; para los que en la Obra tienen función de gobierno, San José me parece un ejemplo excelente. No interviene sino cuando es necesario, y entonces lo hace con fortaleza y sin violencia. Este es José.

2d   No os extrañe, pues, que la misa de su fiesta comience diciendo: «*Iustus ut palma florebit*»[2]. Así ha florecido la santidad de José. «*Sicut cedrus Lybani multiplicabitur*»[3]. Pienso en vosotros. Cada uno en el Opus Dei es como un gran padre o madre de familia, y tiene la preocupación de tantas y tantas almas en el mundo. Cuando explico a las hijas o hijos míos jóvenes que, en la labor de San Rafael, deben tratar especialmente a tres o cuatro o cinco amigos; que de esos amigos quizá sólo hay dos que encajarán, pero que después cada uno de ellos traerá tres o cuatro más, cogidos de cada dedo, ¿qué es esto sino florecer como el justo y multiplicarse como los cedros del Líbano?

2e   «*Plantatus in domo Domini: in atriis domus Dei nostri*»[4]. Como José, todos los hijos míos están seguros, con el alma dentro de la casa del Señor. Y esto viviendo en medio de la calle, en medio de los afanes

---

[2] *Ant. ad Intr.* (*Ps.* XCI, 13).

[3] *Ibid.*

[4] *Ibid.*

2b   «*la vida sencilla, oculta, de José*»: sobre su papel como modelo de santificación en la vida ordinaria, ver introducción a esta meditación.

del mundo, sintiendo las preocupaciones de sus colegas, de los demás ciudadanos, nuestros iguales.

2f No es de extrañar que la liturgia de la Iglesia aplique al Santo Patriarca estas palabras del libro de la Sabiduría: *«Dilectus Deo et hominibus, cuius memoria in benedictione est»*[5]. Nos dice que es amado del Señor, y nos lo pone como modelo. Y nos invita también a que los buenos hijos de Dios –aunque seamos unos pobres hombres, como lo soy yo– bendigamos a este hombre santo, maravilloso, joven, que es el Esposo de María. Me lo han esculpido viejo, en un relieve del oratorio del Padre. ¡Y no! Lo he hecho pintar, joven, como me lo imagino yo, en otros lugares; quizá con algunos años más que la Virgen, pero joven, fuerte, en la plenitud de la edad. En esa forma clásica de representar a San José anciano, late el pensamiento –demasiado humano– de que una persona joven no tiene facilidad para vivir la virtud de la pureza. No es cierto. El pueblo cristiano le llama Patriarca, pero yo lo veo así: joven de corazón y de cuerpo, y anciano en las virtudes; y, por eso, joven también en el alma.

2g *«Glorificavit illum in conspectu regum, et iussit illi coram populo suo, et ostendit illi gloriam suam»*[6]. No lo olvidemos: el Señor quiere glorificarle. Y nosotros lo hemos metido en la entraña de nuestro hogar haciéndole también Patriarca de nuestra casa. Por eso la fiesta más solemne e íntima de nuestra familia, aquella en la que nos reunimos todos los socios de la Obra pidiendo a Jesús, Salvador nuestro, que

---

[5] *Ep. (Eccli.* XLV, 1).

[6] *Ibid.,* 3.

2f [5]*Ep. (Eccli.* XLV, 1).] [5]*Ep. (Eccli.* LXV, 1). *EdcS,*95.

«*Lo he hecho pintar, joven*»: se refiere al cuadro de Manuel Caballero (ver introducción a la meditación n. 16 de este libro y foto del cuadro en el apartado de facsímiles y fotografías).

«*joven de corazón y de cuerpo*»: en la transcripción se lee además: «No casarían a una criatura, apenas salida de la adolescencia, con un hombre viejo: es una cosa repugnante», m680219-A.

2g socios *Cro1971,*198] miembros *EdcS,*96.

envíe obreros a su mies, está especialmente dedicada al Esposo de María. Entonces es también mediador; entonces es el amo de la casa; entonces descansamos en su prudencia, en su pureza, en su cariño, en su poder. ¿Cómo no va a ser poderoso, Nuestro Padre y Señor San José?

3a   ¡Cuántas veces me he removido leyendo esa oración que la Iglesia propone a los sacerdotes para recitar antes de la misa!: «*O felicem virum, beatum Ioseph, cui datum est, Deum, quem multi reges voluerunt videre et non viderunt, audire et non audierunt...*». ¿No habéis tenido como envidia de los Apóstoles y de los discípulos, que trataron a Jesucristo tan de cerca? Y después, ¿no habéis tenido como vergüenza, porque quizá –y sin quizá: yo estoy seguro, dada mi debilidad– hubierais sido de los que se escapaban, de los que huían bellacamente y no se quedaban junto a Jesús en la Cruz?

3b   «*...quem multi reges voluerunt videre et non viderunt, audire et non audierunt; non solum videre et audire, sed portare, deosculari, vestire et*

«*que envíe obreros a su mies*»: la víspera del 19 de marzo, los fieles del Opus Dei ponen bajo la intercesión de san José la petición de que nuevas personas vengan a la Obra.

3a   «*esa oración*»: se trata de la que se propone para la preparación a la Misa: *Missale Romanum*, Præparatio ad Missam, Preces ad S. Ioseph.

«*O felicem ... vestire et custodire!*»: «¡Oh feliz varón, bienaventurado José, a quien le fue concedido no sólo ver y oír al Dios a quien muchos reyes quisieron ver y no vieron, oír y no oyeron, y no sólo verle y oírle, sino también ¡abrazarlo, vestirlo y custodiarlo!». La traducción castellana de estas oraciones proviene del *Misal Romano diario*, dispuesto por el Rdo. Eudaldo SERRA, Pbro., Editorial Balmes, Barcelona, 1962.

3b   «*Algunas veces, cuando estoy solo*»: en el convento de Santa Isabel de Madrid –del que Escrivá fue capellán– se conserva una talla del Niño Jesús que las religiosas llaman ahora el "Niño de San Josemaría". El encuentro con esa imagen fue «un auténtico "flechazo" de amor –como lo llama Rodríguez–, un enamoramiento que llegó muy hondo en su alma», y representó «un intenso crecimiento en su devoción a Jesús-Niño». Aquello ocurría el 15 de octubre de 1931, día de santa Teresa de Jesús. Unas semanas después el fundador escribía *Santo Rosario*, donde se lee: «–¡Qué bueno es José! –Me trata como un padre a su hijo. –¡Hasta me perdona si cojo en mis brazos al Niño y me quedo, horas y horas, diciéndole cosas dulces y encendidas!... / Y le beso –bésale tú–, y le bailo, y le canto, y le llamo Rey, Amor, mi Dios, mi Único, ¡mi Todo!...». San Josemaría estaba describiendo lo que él mismo hacía cuando las monjas de Santa Isabel le pasaban por el torno esa preciosa imagen. Quiso hacer una réplica, para tenerla en Roma, y es probable

custodire!». No os lo puedo ocultar. Algunas veces, cuando estoy solo y siento mis miserias, cojo en mis brazos una imagen de Jesús Niño, y lo beso y le bailo... No me da vergüenza decíroslo. Si tuviésemos a Jesús en nuestros brazos, ¿qué haríamos? ¿Habéis tenido hermanos pequeños, bastante más pequeños que vosotros? Yo, sí. Y lo he cogido en mis brazos, y lo he mecido. ¿Qué hubiera hecho con Jesús?

3c «*Ora pro nobis, beate Ioseph*». ¡Claro que hemos de decir así!: «*Ut digni efficiamur promissionibus Christi*». San José, ¡enséñanos a amar a tu Hijo, nuestro Redentor, el Dios Hombre! ¡Ruega por nosotros, San José!

3d Y seguimos considerando, hijos míos, esta oración que la Iglesia propone a los sacerdotes antes de celebrar el Santo Sacrificio.

3e «*Deus, qui dedisti nobis regale sacerdotium...*». Para todos los cristianos el sacerdocio es real, especialmente para los que Dios ha llamado a su Obra: todos tenemos alma sacerdotal. «*Præsta, quæsumus; ut, sicut beatus Ioseph unigenitum Filium tuum, natum ex Maria Virgine...*». ¿Habéis visto qué hombre de fe? ¿Habéis visto cómo admiraba a su Esposa, cómo la cree incapaz de mancilla, y cómo recibe las inspiraciones de Dios, la claridad divina, en aquella oscuridad tremenda para un hombre integérrimo? ¡Cómo obedece! «Toma al Niño y a su Madre y huye a

---

que ante ella siguiera manifestando su amor a Cristo del modo que explica aquí. Cfr. *Santo Rosario*, ed. crít.-hist., pp. 150-155.

«*Y lo he cogido en mis brazos, y lo he mecido*»: san Josemaría llevaba diecisiete años a su hermano Santiago (1919-1994), quien decía: «Josemaría, para mí, más que un hermano, fue un padre. Era un santo "de carne y hueso", no un santo "de pasta flora"». Entrevista a Santiago Escrivá de Balaguer, realizada por Santiago Álvarez, *Palabra* (1992), pp. 243-247.

3c «*Ora pro nobis ... promissionibus Christi*»: «Ruega por nosotros, bienaventurado José, para que seamos dignos de alcanzar las promesas de Cristo», *Missale Romanum*, Præparatio ad Missam, Preces ad S. Ioseph. En los siguientes párrafos, el Autor comenta esta antigua oración para los sacerdotes.

3e «*Deus, qui dedisti ... et portare...*»: «Oh Dios, que nos concediste el sacerdocio real; te pedimos que, así como san José mereció tratar y llevar en sus brazos con cariño a tu Hijo unigénito, nacido de la Virgen María...», *ibid.*

Egipto»[7], le ordena el mensajero divino. Y lo hace. ¡Cree en la obra del Espíritu Santo! Cree en aquel Jesús, que es el Redentor prometido por los Profetas, al que han esperado por generaciones y generaciones todos los que pertenecían al Pueblo de Dios: los Patriarcas, los Reyes...

3f   «...*ut, sicut beatus Ioseph unigenitum Filium tuum, natum ex Maria Virgine, suis manibus reverenter tractare meruit et portare...*». Nosotros, hijos míos —todos, seglares y sacerdotes—, llevamos a Dios —a Jesús— dentro del alma, en el centro de nuestra vida entera, con el Padre y con el Espíritu Santo, dando valor sobrenatural a todas nuestras acciones. Le tocamos con las manos, ¡tantas veces!

3g   «...*suis manibus reverenter tractare meruit et portare...*». Nosotros no lo merecemos. Sólo por su misericordia, sólo por su bondad, sólo por su amor infinito le llevamos con nosotros y somos portadores de Cristo.

3h   «...*ita nos facias cum cordis munditia...*». Así, así quiere Él que seamos: limpios de corazón. «*Et operis innocentia* —la inocencia de las obras es la rectitud de intención— *tuis sanctis altaribus deservire*».

---

[7] *Matth.* II, 13.

3h   «*ita nos facias ... deservire*»: «hagas que nosotros te sirvamos [en tus santos altares] con corazón limpio y buenas obras», *ibid*. En algunas traducciones al castellano del *Missale Romanum* se omite "en tus santos altares", tal vez para dar una validez más general a esta oración, que en principio estaba reservada a la preparación de la santa Misa por parte de los sacerdotes. San Josemaría da un sentido universal a esa frase, pero sin desligarla de la Eucaristía, como explicamos a continuación.

«*el mundo entero, que es altar para nosotros*»: una frase que podría sintetizar buena parte del espíritu del Opus Dei. El fundador enseña que hay que santificar el mundo *desde dentro*, con la vida contemplativa y una total integración en las cosas temporales. De este modo, el *alter Christus, ipse Christus*, que es cada cristiano, ofrece a Dios la creación entera —su trabajo y todo lo que toca a la vida humana— en unión al único Sacrificio grato a Dios: el de la Eucaristía. Así, el cristiano participa en el *reditus* de la creación a su Creador, que es la gran obra de Nuestro Señor, y de ahí que san Josemaría diga que el mundo es *altar* para los miembros del Opus Dei que no son presbíteros, porque allí elevan a Dios su ofrenda cotidiana, unidos al sacrificio del Altar que celebran los sacerdotes. Por eso también enseña que el cristiano corriente

Servirle no sólo en el altar, sino en el mundo entero, que es altar para nosotros. Todas las obras de los hombres se hacen como en un altar, y cada uno de vosotros, en esa unión de almas contemplativas que es vuestra jornada, dice de algún modo *su misa*, que dura veinticuatro horas, en espera de la misa siguiente, que durará otras veinticuatro horas, y así hasta el fin de nuestra vida.

3i   «...*Ut sacrosantum Filii tui corpus et sanguinem hodie digne sumamus, et in futuro sæculo præmium habere mereamur æternum*». Hijos míos: enseñanzas de padre, las de José; enseñanzas de maravilla. Acaso exclamaréis, como digo yo con mi triste experiencia: no puedo nada, no tengo nada, no soy nada. Pero soy hijo de Dios y el Señor nos anuncia, por el salmista, que nos llena de bendiciones amorosas: «*Prævenisti eum in benedictionibus dulcedinis*»[8], que de antemano nos prepara el camino nuestro –el camino general de la Obra y, dentro de él, el sendero propio de cada uno–, afianzándonos en la vía de Jesús, y de María, y de José.

---

[8]   *Grad.* (*Ps.* XX, 4).

---

ejercita su alma sacerdotal y su sacerdocio común diciendo «de algún modo *su misa*, que dura veinticuatro horas».

3i   «*Ut sacrosantum ... æternum*»: «De modo que hoy recibamos dignamente el sacrosanto cuerpo y sangre de tu Hijo, y en la vida futura merezcamos alcanzar el premio eterno», *Missale Romanum*, Præparatio ad Missam, Preces ad S. Ioseph.

«*prævenisti eum ... lapide pretioso*»: «Le previniste Señor, con bendiciones de dulzura, pusiste sobre su cabeza corona de piedras preciosas».

En las transcripciones se encuentra un párrafo, que no se incluyó en la versión final, en el que, glosando el «de antemano nos prepara», añade un inciso que ayuda a pensar en la vida de Jesús y concretamente en su bautismo: «Como seguís haciendo oración, cada uno por vuestra cuenta, no es difícil que recordéis alguna pequeña encrucijada de vuestra vida: una cosa mínima, como meterse en el agua de aquel río de Palestina, en el agua purificadora del Jordán; no es una cosa aparatosa: ahí estaba Él, previniendo, disponiendo con su bendición dulcísima el camino nuestro», m680319-A.

3j   Si sois fieles, hijos, podrán decir de vosotros lo que de San José, el Patriarca Santo, afirma la liturgia: «*Posuisti in capite eius coronam de lapide pretioso*»[9]. ¡Qué tristeza me produce ver las imágenes de los Santos sin aureola! Me regalaron –y me conmoví– dos pequeñas imágenes de mi amiga Santa Catalina, la de la lengua suelta, la de la ciencia de Dios, la de la sinceridad. Y enseguida he dicho que les pongan aureola; una corona que no será de *lapide pretioso*, pero que tendrá buena apariencia de oro. Apariencia sólo, como los hombres.

4a   Mirad: ¿qué hace José, con María y con Jesús, para seguir el mandato del Padre, la moción del Espíritu Santo? Entregarle su ser entero, poner a su servicio su vida de trabajador. José, que es una criatura, alimenta al Creador; él, que es un pobre artesano, santifica su trabajo profesional, cosa de la que se habían olvidado por siglos los cristianos, y que el Opus Dei ha venido a recordar. Le da su vida, le entrega el amor de su corazón y la ternura de sus cuidados, le presta la fortaleza de sus brazos, le da... todo lo que es y puede: el trabajo profesional ordinario, propio de su condición.

4b   «*Beatus vir qui timet Dominum*»[10]. Bienaventurado el hombre que teme al Señor, bienaventurada la criatura que ama al Señor y evita darle un disgusto. Este es el *timor Domini*, el único temor que yo comprendo y siento. «*Beatus vir qui timet Dominum; in mandatis eius cupit nimis*»[11]. Bienaventurada el alma que tiene ambición, deseos de cumplir los mandatos divinos. Esta inquietud persiste siempre. Si alguna vez viene un titubeo, porque el entendimiento no ve con claridad, o porque las pasiones nuestras se alzan como víboras,

---

[9] *Ibid.*
[10] *Tract.* (*Ps.* CXI, 1).
[11] *Ibid.*

3j   «*mi amiga Santa Catalina*»: en esos años, san Josemaría tenía muy presente la figura de la mística de Siena, entre otros motivos, por el modo en que la santa manifestaba su apasionado amor a la Iglesia y al Romano Pontífice, hablando con firmeza y claridad. Ver 9.2c, nota.

4b   «*el único temor que yo comprendo y siento*»: sobre esta interpretación del *timor Domini* en san Josemaría, que se remonta a su oración del otoño de 1931, ver *Camino*, ed. crít.-hist., com. al n. 435.

es el momento de decir: ¡Dios mío, yo deseo servirte, quiero servirte, tengo hambre de amarte con toda la pureza de mi corazón!

4c   Entonces, ¿qué nos faltará? ¡Nada! «*Gloria et divitiæ erunt in domo eius*»[12]. No buscamos gloria terrena: será la gloria del Cielo. Todos los medios –que eso son *las riquezas* de la tierra– deben servirnos para hacernos santos, y para santificar el trabajo, y para santificar a los demás con el trabajo. Y en nuestro corazón habrá siempre una gran serenidad. «*Et iustitia eius*», la justicia de Dios, la lógica de Dios, «*manet in sæculum sæculi*»[13], permanecerá por los siglos de los siglos, si no la echamos fuera de nuestra vida, por el pecado. Esa justicia de Dios, esa santidad que Él ha puesto en nuestra alma, exige –siempre con alegría y con paz– una lucha interior personal que no es de ruido, de alboroto: es algo más intenso, como muy nuestro, que no se pierde a no ser que nos rompamos, a no ser que lo quebremos como si fuera un cántaro de barro. Para arreglarlo están las Normas, está la confesión y la conversación fraterna con el Director. ¡Y de nuevo la paz, la alegría! ¡Y otra vez a sentir más deseos de cumplir los mandamientos del Señor, más ambición buena de servir a Dios y, por Él, a las criaturas todas!

5a   «*Cum esset desponsata Mater Iesu Maria Ioseph...*: estando desposada su Madre María con José, sin que antes hubieran estado juntos, se halló que había concebido en su seno por obra del Espíritu Santo»[14]. Es como la piedra de toque de la santidad admirable de este varón perfecto que es José. «*Ioseph autem, vir eius, cum esset iustus et nollet eam traducere...*»[15]; pero José, su esposo, siendo, como era, justo, y no queriendo infamarla... No, no podía en conciencia. Sufre. Sabe

---

[12] *Ibid.*, 3.

[13] *Ibid.*

[14] *Ev.* (*Matth.* I, 18).

[15] *Ibid.*, 19.

4c   «*Gloria et divitiæ ... sæculum sæculi*»: «Gloria y riquezas llenan su casa; y su justicia durará eternamente».

5a   [14]*Ev.* (*Matth.* I. 18). *Cro1971*,203] [14]*Ev.*(*Matth.* I, 13). *EdcS*,101.

que su esposa es inmaculada, que es un alma sin mancilla, y no comprende el prodigio que se ha obrado en ella. Por eso, «*voluit occulte dimittere eam,* deliberó dejarla secretamente»[16]. Tiene una vacilación, no sabe qué hacer, pero lo resuelve de la manera más limpia.

5b   «*Hæc autem eo cogitante...*». Mientras pensaba estas cosas, le llega la luz de Dios. ¡El Señor no nos faltará nunca, hijos, tened confianza! «*Ecce, Angelus Domini apparuit in somnis...* Estando él en este pensamiento, he aquí que un ángel del Señor se le apareció en sueños, diciendo: José, hijo de David, no tengas recelo en recibir a María tu esposa, porque lo que se ha engendrado en su vientre es obra del Espíritu Santo»[17]. Es el primer hombre que recibe esta declaración divina de la realidad de la Redención, que se estaba ya realizando. «*Pariet autem filium, et vocabis nomen eius Iesum...* De modo que dará luz a un hijo, a quien pondrás por nombre Jesús, pues Él es el que ha de salvar a su pueblo de sus pecados»[18]. Y José se queda tranquilo, sereno, lleno de paz.

5c   Hijos míos: ¿no merece este hombre todo el amor, todo el agradecimiento nuestro? ¿No es un ejemplo de fe y de fortaleza? ¿No es un modelo de limpieza de alma y de cuerpo? ¿No es nuestro Padre y

---

[16] *Ibid.*

[17] *Ibid.,* 20.

[18] *Ibid.,* 21.

«*Sabe que su esposa es inmaculada*»: la interpretación que aquí hace el Autor sobre el estupor de san José, tiene un apoyo en la tradición patrística y espiritual, así como en la moderna exégesis. El Evangelio de san Mateo afirma que José «era justo». San Josemaría sigue la interpretación propuesta por los Padres de la Iglesia y la exégesis, que atribuyen la actitud de José a un respeto religioso: no osaba tomar como esposa a María, pues sabía que Ella pertenecía sólo al Señor (cfr. René Laurentin, *Les Évangiles de l'enfance du Christ: vérité de Noël au-delà des mythes : exégèse et sémiotique, historicité et théologie*, Paris, Desclée, Desclée de Brouwer, 1983 pp. 319-321). Fray Bernardino de Laredo, místico español del siglo xvi, cuyo *Tratado de San José* apreciaba san Josemaría, sigue una opinión parecida, atribuyendo a la humildad de san José el deseo de apartarse de la Virgen: «Reputándose no digno de misterios tan altísimos como en la Virgen pensaba que obraba Dios» decía en su interior «yo me apartaré de aquesta Señora mía pues soy hombre pecador», pues había comprendido su «santidad perfecta» (cfr. Bernardino DE Laredo, *Tratado de san José*, Madrid, Rialp, 1977, pp. 34-36).

Señor? Padre y Señor lo he llamado yo, desde hace tantos años, y así le llamáis vosotros en el mundo entero.

5d Mirad. A mí, y pienso que a vosotros también, me da mucho consuelo esta otra oración que nos propone la Iglesia Santa para recitarla después de la misa: *virginum custos et pater*... ¿Por qué no lo entienden esos desgraciados, que no quieren mirar con ojos limpios la castidad ni el amor santo de nuestros padres; esas personas a quienes no cabe en la cabeza que una criatura débil pueda guardar su ser entero –cuerpo y alma– para Dios? Si somos débiles, Dios pondrá su fuerza. Yo soy muy débil, pero el Señor me dará toda su fortaleza.

5e «*Virginum custos et pater, sancte Ioseph, cuius fideli custodiæ ipsa Innocentia Christus Iesus et Virgo virginum Maria commissa fuit...*». Bienaventurado José, custodio y padre de las vírgenes, a cuyo cuidado fidelísimo fue entregada la Inocencia misma, Jesucristo, y la Virgen de las vírgenes, María. ¿Puede haber un sacerdote, un alma verdaderamente cristiana, que lea esto y no se remueva? Todos los hijos míos, que tienen alma sacerdotal, se encenderán en devoción, en confianza, en aclamación, en cariño a José, Nuestro Padre y Señor.

5f «*Te per hoc utrumque carissimum pignus Iesum et Mariam obsecro et obtestor, ut me, ab omni immunditia præservatum, mente incontaminata, puro corde et casto corpore Iesu et Mariæ semper facias castissime famulari*». Te suplicamos, por Jesús y por María, a quienes recibiste en prenda, que nos preserves de toda inmundicia y que –con espíritu

---

5d «*Virginum custos ... famulari*»: *Missale Romanum*, Gratiarum actio post Missam, Oratio ad S. Ioseph.

«*esos desgraciados*»: se está refiriendo a quienes, en aquellos años de crisis eclesial, pedían la abolición del celibato eclesiástico, manifestando así, a la vez, que tampoco entendían la castidad conyugal. Ver introducción a la meditación n. 9.

5e «*alma sacerdotal*»: una expresión que se basa en la verdad del sacerdocio común de todos los fieles, y que aplicaba tanto a los ministros sagrados como a los fieles corrientes. Estos últimos contribuyen a la santificación del mundo secular ofreciendo su vida ordinaria a Dios, buscando en todo momento la identificación con Cristo y colocando en el centro de su vida espiritual la Santa Misa. Siempre con "mentalidad laical", que pedía a todos, laicos y sacerdotes. Ver María Mercedes OTERO TOMÉ, "Alma sacerdotal", en DSJEB, pp. 90-95.

limpio, corazón puro y cuerpo casto– nos hagas servir siempre a Jesús y a María.

5g   Hijos míos: hemos considerado juntos cómo es un milagro grande que en la Obra, desde el principio, se haya vivido esta vinculación al Santo Patriarca. Él es nuestro Patrono principal, y es también el jefe de nuestra familia: porque le pedimos que envíe más hijos a la Obra, porque en este día nos ligamos con lazos de amor y acostumbramos a renovar nuestra entrega, poniendo en manos de José y de María nuestra vinculación al Opus Dei.

5g   *«en este día»*: sobre la fiesta de san José en el Opus Dei, ver la introducción a esta meditación.

13. REZAR CON MÁS URGENCIA
(24 de diciembre de 1969)

1. Contexto e historia

En la víspera del día de Navidad de 1969, san Josemaría estuvo de tertulia, después de cenar, con los alumnos del Colegio Romano. Como era habitual en esa noche, entonaron el villancico *Madre en la puerta hay un niño*, que conmovía al fundador del Opus Dei porque le recordaba a su madre, que se lo tatareaba cuando era muy pequeño, para dormirlo en sus brazos[355]. Durante la tertulia de Nochebuena, traían la imagen del Niño a la que llamaba "la primera piedra del Colegio Romano". Al verlo comentó: «Es muy gracioso, miradlo. Es una imagen piadosa; a mí me da mucha devoción»[356]. A veces lo tomaba entre sus brazos y lo mantenía así mientras seguía hablando en la tertulia de Navidad, manifestándole su amor con caricias tiernas y viriles a la vez[357].

Después de escuchar el último villancico, sacó unos textos de la Escritura que llevaba anotados en su pequeña agenda de bolsillo[358]. Habló con un tono de predicación, que ya había empleado otras veces. Al terminar, se alzó para dar la bendición a los presentes. Se lee en las páginas de *Crónica*, relatando ese momento, que «se acerca al Niño; parece que vacila un momento, pero tiende las manos hacia él *—sí, me parece una buena cosa,*

---

[355] «Cuando yo tenía unos tres años —contaba en cierta ocasión—, mi madre me cantaba esta canción, me tomaba en sus brazos, y yo me adormecía muy a gusto», en *AVP* I, p. 32.

[356] *Cro1970*,144. Sobre la historia de esta imagen de Jesús Niño, ver la introducción a la meditación n. 10.

[357] Existe una filmación de la Nochebuena de 1972, en Villa Tevere, donde se recoge esa escena.

[358] En *Crónica* y en *EdcS* se decía que eran unas "fichas": en realidad, como el mismo san Josemaría explica (ver 13.2b) tenía esas frases recogidas en su agenda. Hemos podido hablar con varios de los que estuvieron presentes en aquella tertulia y recuerdan que efectivamente se trataba de una agenda, no de unas fichas.

comenta– y lo levanta de la cuna. Lo eleva luego a la altura de su rostro y, con él entre las manos, traza en el aire la señal de la Cruz»[359]. Esa bendición con la imagen de Jesús volvería a repetirla en los años siguientes, hasta el final de su vida.

Todo esto se relata en un artículo de *Crónica* titulado "Noches de Navidad" en el que se incluye el texto que ahora presentamos. También esta vez, la redacción intercaló comentarios para que quedara menos en evidencia que se reproducía un texto del fundador casi completo y más largo de lo habitual. En 1982, se incluyó otra vez en *Crónica*, esta vez a simple columna y sin interrupciones, dentro de un largo artículo conmemorativo titulado "Cincuenta años de oración", que se preparó con motivo de la culminación del itinerario jurídico del Opus Dei. En esta ocasión, el texto iba precedido de una introducción y con el ladillo, "Rezar con más urgencia", que pasaría después a ser su título, cuando se incluyó en *EdcS*. Las notas de la Sagrada Escritura se pusieron también en 1982, salvo la primera, que se añadió en *EdcS*.

En *EdcS* se menciona en una nota explicativa que «por aquellas fechas se hallaba en curso el Congreso General especial del Opus Dei, convocado por nuestro Fundador –entre otras cosas– con el objetivo de preparar los documentos necesarios para obtener en su momento, de la Santa Sede, la erección de la Obra en Prelatura personal». A la situación jurídica se refiere san Josemaría en el párrafo 13.5c.

2. Fuentes y material previo

EdcS,105-111; *Cro1970*,145-150; *Cro1982*,1396-1398. En el expediente de AGP, serie A.4, m691224, se conservan las siguientes transcripciones mecanografiadas: A (original n. 397, con dos copias carbón), B (una mecanografiada y cuatro fotocopias), C, D y E (más breve y en estilo indirecto).

3. Contenido

El tema principal de esta meditación es la oración y la vida contemplativa. Comienza san Josemaría con una consideración que facilita el diálogo

---

[359] *Cro1969*,150-151.

con Jesús, una oración afectiva y llena de confianza: «Mirad qué gracioso es el Niño: está indefenso»[360]. A partir de ese comentario, la tertulia se convierte en una meditación, porque san Josemaría quiere proponer unos temas que sirvan para la oración de quienes le escuchan. Como ya hemos visto en este libro, se trata de un género de predicación muy característico de san Josemaría.

En esa ocasión habló de la Cruz y de cómo Cristo quiso padecer serenamente para evitar los padecimientos de los demás. Sus palabras discurrieron después sobre el tema de la oración como hijos de Dios en medio de la calle, viendo la mano providente del Señor en todas las cosas, también en las que hacen sufrir. Se refirió al abandono filial en Dios, pero también a la oración de petición, a los distintos modos en que se puede pedir, de la fe con que hay que hacerlo, de la confianza completa, de la alegría y la paz que deben venir de la unión con Cristo.

---

[360] 13.1a.

4. Texto y notas

[REZAR CON MÁS URGENCIA]

1a   Yo me tendré que marchar pronto; por eso quisiera deciros antes unas palabricas. Mirad qué gracioso es el Niño: está indefenso.

1b   Estos han cantado que vino a la tierra para padecer, y yo os digo: para padecer y para evitar los padecimientos de los demás. Él sabía que venía a la Cruz y, sin embargo, hay ahora unas teorías, una falsa ascética que habla del Señor como si estuviera en la Cruz, rabioso, diciendo a los hombres: yo estoy aquí en la Cruz, y por eso os clavo también a vosotros en ella. ¡No!, hijos míos. El Señor extendió los brazos con gesto de Sacerdote eterno, y se dejó coser al madero de la Cruz para que nosotros no padeciésemos, para que nuestros padecimientos fueran más suaves, incluso dulces, amables.

1c   En esta tierra, el dolor y el amor son inseparables; en esta vida hay que contar con la Cruz. El que no cuenta con la Cruz no es cristiano; el que no cuenta con la Cruz, se la encuentra de todos modos, y además encuentra en la cruz la desesperación. Contando con la Cruz, con Cristo Jesús en la Cruz, podéis estar seguros de que en los momentos más duros, si vienen, estaréis acompañadísimos, felices, seguros, fuertes; pero para esto hay que ser almas contemplativas.

1a   *«Mirad qué gracioso es el Niño: está indefenso»*: se refiere a la imagen del Niño Jesús, realizada tomando como modelo el de Santa Isabel (ver introducción a la meditación n. 10).

1b   *«vino a la tierra para padecer»*: alude a la letra de un villancico tradicional español que san Josemaría aprendió en el hogar paterno y que se solía cantar durante la tertulia de Nochebuena en Villa Tevere, como se sigue haciendo todavía hoy.

2a   Los hijos míos y yo debemos ser en el mundo, en medio de la calle, en medio de nuestro trabajo profesional, cada uno en lo suyo, almas contemplativas, almas que estén constantemente hablando con el Señor, ante lo que parece bueno y ante lo que parece malo: porque, para un hijo de Dios, todo está dispuesto para nuestro bien. A la gente todo le parece excesivo, si lo que viene no es bueno; para nosotros, tratando a Jesús, teniendo intimidad con Jesucristo, Nuestro Señor y nuestro Amor, no hay contradicciones ni sucesos malos: *omnia in bonum!*[1].

2b   Intimidad con Cristo quiere decir ser almas de oración. Tenéis que aprender a tratar al Señor, desde por la mañana hasta por la noche; debéis aprender a rezar durante todo el día. ¡Veréis qué consuelo, veréis qué alegría, qué bien andaréis! Además, lo quiere Él. Tengo aquí, recogidos en la agenda, unos textos de la Escritura que suelo leer y meditar mucho. Me gustaría que hicierais lo mismo. Porque, si yo os digo que conviene tratar a Nuestro Señor en la oración, ya es una cosa: soy un sacerdote anciano, tengo casi setenta años. Además, soy el Padre que el Señor ha escogido para vosotros en la tierra, aquí, en esta gran familia de la Obra; os quiero con toda mi alma, y no puedo deciros una cosa por otra... Pero –sobre todo– mirad, no os lo digo yo solo: es el Señor mismo quien nos lo dice:

---

[1]   Cfr. *Rom.* VIII, 28.

2a   *«omnia in bonum!»:* jaculatoria que repetía san Josemaría a menudo, como acto de conformidad con la voluntad de Dios. Es una abreviación personal del texto de Rm 8, 28: *«Diligentibus Deum omnia cooperantur in bonum»* («todas las cosas cooperan para el bien de los que aman a Dios»). Lo escribía con un signo de admiración final, como otras jaculatorias, para subrayar el tono exclamativo de esa oración vocal.

2b   *«unos textos de la Escritura que suelo leer y meditar mucho»:* san Josemaría escribía en su agenda o en trozos de papel textos de la Escritura que después meditaba y de los que se servía también –una vez que había profundizado su contenido en la oración– para predicar. Ver Francisco VARO PINEDA, "San Josemaría Escrivá de Balaguer, «Palabras del Nuevo Testamento, repetidas veces meditadas. Junio - 1933»", SetD 1 (2007), pp. 259-286. De los textos que aquí comenta algunos se encuentran en esa relación de 1933: concretamente, los que emplea en 2d, 4a y 5a.

2c   «*Et omnia quæcumque petieritis in oratione credentes accipietis*»[2]. Lo escribe San Mateo: todo lo que me pidáis en la oración, teniendo fe, todo lo tendréis. Y nosotros necesitamos muchas cosas. Esta familia del Opus Dei, extendida por todo el mundo, necesita muchas bendiciones de Dios dentro del año que viene. Vamos a pedir con toda el alma, con toda la fe, diciéndole con cariño al Señor, cada uno en la soledad acompañada del corazón: Jesús, que queremos esto... Vosotros decís: queremos lo que quiera el Padre, y acabáis antes, ¿no? Porque yo, además, quiero lo que quiere Él; así que está en un compromiso tremendo.

2d   «*Iterum dico vobis* –nos dice San Mateo– *quia, si duo ex vobis consenserint super terram, de omni re quamcumque petierint fiet illis a Patre meo qui in cælis est*»[3]. Basta que haya dos que se pongan de acuerdo para pedir, y nosotros somos miles que estamos pidiendo lo mismo. ¡Qué seguridad hemos de tener! ¡Qué esperanza más segura! Una esperanza verdaderamente divina, sobrenatural, porque está fundamentada en el Amor, en la fe y en las palabras de Jesucristo mismo.

3a   Afirma que, lo que pidamos, nos lo dará su Padre que está en los cielos. Esta familia nuestra se siente en el mundo tan unida al Padre de los cielos como la que más. Tenemos un Padre, y constantemente

---

[2]   *Matth.* XXI, 22.
[3]   *Matth.* XVIII, 19.

2c   Porque yo, además, *Cro1982*,1397 *EdcS*,107] Porque yo, además *Cro1970*,146.

«*queremos lo que quiera el Padre*»: el origen de esta frase se atribuye al beato Álvaro del Portillo: «Durante la mayor parte de su vida, la oración de D. Alvaro, con distintos tonos, se ha resumido en esa frase: *Señor, te pido lo que te pide el Padre*», Javier ECHEVARRÍA RODRÍGUEZ, "Monseñor del Portillo, Nuevo Presidente General del Opus Dei", *Nuestro Tiempo* 44 (1975), pp. 185-193, p. 41. Ver Javier MEDINA BAYO, *Álvaro del Portillo. Un hombre fiel*, Madrid, Rialp, 2012, pp. 334-335.

3a-c   En estos párrafos se refiere a los sucesos de 1931, en los que Dios le hizo comprender de manera inefable la realidad de la filiación divina del cristiano. Ver Fernando OCÁRIZ BRAÑA, "La filiación divina, realidad central en la vida y en la enseñanza de Mons. Escrivá de Balaguer", en ScrTh 13 (1981), pp. 513-552; Antonio ARANDA LOMEÑA, "Llamados a ser hijos del Padre. Aproximación teológica a la noción de filiación divina adoptiva", en José Luis ILLANES MAESTRE (ed.), *El Dios y Padre de Nuestro*

sentimos la filiación divina. No lo quise yo, lo quiso Él. Os podría decir hasta cuándo, hasta el momento, hasta dónde fue aquella primera oración de hijo de Dios.

3b   Aprendí a llamar Padre, en el Padrenuestro, desde niño; pero sentir, ver, admirar ese querer de Dios de que seamos hijos suyos..., en la calle y en un tranvía –una hora, hora y media, no lo sé–; *Abba, Pater!*, tenía que gritar.

3c   Hay en el Evangelio unas palabras maravillosas; todas lo son: «Nadie conoce al Padre sino el Hijo, y aquél a quien el Hijo lo quisiera revelar»[4]. Aquel día quiso de una manera explícita, clara, terminante, que, conmigo, vosotros os sintáis siempre hijos de Dios, de este Padre que está en los cielos y que nos dará lo que pidamos en nombre de su Hijo.

4a   Hijos míos, «*omnia quæcumque orantes petitis, credite quia accipietis, et evenient vobis*»[5]. Es de San Marcos: todo lo que pidáis en la oración, ¡todo!, creed que se os dará. ¡Juntos a pedir! ¿Y cómo se pide a Dios nuestro Señor? Como se pide a una madre, como se pide a un hermano: unas veces con una mirada, otras veces con un gesto, otras portándonos bien, para que estén contentos, para mostrarles cariño; otras veces con la lengua. Pues así: pedid así. Todos los procedimientos humanos de entenderse con otra persona hemos de ponerlos nosotros, para hacer oración y tratar a Dios.

4b   San Lucas: «*Omnis enim qui petit accipit, et qui quærit invenit, et pulsanti aperietur*»[6]. A todo aquel que pide algo, el Señor lo escucha; pero hay que pedir con fe, ya he dicho antes, y más si somos por lo menos dos, y aquí somos tantos millares.

---

[4] *Matth.* XI, 27.

[5] *Marc.* XI, 24.

[6] *Luc.* XI, 10.

Señor Jesucristo: XX Simposio Internacional de Teología de la Universidad de Navarra, Pamplona, Universidad de Navarra. Servicio de Publicaciones, 2000, pp. 251-272.

4a   a un hermano: *Cro1970*,148] a un hermano; *Cro1982*,1398 *EdcS*,108.

4c **«*Si quid petieritis Patrem in nomine meo, dabit vobis*»[7]**. Esto es de San Juan: si pedís cualquier cosa al Padre en mi nombre, os la dará; en el nombre de Jesús. Cuando lo recibáis en la Eucaristía cada día, decidle: Señor, en tu nombre yo le pido al Padre... Y le pedís todo eso que conviene para que podamos mejor servir a la Iglesia de Dios, y mejor trabajar para la gloria del Señor: del Padre y del Hijo y del Espíritu Santo; de la Beatísima Trinidad, único Dios.

4d **«*Petite et accipietis, ut gaudium vestrum sit plenum*»[8]**: pedid, recibiréis y os llenaréis de alegría. Este *gaudium cum pace* que pedimos cada día al Señor en nuestras Preces, es una realidad en la vida de un hijo de Dios que se porta –con sus luchas, con sus pequeñeces, con sus errores; yo tengo tantos errores..., vosotros tendréis algunos–, que se porta bien con el Señor, porque le ama, porque le quiere. A este hijo mío necesariamente le dará lo que pide y, además, una alegría que ninguna cosa de la tierra le podrá llevar del corazón.

5a Más: más trato y más unión. Os leo unas palabras que son también de San Juan, que es –humanamente hablando– el Apóstol que más conocía a Jesucristo. «*Si manseritis in me, et verba mea in vobis manserint, quodcumque volueritis petetis, et fiet vobis*»[9]; si permanecéis unidos a Mí, y mis palabras, mi doctrina, están en vosotros, cualquier cosa que pidáis se os dará.

5b Luego esa unión con Jesús, ese trato, ese permanecer en Cristo nos ha de dar una seguridad completa. Yo la tengo, hijos. Porque estas

---

[7] *Ioann.* XVI, 23.
[8] *Ioann.* XVI, 24.
[9] *Ioann.* XV, 7.

4d «*Este* gaudium cum pace ... *nuestras Preces*»: se refiere a una de las oraciones de las Preces que rezan todos los días los miembros del Opus Dei: «*Gaudium cum pace, emendationem vitæ, spatium veræ pœnitentiæ, gratiam et consolationem Sancti Spiritus atque in Opere Dei perseverantiam, tribuat nobis Omnipotens et Misericors Dominus*». La oración –en la que san Josemaría realizó una pequeña adaptación– forma parte de la *Formula intentionis*, una plegaria para la preparación a la Misa, que se encuentra en el Misal Romano.

palabras que os estoy comentando –ya os lo he dicho antes– me están sirviendo para mi meditación, para volverme a llenar de alegría en los momentos en los que hay que luchar.

5c Por eso, porque este alimento me va bien, quiero dároslo también a vosotros: quiero daros la seguridad de que la oración es omnipotente. Pedid mucho, bien unidos unos a otros por la caridad fraterna; pedid además poniendo por medio la intención del Padre, lo que el Padre pide en la Misa, lo que está pidiendo continuamente al Señor. Continuamente, he dicho, y no rectifico: incluso ahora mismo estoy pidiendo, no estoy sólo hablando con vosotros. Hablo con Dios Nuestro Señor, y le pido tantas cosas que son necesarias para la Iglesia y para la Obra; le pido para que quite ciertos impedimentos, que nos obligaron a aceptar al venir a Roma. No os preocupe, pero ya lo sabéis: que no me interesan –ni me han interesado nunca– los votos, ni las botas, ni los botones, ni los botines.

5d Pedid también por la paz del mundo: que no haya guerras, que se acaben las guerras y los odios. Pedid por la paz social: por que no haya odios de clases, por que la gente se quiera; que sepan convivir, que sepan disculpar, que sepan perdonar; si no, el amor de Cristo no lo veo por ninguna parte.

5e Hijos míos, vamos a pedir eso mismo a la Santísima Virgen. Cuando no sepáis qué decir al Señor, quizá ni siquiera repetir lo que os estoy diciendo ahora, de este modo, como en una conversación de familia, acudid a la Virgen: Madre mía, que eres Madre de Dios,

---

5c «*le pido para que quite ciertos impedimentos*»: se refiere a algunos puntos en los que tuvo que "conceder sin ceder, con ánimo de recuperar" en el proceso de aprobación institucional. Ver *Itinerario*, p. 220. En 1969 estaba en curso el Congreso General especial del Opus Dei, que entre otros asuntos trató de la petición a la Santa Sede de una configuración jurídica adecuada, adaptada a las nuevas posibilidades que había abierto el Concilio Vaticano II. Ver *ibid*. pp. 365-380.

«*los votos, ni las botas, ni los botones, ni los botines*»: para subrayar su afirmación, el Autor realiza, con sentido del humor, un juego de palabras, aprovechando la pronunciación –prácticamente idéntica en castellano– entre "votos" (promesas) y "botos" (un tipo de calzado alto, semejante al que se usa para montar).

dime qué le tengo que decir, cómo se lo tengo que decir para que
me escuche. Y la Virgen bendita, que es también Madre nuestra,
os orientará, os inspirará, y haremos una oración muy bien hecha
siempre, y seréis contemplativos.

14. LA LÓGICA DE DIOS
(6 de enero de 1970)

1. Contexto e historia

Se recoge aquí una meditación del 6 de enero de 1970, solemnidad de la Epifanía del Señor. El diario de ese día ofrece un breve resumen: «El Padre nos ha dirigido la meditación en el Oratorio del Consejo. Ha comentado el Evangelio de la misa: los Magos que siguen la estrella –la llamada– sin mucha lógica humana. Nosotros hemos seguido la vocación del Señor, por una fuerza sobrenatural que nos movía, no por razones humanas. La traición de Herodes: también la Obra ha encontrado varios Herodes en su camino. Pero el Señor nos va conduciendo. Hemos de ser fieles: como un borrico que, aunque alguna vez se rebele, tiene la piel dura para el trabajo, no tira la carga, sigue adelante. Acercarnos al Señor como niños: hacernos pequeños. Y Nuestra Madre que tiene a Jesús en su brazo derecho, apretado contra su corazón, nos cogerá con el otro brazo, y nos estrechará con Jesús, bien unidos»[361].

El fundador del Opus Dei la revisó para que se publicara en *Crónica* y *Noticias* en 1972, un año en el que, como se dice en la *Introducción general*, aparecieron siete textos largos de san Josemaría en esas publicaciones. Después se recogió, como las demás, en *EdcS*.

2. Fuentes y material previo

EdcS,113-121; *Cro1972*,1009-1017; *Not1972*,939-947. Se conserva una transcripción mecanografiada en AGP, serie A.4, m700106: A (con una copia carbón y una fotocopia) y B, prácticamente idéntica en su

---

[361]   Diario del centro del Consejo General, 6-I-1970 (AGP, serie M.2.2, 430-17).

contenido. Además, existe la grabación magnetofónica, aunque no es de buena calidad y tiene bastante ruido, probablemente porque el micrófono estaba a distancia de san Josemaría, lo que hace difícil de entender alguna frase.

3. Contenido

El tema es la respuesta a la llamada de Dios. Glosando la historia de los Magos, san Josemaría pone en paralelo su seguimiento de la estrella con la vocación cristiana. Considera, en ese contexto, los motivos sobrenaturales que han llevado a cada cual a tomar la libre decisión de decir que sí a la invitación divina.

Su forma de hacer oración mental, partiendo de la narración bíblica para penetrar en los misterios revelados y convertirlos en historia personal, se nos muestra en este texto de forma muy clara. Se representa las escenas del Evangelio, las hace propias, las *vive* y saca consecuencias para su existencia cristiana. Esto es más evidente en aquellos misterios en los que se encuentra la Sagrada Familia, la *trinidad de la tierra,* que le ayudaba a entrar en intimidad con la Trinidad Beatísima[362].

Esas manifestaciones de amor a Dios tienen como trasfondo la actitud de desagravio que es característica en la vida espiritual de san Josemaría, durante los años de sufrimiento por la crisis de la Iglesia. Su dolor daba paso a una oración intensa, llena de fe y de deseos de reparación, de la que este texto es un ejemplo.

---

[362] Ver la introducción a la meditación n. 16.

4. *Texto y notas*

LA LÓGICA DE DIOS

1a   «*Ubi est qui natus est rex Iudæorum?*»[1]. Apenas ha nacido Cristo, y ya se reconoce su realeza: ¿dónde está el Rey de los judíos, que acaba de nacer? Van a adorarle unos hombres venidos del Oriente, gente poderosa –quizá eran príncipes o sabios– que se deja arrastrar por una señal externa que no parece un motivo suficientemente razonable. Han recibido una llamada, un mensaje no muy preciso: el fulgor extraordinario de una estrella. Pero no se resisten. Desde el punto de vista humano, parece un poco ilógico que se pongan en camino, afrontando un viaje por rumbos desconocidos, y más aún que pregunten en Jerusalén, donde reinaba otro: «*Ubi est rex Iudæorum?*», ¿dónde se encuentra el Rey de los judíos?

1b   Hay también muchas cosas ilógicas en vuestra vida y en la mía, hijos de mi alma. También nosotros hemos visto una luz, también nosotros hemos escuchado una llamada, también nosotros hemos compartido con esos hombres una inquietud que nos ha llevado a tomar determinaciones que, a los que nos querían, a los que estaban a nuestro lado, quizá no les parecían razonables. Desde el punto de vista humano, tenían razón; pero tú y yo, hijo mío, podríamos

---

[1]   *Ev.* (*Matth.* II, 2).

1a   [1]*Ev.* (*Matth.* II, 2).] [1]*Matth.* II, 2. *EdcS*, 114.

1b   [2]*Allel.* (*Matth.* II, 2).] [2]*Ibid. EdcS*, 114.

«*cosas ilógicas*»: la respuesta a la vocación divina sobrepasa los cálculos puramente humanos; se entiende sólo desde una óptica sobrenatural, desde la "lógica de Dios", como la llama aquí, propia de quien vive de fe.

decir: «*Vidimus stellam eius...*»[2], que hemos visto su estrella y hemos venido a adorarle.

2a ¿Quién es capaz de precisar cómo se toma la primera decisión de entrega, cuándo nace esa primera ingenuidad y –vuelvo a repetir– esa falta de lógica? Una entrega –yo tengo mi experiencia, y cada uno de vosotros tiene la suya– que hay que renovar cada instante, cada día y, en ocasiones, muchas veces al día, perdido quizá ya el candor de los primeros momentos. Porque nos hemos acercado a Cristo y hemos sentido latir fuerte, fuerte, su Corazón, y hemos llegado a gustar de esas delicias suyas, que son «estar Él con los hijos de los hombres»[3]; por todo eso sabemos lo que vale el amor de Dios.

2b Sí, hay que renovar la entrega; hay que volver a pronunciar: Señor, te amo, y decirlo con toda el alma. Aunque la parte sensible no responda, se lo diremos con el calor de la gracia y con la voluntad nuestra: Jesús mío, Rey del universo, te amamos.

2c Quiero insistir en la falta de lógica humana que se ve a lo largo de estos cuarenta y dos años de historia nuestra. Hemos encontrado, hijos, al Herodes que ha querido matar esta gran realidad divina –no es ilusión– de nuestra vida, que nos ha hecho cambiar del todo. También la Obra ha encontrado, más de una vez, a Herodes en su camino. Pero ¡tranquilos, tranquilos! No hemos dejado tantas cosas –los Magos hicieron lo mismo, abandonando incluso el lugar de su residencia, donde tenían quizá poder y eran considerados como

---

[2] *Allel.* (*Matth.* II, 2).

[3] *Prov.* VIII, 31.

2c «*cuarenta y dos años*»: en realidad habían pasado cuarenta y un años y poco más de tres meses, porque los cuarenta y dos se cumplirían el 2 de octubre de 1970. San Josemaría solía emplear el cómputo de años incoados –que algunas veces se usa en ámbito eclesiástico (ver, por ejemplo, el c. 1252 del CIC)–, distinto del cómputo por años vencidos, que es el habitual para recordar un aniversario. Lo mismo se ve en 17.1c.

«*Herodes*»: habla aquí en términos genéricos, como una alegoría, aunque todos los que le escuchaban sabían las graves contradicciones que había sufrido el Opus Dei a lo largo de su historia, algunas de las cuales pusieron en peligro su misma subsistencia; ver, por ejemplo, *AVP* III, cap. XVIII.

personas de mucha categoría–; no hemos dejado nuestros intereses personales por una nimiedad. Ahora sabemos muy claramente que el motivo divino, que nos inquietó y nos arrancó de nuestra poltronería, es un motivo que vale la pena. ¡Vale la pena!: nos conviene ser fieles; nos conviene tener tanto amor, que en nuestra vida no quepa el temor.

3a   Cada uno, en el fondo de su conciencia, después de confesar: Señor, te pido perdón de mis pecados, puede dirigirse a Dios con confianza absoluta, filial; con la confianza que merece este Padre que –no me canso de repetirlo– nos ama a cada uno de nosotros como una madre a su hijo... Mucho más, no *como*; mucho más que una madre a su hijo y que un padre a su hijo primogénito. Es ése el momento de decir a este Dios poderosísimo, sapientísimo, Padre nuestro, que nos ha amado, a cada uno, hasta la muerte y muerte de cruz, que no perderemos la serenidad aunque las cosas, en apariencia, vayan empeorando. Nosotros, hijos, sigamos adelante en nuestro camino, tranquilos, porque Dios nuestro Señor no permitirá que destruyan su Iglesia, no dejará que se pierdan en el mundo las trazas de sus pisadas divinas.

3b   Ahora, por desgracia para nosotros y para toda la cristiandad, estamos asistiendo a un intento diabólico de desmantelar la Iglesia, de quitarle tantas manifestaciones de su divina hermosura, atacando directamente la fe, la moral, la disciplina y el culto, de modo descarado hasta en las cosas más importantes. Es un griterío infernal, que pretende enturbiar las nociones fundamentales de la fe católica. Pero no podrán nada, Señor, ni contra tu Iglesia, ni contra tu Obra. Estoy seguro.

3c   Una vez más, sin manifestarlo en voz alta, te pido que pongas este remedio y aquel otro. Tú, Señor, nos has dado la inteligencia para que discurramos con ella y te sirvamos mejor. Tenemos obligación de poner de nuestra parte todo lo posible: la insistencia, la tozudez, la perseverancia en nuestra oración, recordando aquellas palabras

---

3a   *«no permitirá que destruyan su Iglesia»*: sobre su preocupación en esos años de crisis, ver las introducciones a las meditaciones nn. 9 y 18.

que Tú nos has dirigido: «Pedid, y se os dará; buscad, y hallaréis; llamad, y os abrirán»[4].

4a   Han llegado los Magos a Belén. Los evangelios apócrifos, que merecen de ordinario una consideración piadosa, aunque no merezcan fe, cuentan cómo ponen sus dones a los pies del Niño; cómo le adoran sin recatarse, cuando encuentran al Rey que están buscando, no en un palacio real, ni rodeado de numerosa servidumbre, sino en un pesebre, entre un buey y una mula, envuelto en unos pañales, en brazos de su Madre y de San José, como una criatura más que acaba de venir al mundo.

4b   San Mateo, en el pasaje de su Evangelio que hoy nos propone la Iglesia, termina diciendo: «Y habiendo recibido en sueños un aviso para que no volviesen a Herodes, regresaron a su país por otro camino»[5]. Unos hombres extraordinarios en su tiempo, poseedores de una ciencia reconocida, hacen caso de un sueño. Otra vez es poco lógico su comportamiento. ¡Tantas cosas humanamente ilógicas, pero llenas de la lógica de Dios, hay también en nuestra vida!

4c   Hijos míos, vamos a acercarnos al grupo formado por esta trinidad de la tierra: Jesús, María, José. Yo me meto en un rincón; no me atrevo a acercarme a Jesús, porque todas las miserias mías se ponen de pie: las pasadas, las presentes. Me da como vergüenza, pero entiendo también que Cristo Jesús me echa una mirada de cariño. Entonces me acerco a su Madre y a San José, este hombre tan ignorado durante siglos, que le sirvió de padre en la tierra. Y a Jesús le digo: Señor, quisiera ser tuyo de verdad, que mis pensamientos, mis obras, mi vivir entero fueran tuyos. Pero ya ves: esta pobre miseria humana me ha hecho ir de aquí para allá tantas veces...

[4] *Matth.* VII, 7.
[5] *Matth.* II, 12.

4a   «*Los evangelios apócrifos*»: concretamente lo refieren el *Evangelio del Pseudomateo*, XVI, 2 y el *Liber de infantia Salvatoris*, n. 92 (edición de Aurelio DE SANTOS OTERO, *Los Evangelios apócrifos: colección de textos griegos y latinos*, Madrid, Editorial Católica, 1956, pp. 229 y 289-290).

4c   «*trinidad de la tierra*»: o sea, la Sagrada Familia; ver introducción a la meditación n. 16.

4d   Me hubiese gustado ser tuyo desde el primer momento: desde el primer latido de mi corazón, desde el primer instante en el que la razón mía comenzó a ejercitarse. No soy digno de ser –y sin tu ayuda no llegaré a serlo nunca– tu hermano, tu hijo y tu amor. Tú sí que eres mi hermano y mi amor, y también soy tu hijo.

4e   Y si no puedo coger a Cristo y abrazarlo contra mi pecho, me haré pequeño. Esto sí que podemos hacerlo, y cabe dentro del espíritu nuestro, de nuestro aire de familia. Me haré pequeño e iré a María. Si Ella tiene sobre su brazo derecho a su Hijo Jesús, yo, que soy hijo suyo también, tendré allí también un sitio. La Madre de Dios me cogerá con el otro brazo, y nos apretará juntos contra su pecho.

4f   Perdonad, hijos míos, que os diga estas cosas que parecen tonterías. Pero, ¿acaso no somos contemplativos? Una consideración de éstas nos puede ayudar, si hace falta, a recobrar la vida; nos puede llenar de tantos consuelos y de tanta fortaleza.

4g   Delante del Señor y, sobre todo, delante del Señor Niño, inerme, necesitado, todo será pureza; y veré que si bien tengo, como todos los hombres, la posibilidad brutal de ofenderle, de ser una bestia, esto no es una vergüenza si nos sirve para luchar, para que manifestemos el amor; si es ocasión para que sepamos tratar de un modo fraterno a todos los hombres, a todas las criaturas.

5a   Es necesario hacer continuamente un acto de contrición, de reforma, de mejora: ascensiones sucesivas. Sí, Señor que nos escuchas; Tú has permitido, después de que la raza humana cayó con nuestros primeros padres, la bestialidad de esta criatura que se llama hombre. Por eso, si alguna vez no puedo estar en los brazos de tu Madre, junto a Ti, me pondré junto a esa mula y a ese buey, que te acompañaron en el portal. Seré el perro de la familia. Allí estaré mirándote con ojos tiernos, tratando como de defender aquel hogar. Así encontraré a tu lado el calor que purifica, el amor de Dios que hace, de la bestia que todos los hombres tenemos dentro, un hijo de Dios, algo que no es comparable con ninguna grandeza de la tierra.

5b   Es la vida nuestra, hijos míos, la vida de un borriquito noble y bueno, que a veces se revuelca por el suelo, con las patas para arriba, y da sus rebuznos. Pero que de ordinario es fiel, lleva la carga que le ponen, y se conforma con una comida, siempre la misma, austera y no abundante; y tiene la piel dura para trabajar. Me ha conmovido la figura del borriquito, que es leal y no tira la carga. Soy un borriquito, Señor; aquí estoy. No creáis, hijos míos, que esto es una necedad. No lo es. Os estoy planteando el modo de orar que empleo yo, y que va bien.

5c   Y presto mis espaldas a la Madre de Dios, que lleva en brazos a su Hijo, y nos vamos a Egipto. Más tarde le prestaré de nuevo mis espaldas para que se siente Él encima: «*Perfectus Deus, perfectus Homo!*»[6]. Y me convertiré en el trono de Dios.

5d   ¡Qué paz me dan estas consideraciones! Qué paz nos debe dar saber que nos perdona siempre el Señor, que nos ama tanto, que conoce tanto de las flaquezas humanas, que sabe de qué barro tan vil estamos hechos. Pero también sabe que nos ha inspirado un soplo, la vida, que es divino. Por encima de este don, que pertenece al orden de la naturaleza, el Señor nos ha infundido la gracia, que nos permite vivir su misma vida. Y nos da los sacramentos, acueductos de esa divina gracia: en primer lugar, el bautismo, por el que entramos a formar parte de la familia de Dios.

5e   No puedo ocultaros, hijos míos, que sufro cuando veo que mandan retrasar la administración del bautismo a los niños, cuando compruebo que algunos se niegan a bautizarlos sin una serie de garantías,

---

[6] *Symb. Athan.*

5c   perfectus Homo! *Cro1972,*1014] perfectus Homo *EdcS,*119.

«*presto mis espaldas»:* el asno no aparece mencionado en el pasaje evangélico de la huida a Egipto, pero la iconografía lo ha representado así con frecuencia.

5e   «*Sufro mucho cuando observo que se retrasa deliberadamente el bautismo»:* el Código de Derecho Canónico establecía que se bautizase a los niños cuanto antes (CIC [1917], c. 770). En 1969, el *Ordo baptismi parvulorum* (Editio typica, Romae, 15-V-1969), indicaba que el Bautismo podía retrasarse sólo el «tiempo indispensable para preparar a los padres y disponer la celebración» y administrarse «dentro de las primeras semanas después del nacimiento del niño» (*Ordo baptismi parvulorum, Prænotanda,* n. 8, §§ 1, p. 17). El Código de 1983 habla también de «las primeras semanas» (c. 867). Antes, en

que muchos padres difícilmente podrán dar. Así los dejan paganos, «hijos de la ira»[7], esclavos de Satanás. Sufro mucho cuando observo que se retrasa deliberadamente el bautismo de los recién nacidos, porque prefieren celebrar más tarde una ceremonia que llaman *comunitaria*, con muchos niños a la vez, como si Dios necesitara de eso para aposentarse en cada alma.

5f   Pienso entonces en mis padres, que fueron bautizados el mismo día en que nacieron, habiendo nacido sanos. Y mis abuelos eran sencillamente unos buenos cristianos. Ahora, sin embargo, algunos que se llaman autoridad enseñan al rebaño de Dios a comportarse, desde el principio, con una frialdad de malos creyentes.

6a   Hijos míos, estamos cerca de Cristo. Somos portadores de Cristo, somos sus *borricos* –como aquél de Jerusalén– y, mientras no le echemos, el Padre, el Hijo y el Espíritu Santo, la Trinidad Beatísima está con nosotros. Somos portadores de Cristo y hemos de ser luz y calor, hemos de ser sal, hemos de ser fuego espiritual, hemos de ser apostolado constante, hemos de ser vibración, hemos de ser el viento impetuoso de la Pentecostés.

6b   Llega el momento del coloquio, muy personal. Y hoy, una vez que Jesús Niño ha recibido el homenaje de los Magos, cógelo tú, hijo mío, en tus brazos y apriétalo contra tu pecho, de donde han nacido en tantos momentos nuestras ofensas. Yo se lo digo en voz alta, de veras: no me abandones nunca, no toleres que te eche de mi

---

[7] *Ephes.* II, 3.

1980, la instrucción *Pastoralis actio* (20-X-1980) había recomendado que la celebración del Bautismo no se considerase un simple acto familiar o social y que la reunión de varios bautizos no impidiese que los hijos recibieran el sacramento en las primeras semanas (CIC, c. 867, §1).

Contra los excesos en la negativa del Bautismo si no se dan garantías –difíciles para algunos padres–, se ha referido en tiempos recientes el papa Francisco (cfr. Exhort. apost. *Evangelii Gaudium*, 24-XI-2013, n. 47).

6a   *«portadores de Cristo»*: la figura del asno, como vemos, no es una simple metáfora de la humildad y abnegación. Se trata de ser *borricos de Cristo*, para llevarle a todas partes y a todos los hombres.

corazón. Porque esto es lo que hacemos con el pecado: arrojarle de nuestra alma.

6c   Hijos míos, ved si hay en la tierra un amor más fiel que el amor de Dios por nosotros. Nos mira por las rendijas de las ventanas –son palabras de la Escritura[8]–, nos mira con el amor de una madre que está esperando al hijo que debe llegar: ya viene, ya viene... Nos mira con el amor de la esposa casta y fiel, que espera a su marido. Es Él quien nos espera, y nosotros hemos sido, tantas veces, quienes le hemos hecho aguardar.

6d   Hemos comenzado la oración pidiendo perdón. ¿No será este el momento más oportuno, hijos míos, para que cada uno digamos concretamente: Señor, ¡basta!?

6e   Señor, Tú eres el Amor de mis amores. Señor, Tú eres mi Dios y todas mis cosas. Señor, sé que contigo no hay derrotas. Señor, yo me quiero dejar endiosar, aunque sea humanamente ilógico y no me entiendan. Toma posesión de mi alma una vez más, y fórjame con tu gracia.

6f   Madre, Señora mía; San José, mi Padre y Señor: ayudadme a no dejar nunca el amor de vuestro Hijo.

6g   Os podéis entretener durante el día, tantas veces, en conversación con la trinidad de la tierra, que es camino para tratar a la Trinidad del Cielo. Considerad que la Madre nos lleva al Hijo, y el Hijo, por el Espíritu Santo, nos conduce al Padre, según aquellas palabras suyas: «Quien me ve a Mí, ve también al Padre»[9]. Dirigíos a cada Persona de la Santísima Trinidad, y repetid sin miedo: creo en Dios Padre, creo en Dios Hijo, creo en Dios Espíritu Santo. Espero en Dios Padre, espero en Dios Hijo, espero en Dios Espíritu Santo. Amo a Dios Padre, amo a Dios Hijo, amo a Dios Espíritu Santo. Creo, espero y amo a la Santísima Trinidad. Creo, espero y amo a mi Madre, Santa María, que es la Madre de Dios.

---

[8]   Cfr. *Cant.* II, 9.

[9]   *Ioann.* XIV, 9.

15. AHORA QUE COMIENZA EL AÑO
(diciembre de 1970)

1. Contexto e historia

Este fue el primer texto que san Josemaría autorizó publicar en *Crónica* y *Noticias,* de modo completo y con título propio. Como ya se ha dicho, hasta diciembre de 1970, se habían incluido sólo párrafos sueltos, más o menos amplios, dentro de artículos dedicados a narrar las tertulias y otros momentos pasados junto al fundador. En cambio, en esta ocasión se produjo una novedad, que continuaría los años siguientes. De todo esto se ha hablado ya en la *Introducción General,* § II, 6.3.

En la tertulia del 2 de enero de 1971, san Josemaría se refirió en varios momentos a la necesidad de comenzar y recomenzar en la vida interior. Con esas palabras se preparó este texto, aunque es posible que al hacerlo se tuvieran también en cuenta frases de la meditación que había predicado el día anterior a los miembros del Consejo General, comentando las mismas ideas: no podemos saberlo con certeza, porque falta la transcripción original.

Una vez aprobada la idea de publicar estas palabras como editorial de *Crónica* y *Noticias,* san Josemaría quiso que se hiciera cuanto antes (la anotación de Carlos Cardona en la consulta es elocuente: *luz verde, pero deprisa*) y se aprovechó la primera oportunidad, que era el número de diciembre de 1970, todavía en preparación. Lógicamente no tenía sentido publicarlo con la fecha real del 2 de enero –una fecha futura–, por lo que se optó por poner genéricamente "diciembre de 1970", la fecha de ese número de las revistas. Años después, en *EdcS,* se le puso fecha del 31 de diciembre de 1970.

Los editores nos hemos planteado si era oportuno corregir ese dato, fechándolo con más precisión, es decir, el 2 de enero de 1971, o si era mejor respetar la elección del Autor, que había querido poner "diciembre de 1970". Hemos preferido dejarlo como apareció en *Crónica* y *Noticias*, señalando que el texto procede de la tertulia del 2 de enero de 1971.

2. Fuentes y material previo

EdcS,123-131; *Cro1970*,1151-1161; *Not1970*,1125-1135.

3. Contenido

El tema central es la humildad, virtud que lleva a querer progresar en la vida interior, confiando en la gracia de Dios y no en las propias fuerzas. Con ella se quita importancia a los pequeños o grandes percances que puedan ocurrir, fomentando el arrepentimiento y la confianza en la misericordia de Dios. Así se evita el peligro del descorazonamiento, que conduce a la infidelidad. Explica, además, que la persona humilde no se asombra de su incapacidad ni de sus miserias, y lucha por superarlas; en este contexto usa el ejemplo de las lañas.

Si un cacharro de loza se resquebraja a causa de una caída, el daño no es irreparable. A diferencia, quizá, de otros materiales, la cerámica se puede recomponer, y después, en la mayoría de los casos, sigue cumpliendo su anterior función. Actualmente se usan pegamentos especiales, pero antiguamente se empleaban las lañas: unas grapas de alambre que servían para "coser" rústicamente las vasijas, tinajas, macetones, etc.

A san Josemaría le parecía que esos cacharros con lañas tenían gracia y que eran incluso más decorativos. La técnica del lañador era tan eficaz que incluso un objeto destinado a contener líquidos se podía volver a usar sin peligro[363]: «Soy muy amigo de las lañas, porque las necesito. Y no se escapa el agua porque haya lañas. Aquel vaso, quebrado y recompuesto, a mí me parece una maravilla; es incluso elegante, se ve que ha servido para algo.

---

[363] Durante su catequesis por la Península Ibérica en 1972, se refirió varias veces a una sopera portuguesa con lañas que le habían regalado. Le había gustado por el significado que encerraba y por su simbolismo: se veía retratado en aquel objeto, en la línea de lo que estamos diciendo. La sopera llevaba la inscripción "*Amo te*" repetida varias veces. Cfr. Peter BERGLAR, *Opus Dei. Vida y obra del Fundador Josemaría Escrivá*, Madrid, Rialp, 2002, p. 292.

Hijos míos, esas lañas son testimonio de que habéis luchado, de que tenéis motivos de humillación; pero si no os quebráis, mejor aún»[364].

La humildad lleva al agradecimiento a Dios, también cuando son evidentes los éxitos apostólicos o los frutos espirituales. Porque la eficacia es del Señor –dice–, que sigue obrando milagros por medio de sus discípulos. La identificación con Cristo –meta última de la santidad que propone san Josemaría– lleva a querer continuar en la tierra su misión redentora.

Unida a estas ideas fundamentales se encuentra la concepción del progreso espiritual cristiano como una competición deportiva, alegre y esforzada. La santidad no es algo triste o aburrido, un amargo combate contra el propio yo. La lucha espiritual, tal como la comprende, puede exigir esfuerzo, pero se desempeña con libertad y por amor.

San Josemaría no minimiza, en absoluto, la gravedad de la ofensa a Dios que supone el pecado, pero habla mucho del perdón del Señor, de su misericordia. Siempre es posible levantarse, recuperarse de un percance y volver a competir, ante un espectador divino, que es infinitamente misericordioso. La lucha ascética, de esta forma, está infundida de esperanza, porque se sabe que quien persevera en el esfuerzo, volviendo a levantarse una y otra vez, llegará victorioso a la meta final.

---

[364] 15.5b.

4. *Texto y notas*

AHORA QUE COMIENZA EL AÑO

1a   Comenzamos enseguida un nuevo año, hijas e hijos míos, y me gustaría haceros algunas consideraciones que os ayuden a recorrerlo con garbo. Os tengo que dar un poquito de mi experiencia, pero prefiero hacerlo con unas palabras de San Pablo.

1b   Ya os han dicho y lo habéis leído, porque es cosa bien sabida, que yo no creo en muchas cosas. Creo en lo justo, y en eso con toda mi alma. Y entre las cosas que creo, creo en vuestra lealtad. No hago más que repetir lo que hacía considerar desde el principio a los chicos de San Rafael: a mí, si me decís algo uno de vosotros, aunque me afirmen lo contrario unánimemente cien notarios, no creo a los notarios: os creo a vosotros. Porque sé que tenéis fragilidades, como las tengo yo, pero que sois leales. Es lógico que con esta lealtad os hable siempre.

2a   Sabéis que el Padre os abre su corazón con sinceridad. No creo en ese refrán que dice: *año nuevo, vida nueva*. En veinticuatro horas no se cambia nada. Sólo el Señor, con su gracia, puede convertir en un

---

2a   y además ciudadano romano². ¿Os acordáis?: *«civis romanus sum!»*.] y además ciudadano romano. ¿Os acordáis?: *«civis romanus sum!»*². *EdcS*,124 |||| ² Cfr. *Act*. XXII, 25-28.] ² Cfr. *Act*. XXII, 25. *EdcS*,124.

«civis romanus sum!»: la frase, en su literalidad, no es propiamente de san Pablo, pero sí la actitud de espíritu a la que remite. En los *Hechos de los Apóstoles*, cuando el tribuno romano pregunta al Apóstol si es ciudadano romano, san Pablo responde simplemente *«Etiam»*, «sí» (Act 22, 27). La locución latina que aquí emplea san Josemaría se atribuye a Cicerón (*In Verrem* 11, V, 162) y parece que solían usarla los ciudadanos romanos para hacer valer sus derechos o pedir que se les juzgara según sus leyes. Tal vez por esto, le resultó natural a san Josemaría ponerla en relación con san Pablo.

momento a Saulo, de perseguidor de los cristianos en Apóstol. Le derriba del caballo, le deja ciego, le humilla, le hace ir a un hombre, Ananías[1], para que le diga lo que tiene que hacer. Y Saulo era uno de los grandes de Israel, educado en la cátedra de Gamaliel, y además ciudadano romano[2]. ¿Os acordáis?: «*civis romanus sum!*». Me gusta. Me gusta que también vosotros os sintáis ciudadanos de vuestro país; con todos los derechos, porque cumplís todos los deberes.

2b ¿Creéis que sin un milagro grande, un hombre comodón que se mueve con desgana, sin agilidad, que no hace gimnasia, puede ganar una competición internacional de deporte? San Pablo acude a ese símil, y yo también. Sólo luchando repetidamente –venciendo unas veces, y otras no– en cosas pequeñas, que de suyo no son pecado, que no tienen una sanción moral muy fuerte, sino que son debilidades humanas, faltas de amor, faltas de generosidad; sólo una persona que hace cada día su gimnasia podrá decir con verdad que, al final, tendrá una vida nueva. Sólo quien hace esa gimnasia espiritual llegará.

2c Mirad lo que dice San Pablo: «*Nolite conformari huic sæculo, sed reformamini in novitate sensus vestri, ut probetis quæ sit voluntas Dei bona et beneplacens et perfecta*»[3]. Procurad reformaros con un nuevo sentido de la vida; tratando de comprender aquellas cosas que son buenas, de más valor, más agradables a Dios, más perfectas; y seguidlas.

2d ¿Acaso no ocurre así en el ejercicio gimnástico constante, en el deporte?: tres centímetros más, una décima de segundo menos. Y de pronto, un percance: uno salta y se tuerce un tobillo, ¡qué desastre! Quizá porque se descuidó, y engordó y perdió la forma. Hijos míos, si esa criatura, si esa alma sigue luchando, aquel percance no ha tenido ninguna categoría. Es, a lo sumo, una faltita pequeña; porque

---

[1] Cfr. *Act.* IX, 3 ss.

[2] Cfr. *Act.* XXII, 25.

[3] *Rom.* XII, 2.

2b «*San Pablo acude a ese símil*»: cfr. 1 Co 9, 24; 2 Tim 2, 5.

«*gimnasia espiritual*»: sobre la "ascética deportiva" de san Josemaría, ver la introducción a la meditación n. 7.

está haciendo su gimnasia para conseguir una marca mejor, esforzándose en cosas que son más buenas, de más valor: esas que si no se
hacen no ofenden a Dios, porque no son pecado. Así, poco a poco,
sin daros apenas cuenta, para que no se meta la soberbia, iréis –iremos– reformándonos con un nuevo sentido de la vida: *in novitate
sensus*. Y tendremos una vida nueva.

2e   Consideradlo cada uno de vosotros en vuestra oración personal.
Cada uno sacará una luz particular: unos, muchas luces; otros, sólo
chispazos; alguno se dormirá, y no sacará nada; pero cuando des-
pierte, verá que sí, que tiene luz. Vale la pena, hijos míos, considerar
atentamente estas palabras del Apóstol.

3a   Si cuando vas a saltar, saltas como una gallina, ¿te vas a asustar? Mira
lo que dice San Pedro: «*Carissimi, nolite peregrinari in fervore, qui
ad tentationem vobis fit, quasi novi aliquid vobis contingat*»[4]. No os
maravilléis de que no podáis saltar, de que no podáis vencer: ¡si lo
nuestro es la derrota! La victoria es de la gracia de Dios. Y no olvidéis
que una cosa es el pensamiento, y otra muy distinta el consentimiento. Esto evita muchos quebraderos de cabeza.

3b   También nos evitamos muchas tonterías durmiendo bien, las horas justas; comiendo lo necesario, haciendo el deporte que podáis
a vuestros años, y descansando. Pero yo querría que en cada plato
pusierais la cruz; que no quiere decir que no comamos: se trata de
comer un poquito más de lo que no os gusta, un poquito, aunque
sólo sea una cucharadita de las de café; y un poquito menos de lo
que os gusta, dando siempre gracias a Dios.

3c   No os vais a maravillar porque sabéis que vosotros y yo –yo tanto
como vosotros, por lo menos, o quizá más– tenemos el *fomes peccati*,
la natural inclinación a todo lo que es pecaminoso. Insisto en que
el pecado de la carne no es el más grave. Hay otros pecados más

---

[4] I *Petr.* IV, 12.

3c   «*el pecado de la carne no es el más grave*»: aquí se hace eco del criterio moral, alejado
de todo puritanismo, que señala la raíz de los pecados en la soberbia, el más dañino
de los vicios, entre otras razones porque hace más difícil el arrepentimiento.

grandes, aunque, naturalmente, la concupiscencia hay que sujetarla. Vosotros y yo no nos vamos a maravillar si encontramos que, en todas las cosas –no sólo en la sensualidad, sino en todo–, tenemos una inclinación natural al mal. Algunos se maravillan, se llenan de soberbia y se pierden.

3d   Cuando yo confesaba en iglesia pública a la gente, hace tantos años, solía actuar como los viejos confesores. Después de oír unas carretadas de cieno, preguntaba: ¿sólo esto, hijo mío? Porque estoy convencido de que, si Dios me deja de su mano, cualquiera de aquellos pecadores parecerá un pigmeo en el mal, si lo comparo conmigo, que me siento capaz de todos los errores y de todos los horrores.

3e   No os asustéis de nada. Evitad que vengan los sustos, hablando claro antes; y si no, después. Este es un buen pensamiento para comenzar el año.

4a   Hijas e hijos míos, haced las cosas seriamente. Reemprended ahora el camino. Soy muy amigo de la palabra camino, porque todos somos caminantes de cara a Dios; somos *viatores*, estamos andando hacia el Creador desde que hemos venido a la tierra. Una persona que emprende un camino, tiene claro un fin, un objetivo: quiere ir de un sitio a otro; y, en consecuencia, pone todos los medios para llegar incólume a ese fin; con la prisa suficiente, procurando no descaminarse por veredas laterales, desconocidas, que presentan peligros de barrancos y de fieras. ¡A caminar seriamente, hijos! Hemos de poner en las cosas de Dios y en las de las almas el mismo empeño que los demás ponen en las cosas de la tierra: un gran deseo de ser santos.

4b   Sabemos que en la tierra no hay santos, pero todos podemos tener deseos eficaces de serlo; y tú, con ese deseo, estás haciendo un gran bien a toda la Iglesia, y de modo especial a todos tus hermanos en la Obra. A la vez, un pensamiento que ayuda mucho a la lealtad es considerar que haces un gran daño a los demás, si te descaminas.

3d   unas carretadas *Cro1970*,1155] una carretadas *EdcS*,126.

4c   Dios os exige a vosotros, y me exige a mí, lo que exige a una persona normal. Nuestra santidad consiste en eso: en hacer bien las cosas corrientes. Puede ser que, alguna vez, uno tenga ocasión de ganar la *laureada*; pero pocas veces. Y –que no se me enfaden los militares– tened en cuenta que los soldados que caen no reciben condecoraciones: las recibe su capitán. *Il sangue del soldato fa grande il capitano*, dice un proverbio italiano. Vosotros sois los santos, fieles, trabajadores, alegres, deportistas; y yo, el que se lleva las palmas, aunque también los odios caen sobre mí. Me hacéis mucho bien, pero no lo olvidéis, hijos: los odios se los lleva el Padre.

4d   Satanás no está contento porque, con la gracia del Señor, os he enseñado un camino, un modo de llegar al Cielo. Os he dado un medio para arribar al fin, de una manera contemplativa. El Señor nos concede esa contemplación, que de ordinario apenas sentís. Dios no hace acepción de personas; a todos nos da los medios.

4e   Quizá vuestro confesor, o la persona que lleva vuestra Confidencia, se da cuenta de algo que debéis corregir, y os hará algunas indicaciones. Pero el camino de la Obra es muy ancho. Se puede ir por la derecha o por la izquierda; a caballo, en bicicleta; de rodillas, a cuatro patas como cuando erais niños; y también por la cuneta, siempre que no se salga del camino.

4f   A cada uno Dios le da, dentro de la vocación general al Opus Dei –que es santificar en medio de la calle el trabajo profesional–, su modo especial de llegar. No estamos recortados por el mismo

---

4c   «*laureada*»: la Cruz Laureada de San Fernando, o simplemente *laureada,* es la más alta condecoración militar española. Instituida en 1811 por las Cortes de Cádiz, se concede por méritos heroicos. La contraposición entre el heroísmo de la vida corriente y los hechos excepcionales que se requieren para recibir la *laureada,* sirve para subrayar, una vez más, el tipo de recompensa a que aspira quien busca la santidad según el espíritu del Opus Dei.

4e-f   Se refiere aquí a un aspecto que san Josemaría valoraba mucho: el espíritu de libertad y de pluralismo en la vida espiritual y en la actuación personal de los miembros de la Obra.

       «*la persona que lleva vuestra Confidencia*»: sobre la Confidencia o charla fraterna, como medio de ayuda espiritual, ver nota a 2.4f.

patrón, como con una plantilla. El espíritu nuestro es tan amplio, que no se pierde lo común por la legítima diversidad personal, por el sano pluralismo. En el Opus Dei no ponemos a las almas en un molde, y luego apretamos; no queremos encorsetar a nadie. Hay un común denominador: querer llegar, y basta.

5a   Pero vamos a seguir con San Pablo. Ese querer llegar exige un contenido. El libro de la Sabiduría dice que el corazón del loco es como un vaso quebrado[5], dividido en partes, que tiene cada trozo suelto. Dentro no cabe la Sabiduría, porque se derrama. Con esto, el Espíritu Santo nos dice que no podemos ser como un vaso quebrado; no podemos tener una voluntad, como el vaso quebrado, orientada aquí y allá, diversamente; sino una voluntad que remite a un único fin: «*Porro unum est necessarium!*»[6].

5b   No os preocupéis si esa voluntad es un vaso con lañas. Soy muy amigo de las lañas, porque las necesito. Y no se escapa el agua porque haya lañas. Aquel vaso, quebrado y recompuesto, a mí me parece una maravilla; es incluso elegante, se ve que ha servido para algo. Hijos míos, esas lañas son testimonio de que habéis luchado, de que tenéis motivos de humillación; pero si no os quebráis, mejor aún.

5c   Lo que sí debéis tener es buena disposición. He escrito hace muchos años que, cuando un vaso contiene vino bueno y en él se echa buen vino, buen vino queda. Ocurre lo mismo en vuestro corazón: debéis

---

[5] Cfr. *Eccli.* XXI, 17.

[6] *Luc.* X, 42.

5a-b «*el corazón del loco es como un vaso quebrado*»: esta imagen bíblica subraya la necesidad de la unidad espiritual de la persona, de conseguir una voluntad firmemente orientada hacia el fin, que dé coherencia y consistencia a todos los actos. Tal unidad se rompe con el pecado, que desvía al hombre de su fin último, resquebrajándolo interiormente. Pero la cohesión interior –explica el Autor– puede recuperarse gracias al arrepentimiento y al perdón que Dios concede. Eso son las "lañas", que a partir de ese momento serán motivo de humildad y signo de la misericordia divina. Ver la introducción a esta meditación.

5c   «*He escrito hace muchos años*»: no hemos podido encontrar este ejemplo en escritos mucho más antiguos de san Josemaría, aunque sí de unos años atrás (por ejemplo, en una carta a don Florencio Sánchez-Bella, del 19-X-1966, en AGP, serie A.3.4, 285-4).

tener el buen vino de las bodas de Caná. Si hay vinagre en vuestra alma, aunque os echen vino bueno –el vino de las bodas de Caná–, todo os parecerá repugnante, porque dentro de vosotros se convertirá el buen vino en vinagre. Si reaccionáis mal, hablad. Porque no es razonable que una persona, que acude al médico para que la vea bien, no cuente las dificultades que tiene.

5d   Luego nuestras labores, nuestros deseos y nuestros pensamientos, tienen que convenir hacia un solo fin: «*Porro unum est necessarium*», repito. Ya tenéis un motivo de lucha deportiva. Hemos de llevar las cosas a Dios, pero como hombres, no como ángeles. No somos ángeles, así que no os extrañéis de vuestras limitaciones. Es mejor que seamos hombres que pueden merecer y... fenecer espiritualmente: morir. Porque de esta manera nos daremos cuenta de que todas las cosas grandes, que el Señor quiere hacer a través de nuestra miseria, son obra suya. Como aquellos discípulos que regresaron pasmados de los milagros que hacían en nombre de Jesús[7], nos daremos cuenta de que el fruto no es nuestro; de que no puede dar peras el olmo. El fruto es de Dios Padre, que ha sido tan padre y tan generoso que lo ha puesto en nuestra alma.

5e   Luego no nos hemos de admirar, «*quasi novi aliquid vobis contingat*», como si nos aconteciera algo extraordinario, si sentimos bullir las pasiones –es lógico que esto ocurra, no somos como una pared–, ni si el Señor, por nuestras manos, obra maravillas, que es cosa habitual también.

5f   Mirad el ejemplo de San Juan Bautista, cuando envía a sus discípulos a preguntar al Señor quién es. Jesús les contesta haciéndoles considerar todos aquellos milagros[8]. Ya recordáis este pasaje; desde hace más de cuarenta años lo he enseñado a mis hijos para que lo

---

[7] Cfr. *Luc*. X, 17.

[8] Cfr. *Matth*. XI, 4-6.

5e   «quasi novi aliquid vobis contingat»: es de nuevo una cita de 1 Pet 4, 12.

5f   «*tullidos para las cosas que no fueran humanas*»: es decir, personas que se mueven con dificultad en el ámbito de las realidades sobrenaturales.

mediten. Estos milagros sigue haciéndolos ahora el Señor, por vuestras manos: gentes que no veían, y ahora ven; gentes que no eran capaces de hablar, porque tenían el demonio mudo, y lo echan fuera y hablan; gentes incapaces de moverse, tullidos para las cosas que no fueran humanas, y rompen aquella quietud, y realizan obras de virtud y de apostolado. Otros que parecen vivir, y están muertos, como Lázaro: «*Iam fœtet, quatriduanus est enim*»[9]. Vosotros, con la gracia divina y con el testimonio de vuestra vida y de vuestra doctrina, de vuestra palabra prudente e imprudente, los traéis a Dios, y reviven.

5g   Tampoco os podéis maravillar entonces: es que sois Cristo, y Cristo hace estas cosas por vuestro medio, como las hizo a través de los primeros discípulos. Esto es bueno, hijas e hijos míos, porque nos fundamenta en la humildad, nos quita la posibilidad de la soberbia, y nos ayuda a tener buena doctrina. El conocimiento de esas maravillas que Dios obra por vuestra labor os hace eficaces, fomenta vuestra lealtad y, por tanto, fortifica vuestra perseverancia.

6a   Acabaremos con un texto del Apóstol: «*Æmulamini autem charismata meliora*»[10]; aspirad a los dones mejores, constantemente. Hijos míos, vosotros y yo queremos portarnos bien, como agrada al Señor. Y, si a veces las cosas nos salen un poco mal, no importa: luchemos, porque la santidad está en la lucha.

6b   «*Æmulamini charismata meliora*»: aspirad a cosas mejores, más gratas a Dios. No os conforméis con lo que sois delante de Dios; pedidle con humildad, a través de la Omnipotencia suplicante de la Virgen Santísima, que Él y el Padre nos envíen el Espíritu Santo, que de ellos procede; que con sus dones, especialmente con el don de Sabiduría, nos haga discernir prontamente para saber siempre

---

[9] *Ioann.* XI, 39.
[10] I *Cor.* XII, 31.

«*imprudente*»: en el contexto de las enseñanzas del Autor, tiene el sentido de "valiente" o "audaz" (cfr. *Camino*, n. 35), contra una prudencia mal entendida, la "prudencia de la carne", que lleva a la inactividad o a la huida de las propias responsabilidades.

qué es lo que va y qué es lo que no va. Nosotros, como somos *viatores*, queremos dedicarnos a lo que va y evitar lo que no va.

6c   Guardad estos puntos de meditación en la cabeza y en el corazón; os harán mucho bien. «*Æmulamini charismata meliora!*». ¡Más, de cara a Dios! ¡Más amor, más espíritu de sacrificio! Nuestras madres no se lamentan de la abnegación que han derrochado por causa nuestra; y nosotros no podemos quejarnos de gustar un poquito de la Cruz del Señor: porque ya no es un patíbulo, sino un trono triunfador.

6d   Invocad al Espíritu Santo y que Dios os bendiga.

16. DE LA FAMILIA DE JOSÉ
(19 de marzo de 1971)

1. Contexto e historia

El día de san José de 1971, san Josemaría estuvo de tertulia con los alumnos del Colegio Romano de la Santa Cruz. En *Crónica* de abril de 1971, apareció algún párrafo suelto de esa ocasión, pero el texto completo no se incluyó en *Crónica y Noticias* hasta enero de 1975, cuando apareció con algunos adornos gráficos y una foto en color de un cuadro de san José, obra de Manuel Caballero, que –como ya hemos advertido– incluimos en el apartado de facsímiles y fotografías.

El cuadro tiene su historia. Muestra a san José como un hombre hecho, pero joven, rodeado de ángeles y con el Niño en brazos. El fundador lo mandó poner junto al oratorio de la Santísima Trinidad, donde celebraba habitualmente la misa, porque le gustaba verlo representado así, mientras que en ese oratorio aparecía como un anciano. Lo cuenta con detalle en estas páginas.

2. Fuentes y material previo

EdcS,133-140; *Cro1971*,366: *Cro1975*,5-13; *Not1975*,3-11. En AGP, serie A.4, m710319, hay dos copias de una transcripción mecanografiada. Se conserva también la grabación magnetofónica, de buena calidad. El texto que presentamos ocupa unos veinte minutos de la tertulia, que dura otros diecisiete minutos más, en los que hubo preguntas y respuestas sobre temas variados.

3. Contenido

San Josemaría desarrolla aquí un itinerario espiritual que puede resumirse en una frase suya: *de la trinidad de la tierra a la Trinidad del Cielo.*

El misterio de la Santísima Trinidad, tan impenetrable para la razón, y al mismo tiempo tan lleno de luz que por él se iluminan todos los demás misterios de la fe cristiana[365], era tema frecuente de su oración. Recomendaba poner un fundamento doctrinal a la vida de piedad y sabemos que en su oración meditaba de vez en cuando tratados clásicos de dogmática, concretamente sobre la Trinidad[366]. También empleaba un procedimiento muy humano: acudir a quienes nos pueden poner en relación con un personaje al que queremos hablar. Acudía a la Sagrada Familia de Nazaret, a quien gustaba llamar la "trinidad de la tierra"[367], para facilitar su trato con Dios trino: «Trato de llegar a la Trinidad del Cielo por esa otra *trinidad* de la tierra: Jesús, María y José»[368].

Era más que una piadosa imaginación o una "composición de lugar"[369]. Como él mismo reconocía, se trataba de una realidad mística[370], de una profundización en la realidad divina y humana de Jesús, Dios encarnado, de María y de José. En ese contemplar amoroso de la Sagrada Familia, el fundador encontraba una vía que le permitía acceder más fácilmente –más familiarmente, valga la redundancia– a la Trinidad Beatísima.

La expresión "trinidad de la tierra" puede parecer sorprendente, pero goza de una larga tradición en la piedad católica, desde el final de la Edad Media, gracias a Jean Gerson[371]. La idea de una "trinidad terrestre" o "tri-

---

[365] Cfr. *Catecismo de la Iglesia Católica*, n. 234.

[366] Ver Álvaro DEL PORTILLO, *Entrevista*, p. 157; Javier ECHEVARRÍA RODRÍGUEZ, *Memoria del beato Josemaría Escrivá*, Madrid, Rialp, 2002, p. 291.

[367] Sobre este tema ver Carla ROSSI ESPAGNET, "Sagrada Familia", en DSJEB, pp. 1102-1105.

[368] 25.4a.

[369] Cfr. Laurentino María DE LA HERRÁN, "La devoción a San José en la vida y enseñanzas de Mons. Escrivá de Balaguer, fundador del Opus Dei (1902-1975)", *Estudios josefinos* XXXIV (1980), pp. 147-189, especialmente ver p. 169.

[370] Lo decía en una tertulia de 1974, a un muchacho que le preguntaba cómo llegar a tener intimidad con la Sagrada Familia, indicándole lo que suele hacerse con las personas a las que se quiere tratar con más intimidad: «Pues lo mismo con Jesús, María y José, que formaban un hogar maravilloso, del que también podemos formar parte nosotros. Esto no es un sueño; es una realidad mística, si quieres, pero realidad», citada en *ibid.*, pp. 169-170.

[371] Jean Gerson (1363-1429) y Pierre d'Ailly (1351-1420) desarrollaron esta analogía, que podría tener orígenes más antiguos (cfr. Joaquín FERRER ARELLANO, *San José, nuestro padre y señor: la Trinidad de la tierra. Teología y espiritualidad josefina*, Madrid, Arca de la Alianza Cultural, 2007, pp. 13-14). Leemos en Gerson: «Desearía tener palabras para explicar misterio

nidad de la tierra" (también es frecuente la variante "trinidad *en* la tierra") se encuentra en la iconografía y en la literatura sacras, especialmente en el siglo XVII[372]. En 1957, Pío XII la usó en una oración compuesta para ser recitada por las familias cristianas[373].

San Josemaría empleaba esa denominación, al menos, desde los años cincuenta[374], pero su devoción hacia la Sagrada Familia nació mucho antes, en el hogar paterno, junto a la devoción a san José[375], como estaba ocurriendo desde el siglo XIX en todo el mundo católico[376]. Sus padres le

---

tan alto y por siglos escondido. Esta admirable y venerable trinidad de Jesús, José y María», Jean GERSON, *Sermón en el Concilio de Costanza sobre la natividad de la gloriosa Virgen María y el elogio de su virginal esposo José*, Consideración 3, en Francisco CANALS VIDAL, *San José en la fe de la Iglesia: antología de textos*, Madrid, BAC, 2007, p. 46. Esta analogía será utilizada también por otros autores en los siglos XVI y XVII, como Andrés de Soto, y popularizada por la teología polaca. Ver Irénee NOYE, "Sainte Famille", DSp 5, col. 85-86. Cfr. Laurentino María DE LA HERRÁN, "Historia de la devoción y la teología de san José", ScrTh XIV (1982), pp. 355-360, pp. 356, 359.

[372] Cfr. Irénee NOYE, "Sainte Famille", DSp 5, col. 86. Cabe mencionar al poeta y dramaturgo español José de Valdivielso (1565-1638), autor de un poema épico dedicado a san José: "Vida, excelencias y muerte del glorioso Patriarca San José", donde encontramos una comprensión profunda de las relaciones entre la trinidad de la tierra y la del Cielo. Entre las representaciones iconográficas, además de las famosas de Murillo, puede mencionarse el lienzo de Diego González de la Vega, titulado precisamente "La Sagrada Familia o Trinidad de la Tierra" (1662), que se encuentra en la sacristía de la Iglesia de San Miguel y San Julián, de Valladolid. Con muy parecida denominación hay al menos tres obras en el Museo del Prado, tituladas "Trinidad *en* la Tierra". Se trata de un lienzo de Francisco Camilo y dos dibujos atribuidos a Eugenio Cajés, todos ellos del siglo XVII (cfr. Colección del Museo del Prado, Galería online, http://www.museodelprado.es/coleccion/galeria-on-line/). En Italia, concretamente en el antiguo Reino de Nápoles, se encuentran otras obras, como por ejemplo la *Trinità terrestre tra i santi Bruno, Benedetto, Bernardino e Bonaventura,* de José de Ribera (Españoleto). Cfr. Francesco ABBATE, *Storia dell'arte nell'Italia meridionale: Il secolo d'oro,* Roma, Donzelli Editore, 2002, pp. 20, 38, 180.

[373] Comienza con estas palabras: «O sacra Famiglia, Trinità della terra, o Gesù, Maria e Giuseppe, sublimi modelli e tutori delle famiglie cristiane...», PÍO XII, Oración *O Sacra Famiglia,* 30-XII-1957 (AAS 50 [1958], 119-120).

[374] Vid. *Santo Rosario,* ed. crít.-hist., p. 127, nota 1.

[375] Algunos recuerdos de la vida de san Josemaría al respecto en: Javier ECHEVARRÍA RODRÍGUEZ, *Memoria del beato Josemaría Escrivá,* Madrid, Rialp, 2002, pp. 252-253; 257-258.

[376] La veneración hacia la Sagrada Familia está probablemente ligada al desarrollo de la devoción a san José; cfr. Laurentino María DE LA HERRÁN, "Historia de la devoción y teología de san José", en ScrTh XIV/1, p. 358. Aunque existen manifestaciones más antiguas, se

pusieron el nombre de José María, que unió posteriormente en uno solo. En su primera obra publicada, *Santo Rosario* (1931), se percibe la importancia que daba ya entonces al trato con la Sagrada Familia para alcanzar la contemplación[377].

Quiso también que la Sagrada Familia, modelo de todo hogar cristiano, inspirara el clima de unión de corazones, de santificación del trabajo ordinario y de vida contemplativa que hay en el Opus Dei[378]. El hogar de Nazaret le parecía una escuela muy apropiada para quien desea aprender a santificarse en medio del mundo. Pero hay más: el mismo Opus Dei se configura como una familia, y en tantos aspectos de la vida en la Obra se percibe un aire muy hogareño. Al fundador le gustaba explicar que eso se debía a motivos sobrenaturales: «Realmente formamos parte de su familia. No es un pensamiento gratuito; hay muchas razones para afirmarlo. En primer lugar, porque somos hijos de Santa María, su Esposa, y hermanos de Jesucristo, hijos todos del Padre del Cielo. Y luego, porque formamos una familia de la que San José ha querido ser cabeza»[379].

El 14 de mayo de 1951, consagró las familias de los miembros del Opus Dei a la Sagrada Familia. La causa próxima fue una contradicción contra la Obra, pero esta consagración –la primera de las cuatro que realizó– vino a subrayar aún más un aspecto que estaba presente desde el principio del Opus Dei[380], a saber, que la unión entre Jesús, María y José es modelo para

popularizó en el siglo XVII. Después de un cierto decaimiento volvió a cobrar auge en los siglos XIX y XX, cuando fue recomendada por los Romanos Pontífices, para proteger y santificar a la familia cristiana, amenazada por la secularización. León XIII instituyó la fiesta de la Sagrada Familia en 1895, y en 1921, Benedicto XV extendió su celebración a toda la Iglesia. Numerosas fundaciones religiosas y asociaciones de fieles, nacidas entre los siglos XIX y XX, están dedicadas a esta devoción. Ejemplo de ese fervor es el comienzo, en 1882, de una de las obras maestras de la arquitectura en la época contemporánea: el templo en honor la Sagrada Familia en Barcelona, proyectado por Gaudí.

[377] En sus comentarios a los *misterios gozosos* emplea «un tono más personal, íntimo, afectivo, que el resto», se lee en *Santo Rosario*, ed. crít.-hist., p. 128. Como si al escribirlos, el Autor estuviera tratando de un tema bien conocido y meditado, con el convencimiento de que la profundización en los misterios de la Sagrada Familia sería especialmente eficaz para ayudar a sus lectores a entrar por caminos de oración contemplativa.

[378] Ver Carla ROSSI ESPAGNET, "Sagrada Familia", en DSJEB, pp. 1102-1105.

[379] 16.2c.

[380] Sobre esta consagración ver Luis CANO, "Consagraciones del Opus Dei", en DSJEB, pp. 259-263, especialmente pp. 259-261; *AVP* III, pp. 187-195.

la Obra: «Comprendo bien la unidad y el cariño de esta Sagrada Familia. Eran tres corazones, pero un solo amor»[381].

Dentro de esa *trinidad de la tierra*, el fundador del Opus Dei se detiene –en la presente meditación– en la figura de san José. Explica que su pureza era una cuestión de amor, no de vejez física. Se lo imagina «joven, lleno de vitalidad y de fuerza»[382], pero más lleno todavía de amor a Dios.

Pero el tema central, como hemos dicho, es la reflexión acerca de la pertenencia de cada miembro del Opus Dei y de cada cristiano a la familia de Nazaret. Pensando en san José, que es cabeza de esa familia, le sale muy natural practicar su amor a la Humanidad Santísima de Jesús, con una oración afectiva. Le conmueve pensar cómo san José cuidaba del Niño, le besaba, le abrazaba, y se emociona también rememorando a la Virgen embarazada, con el Verbo encarnado en sus entrañas. La meditación del Cristo *perfectus Deus, perfectus Homo,* se muestra una vez más uno de sus temas favoritos –e inagotables– para la oración.

---

381 16.1b.
382 16.2a.

4. *Texto y notas*

DE LA FAMILIA DE JOSÉ

1a   A lo largo de la vida mía, hijos queridísimos, he procurado siempre verter en vuestra alma lo que Dios me iba dando. En el espíritu del Opus Dei no hay nada que no sea santo, porque no es invención humana, sino obra de la Sabiduría divina. En ese espíritu brilla todo lo bueno que el Señor ha querido poner en el corazón de vuestro Padre. Si veis algo malo en mi pobre vida, no será del espíritu de la Obra; serán mis miserias personales. Por eso, pedid por mí, para que sea bueno y fiel.

1b   Entre los bienes que el Señor ha querido darme, está la devoción a la Trinidad Beatísima: la Trinidad del Cielo, Dios Padre, Dios Hijo, Dios Espíritu Santo, único Dios; y la *trinidad* de la tierra: Jesús, María y José. Comprendo bien la unidad y el cariño de esta Sagrada Familia. Eran tres corazones, pero un solo amor.

2a   A San José lo quiero mucho: me parece un hombre extraordinario. Siempre lo he imaginado joven; por eso me enfadé cuando en el oratorio del Padre pusieron unos relieves que le representan viejo y barbudo. Inmediatamente hice pintar un cuadro donde se le ve joven, lleno de vitalidad y de fuerza. Hay algunos que no conciben

---

1a   Antes de este párrafo se lee en la transcripción lo siguiente: «Me había preparado un guión para dar una meditación, pero en lugar de esto charlaremos un poco, ¿no os parece?», *m710319*.

2a   *«Siempre lo he imaginado joven»*: sobre la iconografía de san José y la inclinación de Escrivá a representárselo como un hombre joven, ver la introducción a la meditación n. 12. Los relieves a los que se refiere se encuentran en el oratorio de la Santísima Trinidad, de Villa Tevere, en el que habitualmente celebraba la Santa Misa (ver también 12.2f).

que la castidad se pueda guardar sino en la vejez. Pero los viejos no son castos, si no lo han sido de jóvenes. Los que no supieron ser limpios en los años de la juventud, es fácil que de viejos tengan unas costumbres brutalmente torpes.

2b   San José debía de ser joven cuando se casó con la Virgen Santísima, una mujer entonces recién salida de la adolescencia. Siendo joven, era puro, limpio, castísimo. Y lo era, justamente, por el amor. Sólo llenando de amor el corazón podemos tener la seguridad de que no se encabritará ni se desviará, sino que permanecerá fiel al amor purísimo de Dios.

2c   Anoche, cuando ya estaba acostado, invoqué muchas veces a San José, muchas, preparando la fiesta de hoy. Con gran claridad entendía que realmente formamos parte de su familia. No es un pensamiento gratuito; hay muchas razones para afirmarlo. En primer lugar, porque somos hijos de Santa María, su Esposa, y hermanos de Jesucristo, hijos todos del Padre del Cielo. Y luego, porque formamos una familia de la que San José ha querido ser cabeza. Por eso le llamamos, desde el principio de la Obra, Nuestro Padre y Señor.

2d   El Opus Dei no se ha abierto camino fácilmente. Ha sido todo muy difícil, humanamente hablando. Yo no quería aprobaciones eclesiásticas que podrían torcer nuestro camino jurídico: un camino

---

2c   «*desde el principio de la Obra*»: ver parecidas afirmaciones en 12.5c y 22.3d. En sus *Apuntes íntimos* hay constancia de su devoción desde los primeros años treinta, al poco de comenzar el Opus Dei. Una de esas anotaciones, de 1933, fue recogida textualmente en *Camino*: «San José, Padre de Cristo, es también tu Padre y tu Señor. –Acude a él» (n. 559). Ver otros ejemplos en *Camino*, ed. crít.-hist., com. a los nn. 22, 76, 130, 555, 560, 561, 729, 933.

2d   «*Yo no quería aprobaciones eclesiásticas que podrían torcer nuestro camino jurídico*»: desde el principio, san Josemaría había sido muy cauto en todo lo que se refería al itinerario jurídico del Opus Dei. Comprendía que era un fenómeno pastoral nuevo, difícil de encajar en la normativa canónica de la época. Consciente de que esa novedad era querida por Dios y decidido a preservarla, se mostró muy prudente ante aprobaciones que podían prejuzgar negativa y prematuramente una realidad que estaba haciéndose y que la teología y la canonística al uso no estaban todavía capacitadas para encuadrar adecuadamente. A la vez, se movió siempre con la aprobación oral, y más tarde escrita y oficial, de la jerarquía competente. Cuando el Concilio Vaticano II

que entonces no existía y que aún se está haciendo. Muchos no entendían –todavía hay algunos cerrados para entender– nuestro fenómeno jurídico, y mucho menos nuestra fisonomía teológica y ascética: esta ola pacífica, pastoral, que está llenando toda la tierra. Yo no deseaba aprobaciones eclesiásticas de ningún género, pero debíamos trabajar en muchos sitios: ¡millones de almas nos esperaban!

2e   Invocábamos a San José, que hizo las veces de Padre del Señor. Y pasaban los años. Hasta 1933 no pudimos comenzar la primera labor corporativa. Fue la famosa academia DYA. Dábamos clases de Derecho y Arquitectura –de ahí las letras del nombre–, pero en realidad quería decir *Dios y Audacia*. Eso era lo que necesitábamos para romper como rompimos los moldes jurídicos, y dar una nueva solución a las ansiedades del alma del cristiano, que quería y quiere servir con todo su corazón a Dios, dentro de las limitaciones humanas pero en la calle, en el trabajo profesional ordinario, sin ser religioso ni asimilado a los religiosos.

2f   Pasaron varios años hasta que redacté el primer reglamento de la Obra. Recuerdo que tenía un montón de fichas, que iba tomando de

---

creó la figura de la prelatura personal, el fundador la indicó como la solución jurídica adecuada y definitiva para el Opus Dei. Vid. *Itinerario*, pp. 371 y ss.

2e   «*Hasta 1933 no pudimos comenzar la primera labor corporativa*»: la transcripción contiene una digresión que nos parece oportuno mencionar, porque muestra la sinceridad de san Josemaría y explica su costumbre de tomar nota fechada de los hechos significativos de su vida. Cuando hablaba sin tener delante esas notas tenía miedo de caer en pequeñas imprecisiones: «No me hagáis mucho caso en cuestión de fechas –se lee en la transcripción–, porque no tengo ahora documentos en la mano; pero si me equivoco será porque mi memoria ya no es la misma que era antes. Si me preguntarais lo que dije hace ocho días, me volvería loco para contestaros», *m710319*. Sobre la historia de la Academia DYA ver la reciente monografía de José Luis González Gullón (*DYA*).

2f   «*dije a don Álvaro ... ni lo es ahora tampoco*»: las palabras de la transcripción contienen algún detalle más: «Y cogí a Álvaro, que está aquí –se acordará–, cogí a Ricardo Vallespín y a Juan Jiménez Vargas, y les dije: me vais a ayudar a ordenar estas fichas. Así hicimos el primer reglamento, en el que no se hablaba para nada de votos, ni de botas, ni de botines, ni de botones, porque ni entonces era necesario ni lo es ahora tampoco», *m710319*. Se refiere al beato Álvaro del Portillo (1914-1994) su primer sucesor; a Ricardo Fernández Vallespín (1910-1988) y a Juan Jiménez Vargas (1913-1997), dos de los miembros más antiguos de la Obra.

nuestra experiencia. La voluntad de Dios estaba clara desde el 2 de octubre de 1928; pero se fue poniendo en práctica poco a poco, con los años. Evitaba el riesgo de hacer un traje y meter dentro a la criatura; al contrario, iba tomándole las medidas –esas fichas de experiencia– para hacer el traje adecuado. Un día, después de varios años, dije a don Álvaro y a otros dos hermanos vuestros mayores que me ayudaran a ordenar todo ese material. Así hicimos el primer reglamento, en el que no se hablaba para nada de votos, ni de botas, ni de botines, ni de botones, porque ni entonces era necesario ni lo es ahora tampoco.

3a   En 1934, si no me equivoco, comenzamos la primera Residencia de estudiantes. En aquella época, el ambiente de mi tierra era anticlerical rabioso; las autoridades perseguían a la Iglesia, y se había metido una raíz comunista, que es la negación de todas las libertades.

San Josemaría no rechazaba los votos, que son parte de la virtud de la religión y que tradicionalmente han concretado el camino de santidad de la vida consagrada, pero sí su aplicación canónica a los fieles del Opus Dei, que son simples laicos, cristianos corrientes, o sacerdotes seculares. El reglamento del que habla data de 1941 (cfr. *Itinerario*, p. 321). Ver también nota a 9.3d.

3a   «*en aquella época*»: se refiere a los tiempos de la Segunda República española (1931-1936), que practicó en algunos momentos una política laicista en sus relaciones con la Iglesia y los católicos. San Josemaría no estaba contra la República en sí, que consideraba legítima como forma de gobierno, como se lee en la transcripción de la grabación magnetofónica: «A mí no me da miedo la República. Lo mismo me importa la Monarquía que la República; lo que no me gusta es la anarquía. Me tiene completamente sin cuidado la forma de gobierno», *m710319*. Lo que rechazaba era un anticlericalismo que dividió de hecho a la sociedad española, ofendiendo los sentimientos religiosos de muchos católicos.

El origen del anticlericalismo español es complejo y no nos compete analizarlo aquí. En parte arranca del liberalismo decimonónico, que perduraba en muchas actitudes todavía en el primer tercio del siglo XX, aunque la matriz ahora era distinta. San Josemaría habla de una «raíz comunista», es decir, de ese conjunto de ideologías que muchos españoles de la época designaban como "comunistas", aunque quizá sería más propio designarlos como de "izquierda revolucionaria", donde se encontraban opciones bastante distintas, como los comunistas propiamente dichos –minoritarios, en realidad–, los socialistas de varias facciones, los extremistas de izquierda republicana e incluso los anarquistas. Ver Stanley G. PAYNE, *El colapso de la República. Los orígenes de la Guerra Civil (1933-1936)*, Madrid, La Esfera de los Libros, 2005.

3b   Necesitábamos tener al Señor con nosotros, en el Tabernáculo. Ahora es fácil; pero, entonces, poner un Sagrario era una empresa muy difícil. Era preciso hacer muchas cosas, mostrarnos como un *dechado*...

3c   ¿No sabéis qué era el dechado? Las señoritas del siglo pasado, cuando salían del colegio chapurreando un poco de francés y tocando más o menos bien el piano, tenían que hacer unas labores en un paño. Allí cosían, bordaban, zurcían; añadían letras, números, pajaritos... ¡De todo! También figuraba el nombre de la autora, y la fecha. Yo he visto el dechado de mi abuela Florencia, porque lo conservaba mi hermana Carmen... Aquello era como la licenciatura de los colegios para señoritas.

3d   Algo así teníamos que hacer nosotros, para que la Iglesia nos mirara con cariño y nos concediera tener en casa a Jesús Sacramentado.

3e   En el fondo de mi alma tenía ya esta devoción a San José, que os he inculcado. Me acordaba de aquel otro José, al que –siguiendo el consejo del Faraón– acudían los egipcios cuando padecían hambre de buen pan: «*Ite ad Ioseph!*»[1], id a José, a que os dé el trigo. Comencé a pedir a San José que nos concediera el primer Sagrario, y lo mismo hacían los hijos míos que tenía entonces alrededor. Mientras encomendábamos este asunto, yo trataba de encontrar los objetos necesarios: ornamentos, tabernáculo... No teníamos dinero. Cuando reunía cinco duros, que entonces era una cantidad discreta, se gastaban en otra necesidad más perentoria.

3f   Logré que unas monjitas, a las que quiero mucho, me dejaran un sagrario; conseguí los ornamentos en otro sitio y, por fin, el buen obispo de Madrid nos concedió la autorización para tener el Santísimo Sacramento con nosotros. Entonces, como señal de agradecimiento,

---

[1] *Genes.*, XLI, 55.

3f   «*unas monjitas, a las que quiero mucho*»: consiguió, en efecto, que la Madre Muratori, Priora de las RR. Reparadoras de Torija, le prestase un sagrario de madera dorada que no utilizaban en el convento, como solución provisional. Ver *DYA*, pp. 321-322. En la transcripción se da el nombre del obispo de Madrid, don Leopoldo Eijo y Garay: «Don Leopoldo nos ha querido con locura, y yo a él también; hay muchas cosas que

hice poner una cadenilla en la llave del sagrario, con una medallita de San José en la que, por detrás, está escrito: *ite ad Ioseph!* De modo que San José es verdaderamente nuestro Padre y Señor, porque nos ha dado el pan –el Pan eucarístico– como un padre de familia bueno.

3g ¿No he dicho antes que nosotros pertenecemos a su familia? Además de habernos alcanzado el alimento espiritual, estamos unidos a él invocándole antes de ese rato de tertulia que es la oración. Al renovar nuestra entrega y al incorporarnos definitivamente a la Obra, también San José está presente.

3h Al principio yo procuraba adelantar la Fidelidad, porque necesitaba de vosotros. Nunca me he sentido indispensable para nada. Algunos recordarán que les decía: ¿te comprometes delante de Dios, si yo muero, a seguir adelante con la Obra? Nunca me creí necesario, porque no lo soy. Cualquiera de vosotros es mejor que yo, y puede ser muy buen instrumento. Entonces la Fidelidad se hacía en la fiesta de San José, metiendo al Santo Patriarca en este compromiso espiritual de sacar la Obra adelante, convencidos de que era un querer positivo de Dios.

4a Por otra parte, San José es, después de Santa María, la criatura que ha tratado a Jesús en la tierra con más intimidad. Gozo con esas oraciones que la Iglesia recomienda a la piedad de los sacerdotes, para antes y después de la Misa. Allí se recuerda que San José cuidaba del Hijo de Dios lo mismo que nuestros padres de nosotros: venían ya cuando nos estaban vistiendo, nos acariciaban, nos apretaban contra su pecho, y nos daban unos besos tan fuertes que a veces nos hacían daño.

4b ¿Os imagináis a San José, que amaba tanto a la Santísima Virgen y sabía de su integridad sin mancha? ¡Cuánto sufriría viendo que

---

sabréis a su hora, tantos detalles encantadores; no todos, pero muchos los sabréis porque se han tomado muchas notas y están archivadas», *m710319*.

3g «*invocándole antes de ese rato de tertulia que es la oración*»: en la oración preparatoria que siempre empleaba al comenzar un rato de oración mental, se invoca a «san José, nuestro Padre y Señor» (ver nota a 4.1a).

3h «*Fidelidad*»: con esta expresión se designa la incorporación definitiva al Opus Dei. Sobre esa pregunta que dirigía a los primeros, ver *AVP* I, pp. 543-544.

esperaba un hijo! Sólo la revelación de Dios Nuestro Señor, por medio de un Ángel, le tranquilizó. Había buscado una solución prudente: no deshonrarla, marcharse sin decir nada. Pero ¡qué dolor!, porque la amaba con toda el alma. ¿Os imagináis su alegría, cuando supo que el fruto de aquel vientre era obra del Espíritu Santo?

4c　　¡Amad a Jesús y a su Madre Santísima! Hace un año me enviaron una imagen antigua de marfil, preciosa, que representa a la Santísima Virgen embarazada. A mí me emociona. Me conmueve la humildad de Dios, que quiere estar encerrado en las entrañas de María, como nosotros en el seno de nuestra madre, durante el tiempo debido, igual que una criatura cualquiera, porque es *perfectus Homo*, perfecto hombre, siendo también *perfectus Deus*, perfecto Dios: la segunda Persona de la Santísima Trinidad.

4d　　¿No os conmueve esta humildad de Dios? ¿No os llena de amor saber que se ha hecho hombre y no ha querido ningún privilegio? Como Él, tampoco nosotros deseamos privilegios. Queremos ser personas corrientes y molientes; queremos ser ciudadanos como los demás. ¡Esto es una maravilla! Nos encontramos muy a gusto en el hogar de Jesús, María y José, que pasan inadvertidos.

4e　　Cuando voy a un oratorio nuestro donde está el Tabernáculo, digo a Jesús que le amo, e invoco a la Trinidad. Después doy gracias a los Ángeles que custodian el Sagrario, adorando a Cristo en la Eucaristía. ¿No imagináis que en aquella casa de Nazaret, y antes en Belén, en la huida a Egipto y en la vuelta, con el miedo de perder a Jesús porque reinaba el hijo de un monarca cruel, los Ángeles contemplarían pasmados el anonadamiento del Señor, ese querer aparecer sólo

---

4c-e　Me conmueve la humildad de Dios ... porque ha querido ser *perfectus Homo*. *Cro1971*,366 *Cro1975*,11-12 *EdcS*,138-139 ‖ durante el tiempo *Cro1975*,11 *EdcS*,138] durante todo el tiempo *Cro1971*,366 ‖ igual que una criatura *Cro1975*,11 *EdcS*,138] como una criatura *Cro1971*,366 ‖ *perfectus Homo Cro1975*,11 *EdcS*,138] *perfectus homo Cro1971*,366 ‖ reinaba el hijo de un monarca *Cro1975*,12 *EdcS*,139] reinaba un hijo de aquel monarca *Cro1971*,366.

4d　　«*tampoco nosotros deseamos privilegios*»: está aludiendo a la búsqueda de un estatuto jurídico para el Opus Dei dentro del Derecho común de la Iglesia, que no comportara una condición excepcional o privilegiada (cfr. *Itinerario*, p. 318 y ss.).

como hombre? No amaremos bastante a Jesús si no le damos gracias con todo el corazón porque ha querido ser *perfectus Homo*.

5a Hijos míos, seguiría adelante si esto fuera una meditación; pero como momento de tertulia, me parece que ya es bastante. Tenéis suficiente materia para hacer, cada uno por su cuenta, un rato de oración contemplativa: para vivir con Jesús, María y José en aquel hogar y en aquel taller de Nazaret; para contemplar la muerte del Santo Patriarca que, según la tradición, estuvo acompañado de Jesús y de María; para decirle que le queremos mucho, que no nos desampare.

5b Si en el Cielo pudiera haber tristeza, San José estaría muy triste en estos tiempos, viendo a la Iglesia descomponerse como si fuera un cadáver. ¡Pero la Iglesia no es un cadáver! Pasarán las personas, cambiarán los tiempos, y dejarán de decirse blasfemias y herejías. Ahora se propalan sin ningún inconveniente, porque no hay pastores que señalen dónde está el lobo. Lo arriesgado es que una persona proclame la verdad, porque la persiguen y difaman. Sólo hay impunidad

---

5b «*Si en el Cielo ... cadáver*»: san Josemaría usaba esta imagen fuerte, según el viejo principio metafísico de que la disgregación es causa de muerte y de corrupción. El abandono de la unidad doctrinal, moral e institucional, junto a la pérdida de la vida sobrenatural, por la renuncia a la lucha contra el pecado, podrían dar la impresión de que la Iglesia –como algunos falsos profetas anunciaban– se encontraba moribunda. Vuelve a usar esa comparación en 18.6e.

No era el único que entonces aludía a esta idea: vid. Louis BOUYER, *La descomposición del catolicismo*, Barcelona, Herder, 1970. Pablo VI lo achacaba a la intervención del diablo. En una homilía del 29 de junio de 1972, confió su impresión de que «por alguna rendija haya entrado el humo de Satanás en el templo de Dios», que en la Iglesia había penetrado la crítica, la duda, la «tempestad, oscuridad, incertidumbre», el afán de «separarse cada vez más de los demás», excavando «abismos en vez de colmarlos» (PABLO VI, Homilía, 29-VI-1972, en *Insegnamenti di Paolo VI*, vol. X [1972], pp. 703-709).

«*Ahora se propalan...*»: unos años antes de estas palabras de san Josemaría, el beato Pablo VI había hablado de que algunos se ejercitaban en la autocrítica e incluso en la «auto demolición»: «La Iglesia es golpeada incluso por quien forma parte de Ella» (PABLO VI, Discurso a los miembros del Pontificio Seminario Lombardo, 7-XII-1968, en *Insegnamenti di Paolo VI*, vol. VI [1968], p. 1188).

para los que difunden herejías y maldades, errores teóricos y prácticos de costumbres infames.

5c   Los mayores enemigos están dentro y arriba: no os dejéis engañar. Cuando toméis un libro de tema religioso, que se os queme la mano si no hay seguridad de que tiene buen criterio. ¡Fuera! Es un veneno activísimo: arrojadlo como si fuese un libro pornográfico, y con más violencia aún, pues la pornografía se ve y esto se filtra como por ósmosis.

5d   Invocad conmigo a San José, de todo corazón, para que nos obtenga de la Trinidad Beatísima y de Santa María, su Esposa, Madre nuestra, que acorte el tiempo de la prueba. Y aunque hayan suprimido de las letanías de los Santos esta invocación, quiero invitaros a que recéis conmigo: «*Ut inimicos Sanctæ Ecclesiæ humiliare digneris, te rogamus audi nos!*».

5c   «*Cuando toméis un libro...*»: san Josemaría se está refiriendo a un elemental deber moral: evitar un peligro próximo para la fe o las costumbres, si no hay motivo proporcionado y justo para afrontarlo. Tal peligro puede ser fácil de advertir en el ejemplo de la pornografía, que aquí menciona, pero puede serlo menos en el caso de una lectura que contiene errores doctrinales o morales susceptibles de provocar un daño a la fe del sujeto, especialmente si el lector está poco formado o carece de capacidad crítica. De ahí que señale tajantemente la obligación de rechazar esas lecturas, si se advierte el peligro y no hay necesidad de leerlas; al mismo tiempo, san Josemaría sabía que la buena formación doctrinal y moral exige, en bastantes casos, utilizar obras que contienen errores doctrinales o morales, pero siempre tomando las oportunas medidas de prudencia.

5d   «*ut inimicos ... audi nos*»: «Para que te dignes confundir a los enemigos de la Santa Iglesia, te rogamos, óyenos»; invocación de las letanías de los santos incluida en el Ritual Romano de 1952, para la liturgia bautismal.

Tras el último párrafo, san Josemaría añade: «Ya está, ya os he dicho lo que os quería decir, a grandes rasgos. Ahora qué me contáis vosotros...». Después, la tertulia continúa con normalidad.

17. EN LAS MANOS DE DIOS
(2 de octubre de 1971)

1. Contexto e historia

En el diario del centro del Consejo General del 2 de octubre de 1971 se lee: «Por la mañana, a la hora de la meditación, estamos dispuestos a hacer la oración en silencio, apiñados junto al Padre, pero, a los pocos segundos de empezar, el Padre comienza a hablar y nos dirige la meditación: llena de amor de Dios, de agradecimiento, de grandes deseos de ser muy fieles al Señor y a la Obra y de seguir los pasos del Padre»[383].

Esas palabras de san Josemaría en el oratorio de Pentecostés, con ocasión del aniversario de la fundación del Opus Dei, aparecieron en las páginas de *Crónica* y *Noticias* de octubre de 1972, un año después de que fueran pronunciadas. Las referencias a la Sagrada Escritura fueron añadidas en *EdcS*.

2. Fuentes y material previo

EdcS,141-146; *Cro1972*,916-921; *Not1972*,851-856. En AGP, serie A.4, m711002, se conserva una transcripción mecanografiada con su copia carbón.

3. Contenido

El 2 de octubre, aniversario de la fundación del Opus Dei, era una de esas ocasiones en las que san Josemaría tenía que vencer una gran resistencia para hablar en público. No le gustaba referirse, aunque fuera indirectamente, a su experiencia íntima en las fechas fundacionales, pero cuando

---

[383] Diario del centro del Consejo General, 2-X-1971 (AGP, serie M.2.2, 431-1).

lo hacía, su oración discurría con agradecimiento a Dios y sentimiento de indignidad personal. Pensaba que había correspondido pobremente a las gracias recibidas: «¡Si no he hecho más que estorbar!»[384], afirmaba.

Al rememorar la historia de la Obra, veía claro que sólo la acción de Dios podía explicar la eficacia de unos esfuerzos humanos, que eran a todas luces insuficientes para producir el resultado que, humillado y a la vez lleno de reconocimiento, veía ante sí. Dios había intervenido claramente en esa historia: algunas veces de forma extraordinaria, pero sobre todo lo había hecho con su Providencia ordinaria. Le había sostenido como fundador, dándole una gran fe, una seguridad total en que los planes divinos se llevarían a cabo. Y los sueños de juventud habían sido superados por la realidad. Además, añadía, Dios seguirá interviniendo en esa historia, y también los sueños de los que le escuchaban serían superados por las maravillas que contemplarían un día.

Discurrían en su oración los temas que le llenaban el alma. En esa época eran la solución jurídica definitiva para la Obra, todavía *in fieri*, y la lealtad de sus hijas e hijos –«¡sed fieles! Vosotros sois la continuidad»[385], les exhortaba–, pues sentía acercarse el momento en que serían ellos quienes habrían de garantizar la transmisión genuina del espíritu de la Obra a las generaciones venideras. También les hablaba de la importancia de que cuidasen la caridad en la Obra –«que os comprendáis, que os disculpéis, que os queráis»[386]– y les confiaba su preocupación por la situación de la Iglesia.

Algunos de los temas centrales de su predicación oral están presentes también: la vida contemplativa, la «ascética que es mística»[387], el recurso a san José, el abandono filial en el regazo de la Virgen, la identificación con Cristo y especialmente con los sentimientos de su Corazón.

---

[384] 17.2c.

[385] 17.4c.

[386] 17.4e.

[387] 17.2d.

4. *Texto y notas*

EN LAS MANOS DE DIOS

1a   *Sancte Pater, Omnipotens, Æterne et Misericors Deus: Beata Maria intercedente, gratias tibi ago, pro universis beneficiis tuis, etiam ignotis.*

1b   Demos gracias, hijos, porque el Señor ha querido contar siempre con la pequeñez vuestra y con la mía. Recuerdo ahora aquellos barruntos, aquellas inquietudes de los quince o dieciséis años, cuando se escapaba de mi alma un clamor hecho de jaculatorias: *Domine, ut sit!, Domina, ut sit!* Ya entonces me sentía muy poca cosa, y ahora más, porque tengo la experiencia de mi larga vida, y no he sido nunca propenso a creer ninguna cosa extraordinaria.

1c   Han pasado cuarenta y cuatro años desde los comienzos, y todavía seguimos caminando por el desierto: más años que aquella larga peregrinación del Pueblo escogido por el Sinaí. Pero en este desierto nuestro han brotado las flores y los frutos, de maravilla: tanto, que es todo oasis frondoso, aunque esto parezca una contradicción.

1a   «*Sancte Pater*»...: «A Ti, Dios Padre, Santo, Omnipotente, Eterno y Misericordioso: por intercesión de santa María, te doy gracias por todos tus beneficios, incluidos los que ignoro». Se trata de una jaculatoria que repetía a menudo (ver Álvaro DEL PORTILLO, *Entrevista*, p. 163) y que probablemente había compuesto él mismo, tomando pie de algunas preces de la liturgia o de la tradición de la Iglesia.

1c   «*cuarenta y cuatro años*»: también aquí emplea el cómputo por años incoados, como se explica en nota a 14.2c. Por eso, al cumplirse el 2 de octubre de 1971, contaba cuarenta y cuatro años, aunque en realidad habían transcurrido cuarenta y tres desde la fundación.

«*seguimos caminando por el desierto*»: probablemente se está refiriendo a la cuestión jurídica. Así lo interpreta, por ejemplo, Vázquez de Prada, citando este mismo texto, cfr. *AVP* III, pp. 592-593.

1d   En estos años no he perdido nunca la paz, hijos, pero no he vivido
      un momento tranquilo. Te agradezco, Señor, que hayas procurado
      que yo comprenda, de manera evidente, que todo es tuyo: las flores
      y los frutos, el árbol y las hojas, y esa agua clara que salta hasta la vida
      eterna. *Gratias tibi, Deus!*

2a   Te agradezco, Señor, tu continua protección y la realidad de que ha-
      yas querido intervenir, en ocasiones de modo bien patente –yo no lo
      pedía, ¡no lo merezco!– para que no quede ninguna duda de que la
      Obra es tuya, sólo tuya y enteramente tuya. Viene a mi memoria esa
      maravilla de la filiación divina. Fue un día de mucho sol, en medio
      de la calle, en un tranvía: *Abba, Pater!, Abba, Pater!...*

2b   Gracias, Señor, porque no hay nadie predicando en el presbiterio.
      Hubiera sido justo que me nombrara, y yo habría pasado un mal
      rato. También hubiese sido una injusticia, porque no he hecho
      nada, he sido siempre un obstáculo... Cualquiera de mis hijos hubie-
      ra dicho cosas enternecedoras, pero yo –avergonzado– habría salido
      despacito del oratorio, tomando la puerta sin hacer ruido... Gracias,
      por haber tenido esta delicadeza conmigo.

2c   *Beata Maria intercedente...* Ahora todo me parece pasmoso. ¡Si no
      he hecho más que estorbar! No pensaba hablaros hoy, hijos míos,
      y no preparé nada, ni siquiera mentalmente. Estoy sólo haciendo
      mi oración personal, en voz alta. Hacedla vosotros también, por
      vuestra cuenta.

2d   No me deis gracias. Agradeced todo al Señor, a Nuestra Madre, a
      Nuestro Padre y Señor San José, que es patrono de nuestra vida

---

1d   esa agua] ese agua *Cro1972*,917 *EdcS*,142.

2a   «*en un tranvía*»: se refiere a una experiencia espiritual que le hizo alcanzar una com-
      prensión muy alta de la filiación divina adoptiva del cristiano, entre los meses de sep-
      tiembre y octubre de 1931 (ver *AVP* I, p. 387 y ss. y el amplio tratamiento del hecho
      y su significación en Ernst BURKHART - Javier LÓPEZ DÍAZ, *Vida cotidiana y santidad*
      [II], pp. 23-60).

2d   «*esta ascética nuestra, que es mística*»*:* la frase parece un replanteamiento de aquel tema
      que había dejado en suspenso en una meditación de 1967: «¿Ascética? ¿Mística? No
      lo sabría decir (...) ¿qué más da?: es un don de Dios» (9.4f). Para san Josemaría, la
      lucha cristiana es una "lucha por amor", y por eso puede hablar de «esta ascética

espiritual y da fortaleza a esta ascética nuestra, que es mística; a este hecho colosal de la vida contemplativa en medio de la calle.

2e   Gracias, Señor, porque me han tratado como a un trapo, aunque ha sido poco para lo que yo me merecía. Me has contemplado en este deporte sobrenatural, y has visto que mis músculos eran desproporcionados para salir adelante en este combate por mis propias fuerzas, y llamarme vencedor. Siento de verdad la humillación de que no tengo, ni tenía, ni he tenido nunca las condiciones personales necesarias para hacer una labor tan divina. Señor, estoy profundamente humillado por no haber sabido corresponder como debía. Profundamente humillado y agradecido con toda mi alma: *ex toto corde, ex tota anima!*

3a   Un recuerdo a nuestros difuntos, pienso en mis padres –a los que hemos hecho sufrir sin culpa suya, aunque a veces era necesario–, para que el Señor se lo pague con generosidad en el Cielo. Pensemos en aquellos hermanos nuestros que ya están en la Gloria. Yo les pido, puesto que pertenecen a la Iglesia triunfante –¡sí, señor, triunfante!, no es verdad que no lo sea–, que se unan a los que están en el Purgatorio y nos ayuden a nosotros a dar gracias, a los que vamos de camino en la tierra y corremos –por tanto– el riesgo de no llegar.

---

nuestra, que es mística», pues esta última no es otra cosa que la unión con Dios por el amor. Se refiere al esfuerzo interior con un tono vigoroso, ciertamente, mostrando a sus oyentes la responsabilidad que tienen de no ceder ante el enemigo de su santidad o ante las propias flaquezas. Pero su lenguaje incluye siempre una referencia al motivo que impulsa ese esfuerzo: el amor a Dios, la fidelidad a su llamada, la lealtad a la Iglesia... La lucha que propone no tiene nada de voluntarismo perfeccionista: se trata de un esfuerzo por amar más, secundando la gracia y abandonándose humildemente en la misericordia de Dios (cfr. Javier LÓPEZ DÍAZ, "Lucha ascética", en *ibid.*, pp. 769-775, José María GALVÁN, "Gracia", en *ibid.*, pp. 579-585).

En la transcripción, se lee una formulación algo diversa: «este ascetismo nuestro que es misticismo», *m711002*. La forma definitiva que quiso darle es más precisa y subraya, a nuestro juicio, un importante rasgo de la espiritualidad del Opus Dei.

3a   *«a los que hemos hecho sufrir sin culpa suya, aunque a veces era necesario»*: sobre la visión de esos sufrimientos, a la luz de la Providencia divina, ver introducción a la meditación n. 8.

3b   Siempre un *ritornello: ut sit!, ut sit!, ut sit! Gratias tibi, Deus, gratias tibi!* Sufrimos, pero no somos infelices: vivimos con la felicidad de contar con tu ayuda. *Pro universis beneficiis tuis, etiam ignotis.* No tengo nada: ni condiciones humanas, ni honra, ni méritos... Pero entonces Tú me lo concedes todo: cuando quieres, como quieres. ¡Dios mío, eres Amor!

3c   No sigáis el hilo de lo que voy diciendo, hijos míos, más que marginalmente. Que cada uno haga la oración que más le convenga. En la Obra caben todos los caminos personales que llevan a Dios.

3d   Estamos preocupados por tu Iglesia Santa. La Obra no me causa preocupación: está llena de flores y de frutos. Es un bosque frondoso que se trasplanta fácilmente, y arraiga en todos los lugares, en todas las razas, en todas las familias. ¡Cuarenta y cuatro años! No me causa preocupación la Obra, pero ¿cómo no me he muerto mil veces? Me parece que he soñado: un sueño sin el colorido de aquella tierra parda de Castilla, ni tampoco el de mi buena tierra aragonesa. En este sueño me he quedado corto, porque Tú, Señor, siempre concedes más. De la boca mía, de esta boca manchada, es justo que en tantas ocasiones mis hijos escuchen palabras para soñar generosamente, con el desbordarse de este río inmenso, *fluvium pacis*[1], por todo el mundo. Soñad, y os quedaréis siempre cortos.

4a   Hijos míos, ¿queréis decir al Señor, conmigo, que no tenga en cuenta mi pequeñez y mi miseria, sino la fe que me ha dado? ¡Yo no he dudado jamás! Y esto es también tuyo, Señor, porque es propio de los hombres vacilar.

4b   ¡Cuarenta y cuatro años! Hijos míos, recuerdo ahora ese cuadrito con la imagen de San José de Calasanz, que hice colocar junto a

---

[1] Cfr. *Isai.* LXVI, 12.

3b   «*Siempre un* ritornello: ut sit!»: repetía una jaculatoria dirigida al Señor y a la Virgen –como el estribillo (*ritornello,* en italiano) de una canción– pidiendo que se hiciera realidad la voluntad de Dios.

4b   «*San José de Calasanz*»: el Autor tenía cariño y devoción por el fundador de las Escuelas Pías, que estaba emparentado con su familia (cfr. *AVP* I, p. 419; François GONDRAND, *Au pas de Dieu. Josemaría Escrivá de Balaguer, fondateur de l'Opus*

mi cama. Veo al Santo venir a Roma; le veo permanecer aquí, mal-tratado. En esto me encuentro parecido. Lo veo Santo –y en esto no me hallo parecido–, y así hasta una ancianidad veneranda.

4c   Sed fieles, hijos de mi alma, ¡sed fieles! Vosotros sois la continuidad. Como en las carreras de relevos, llegará el momento –cuando Dios quiera, donde Dios quiera, como Dios quiera– en el que habréis de seguir vosotros adelante, corriendo, y pasaros el palitroque unos a otros, porque yo no podré más. Procuraréis que no se pierda el buen espíritu que he recibido del Señor, que se mantengan íntegras las ca-racterísticas tan peculiares y concretas de nuestra vocación. Transmi-tiréis este modo nuestro de vivir, humano y divino, a la generación próxima, y ésta a la otra, y a la siguiente.

4d   Señor, te pido tantas cosas para mis hijos y para mis hijas... Te pido por su perseverancia, por su fidelidad, ¡por su lealtad! Seremos fieles, si somos leales. Que pases por alto, Señor, nuestras caídas; que nin-guno se sienta seguro si no combate, porque *donde menos se piensa salta la liebre*, como dice el refrán. Y todos los refranes están llenos de sabiduría.

4e   Que os comprendáis, que os disculpéis, que os queráis, que os sepáis siempre en las manos de Dios, acompañados de su bondad, bajo el amparo de Santa María, bajo el patrocinio de San José y protegidos por los Ángeles Custodios. Nunca os sintáis solos, siempre acompa-ñados, y estaréis siempre firmes: los pies en el suelo, y el corazón allá arriba, para saber seguir lo bueno.

4f   Así, enseñaremos siempre doctrina sin error, ahora que hay tantos que no lo hacen. Señor, amamos a la Iglesia porque Tú eres su Cabe-za; amamos al Papa, porque te debe representar a Ti. Sufrimos con la Iglesia –la comparación es de este verano– como sufrió el Pueblo

---

Dei, Paris, France-Empire, 1986, pp. 232-233). Le conmovía su actitud durante la persecución de que fue objeto. Ante la amenaza de actuaciones que podrían dañar al Opus Dei, el beato cardenal Schuster avisó a Escrivá de Balaguer que se acordara de lo que le ocurrió a su santo paisano y que se moviera para defenderse. Cfr. *Itine-rario*, p. 303. Aludiendo a la vida de san José de Calasanz, la transcripción contiene un detalle más: «En esto me encuentro parecido, porque si yo no he ido a parar a un calabozo del Sant'Uffizio, es porque ya no se usan», *m711002*.

de Israel en aquellos años de estancia en el desierto. ¿Por qué tantos, Señor? Quizá para que nos parezcamos más a Ti, para que seamos más comprensivos y nos llenemos más de la caridad tuya.

4g Belén es el abandono; Nazaret, el trabajo; el apostolado, la vida pública. Hambre y sed. Comprensión, cuando trata a los pecadores. Y en la Cruz, con gesto sacerdotal, extiende sus manos para que quepamos todos en el madero. No es posible amar a la humanidad entera –nosotros queremos a todas las almas, y no rechazamos a nadie– si no es desde la Cruz.

4h Se ve que el Señor quiere darnos un corazón grande... Mirad cómo nos ayuda, cómo nos cuida, qué claro está que somos su *pusillus grex*[2], qué fortaleza nos da para orientar y enderezar el rumbo, cómo nos impulsa a tirar aquí y allá una piedra que evite la disgregación, cómo nos ayuda en la piedad con ese silbo amoroso.

4i Gracias, Señor, porque sin amor de verdad no tendría razón de ser la entrega. Que vivamos siempre con el alma llena de Cristo, y así nuestro corazón sabrá acoger, purificadas, todas las cosas de la tierra. Así, de este corazón, que reflejará el tuyo amadísimo y misericordioso, saldrá luz, saldrá sal, saldrán llamaradas que todo lo abrasen.

4j Acudamos a Santa María, Reina del Opus Dei. Recordad que, por fortuna, esta Madre no muere. Ella conoce nuestra pequeñez, y para Ella siempre somos niños pequeños, que cabemos en el descanso de su regazo.

---

[2] Cfr. *Luc.* XII, 32.

4h *«pusillus grex»*: «pequeño rebaño». Así llama Jesús a sus discípulos, que formarán la Iglesia: «No temáis, pequeño rebaño, porque vuestro Padre ha tenido a bien daros el Reino» (Lc 12, 32). Parte de ella es el Opus Dei. Entre las acciones del buen pastor que menciona está la de «tirar aquí y allá una piedra», para encarrilar al rebaño, cuando hay peligro de que se desvíe del buen camino. Probablemente está aludiendo metafóricamente a las correcciones e indicaciones, incluso vigorosas, que todo pastor eclesial está obligado a emplear para conservar la fidelidad a Dios de los fieles que tiene encomendados y librarles de los peligros que acechan su salvación.

18. TIEMPO DE REPARAR
(Febrero de 1972)

1. Contexto e historia

"Tiempo de reparar" es el primero de una trilogía de textos que aparecieron en las revistas durante el primer semestre de 1972[388]. Tienen en común que fueron elaborados tomando párrafos de tertulias y meditaciones de san Josemaría de esos meses. También su tema es parecido: contienen exhortaciones espirituales para reforzar la respuesta fiel a Dios de los miembros del Opus Dei, en un momento de crisis del mundo católico. Es una llamada a la responsabilidad y a la lucha por la santidad.

Este texto fue revisado y corregido por el Autor para que apareciera en *Crónica* y *Noticias* de febrero de 1972. La fecha que lleva es, por tanto, la de su aparición en esas revistas. Los textos litúrgicos que comenta corresponden al primer Domingo de Cuaresma, que ese año caía el 20 de febrero, pero sabemos que ese día no hubo meditación: parece simplemente que acudió a ellos para preparar el texto definitivo.

2. Fuentes y material previo

EdcS,147-161; *Cro1972*,101-114; *Not1972*,99-111. No se conserva ninguna versión previa. El contenido procede de dos meditaciones a los que vivían en el centro del Consejo General: del 6 de enero de 1972 (AGP, serie A.4, m720206) y, sobre todo, del 18 de febrero de ese mismo año (AGP, serie A.4, m720218); hay también frases tomadas de una tertulia, con las mismas personas, del 5 de enero de 1972 (AGP, serie A.4, t720105).

---

[388] Las otras dos son: "El talento de hablar", en abril, y "El licor de la Sabiduría", en el mes de junio de ese mismo año, que figuran a continuación de esta (nn. 19 y 20).

3. Contenido

El texto tiene dos partes: la primera está dedicada a la lucha ascética y la segunda a la reparación, como indica el título. El telón de fondo de las palabras de san Josemaría es el conjunto de dificultades que estaba afectando a diversos sectores de la Iglesia, hasta justificar que se hablara de una verdadera crisis[389].

Su dolor era grande ante lo que llamaba «acciones delictuosas que se cometen contra su Santo Nombre, contra sus Sacramentos, contra su doctrina»[390]. Quería poner en guardia a los miembros del Opus Dei acerca de los errores doctrinales y disciplinares que se estaban difundiendo. La desorientación que caracterizó a ese periodo le creaba una gran preocupación, al mismo tiempo que le llevaba a rezar y a desagraviar a Dios. Invitaba a sus hijas e hijos a ser más fieles, para compensar los abandonos y las rebeliones. Sus expresiones, al hablar de estos temas, son vigorosas y francas, llenas de celo por la Iglesia, a la que amaba profundamente[391].

---

[389] Cfr. Hugh McLeod, *The religious crisis of the 1960s*, Oxford (UK), New York, Oxford University Press, 2007; Callum G. Brown, "What was the religious crisis of the 1960s?", *Journal of Religious History* 34 (2007), pp. 468-479. Sobre algunos aspectos de esa crisis, en la Iglesia y en la vida de san Josemaría, ver Julián Herranz, *Nei dintorni di Gerico*, Milano, Ares, 2005, pp. 127-179; *AVP* III, pp. 491-517, 591-660, 680-688.

[390] 18.1b.

[391] Algunos testimonios sobre ese amor y sobre su visión eclesiológica se encuentran en sus obras, como *Camino* (especialmente los nn. 517-527, comentados por Pedro Rodríguez en su edición crítico-histórica); y los nn. 1-23 de *Conversaciones con Mons. Escrivá de Balaguer* (ver *Conversaciones,* ed. crít.-hist. , pp. 107-120); en sus homilías como "El fin sobrenatural de la Iglesia" y "Lealtad a la Iglesia" (recogidas en el volumen *Amar a la Iglesia,* Madrid, Palabra, 1986) y en las que se contienen en *Es Cristo que pasa* (comentadas por Antonio Aranda en su edición crítico-histórica, ver por ejemplo nn. 34, 53, 102, 127-133, 139). Otros testimonios sobre su amor a la Iglesia en Álvaro del Portillo, *Una vida para Dios: reflexiones en torno a la figura de Monseñor Josemaría Escrivá de Balaguer. Discursos, homilías y otros escritos*, Madrid, Rialp, 1992, pp. 69-87 y 205-210; Javier Medina Bayo, *Álvaro del Portillo. Un hombre fiel*, Madrid, Rialp, 2012, pp. 413-423; Álvaro del Portillo, *Entrevista*, pp. 11-25; Javier Echevarría Rodríguez, *Memoria del beato Josemaría Escrivá*, Madrid, Rialp, 2002, 302-304, 340-347; Javier Echevarría Rodríguez, *Por Cristo, con Él y en Él: escritos sobre san Josemaría*, Madrid, Palabra, 2007; y de diversos eclesiásticos que le trataron, recogidos en Aa.Vv., *Beato Josemaría Escrivá de Balaguer, un hombre de Dios: testimonios sobre el fundador del Opus Dei*, Madrid, Palabra, 1994, especialmente pp. 46-50, 75-76, 108-109, 130-132, 178-179, 198-200; Cormac Burke, "Una dimensión de su vida: el amor a la Iglesia y al Papa", ScrTh 13 (1981), pp. 691-701; Pedro Lombardía Díaz, "Amor a la Iglesia", en Álvaro del Portillo

El historiador McLeod considera que esta crisis tuvo consecuencias glo-
bales y afectó a todas las confesiones cristianas –no sólo a la Iglesia católica–
representando una ruptura tan profunda en el plano religioso occidental
como la que trajo consigo la reforma protestante[392]. ¿Qué manifestaciones
tuvo? Denis Pelletier las resume así para el caso de Francia: un declinar
acelerado de las vocaciones sacerdotales (también, habría que añadir, de
las vocaciones al estado religioso) y de la práctica religiosa; la politización
extremista de una parte del catolicismo; la crisis de la Acción Católica; la
disidencia integrista; la crisis de obediencia al Magisterio, en especial con
relación a las cuestiones del aborto, la contracepción, la emancipación femenina y en general, la liberalización de las costumbres[393].

Los límites cronológicos tampoco parecen claros, aunque el periodo
álgido se suele colocar entre los años que van de la clausura del Concilio
(1965) a la muerte de Pablo VI (1978). Bien podría tratarse, como sugiere
Pelletier, de un momento de aceleración de un proceso mucho más largo,
el de una progresiva secularización[394].

El fenómeno, tal como lo ve san Josemaría en los presentes textos, se
podría resumir en tres aspectos: la llamada "contestación" de quienes se
oponían al Magisterio de la Iglesia y que tergiversaban las enseñanzas del
Concilio Vaticano II; los abusos en materia litúrgica; el abandono de su vocación por parte de religiosos y religiosas y las secularizaciones de sacerdotes,

---

(ed.), *Homenaje a Mons. Josemaría Escrivá de Balaguer,* Pamplona, Eunsa, 1986, pp. 79-132;
Luis Cano, "San Josemaría ante el Vaticano. Encuentros y trabajos durante el primer viaje a
Roma: del 23 de junio al 31 de agosto de 1946", SetD 6 (2012), pp. 165-209.
    Un aproximación teológica a la enseñanza de san Josemaría sobre la Iglesia en Gonzalo
Aranda Pérez - José Ramón Villar Saldaña, "El amor a la Iglesia y al Papa en *Camino*",
en José Morales Marín (ed.), *Estudios sobre Camino: colección de estudios,* Madrid, Rialp,
1988, pp. 213-237; Fernando Ocáriz Braña, "L'Universalità della Chiesa negli insegnamenti del Beato Josemaría Escrivá", AnTh 16 (2002), pp. 37-54; Antonio Miralles, "Aspetti dell'ecclesiologia soggiacente alla predicazione del beato Josemaría Escrivá", en Paul
O'Callaghan (ed.), GVQ (V/1), 2004, pp. 177-198; Ernst Burkhart - Javier López Díaz,
Vida cotidiana y santidad (I), pp. 457-515; José Ramón Villar, "Iglesia", en DSJEB, pp.
618-626.

[392] Cfr. Hugh McLeod, *The religious crisis of the 1960s,* Oxford (UK), New York, Oxford
University Press, 2007, p. 1.

[393] Cfr. Denis Pelletier, *La crise catholique: religion, société, politique en France, 1965-1978,*
Paris, Payot, 2002, p. 8.

[394] Cfr. *ibid.*, p. 10.

unido al fenómeno que Pablo VI llamaba de "auto demolición"[395] de la Iglesia por parte de algunos. La actitud del fundador, como se lee en estas páginas, fue de desagravio y reparación, y al mismo tiempo de prudencia, con medidas y consejos que evitaran el contagio.

En su opinión, el problema estaba afectando a los más altos niveles. «La situación es grave, hijas e hijos míos. (...) El mal –no ceso de advertiros– viene de dentro y de muy arriba»[396]. Y en otro texto leemos: «Los mayores enemigos están dentro y arriba: no os dejéis engañar»[397]. Esas expresiones parecen conectadas con su queja por las culpables omisiones de algunos pastores: «Pasarán las personas, cambiarán los tiempos, y dejarán de decirse blasfemias y herejías. Ahora se propalan sin ningún inconveniente, porque no hay pastores que señalen dónde está el lobo»[398].

En otros lugares parece referirse más bien a los teólogos o a personas dotadas de autoridad en el campo doctrinal: «Las grandes luminarias, que debían irradiar luz, difunden tinieblas; los que tendrían que ser sal, para impedir la corrupción del mundo, se encuentran insípidos y, en ocasiones, públicamente podridos»[399].

Ante esa delicada situación, el fundador del Opus Dei buscaba preservar la unidad del Cuerpo místico de Cristo, al mismo tiempo que animaba a poner los medios para limitar los males y daños que se estaban produciendo, por la acción equivocada de algunos pastores: «Yo no puedo aconsejar que desobedezcan, pero sí la resistencia pasiva de no colaborar con los que destrozan, de ponerles dificultades, de defenderse personalmente. Y mejor aún esa resistencia activa de cuidar la vida interior, fuente del desagravio»[400].

---

[395] «La Iglesia atraviesa hoy un momento de inquietud. Algunos se ejercitan en la autocrítica, diría incluso en la auto demolición. Es como un trastorno interior, agudo y complejo, que nadie se podía esperar después del Concilio. Se pensaba a una floración, a una expansión serena de los conceptos meditados en la gran reunión conciliar. (...) La Iglesia es golpeada incluso por quienes forman parte de ella», PABLO VI, Discurso a los miembros del Pontificio Seminario Lombardo, 7-XII-1968, en *Insegnamenti di Paolo VI,* vol. VI (1968), p. 1188 (la traducción es nuestra).

[396] 18.6e.

[397] 16.5b-5c.

[398] 16.5b-5c.

[399] 21.4a.

[400] 18.7f.

San Josemaría se sentía movido a pedir perdón al Señor en primer lugar por sí mismo –«por nuestra flojedad personal»[401], dice–, ya que se sabía pecador y necesitado de la misericordia de Dios. Denunciará con fuerza los abusos que conoce en esos años, pero no se sentía un "justo" que señala con el dedo a los "pecadores". Al contrario, pensaba que esa situación debía llevar a un mayor esfuerzo personal por amar a Dios con obras, por reforzar, en definitiva, la Comunión de los santos que sostiene a todos los cristianos.

Este es el sentido de la conversión que predica. El «compromiso de amor»[402] que comporta la vocación al Opus Dei llama a una responsabilidad más plena en esos momentos: a luchar por ser santos, sonriendo, sin esperar aplausos o parabienes, procurando aumentar la intimidad con Cristo y la identificación con su sacrificio en la Cruz. «Nuestro quehacer sobrenatural es amar de verdad a Dios»[403], dice. Pide lealtad, fidelidad, a esa obligación amorosa: no traicionar al Señor, cuando tantos le dan la espalda. Anima a dejarse ayudar, cuando la fidelidad cuesta, acudiendo a los medios espirituales que la Obra proporciona.

«Pidamos a Dios que se corte esta sangría en su Iglesia»[404], dice, aludiendo probablemente a la ola de secularizaciones de sacerdotes y de abandonos de la vocación religiosa que estaba afectando a algunos países[405].

---

[401] 18.1b.

[402] 18.3a.

[403] 18.5f.

[404] 18.7a.

[405] Algunos datos pueden ayudar a comprender las dimensiones del fenómeno. En Estados Unidos, por ejemplo, se contaban 8325 seminaristas en 1965, mientras que en 1990 había sólo 3658; en el mismo periodo, el número de religiosas se había reducido de 179 954 a 102 504, mientras que de 34 978 religiosos (sacerdotes o no) en 1966, quedaban 24 731 en 1990. La disminución en número total de sacerdotes seculares no es tan llamativa (de 35 925 en 1960 se pasó a 34 114 en 1990) pero sí el de ordenaciones anuales, que bajó de 994 a 595 en el mismo periodo. En estos datos hay que tener en cuenta el crecimiento de la población católica, que pasó de 46,3 a 55,7 millones en los Estados Unidos (según otras estimaciones, pasó de 48,5 a 62,4 millones), lo que disminuyó aún más el número relativo de sacerdotes por habitante. Cfr. Center for Applied Research in the Apostolate (CARA), Frequently requested Church Statistics, *http://cara.georgetown.edu/caraservices/requestedchurchstats.html* [consultado el 16-11-2015]. Otros datos en Roger FINKE - Rodney STARK, *The churching of America, 1776-1990: winners and losers in our religious economy*, New Brunswick (NJ), Rutgers University Press, 1992, p. 259.

En relación a la vida religiosa, los datos del *Annuario Pontificio* sobre algunas órdenes y congregaciones masculinas en el periodo 1963-1986, muestran una disminución de miembros que oscila entre el 19% y 29%[406]. Esta bajada se notó especialmente en los novicios, que menguaron drásticamente[407], como había ocurrido con los seminaristas del clero diocesano[408]. Ante este panorama, san Josemaría invitaba a sus oyentes a emprender «el camino del desagravio, de poner amor allí donde se ha producido un vacío, por la falta de fidelidad de otros cristianos»[409].

En la segunda parte del texto, san Josemaría habla propiamente de la oración de desagravio. Insiste en que hay que poner amor donde ha habido infidelidad y por eso anima a rezar más, tratando con intimidad a Dios, sin sensiblerías, pero con una piedad afectuosa. Su oración pide fortaleza al Señor en esos momentos en los que la amargura y el pesimismo pueden insinuarse en el alma. Y también ruega a Dios que enseñe a ser «duros con nosotros mismos, y comprensivos con los demás»[410], sembrando a manos llenas la buena doctrina.

---

[406]　En ese periodo, los Benedictinos confederados pasaron de 12 131 miembros a 9413 (un 22,4% menos); la Orden Dominicana pasó de contar con 9991 miembros a 7092 (una disminución del 29%); los franciscanos (Fratri Minori) pasaron de 26 961 a 20 295 (una pérdida del 24,7%); los Capuchinos descendieron de 15 849 a 11 890 (una bajada del 24,9%); los salesianos perdieron un 19,7% de miembros, al pasar de 21 355 a 17 146; los jesuitas, los más numerosos, perdieron más de 9000 miembros en ese periodo, pasando de 35 438 a 26 761 (-24,4%). Otros datos en J. William HARMLESS SJ, "Jesuits as Priests: Crisis and Charism", en *Priesthood Today and the Jesuit Vocation, Studies in the Spirituality of Jesuits* 19/3, May 1987, The Seminar on Jesuit Spirituality, St. Louis, p. 16.

[407]　Un jesuita francés, refiriéndose al periodo alrededor de 1968, testimonia que entre los jóvenes que habían profesado en esos años con él, la ola de defecciones se convirtió en una verdadera "hemorragia" después de ese año, alcanzando entre el 70% y el 80%: cfr. Jean-Louis SCHLEGEL, "La révolution dans l'Église", en *Esprit* 2008/5, (Mai), pp. 58-59.

[408]　Ver, para el caso de Francia y de otros países europeos, los datos aportados por Pelletier: Denis PELLETIER, *La crise catholique, op. cit.*, pp. 49-58.

[409]　18.6f.

[410]　18.8d.

4. *Texto y notas*

TIEMPO DE REPARAR

1a   Hijas e hijos míos, este Padre vuestro quiere de nuevo abriros su corazón: tenemos que seguir rezando, con confianza, que es la primera condición de la oración buena, seguros de que el Señor nos escucha. Mirad que Dios mismo nos dice ahora, en el comienzo de esta Cuaresma: «*Invocabit me, et ego exaudiam eum: eripiam eum, et glorificabo eum*»[1]. Me invocaréis y yo os escucharé; os libraré y os glorificaré.

1b   Pero hemos de rezar con afán de reparación. Hay mucho que expiar, fuera y dentro de la Iglesia de Dios. Buscad unas palabras, haceos una jaculatoria personal, y repetidla muchas veces al día, pidiendo perdón al Señor: primero por nuestra flojedad personal y, después, por tantas acciones delictuosas que se cometen contra su Santo Nombre, contra sus Sacramentos, contra su doctrina. «Escucha, Dios nuestro, la oración de tu siervo, oye sus plegarias, y por amor de ti, Señor, haz brillar tu faz sobre tu santuario devastado. Oye, Dios, y escucha. Abre tus ojos y mira nuestras ruinas, mira la ciudad sobre la que se invoca tu nombre, pues no te suplicamos por nuestras justicias, sino por tus grandes misericordias»[2].

2a   Pedid perdón, hijos, por esta confusión, por estas torpezas que se facilitan dentro de la Iglesia y desde arriba, corrompiendo a las almas

---

[1] *Dom. I in Quadrag., ant. ad Intr.* (*Ps.* XC, 15).

[2] *Dan.* IX, 17-18.

2a   «*Pedid perdón, hijos, por esta confusión*»: sobre el significado de estas palabras, ver la introducción a esta meditación. Ante esa difícil situación, algunas de cuyas consecuencias se pueden valorar después de los años transcurridos, el consejo de san Josemaría será responder con una mayor fidelidad a la Iglesia y al Magisterio, renovar el propio

casi desde la infancia. Si no es así, si no vamos por este camino de penitencia y de reparación, no lograremos nada.

2b ¿Que somos pocos para tanta multitud? ¿Que estamos llenos de miserias y de debilidades? ¿Que humanamente no podemos nada? Meditad conmigo aquellas palabras de San Pablo: «Dios ha escogido a los necios según el mundo, para confundir a los sabios; y Dios ha escogido a los flacos del mundo, para confundir a los fuertes; y a las cosas viles y despreciables del mundo, y a aquellas que eran nada, para destruir las que parece que son grandes, para que ningún mortal se dé importancia»[3].

2c A pesar de nuestras miserias y de nuestros errores, el Señor nos ha elegido para ser instrumentos suyos, en estos momentos tan difíciles de la historia de la Iglesia. Hijos, no podemos escudarnos en la pequeñez personal, no debemos enterrar el talento recibido[4], no podemos desentendernos de las ofensas que se hacen a Dios y del mal que se ocasiona a las almas. «Así que vosotros, avisados ya, estad alerta, no sea que seducidos por los insensatos, vengáis a perder vuestra firmeza»[5].

2d Cada uno en su estado, y todos con la misma vocación, hemos respondido afirmativamente a la llamada divina, para servir a Dios y a la Iglesia, y para salvar almas. De modo que tenemos más deber y más derecho que otros para estar alerta; tenemos más responsabilidad para vivir con fortaleza; y tenemos también más gracia.

2e ¿Habéis visto qué actuales son las palabras de la epístola del primer domingo de Cuaresma?: «Os exhortamos a no recibir en vano la gracia de Dios. Pues Él mismo dice: al tiempo oportuno te oí, y en el día de la salvación te di auxilio. Llegado es ahora el tiempo

---

[3] I *Cor.* I, 27-29.

[4] Cfr. *Luc.* XIX, 20.

[5] II *Petr.* III, 17.

---

afán de santidad, reduplicar la oración y el espíritu de reparación a Dios, y ofrecer una delicada resistencia pasiva cuando sea necesario, para evitar males mayores.

favorable, llegado es ahora el día de la salvación. Nosotros no demos a nadie motivo alguno de escándalo, para que no sea vituperado nuestro ministerio: antes bien, portémonos en todas las cosas como deben portarse los ministros de Dios»[6].

3a   En la Obra todos tenemos un compromiso de amor, aceptado libremente, con Dios Señor nuestro. Un compromiso que se fortalece con la gracia personal, propia del estado de cada uno, y con esa otra gracia específica que el Señor da a las almas que llama a su Opus Dei. ¡Cómo me sabe a miel y panal aquella divina declaración amorosa: «*Ego redemi te, et vocavi te nomine tuo, meus es tu!*»[7]; Yo te he redimido, y te he llamado por tu nombre, ¡tú eres mío! No nos pertenecemos, hijos; somos suyos, del Señor, porque nos ha dado la gana responder: «*Ecce ego, quia vocasti me!*»[8]; aquí estoy, porque me has llamado.

3b   Un compromiso de amor, que es también un vínculo de justicia. No me gusta hablar sólo de justicia, cuando hablo de Dios: en su presencia acudo a su misericordia, a su compasión, como acudo a vuestra piedad de hijos para que recéis por mí, ya que sabéis que mi oración no os falta en ningún momento del día ni de la noche.

3c   Pero ese compromiso de amor, ¿qué materia tiene?, ¿a qué nos obliga? A luchar, hijas e hijos míos. A luchar, con el fin de poner en práctica los medios ascéticos que la Obra nos propone para ser santos; a luchar, para cumplir nuestras Normas y costumbres; a esforzarnos por adquirir y defender la buena doctrina, y mejorar la propia conducta; a procurar vivir de oración, de sacrificio y de trabajo, y –si

---

[6] *Dom. I in Quadrag., Ep.* (II *Cor.* VI, 1-4).

[7] Cfr. *Isai.* XLIII, 1.

[8] I *Sam.* III, 6.

3a   [7]Cfr. *Isai.* XLIII, 1.] [7]*Isai.* XLIII, 1. *EdcS*,149.

     «*gracia personal, propia del estado de cada uno*»: se refiere a las *gracias de estado*, que –como explica el *Catecismo de la Iglesia Católica*– «acompañan el ejercicio de las responsabilidades de la vida cristiana y de los ministerios en el seno de la Iglesia» (n. 2004).

es posible– sonriendo: porque yo entiendo, hijos, que a veces no es fácil sonreír.

3d Padre, me diréis, ¿hemos de luchar para dar ejemplo? Sí, hijos, pero sin buscar aplausos en la tierra. No vaciléis si encontráis burlas, calumnias, odios, desprecios. Hemos de batallar –de nuevo habla la liturgia del día– «en medio de honras y de deshonras, de infamia y de buena fama: juzgados como impostores, siendo veraces; por desconocidos, cuando todos nos conocen; casi moribundos, teniendo buena salud; como castigados, sin sentir humillación; como tristes, estando siempre alegres; como menesterosos, mientras que enriquecemos a muchos; como que nada tenemos y todo lo poseemos»[9].

3e No esperéis parabienes, ni palabras de aliento, en vuestra pelea cristiana. Hemos de tener la conciencia bien clara: ¿sabemos que nuestra lucha interior es necesaria para servir a Dios, a la Iglesia y a las almas?, ¿estamos convencidos de que el Señor se quiere servir –en estos momentos de tremenda deslealtad– del pequeño esfuerzo nuestro por ser fieles, para llenar de fe, de esperanza y de amor a miles de almas? Pues, a luchar, hijas e hijos míos, cara a Dios y siempre contentos, sin pensar en alabanzas humanas.

3f Señor, teniendo trato contigo te traicionamos, pero volvemos a Ti. Sin ese trato, ¿qué sería de nosotros?, ¿cómo podríamos buscar tu intimidad?, ¿cómo seríamos capaces de sacrificarnos contigo en la Cruz, enclavándonos por amor tuyo, para servir a las criaturas?

3g «Dios mío, dejarte a ti es ir a la muerte; seguirte a ti es amar; verte es poseerte. Dame, Señor, una fe sólida, una esperanza abundante, una

---

[9] *Dom. I in Quadrag., Ep.* (II *Cor.* VI, 8-10).

3f   «*te traicionamos*»: san Josemaría habla en esta meditación de las infidelidades a Dios en esos momentos de crisis. Pero de nuevo, lejos de limitarse a acusar a otros, mira antes a su propia vida, a sus deficiencias y debilidades. Esto le lleva a la contrición y al propósito de querer luchar por Amor, contra el pecado y las miserias personales, para que ese esfuerzo beneficie también a los demás miembros del Cuerpo Místico de Cristo, por medio de la Comunión de los santos. Y al mismo tiempo, convoca a sus oyentes a una acción apostólica más decidida para llevar la salvación a cuantas más personas se pueda.

continua caridad. Te invoco a ti, Dios, por quien vencemos al enemigo. Dios, por cuyo favor no hemos perecido nosotros totalmente. Dios, tú nos avisas que vigilemos. Dios, con tu gracia evitamos el mal y hacemos el bien. Dios, tú nos fortificas para que no sucumbamos ante las adversidades; Dios, a quien se debe nuestra obediencia y buen gobierno»[10].

4a   A luchar, hijos, a luchar. No hagáis como ésos que dicen que la Confirmación no nos hace *milites Christi*. Quizá es que no quieren combatir, y así son lo que son: unos derrotados, unos vencidos, hombres sin fe, almas caídas, como Satanás. No han seguido el consejo del Apóstol: «Soporta el trabajo y la fatiga como buen soldado de Jesucristo»[11].

4b   Como soldados de Cristo, hay que pelear las batallas de Dios. *In hoc pulcherrimo caritatis bello!* No hay más remedio que tomarse con empeño esta hermosísima guerra de amor, si de verdad queremos conseguir la paz interior, y la serenidad de Dios para la Iglesia y para las almas.

4c   Quiero recordaros que «no es nuestra pelea contra la carne y la sangre, sino contra los príncipes y potestades, contra los adalides de estas tinieblas del mundo, contra los espíritus malignos... Por tanto,

---

[10] San Agustín, *Soliloquia* 1, 1, 3.

[11] II *Tim.* II, 3.

4b   «*In hoc pulcherrimo...*»: «en esta bellísima guerra de amor». No ha sido posible encontrar el origen de esta frase latina. Un escritor y místico español, el jesuita Juan Eusebio Nieremberg (1595-1658), habla de "hoc charitatis bellum" para referirse al amor por los enemigos (*Ex variis selectisque concinnatus Opusculis*, París, 1659, liber II, cap. 9). Podría haber inspirado a san Josemaría, quien poseía varios libros de ese autor en su biblioteca de trabajo (cfr. Cfr. Jesús GIL SÁENZ, *op. cit.,* p. 390). También puede haber sido compuesta por el mismo fundador del Opus Dei. El tema de la "guerra de Amor", de la "guerra de paz", o de "luchar por Amor", como vemos en esta meditación y en otros escritos, es frecuente (ver por ejemplo 20,5b, *Camino,* n. 433; *Es Cristo que pasa,* nn. 8, 74-81, 184; *Amigos de Dios,* n. 196; *Surco,* n. 158; *Forja,* nn. 83, 445).

tomad las armas todas de Dios, para poder resistir en el día aciago y sosteneros apercibidos en todo»[12].

4d   En la tierra no podemos tener nunca esa tranquilidad de los como-dones, que se abandonan, porque piensan que el porvenir es seguro. El porvenir de todos nosotros es incierto, en el sentido de que pode-mos ser traidores a Nuestro Señor, a la vocación y a la fe. Hemos de hacer el propósito de pelear siempre. El último día del año que pasó, escribí una ficha: *éste es nuestro destino en la tierra: luchar, por Amor, hasta el último instante. Deo gratias!*

4e   Yo procuraré batallar hasta el postrer momento de mi vida; y vo-sotros, lo mismo. Pelea interior, pero también por fuera, oponién-dome como sea a la destrucción de la Iglesia, a la perdición de las almas. «En la guerra y en el campo de batalla, el soldado que sólo mira cómo salvarse por medio de la fuga, se pierde a sí mismo y a los demás. El valiente, en cambio, que lucha por salvar a los demás, se salva también a sí mismo».

4f   »Puesto que nuestra religión es una guerra, y la más dura de todas las guerras, y embestida y batalla, formemos la línea de combate tal y como nuestro rey nos ha mandado, dispuestos siempre a derramar nuestra sangre, mirando por la salvación de todos, alentando a los que están firmes y levantando a los caídos. Ciertamente, muchos de nuestros amigos yacen en el suelo, acribillados de heridas y cho-rreando sangre, y nadie hay que cuide de ellos: nadie, ni del pueblo, ni de entre los sacerdotes, ni de otro grupo alguno; no tienen pro-tector, ni amigo, ni hermano»[13].

4g   Si alguno de mis hijos se abandona y deja de guerrear, o vuelve la es-palda, que sepa que nos hace traición a todos: a Jesucristo, a la Iglesia, a sus hermanos en la Obra, a todas las almas. Ninguno es una pieza aislada; somos todos miembros de un mismo Cuerpo Místico, que es la Iglesia Santa[14], y –por compromiso de amor– miembros también

---

[12] *Ephes.* VI, 12-13.

[13] San Juan Crisóstomo, *In Matth. hom.* 59, 5.

[14] Cfr. I *Cor.* XII, 26-27.

de la Obra de Dios. Por eso, si alguien no combatiera, causaría un grave daño a sus hermanos, a su santidad y a su trabajo apostólico, y sería un obstáculo para superar estos momentos de prueba.

5a Hijas e hijos míos, todos tenemos altibajos en el alma. Hay momentos en los que el Señor nos quita el entusiasmo humano: notamos cansancio, parece como si el pesimismo quisiera adormecer el alma, y sentimos algo que intenta cegarnos y sólo nos deja ver las sombras del cuadro. Entonces es la hora de hablar con sinceridad y dejarse llevar de la mano, como un niño.

5b Para eso está la charla confidencial, fraterna, periódica. Para eso está la Confesión que, como tenéis buen espíritu, hacéis siempre que podéis con un sacerdote de la Obra. Si procuráis reaccionar así, enseguida volverán las luces al cuadro, y comprenderemos que aquellas sombras eran providenciales, porque, si no existieran, faltaría relieve al retablo de nuestra vida. «El que habita al amparo del Altísimo y mora a la sombra del Todopoderoso, diga a Dios: Tú eres mi refugio y mi ciudadela, mi Dios, en quien confío. Pues Él le librará de la red del cazador y de la peste exterminadora; le cubrirá con sus plumas, y le hará hallar refugio bajo sus alas, y su fidelidad le será escudo y adarga»[15].

5c Pido a Jesús, por la intercesión de su Madre Bendita, y de nuestro Padre y Señor San José –a quien tanto quiero–, que me entendáis. Siempre, pero mucho más en estos momentos, sería una traición dejar de estar vigilantes, abrir la mano, consentir la más pequeña infidelidad. Cuando hay tanta gente desleal, estamos más obligados a ser fieles a nuestros compromisos de amor. No os importe si os parece que habéis perdido otros motivos, que antes os ayudaban a ir adelante, y ahora sólo os queda éste: la lealtad con Dios.

---

[15] *Dom. I in Quadrag., Tract.* (*Ps.* XC, 1-4).

5b «*hacéis siempre que podéis con un sacerdote de la Obra*»: la labor de acompañamiento espiritual, según el espíritu y los modos específicos del Opus Dei, se realiza en parte a través de los consejos que se dan por medio de la Confesión, por lo que resulta coherente acudir a sacerdotes con ese espíritu, aunque, como es obvio, haya libertad para confesarse con quien se desee (ver nota a 18.6b). Sobre la "charla", ver nota a 2.4f.

5d   ¡Lealtad! ¡Fidelidad! ¡Hombría de bien! En lo grande y en lo peque-
     ño, en lo poco y en lo mucho. Querer luchar, aunque a veces parezca
     que no podemos querer. Si viene el momento de la debilidad, abrid
     el alma de par en par, y dejaos llevar suavemente: hoy subo dos es-
     calones, mañana cuatro... Al día siguiente, quizá ninguno, porque
     nos hemos quedado sin fuerzas. Pero queremos querer. Tenemos, al
     menos, deseos de tener deseos. Hijos, eso es ya combatir.

5e   Al que no estuviera decidido a ser constante con sus compromisos, a
     mantenerse íntegro en la fe e intachable en la conducta, yo le acon-
     sejaría que desista de hacer el hipócrita, que se marche, y que nos
     deje a los demás tranquilos en nuestro camino. Hay un refrán en mi
     tierra que dice así: *o herrar, o quitar el banco*. O desempeñar el oficio
     propio de los cristianos, o suprimir el banco donde no se trabaja.

5f   Nuestro quehacer sobrenatural es amar de verdad a Dios, que para
     eso nos ha dado un corazón y nos lo ha pedido entero. No podemos
     ser unos fingidos: yo sé que ninguno de mis hijos lo será. Insisto,
     sin embargo, en que si no meditáis lo que os digo, si no procuráis
     manteneros atentos, perderéis el tiempo y haréis mucho daño a la
     Iglesia y a la Obra. El Señor, hijas e hijos de mi alma, está a la espera
     de nuestra correspondencia, contando con que somos frágiles y nos
     encontramos inclinados a todas las miserias. Por eso, Él nos ayuda
     siempre: «Porque se adhirió a mí, yo le libertaré; yo le defenderé,
     porque ha reconocido mi nombre»[16], dice el salmo.

6a   ¿Qué haréis cuando veáis –porque eso se nota– que un hermano
     vuestro afloja, y no lucha? ¡Pues acogerle, ayudarle! Si os dais cuenta
     de que le cuesta rezar el rosario, ¿por qué no invitarle a rezar con
     vosotros? Si se le hace más difícil la puntualidad: oye, que faltan
     cinco minutos para la oración o para la tertulia. ¿Para qué está la

---

[16] *Dom. I in Quadrag., Tract.* (*Ps.* XC, 14).

5f   «*nos lo ha pedido entero*»: se refiere a aquellos miembros del Opus Dei que tienen el
     compromiso del celibato, que eran los que en ese momento le escuchaban, pero la
     enseñanza es universal, pues Dios pide ser amado con totalidad, en cualquier estado,
     por encima de todas las criaturas (cfr. Dt 6, 4-5).

corrección fraterna? ¿Para qué está la charla personal, que hay en Casa? Tanto si la rehúyen como si la prolongan excesivamente, cuidado.

6b ¿Y la Confesión? No la dejéis nunca, en los días que os corresponda y siempre que os haga falta, hijas e hijos míos. Tenéis libertad de confesaros con quien queráis, pero sería una locura que os pusierais en otras manos, que quizá se avergüenzan de estar ungidas. ¡No os podéis fiar!

6c Todos estos medios espirituales, facilitados por el cariño que nos tenemos, están para ayudarnos a recomenzar, para que volvamos de nuevo a buscar el refugio de la presencia de Dios, con la piedad, con las pequeñas mortificaciones, con la preocupación por los demás. Esto es lo que nos hace fuertes, serenos y vencedores.

6d Ahora más que nunca debemos estar unidos en la oración y en el cuidado, para contener y purificar estas aguas turbias que se desbordan sobre la Iglesia de Dios. «*Possumus!*»[17]. Podemos vencer esta batalla, aunque las dificultades sean grandes. Dios cuenta con nosotros. «Esto es lo que debe transportaros de gozo, aunque ahora por un poco de tiempo conviene que seamos afligidos con varias tentaciones; para que nuestra fe probada de esta manera y mucho más acendrada que el oro –que se acrisola con el fuego– se halle digna de alabanza, de gloria y de honor, en la venida manifiesta de Jesucristo»[18].

---

[17] *Matth.* XX, 22.

[18] I *Petr.* I, 6-7.

6b *«sería una locura»*: ver nota 18.5b. Además de un criterio de coherencia espiritual, quería evitar consejos desorientadores, en unos años de crisis de identidad para muchos sacerdotes.

6d [17]*Matth.* XX, 22. *add.*

Hemos añadido la referencia bíblica en nota a esta palabra latina, porque está tomada de la respuesta de los apóstoles Santiago y Juan a Jesús en Mt 20, 22. A san Josemaría le gustaba emplearla para mostrar la fe en la ayuda de Dios.

6e   La situación es grave, hijas e hijos míos. Todo el frente de guerra
     está amenazado; que no se rompa por uno de nosotros. El mal
     –no ceso de advertiros– viene de dentro y de muy arriba. Hay
     una auténtica podredumbre y, a veces, parece como si el Cuer-
     po Místico de Cristo fuera un cadáver en descomposición, que
     hiede. ¡Cuánta ofensa a Dios! Nosotros, que somos tan frágiles
     y aun más frágiles que los demás, pero que –ya lo he dicho– te-
     nemos un compromiso de Amor, hemos de dar ahora a nuestra
     existencia un sentido de reparación. *Cor Iesu Sacratissimum et
     Misericors, dona nobis pacem!*

6f   Hijos, vosotros tenéis un corazón grande y joven, un corazón ar-
     diente, ¿no sentís la necesidad de desagraviar? Llevad el alma por
     ese camino: el camino de la alabanza a Dios, viendo cada uno cómo
     debe ser firmemente tenaz; y el camino del desagravio, de poner
     amor allí donde se ha producido un vacío, por la falta de fidelidad
     de otros cristianos.

7a   *De profundis...* «*De lo profundo te invoco, ¡oh Yavé! Oye, Señor, mi
     voz; estén atentos tus oídos al clamor de mi súplica. Si miras, Señor, los
     pecados, ¿quién podrá subsistir?*»[19]. Pidamos a Dios que se corte esta
     sangría en su Iglesia, que las aguas vuelvan a su cauce. Decidle que

---

[19] *Ps.* CXXIX, 1-3.

6e   «*parece como si el Cuerpo Místico de Cristo fuera un cadáver*»: sobre esta expresión, que
     muestra el profundo dolor y preocupación que le producía la situación de crisis de
     la Iglesia, las desviaciones doctrinales y morales entre tantos cristianos –sin excluir a
     miembros de la jerarquía– y la falta de acierto o de fortaleza de algunos para corregir-
     los, ver la introducción a esta meditación.

     «*Cor Iesu Sacratissimum et Misericors, dona nobis pacem!*»: es una adaptación de una
     jaculatoria corazonista tradicional, que san Josemaría empleó especialmente desde
     1952, con ocasión de graves dificultades para el Opus Dei, que le llevaron a consagrar
     el Opus Dei al Sagrado Corazón. Ver Luis CANO, "Consagraciones del Opus Dei",
     en DSJEB, pp. 259-263.

7a   «*que se corte esta sangría*»: se refiere probablemente a la ola de secularizaciones y aban-
     donos del estado clerical y religioso que se manifestó de manera más aguda en esos
     años. Sobre ese fenómeno, ver la introducción a esta meditación.

no tenga en cuenta las locuras de los hombres, y que muestre su indulgencia y su poder.

7b No nos puede vencer la tristeza. Somos optimistas, también porque el espíritu del Opus Dei es de optimismo. Pero no estamos en Babia: estamos en la realidad, y la realidad es amarga.

7c Todas esas traiciones a la Persona, a la doctrina y a los Sacramentos de Cristo, y también a su Madre Purísima... parecen una venganza: la venganza de un ánimo miserable, contra el amor de Dios, contra su amor generoso, contra esa entrega de Jesucristo: de ese Dios que se anonadó, haciéndose hombre; que se dejó coser con hierros al madero, aun cuando no necesitaba de clavos, porque le bastaba –para estar fijo y pendiente de la Cruz– el amor que nos tenía; y que se ha quedado entre nosotros en el Sacramento del Altar.

7d Claridad con oscuridad, así le hemos pagado. Generosidad con egoísmos, así le hemos pagado. Amor con frialdad y desprecio, así le hemos pagado. Hijas e hijos míos, que no os dé vergüenza conocer nuestra constante miseria. Pero pidamos perdón: «Perdona, Señor, a tu pueblo, y no abandones tu heredad al oprobio, entregándola al dominio de las naciones»[20].

7e Cada día caigo más en la cuenta de estas realidades, y cada día estoy buscando más la intimidad de Dios, en la reparación y en el desagravio. Pongámosle delante el número de almas que se pierden, y que no se deberían perder si no las hubiesen puesto en la ocasión; de almas que han abandonado la fe, porque hoy se puede hacer propaganda impune de toda clase de falsedades y herejías; de almas que han sido escandalizadas, por tanta apostasía y por tanta maldad; de almas que se

---

[20] *Feria IV Cinerum, Ep.* (*Ioel.* II, 17).

7b «*no estamos en Babia*»: expresión coloquial que significa vivir «sin enterarse de lo que ocurre alrededor» (DRAE, 23.ª ed., 2014). Babia es una comarca de la provincia de León, en España. Aunque hay varias explicaciones sobre el origen de ese dicho, es probable que haga referencia a la residencia veraniega que poseían los monarcas de ese reino en la zona de Babia, a donde se retiraban para descansar y aislarse de los problemas de la corte.

han visto privadas de la ayuda de los Sacramentos y de la buena doctrina.

7f   En las visitas que recibo, son muchos los que se quejan, los que sienten la tragedia, y la imposibilidad de poner medios humanos para remediar el mal. A todos les digo: reza, reza, reza, y haz penitencia. Yo no puedo aconsejar que desobedezcan, pero sí la resistencia pasiva de no colaborar con los que destrozan, de ponerles dificultades, de defenderse personalmente. Y mejor aún esa resistencia activa de cuidar la vida interior, fuente del desagravio, del clamor.

7g   Tú, Señor, has dicho que clamemos: «*Clama, ne cesses!*»[21]. En todo el mundo estamos cumpliendo tus deseos, pidiéndote perdón, porque en medio de nuestras miserias Tú nos has dado la fe y el amor. «A ti alzo mis ojos, a ti que habitas en los cielos. Como están atentos los ojos del siervo a las manos de su señor, como los ojos de la esclava a la mano de su dueña, así se alzan nuestros ojos a Yavé, nuestro Dios, para que se compadezca de nosotros»[22].

7h   Por la intercesión de Santa María y del Santo Patriarca, San José, pedid al Señor que nos aumente el espíritu de reparación; que tengamos dolor de nuestros pecados, que sepamos recurrir al Sacramento

---

[21] *Isai.* LVIII, 1.
[22] *Ps.* CXXII, 1-2.

7g   «*Tú, Señor, has dicho que clamemos:* clama, ne cesses!»: se está refiriendo a una locución interior que recibió el 6 de agosto de 1970. El beato Álvaro del Portillo recordaba: «Aunque estaba agradecido a Dios por haber ahorrado al Opus Dei tantas tribulaciones, le acuciaba el pensamiento de la tristísima situación que atravesaba la Iglesia. El 6 de agosto de 1970, el Señor hizo resonar en su mente con gran ímpetu las palabras de Isaías: *Clama, ne cesses!* (Is. 58, 1), y comprendió que Dios le pedía no sólo multiplicar su oración y su penitencia, sino también hacer llegar lo más lejos posible, a través de una predicación enérgica e insistente, la exhortación a la más rigurosa lealtad a la Iglesia», Álvaro DEL PORTILLO, *Entrevista*, p. 219. El testimonio de Mons. Javier Echevarría añade algunos detalles: «Nos hallábamos en Premeno, cerca del lago Maggiore, en Italia. Como todos los días, le ayudé a Misa. Al terminar –se hallaba presente también Mons. Álvaro del Portillo–, nos contó que esa mañana, mientras insistía con su petición tozuda, llena de fe, escuchó esas palabras de consuelo y confirmación», Javier ECHEVARRÍA RODRÍGUEZ, *Memoria del beato Josemaría Escrivá*, Madrid, Rialp, 2002, p. 184.

de la Penitencia. Hijos, escuchad a vuestro Padre: no hay mejor acto de arrepentimiento y de desagravio que una buena confesión. Allí recibimos la fortaleza que necesitamos para luchar, a pesar de nuestros pobres pies de barro. «*Non est opus valentibus medicus, sed male habentibus*»[23], que el médico no es para los que están sanos, sino para los que están enfermos.

8a   Señor, te sientes contento cuando acudimos a Ti con nuestra lepra, con nuestra flaqueza, con nuestro dolor y nuestro arrepentimiento; cuando te mostramos nuestras llagas para que nos cures, para que hagas desaparecer la fealdad de nuestra vida. ¡Bendito seas!

8b   Haz que todos mis hijos entiendan que tenemos obligación de desagraviarte, aun cuando estemos hechos de lodo seco, y nos rompamos alguna vez, y sea necesario que los demás nos sostengan. Ayúdanos a ser fieles a nuestros compromisos de amor, porque eres Tú la fortaleza que necesita nuestra flojera, sobre todo cuando se vive en medio de la crueldad de los enemigos en batalla.

8c   Yo hago el propósito de recorrer de nuevo, en viaje de penitencia, en acción de gracias, cinco santuarios marianos, cuando Tú te dignes poner –comenzar a poner– remedio. Ya sé que lo primero que Tú quieres es que acudamos a tu Madre –«*Ecce Mater tua!*»[24]– y Madre nuestra. Acudiré con espíritu de amor y de agradecimiento y de reparación, sin espectáculo.

---

[23] *Matth.* IX, 12.

[24] Cfr. *Ioann.* XIX, 27.

8c   «*Yo hago el propósito*»...: san Josemaría lo cumplió ese mismo año, visitando, entre otros lugares, Lourdes y Fátima. En esos años de oración y reparación por la Iglesia recorrió numerosos santuarios, entre los que cabe destacar el de Guadalupe, durante su viaje a México, en 1970. Hasta el momento de su muerte continuó esas peregrinaciones marianas por Europa y también por América, en sus viajes de catequesis de 1974 y 1975 (ver *AVP* III, pp. 583-588, 646-660, 694-735; Peter BERGLAR, *Opus Dei. Vida y obra del Fundador Josemaría Escrivá*, Madrid, Rialp, 2002, p. 289).

8d   Haz que seamos duros con nosotros mismos, y comprensivos con los demás. Haz que no nos cansemos de sembrar la buena doctrina en el corazón de las almas, «*opportune et importune*»[25], a toda hora, con nuestro pensamiento, que nos lleva a ponernos en tu presencia; con nuestros deseos ardientes, con nuestra palabra tempestiva, con nuestra vida de hijos tuyos.

8e   Haz que metamos en las conciencias de todos la posibilidad espléndida, maravillosa, de vivir tratándote, sin sensiblerías. Lo que Tú nos das, ¿lo busco yo con alegría? ¡Señor, bendito seas! Si no quieres, no nos des ese consuelo, pero no podemos pensar que es cosa mala desearlo. Es cosa buena, como cuando apetecemos el sabor de una fruta, de un alimento. Hijos, poner ese aliciente es parte del modo de obrar de Dios.

8f   Haz que no nos falten las divinas consolaciones, y que cuando Tú quieras que estemos sin ellas, comprendamos que nos tratas como a adultos, que no nos das la leche que se da al recién nacido, o la papilla que alimenta a la criatura que tiene apenas los primeros dientes. Concédenos la serenidad de entender que nos proporcionas el sustento sólido, de los que ya pueden por su cuenta manejarse. Pero te suplico que te dignes concedernos una dedada de miel, porque el momento es tan penoso para todos.

8g   Te pido por la mediación de Santa María, poniendo por abogado a mi Padre y Señor San José, invocando a los Ángeles y a los Santos todos, a las almas que están en tu gloria y gozan de la visión beatífica, que intercedan por nosotros, para que tú nos mandes los dones del Espíritu Santo.

8h   Te ruego también que nos demos cuenta de que eres Tú el que vienes en el Sacramento del Altar y que, cuando desaparecen las especies, Tú, Dios mío, no te vas: ¡te quedas! Comienza en nosotros la acción del Paráclito, y nunca una Persona está sola: están las Tres, el Dios Único. Este cuerpo y esta alma nuestra, esta pobre criatura, este

---

[25] Cfr. II *Tim.* IV, 2.

8d   [25]Cfr. II *Tim.* IV, 2] [24]II *Tim.* IV, 2. *EdcS,*160.

pobre hombre que soy yo, que sepa siempre que es como un Sagrario en el que se asienta la Trinidad Beatísima.

8i   Hijas e hijos míos, decid conmigo: creo en Dios Padre, creo en Dios Hijo, creo en Dios Espíritu Santo, creo en la Santísima Trinidad. Y con la ayuda de mi Madre, Santa María, lucharé para tener tanto amor que llegue a ser, en este desierto, un gran oasis donde Dios se pueda recrear. «*Cor contritum et humiliatum, Deus, non despicies!*»[26]. No desoye el Señor a los corazones penitentes y humildes.

---

[26] *Ps.* L, 19.

19. EL TALENTO DE HABLAR
(Abril de 1972)

1. *Contexto e historia*

En abril de 1972 apareció en *Crónica* y *Noticias* este texto que reunía diversas enseñanzas de san Josemaría del año anterior, concatenadas y con una cierta unidad, análogamente a lo que sucede en "Tiempo de reparar", que había salido dos meses antes, y como ocurriría en "El licor de la sabiduría", que se dio a la imprenta después. Como hemos dicho, los tres tratan de cuestiones relacionadas con la fidelidad a la vocación de los miembros del Opus Dei, y podría decirse que componen, en cierto modo, una trilogía.

En *Crónica* y *Noticias* se incluyó con la firma habitual de san Josemaría pero sin fecha. La que lleva actualmente la hemos puesto los editores y se refiere al fascículo mensual de las revistas en que salió.

2. *Fuentes y material previo*

EdcS,163-173; *Cro1972*,297-307; *Not1972*,281-291; en AGP, serie A.4, 720400, no se conserva ninguna versión previa. El texto es una elaboración propia y unitaria, basada en palabras tomadas de cinco tertulias, cuyos expedientes con las transcripciones se encuentran en AGP, serie A.4, con la signatura indicada entre paréntesis: 4 de enero de 1971 (t710104); 29 de junio de 1971 (t710629); 19 de septiembre de 1971 (t710919); 25 de septiembre de 1971 (t710925) y 30 de enero de 1972 (t720130).

3. *Contenido*

En un momento difícil para la vida de la Iglesia, san Josemaría está llamando a sus hijas e hijos a una lucha interior más decidida, a una mayor fidelidad al compromiso de amor adquirido con Dios. En este texto les habla de la importancia de dejarse ayudar en la vida espiritual, viviendo la sinceridad y la docilidad para progresar en el trato con Dios y para recomenzar, si ha habido alguna caída. Se refiere concretamente a la Confesión y a la charla fraterna, esa conversación familiar que mantienen los miembros de la Obra con la persona designada para aconsejarles y acompañarles en su crecimiento espiritual.

Esta ayuda representa para san Josemaría un motivo de esperanza: todo se puede arreglar, dice, si se habla, si no se rehúye la ayuda que Dios proporciona mediante la atención pastoral que ha dispuesto para ese fin. Describe de una forma conmovedora el perdón y la misericordia de Dios: «Como una madre, no nos regaña, sino que nos coge, nos ayuda, nos aprieta contra su pecho, nos busca, nos limpia y nos concede la gracia, la Vida, el Espíritu Santo. No sólo nos perdona y nos consuela, si vamos a Él bien dispuestos, sino que nos cura y nos alimenta»[411]. En la vida espiritual aconseja ser como niños, sencillos y transparentes. La grandiosidad de la misericordia divina, de un Dios que perdona, le remueve profundamente.

Se comprende que encontremos en estos textos de san Josemaría un buen número de referencias a la virtud de la sinceridad en la dirección espiritual: «Si alguna vez tuvierais la desgracia de tropezar —y de tropezar gravemente, cosa que no sucederá—, no os sorprendáis: ¡a rectificar, a hablar enseguida! Si sois sinceros, el Señor os llenará de su gracia y volveréis a la lucha, con más fuerza, con más alegría, con más amor»[412].

Usando un símil médico, enseña que la sinceridad es el primer paso para curar una dolencia del alma, porque supone descubrir el problema a quien puede aplicar un remedio: «Enseñad el golpe, la llaga, y dejad obrar a quien os cure, aunque duela. Así recuperaréis la salud, iréis adelante, y vuestra vida se traducirá en un gran bien a las almas»[413].

A veces, resulta muy costoso descubrir el propio mal, cuando es humillante. Invita a sus oyentes a sacar afuera cualquier miseria, pero especialmente aquella que causa mayor repugnancia contar, a la que compara con un sapo inmundo: «Si alguno no lo hubiera hecho hasta ahora, le aconsejo que abra el corazón y suelte aquello: el *sapo* que todos hemos tenido

---

[411] 19.2f.

[412] 19.1b.

[413] 19.2d.

dentro, quizá antes de venir al Opus Dei. Lo aconsejo a todos mis hijos: echad fuera ese *sapo* gordo y feo. Y veréis qué paz, qué tranquilidad, qué bien y qué alegría»[414].

Para él, la fidelidad alegre y fecunda viene como fruto de una sencillez de alma, de una sinceridad que no teme mostrarse como realmente es, y que se deja ayudar. Esa actitud es el camino para crecer en humildad. La verdad nos hace libres, enseñó Jesús[415], por lo que la sinceridad proporciona una libertad sin la cual es imposible amar a Dios y, en consecuencia, ser fieles a su llamada. De ahí la insistencia de san Josemaría en evitar la tendencia humana de querer disimular los propios errores o de tratar de justificarlos: «Hijas e hijos míos: sabed que cuando se ha cometido un disparate, se tiende a disfrazar la mala conducta con razones de todo tipo: artísticas, intelectuales, científicas, ¡hasta espirituales!, y se acaba por decir que parecen o que son *anticuados* los mandamientos»[416].

Busca, ante todo, la franqueza con Dios y con uno mismo. Hablar claro ayuda a pensar claro, a distinguir entre lo objetivo y lo subjetivo. La soberbia, por el contrario, actúa en nuestro mundo interior confundiendo la realidad con la apariencia: «No olvidéis, además, que decir una *verdad* subjetiva, que no se ajusta a la verdad real, es engañar y engañarse. Puede estarse en el error por soberbia –repito–, porque este vicio ciega, y la persona, sin ver, piensa que ve. Pero también está equivocado el que se engaña y engaña. Llamad a las cosas por su nombre: al pan, pan; y al vino, vino. (...) No os busquéis disculpas, tenéis la misericordia de Dios y la comprensión de vuestros hermanos, ¡y basta!»[417].

Además de servir a la perseverancia, san Josemaría ve otra ventaja espiritual y psicológica en esta virtud. Se trata de evitar las complicaciones interiores, la tendencia a problematizar todo o a perderse en los laberintos que puede crear la imaginación. Sin llegar a los casos patológicos, no es raro que una subjetividad exagerada, estimulada por la soberbia, pueda representar un obstáculo serio para la santidad: «Todos somos un poco complicados; por eso, a veces, fácilmente, de una cosa pequeña dejáis que se haga una montaña que os abruma, aun siendo personas de talento. Tened,

---

[414] 19.4d.

[415] Cfr. Jn 8, 32.

[416] 19.5e.

[417] 19.5d.

en cambio, el talento de hablar, y vuestros hermanos os ayudarán a ver que esa preocupación es una bobada o tiene su raíz en la soberbia»[418].

Su ideal espiritual es la sencillez de la vida de infancia. El consejo de hacerse como niños es evangélico[419] y san Josemaría lo utiliza también para recomendar la sinceridad: «En la vida espiritual (...) hemos de ser todos como niños pequeños: sencillos, transparentes»[420].

Para el fundador del Opus Dei, la franqueza ante quien puede absolvernos de nuestros pecados en la confesión, o darnos un consejo –o simplemente un poco de consuelo– es otra de las claves de la felicidad: «Sólo los que no son sinceros son infelices. No os dejéis dominar por el demonio mudo, que a veces pretende quitarnos la paz por bobadas. Hijos míos, insisto, si algún día tenéis la desgracia de ofender a Dios, escuchad este consejo del Padre, que sólo quiere que seáis santos, fieles: acudid rápidamente a la confesión y a esa charla con vuestro hermano. Os comprenderán, os ayudarán, os querrán más»[421].

El Autor invita a no desanimarse cuando las propias miserias pesan o las tentaciones abundan. Lo importante es luchar siempre, levantarse después de cada fracaso, y poner los medios para no caer otra vez. Explica que él mismo se confiesa cada semana, y en ocasiones más de una vez. Y se indigna contra quienes atacan el sacramento de la misericordia divina, o prácticamente lo vacían de contenido.

Hace aquí una ajustada descripción de la formación y ayuda espiritual que se proporciona en el Opus Dei. Utilizando la conocida metáfora del barro, ya empleada por san Pablo, habla de la docilidad que se precisa para formarse bien y alcanzar la santidad, con pleno respeto a la libertad y a la personalidad de cada uno. Si, una vez moldeado y terminado, el cacharro de barro se rompe, entonces Dios lo repara con lañas para que pueda seguir sirviendo: lo importante, en cualquier caso, es dejarse ayudar. La humildad es esencial para aceptar las correcciones y para explicar lo que pasa con sencillez, sin engañarse. La ayuda de Dios, para ser fieles, nunca faltará a quienes actúan así. Y junto a ella, concluye el fundador, está el afecto y la cercanía, tanto sobrenatural como humana, de las personas que tienen encomendada la misión de ayudar espiritualmente.

---

[418]   19.5c.

[419]   Cfr. Mt 18, 3.

[420]   19.1a.

[421]   19.4d-5a.

EL TALENTO DE HABLAR

1a En el Opus Dei, hijas e hijos míos, todos debemos ser personas bien maduras, cada uno con sus características propias, que la Obra no sólo respeta, sino que fomenta y defiende. En la vida espiritual, en cambio, hemos de ser todos como niños pequeños: sencillos, transparentes. Por eso me gusta repetir que acabo de cumplir *siete* años: os aconsejo no pasar de esa edad, porque un niño de ocho o nueve años ya ha aprendido a decir mentirotas muy grandes.

1b Precisamente, con mis *siete* años de experiencia, quiero recordaros algo que me habéis oído muchas veces. Este Padre vuestro se siente capaz de todos los errores y de todos los horrores, en los que puedan caer las personas más desgraciadas. Y vosotros, si os conocéis un poquito, también os sentiréis así. Por tanto, si alguna vez tuvierais la desgracia de tropezar –y de tropezar gravemente, cosa que no sucederá–, no os sorprendáis: ¡a rectificar, a hablar enseguida! Si sois sinceros, el Señor os llenará de su gracia y volveréis a la lucha, con más fuerza, con más alegría, con más amor.

2a Padre, entonces, ¿usted quiere que caigamos o nos equivoquemos? No, hijos míos. ¡Cómo voy a quererlo! Pero si alguna vez, por debilidad humana, os vais al suelo, no os desaniméis. Sería una reacción de soberbia pensar entonces: yo no valgo. ¡Claro que vales!: vales toda la Sangre de Cristo: «*Empti enim estis pretio magno*»[1], habéis

---

[1] I *Cor.* VI, 20.

1a «*acabo de cumplir* siete *años*»: desde que alcanzó los setenta años, el 9 de enero de 1972, afirmaba con buen humor que en realidad sólo tenía siete, pues el cero carece de valor. Esto le servía para referirse a la vida de infancia espiritual.

sido comprados a gran precio. Acercaos inmediatamente al Sacramento de la Penitencia, hablad sinceramente con vuestro hermano, y ¡recomenzad!, que Dios cuenta con vosotros para hacer su Obra.

2b   No os entristezcáis si, en los momentos más estupendos de vuestra vida, os viene la tentación –que quizá podéis confundir con un deseo consentido, pero que no lo es– de las fealdades mayores que es posible imaginar. Acudid a la misericordia del Señor, contando con la intercesión de su Madre y Madre nuestra, y todo se arregla. Después, echaos a reír: ¡me trata Dios como a un santo! No tiene importancia ninguna: persuadíos de que en cualquier momento puede levantarse la criatura vieja que todos llevamos dentro. ¡Contentos, y a luchar como siempre! Ahora que nadie quiere hablar de batallas ni de guerras, no hay más remedio que recordar aquellas palabras de la Sagrada Escritura: «*Militia est vita hominis super terram*»[2]. Aunque lo vuestro, hijas e hijos míos, si hacéis caso a estos consejos de vuestro Padre –que tiene mucha experiencia de las flaquezas humanas: por sacerdote, por los años y por el conocimiento propio– será ordinariamente una *guerrilla*, una lucha en cosas sin demasiada importancia, bien lejos de los muros capitales de la fortaleza.

2c   De vez en cuando encontraréis quizá más violencia, más fuerza en la soberbia y en las cosas que tiran hacia el barro. La mayor locura que entonces podéis hacer sería callaros. «Mientras callé –reza uno de los Salmos–, consumíanse mis huesos con mi gemir durante todo el día,

---

[2] *Iob.* VII, 1.

2b   «*la criatura vieja*»: el "hombre viejo" del que habla san Pablo (cfr. Rm 6, 6; Ef 4, 33; Col 3, 9).

      «*muros capitales de la fortaleza*»: una enseñanza que había recogido ya en *Camino*, n. 307: «Ese modo sobrenatural de proceder es una verdadera táctica militar. –Sostienes la guerra –las luchas diarias de tu vida interior– en posiciones, que colocas lejos de los muros capitales de tu fortaleza. / Y el enemigo acude allí: a tu pequeña mortificación, a tu oración habitual, a tu trabajo ordenado, a tu plan de vida: y es difícil que llegue a acercarse hasta los torreones, flacos para el asalto, de tu castillo. –Y si llega, llega sin eficacia».

2c   «*charla personal, íntima y fraterna*»: ver nota a 2.4f.

pues día y noche tu mano pesaba sobre mí, y mi vigor se convirtió en sequedad de estío»[3]. En cambio, todo se arregla si habláis, si contáis vuestras dificultades, errores y miserias, en esa charla personal, íntima y fraterna, que hay en Casa, y en la confesión. Hablad claro *antes*, hijos de mi alma, en cuanto notéis el primer síntoma, aunque sea muy leve, aunque parezca no tener importancia. Hablad claro, y pensad que no hacerlo así es llenarse de rubores tontos y de mohínes de novicia, cuando deberíais portaros valientemente, como soldados. No me refiero sólo a debilidades de la carne, aunque también incluyo éstas, pero en su sitio, en quinto o sexto lugar. Me refiero sobre todo a la soberbia, que es nuestro mayor enemigo, el que nos hace andar de cabeza.

2d   No os maravilléis, por tanto, si alguna vez cometéis alguna tontería. Enseñad el golpe, la llaga, y dejad obrar a quien os cure, aunque duela. Así recuperaréis la salud, iréis adelante, y vuestra vida se traducirá en un gran bien a las almas.

2e   Nuestro Dios es tan *rebueno* que, a poco que luchemos, responde inundándonos con su gracia. El Señor, con su corazón de Padre —más grande que todos nuestros corazones juntos—, es Omnipotente y nos quiere a todos cerca de Él: el gozo suyo —son sus delicias estar con los hijos de los hombres[4]— es llenar de alegría a quien se le acerca. ¿Y sabéis cómo nos acercamos a Dios? Con actos de contrición, que nos purifican y nos ayudan a ser más limpios.

2f   Hemos de comportarnos como un pequeño que se sabe con la cara sucia y decide lavarse, para que su madre después le dé un par de besos. Aunque en el caso del alma contrita es Dios quien nos purifica, y luego y mientras, como una madre, no nos regaña, sino que nos coge, nos ayuda, nos aprieta contra su pecho, nos busca, nos limpia y nos concede la gracia, la Vida, el Espíritu Santo. No sólo nos perdona y nos consuela, si vamos a Él bien dispuestos, sino que nos cura y nos alimenta.

3a   Es preciso volver a Dios, cuanto antes; volver, volver siempre. Yo vuelvo muchas veces al día, y alguna semana incluso me confieso

---

[3] *Ps.* XXXI, 3-4.

[4] Cfr. *Prov.* VIII, 31.

dos veces; a veces una, otras veces tres, siempre que lo necesito para mi tranquilidad. No soy beato ni escrupuloso, pero sé lo que viene bien a mi alma.

3b   Ahora, en muchos sitios, personas sin piedad y sin doctrina aconsejan a la gente que no se confiese. Atacan el Santo Sacramento de la Penitencia de la manera más brutal. Pretenden hacer una comedia: unas palabritas, todos juntos, y después la absolución. ¡No, hijos! ¡Amad la confesión auricular! Y no de los pecados graves solamente, sino también la confesión de nuestros pecados leves, y aun de las faltas. Los sacramentos confieren la gracia *ex opere operato* –por la propia virtud del sacramento–, y también *ex opere operantis*, según las disposiciones de quien los recibe. La confesión, además de resucitar el alma y limpiarla de las miserias que haya cometido –de pensamiento, de deseo, de palabra, de obra–, produce un aumento de la gracia, nos robustece, nos proporciona más armas para alcanzar esa victoria interna, personal. ¡Amad el Santo Sacramento de la Penitencia!

3c   ¿Habéis visto una manifestación más grandiosa de la misericordia de Nuestro Señor? Dios Creador nos lleva a llenarnos de admiración y

---

3b   «*Ahora, en muchos sitios...*»: san Josemaría se quejaba de la práctica injustificada de la absolución colectiva. Ese rito, pensado para situaciones graves, urgentes y proporcionadas (cfr. Sagrada Penitenciaría Apostólica, instrucción *Ut dubia*, del 25-III-1944), se estaba utilizando sin esas condiciones.

En 1972, el mismo año en el que san Josemaría se lamentaba de esos desórdenes, la Sagrada Congregación para la Doctrina de la Fe emanó la instrucción *Sacramentum Pænitentiæ* (16-VI-1972) para contrarrestar los abusos. En 1973, el *Ordo Pænitentiæ* reiteró la doctrina precedente. Con posterioridad, tanto Pablo VI como la Congregación para la Doctrina de la Fe tuvieron que intervenir para resaltar el carácter verdaderamente excepcional de esas absoluciones. Vid. esas intervenciones y las de Pablo VI en William H. STETSON, *Comentario exegético al Código de derecho canónico*, Pamplona, EUNSA, 1996, vol. III/1, pp. 765-773. En tiempos más recientes, san Juan Pablo II volvió a recordar la misma doctrina en 2002: JUAN PABLO II, Cart. apost. *Misericordia Dei*, 7-IV-2002. Las estrictas condiciones que regulan la absolución colectiva, sin previa confesión individual, están contenidas en los cc. 961-963 del vigente Código de Derecho Canónico.

Naturalmente, san Josemaría no se refería al hoy llamado "rito B", es decir, las celebraciones comunitarias para reconciliar a muchos penitentes, a los que, después de los momentos de examen, sigue la confesión y absolución individuales.

de agradecimiento. Dios Redentor nos conmueve. Un Dios que se queda en la Eucaristía, hecho alimento por amor nuestro, nos llena de ansias de corresponder. Un Dios que vivifica y da sentido sobrenatural a todas nuestras acciones, asentado en el centro del alma en gracia, es inefable... Un Dios que perdona, ¡es una maravilla! Los que hablan contra el Sacramento de la Penitencia, ponen obstáculos a ese prodigio de la misericordia divina. He comprobado, hijos míos, que muchos que no conocían a Cristo, cuando han sabido que los católicos tenemos un Dios que comprende las debilidades humanas y las perdona, se remueven por dentro y piden que se les explique la doctrina de Jesús.

3d Los que procuran que no agradezcamos al Señor la institución de este sacramento, si lograran su propósito, aunque fuera en una pequeña parte, destruirían la espiritualidad de la Iglesia. Si me preguntáis: Padre, ¿dicen cosas nuevas?, os he de responder: ninguna, hijos. El diablo se repite una vez y otra: son siempre las mismas cosas. El diablo es muy listo, porque ha sido ángel y porque es muy viejo, pero al mismo tiempo es tonto de capirote: le falta la ayuda de Dios y no hace más que insistir machaconamente en lo mismo. Todos los errores que ahora propagan, todos esos modos de mentir y de decir herejías, son viejos, muy viejos, y están mil veces condenados por la Iglesia.

3e Los que afirman que no entienden la necesidad de la confesión oral y secreta, ¿no será porque no quieren enseñar la ponzoña que llevan dentro?, ¿no serán de ésos que van al médico y no le quieren decir cuánto tiempo hace que están enfermos, cuáles son los síntomas de sus dolencias, dónde les duele...? ¡Locos! Esas personas necesitan ir a un veterinario, ya que son como las bestias, que no hablan.

3f ¿Sabéis por qué ocurren esas cosas en la Iglesia? Porque muchos no practican lo que predican; o porque enseñan falsedades, y entonces se comportan de acuerdo con lo que dicen. Los medios ascéticos siguen siendo necesarios para llevar una vida cristiana; en esto no ha habido progresos ni los habrá jamás: «*Iesus Christus, heri et hodie, ipse et in sæcula!*»[5], Jesucristo es el mismo ayer y hoy, y lo será siempre.

---

[5] *Hebr.* XIII, 8.

No se puede alcanzar un fin sin poner los medios adecuados. Y, en la vida espiritual, los medios han sido, son y serán siempre los mismos: el conocimiento de la doctrina cristiana, la recepción frecuente de los sacramentos, la oración, la mortificación, la vida de piedad, la huida de las tentaciones –y de las ocasiones–, y abrir el corazón para que entre la gracia de Dios hasta el fondo y se pueda sajar, quemar, cauterizar, limpiar y purificar.

4a   Estoy persuadido de que son muchas las almas que se pierden en estos momentos, por no poner los medios. Por eso va muy bien la confesión que, además de ser un sacramento instituido por Jesucristo, es –incluso psicológicamente– un remedio colosal para ayudar a las almas. Nosotros, además, tenemos esa conversación fraterna con el Director, que surgió con espontaneidad, con naturalidad, como mana una fuente: el agua está allí, y no puede dejar de brotar, porque es parte de la vida nuestra.

4b   ¿Cómo nació esa Costumbre, en los primeros años? No había más sacerdotes que yo en la Obra. No quería confesar a vuestros hermanos, porque si los confesaba me encontraba atado de pies y manos: ya no les podía indicar nada, si no era en la próxima confesión. Por eso les mandaba por ahí: confesaos con quien queráis, les decía. Lo pasaban muy mal, porque cuando se acusaban, por ejemplo, de haber descuidado el examen, o de otra pequeña falta, algunos sacerdotes les respondían bruscamente o con tono de guasa: ¡pero si eso no es pecado! Y los que eran buenos sacerdotes o religiosos con buen espíritu –con el suyo– les preguntaban: ¿y usted no tendría vocación para nosotros...?

4a   el agua está allí, *Cro1972*,302] el agua está allí; *EdcS*,169.

4b   «*¿Cómo nació esa Costumbre, en los primeros años?*»: explica aquí el origen y sentido de la charla fraterna, que es de gran importancia para la vida espiritual de los fieles del Opus Dei. A través de esa conversación de tono confidencial y familiar, cada una y cada uno busca cómo mejorar su amor a Dios y su identificación con Cristo, además de crecer en las virtudes cristianas y mejorar la asimilación del espíritu y los modos apostólicos de la Obra. En ese diálogo no se reciben mandatos, sino consejos. Se trata de uno de los modos en que la Prelatura proporciona la atención pastoral específica a los fieles del Opus Dei. Ver nota a 2.4f.

4c   Vuestros hermanos preferían contarme las cosas con sencillez, con claridad, fuera de la confesión. ¡Si a última hora es lo que se cuentan un grupo de amigos o de amigas, en una reunión, o alrededor de una mesa de café, o en un baile! Se lo dicen así, con claridad, incluso exagerando.

4d   Con la misma sencillez, por lo menos, habéis de hablar vosotros en esa conversación fraterna. La Obra es una Madre que deja libérrimos a sus hijos; por tanto sus hijos sentimos la necesidad de ser leales. Si alguno no lo hubiera hecho hasta ahora, le aconsejo que abra el corazón y suelte aquello: el *sapo* que todos hemos tenido dentro, quizá antes de venir al Opus Dei. Lo aconsejo a todos mis hijos: echad fuera ese *sapo* gordo y feo. Y veréis qué paz, qué tranquilidad, qué bien y qué alegría. El Señor os dará, en el resto de vuestra vida, mucha más gracia para ser leales a vuestra vocación, a la Iglesia, al Romano Pontífice, que tanto amamos sea quien sea. En cambio el que intentase ocultar una miseria, grande o chica, sería un foco de infección, para él y para las demás almas. Son charca los defectos que se ocultan, y también las cosas buenas que no se manifiestan: hasta el remanso de agua clara, si no corre, se pudre. Abrid el corazón con claridad, con brevedad, sin complicaciones.

5a   Sólo los que no son sinceros son infelices. No os dejéis dominar por el demonio mudo, que a veces pretende quitarnos la paz por bobadas. Hijos míos, insisto, si algún día tenéis la desgracia de ofender a Dios, escuchad este consejo del Padre, que sólo quiere que seáis santos, fieles: acudid rápidamente a la confesión y a esa charla con vuestro hermano. Os comprenderán, os ayudarán, os querrán más. Echáis el *sapo* fuera, y todo andará bien en adelante.

5b   Todo andará bien, por muchas razones: en primer lugar, porque el que es sincero es más humilde. Luego, porque Dios Nuestro Señor premia con su gracia esa humildad. Después, porque ese otro hermano que te ha escuchado, sabe que estás necesitado y se siente en la obligación de pedir por ti. ¿Vosotros pensáis que las personas que reciben vuestra charla son gente que no comprende? ¡Si están hechos de la misma pasta! ¿A quién le va a chocar que un vidrio se pueda romper, o que un cacharro de barro necesite lañas? Sed sinceros. Es la cosa que más agradezco en mis hijos, porque así se arregla todo: siempre. En cambio, sentirse incomprendido, creerse víctima, acarrea siempre también una gran soberbia espiritual.

5c   El espíritu de la Obra lleva necesariamente a la sencillez, y por ese camino se lleva a las almas que se acercan al calor de nuestra labor. Desde que llegasteis a la Obra, no se ha hecho otra cosa que trataros como a las alcachofas: ir quitando las hojas duras de fuera, para que quede limpio el cogollo. Todos somos un poco complicados; por eso, a veces, fácilmente, de una cosa pequeña dejáis que se haga una montaña que os abruma, aun siendo personas de talento. Tened, en cambio, el talento de hablar, y vuestros hermanos os ayudarán a ver que esa preocupación es una bobada o tiene su raíz en la soberbia.

5d   No olvidéis, además, que decir una *verdad* subjetiva, que no se ajusta a la verdad real, es engañar y engañarse. Puede estarse en el error por soberbia –repito–, porque este vicio ciega, y la persona, sin ver, piensa que ve. Pero también está equivocado el que se engaña y engaña. Llamad a las cosas por su nombre: al pan, pan; y al vino, vino. «Sea vuestro modo de hablar: sí, sí; no, no; que lo que pasa de esto, de mal principio proviene»[6]. El *creí que, pensé que* y *es que* son los nombres de tres diablos tremendos que no quiero oír de vuestra boca. No os busquéis disculpas, tenéis la misericordia de Dios y la comprensión de vuestros hermanos, ¡y basta!

5e   Decid las cosas sin ambigüedades. El hijo mío que pinta de colores el error, que deforma lo sucedido, que lo adorna con palabras inútiles, no va bien. Hijas e hijos míos: sabed que cuando se ha cometido un disparate, se tiende a disfrazar la mala conducta con razones de todo tipo: artísticas, intelectuales, científicas, ¡hasta espirituales!, y se acaba por decir que parecen o que son *anticuados* los mandamientos. A la vuelta de estos cuarenta y tres años largos, cuando algún hijo mío se ha perdido, ha sido siempre por falta de sinceridad o

---

[6] *Matth.* V, 37.

5d   oír de vuestra boca *Cro1972*,305] oír en vuestra boca *EdcS*,171.

porque le ha parecido *anticuado* el decálogo. Y que no me venga con otras razones, porque no son verdad.

5f No intentéis nunca compaginar una conducta floja, con la santidad que os exige la Obra. Formaos un criterio recto, y no olvidéis que vuestra conciencia será cada día más delicada, más exigente, si sois cada día más sinceros. Hay cosas con las que os conformabais hace años, y ahora no: porque notáis la llamada de Dios, que os pide una mayor finura y os da la gracia necesaria para corresponder como Él espera.

6a Habéis venido al Opus Dei, hijos de mi alma –dejad que os lo recuerde una vez más–, decididos a dejaros formar, a prepararos para ser la levadura que hará fermentar la gran masa de la humanidad. Esa formación, mientras permite que vuestra personalidad humana se mejore, con sus características particulares, os facilita además un común denominador, el de este espíritu de familia, que es el mismo para todos. Para eso –insisto– debéis estar dispuestos a poneros en manos de los Directores, y dejaros dar forma sobrenatural como el barro en las manos del alfarero.

6b Hijos míos, mirad que todos estamos metidos en una misma red, y la red dentro de la barca, que es el Opus Dei, con un ánimo maravilloso de humildad, de entrega, de trabajo, de amor. ¿No es hermoso esto? ¿Acaso tú lo has merecido? ¡Si te ha encontrado Dios por ahí, en la calle, cuando Él pasaba! No somos ninguna *especialidad*, no somos *selectos*: podía haber buscado a otros mejores que nosotros. Pero nos ha elegido, y recordarlo no es soberbia, sino agradecimiento.

6c Que nuestra respuesta sea: ¡me dejaré conocer mejor, guiar más, pulir, hacer! Que nunca, por soberbia, cuando reciba una indicación que es para mejora de mi vida interior, me rebele; que no tenga en más aprecio mi propio criterio –que no puede ser certero, porque

---

6c de mis hermanos, *Cro1972*,307] de mis hermanos *EdcS*,173.

«*corrección fraterna*»: advertencia afectuosa a otra persona, para ayudar a superar un hábito o una falta externa, o para progresar en una virtud. Ver nota a 1.6c-1.6d.

nadie es buen juez en causa propia– que el juicio de los Directores; que no me moleste la indicación cariñosa de mis hermanos, cuando me ayudan con la corrección fraterna.

6d Voy a terminar, hijas e hijos míos, trayendo a vuestra consideración aquel texto de la Escritura Santa que pone en nuestra boca dulzuras de miel y de panal. *«Elegit nos in ipso ante mundi constitutionem, ut essemus sancti et immaculati in conspectu eius»*[7]. Nos escogió el Señor a cada uno de nosotros para que seamos santos en su presencia. Y eso, antes de la creación del mundo, desde toda la eternidad: ésta es la providencia maravillosa de nuestro Padre Dios. Si correspondéis, si lucháis, tendréis una vida feliz también en la tierra, con algunos momentos de oscuridad ciertamente, con algunos ratos de sufrimiento que sin embargo no debéis exagerar: pasan en cuanto abrimos el corazón. Decidme: ¿no es verdad que, cuando contáis aquello que os produce preocupación o que os da vergüenza, os quedáis tranquilos, serenos, alegres?

6e Además, de esta manera no nos encontramos nunca solos. *«Væ solis!»*[8], ¡ay del que está solo!, dice la Escritura Santa. Nosotros no permanecemos solos nunca, en ninguna circunstancia. En cualquier lugar de la tierra nuestros hermanos nos acogen con cariño, nos escuchan y nos comprenden; siempre nos acompañan el Señor y su Madre Santísima; y, en nuestra alma en gracia, habita como en un templo el Espíritu Santo: Dios con nosotros.

---

[7] *Ephes.* I, 4.
[8] *Eccle.* IV, 10.

20. EL LICOR DE LA SABIDURÍA
(Junio de 1972)

1. Contexto e historia

Este texto, como los dos anteriores, es fruto de una reunión de material procedente de la predicación oral de san Josemaría en 1971 y está muy relacionado con "Tiempo de reparar" y "El talento de hablar", como ya hemos dicho. La fecha que hemos puesto es la de su aparición en las revistas: junio de 1972.

2. Fuentes y material previo

EdcS,175-184; *Cro1972*,530-539; *Not1972*,489-498; no hay material previo en el expediente que corresponde (AGP, serie A.4, m720600). Se utilizaron para componer este texto cuatro tertulias de 1971, cuyas transcripciones están archivadas en AGP, serie A.4, con las signaturas indicadas entre paréntesis: del 4 de enero (t710104); 6 de enero (t710106); 24 de enero (t710124) y 14 de febrero (t710214).

3. Contenido

Aunque el título se refiere a un don del Espíritu Santo, san Josemaría habla aquí de la lucha interior. El precioso licor que Dios ha vertido en el alma representa la aspiración a la santidad por el camino de la vocación al Opus Dei. La llamada divina es un don maravilloso que hay que saber mantener en el "cacharro de barro" que toda persona es. San Josemaría ilustra cómo mantenerlo íntegro, para evitar que se rompa y se derrame su contenido.

Habla, en resumidas cuentas, de lo que siempre había enseñado: «Santidad personal: esto es lo importante, hijas e hijos míos, lo único necesario. La Sabiduría está en conocer a Dios y en amarle»[422]. Para la santidad se requiere, en primer lugar, mantener un trato íntimo con Dios, un espíritu de oración que garantizará que se mantenga la "unidad de vida". Es este un concepto fundamental en el mensaje del fundador del Opus Dei, que conjuga el espíritu contemplativo y la doctrina de la santificación en medio del mundo[423].

La "unidad de vida" es la coherencia en las acciones, comportarse en todo momento como hijos de Dios. Lo contrario es la "doble vida", la incoherencia o la hipocresía, pensar una cosa y hacer otra, ser cristianos de nombre y no en las obras.

Considera que es un don de Dios, de su gracia. Pero también se requiere esfuerzo: «Que esta unidad de vida sea el resultado de la bondad del Señor con cada uno y con la Obra entera, y efecto también de vuestra lucha personal (...) de esa guerra maravillosa contra nosotros mismos, contra nuestras malas inclinaciones. Una guerra que es guerra de paz, porque busca la paz»[424].

La unidad ha de lograrse en los pensamientos, los afectos, las emociones, la sensibilidad... todo lo que representa esa interioridad que llamamos

---

[422] 20.2a.

[423] Sobre este tema ver Ignacio DE CELAYA, "Unidad de vida", en DSJEB, pp. 1217-1223; Ernst BURKHART- Javier LÓPEZ DÍAZ, *Vida cotidiana y santidad* (III), pp. 617-653; Raúl LANZETTI, "L'unità di vita e la misione dei fedeli laici nell'Esortazione Apostolica 'Christifideles laici'", *Romana* 5 (1989), pp. 300-312; Antonio ARANDA LOMEÑA, *La lógica de la unidad de vida. Identidad cristiana en una sociedad pluralista*, Pamplona, Eunsa, 2000; Antonio ARANDA LOMEÑA, "La logica dell'unità di vita: L'insegnamento di san Josemaría Escrivá", *Studi cattolici: mensile di studi e attualità* 48 (2004), pp. 636-644; Manuel BELDA PLANS, "El Beato Josemaría Escrivá de Balaguer, pionero de la unidad de vida cristiana", en José Luis ILLANES MAESTRE (ed.), *El cristiano en el mundo: En el Centenario del nacimiento del Beato Josemaría Escrivá (1902-2002): XXIII Simposio Internacional de Teología de la Universidad de Navarra*, Pamplona, Universidad de Navarra. Servicio de Publicaciones, 2003, pp. 467-482; José María YANGUAS SANZ, "Unità di vita e opzione fondamentale", AnTh 9 (1995), pp. 445-464; Pedro RODRÍGUEZ, "Vivir santamente la vida ordinaria. Consideraciones sobre la homilía pronunciada por el Beato Josemaría Escrivá de Balaguer en el campus de la Universidad de Navarra, 8.X.1967", ScrTh 24 (1992), pp. 397-418; Dominique LE TOURNEAU, "Las enseñanzas del Beato Josemaría Escrivá sobre la unidad de vida", ScrTh 31 (1999), pp. 633-676.

[424] 20.5b.

"corazón": «Unidad de vida. Lucha. (...) Que el corazón esté entero y sea para Dios»[425], dice.

A esa interior cohesión puede oponerse la dispersión y el descontrol de la parte sensitiva del alma. La lucha debe tender a someter los sentidos al entendimiento, con la ayuda de Dios. Para explicarlo, usa el ejemplo de los dos hermanos[426]: «Hay que lograr que convivan juntos, aunque se oponga el uno al otro, procurando que el hermano superior, el entendimiento, arrastre consigo al inferior, a los sentidos. Nuestra alma, por el dictado de la fe y de la inteligencia y con la ayuda de la gracia de Dios, aspira a los dones mejores, al Paraíso, a la felicidad eterna. Y allí hemos de conducir también a nuestro hermano pequeño, la sensualidad, para que goce de Dios en el Cielo»[427].

San Josemaría sugiere emplear la táctica que ya describió en *Camino*[428], de concentrar la lucha interior en puntos menos estratégicos, de modo que las posibles derrotas no afecten de manera importante al conjunto: «¿Sabéis lo que acostumbro a hacer yo? Lo que un buen general: plantear la lucha en la vanguardia, lejos de la fortaleza, en pequeños frentes aquí y allá (...). También yo he de luchar, y procuro hacerlo donde me conviene: lejos, en cosas que en sí no tienen demasiada importancia, que ni siquiera llegan a ser faltas si se dejan de cumplir. Cada uno debe sostener su pelea personal en el frente que le corresponde, pero con santa pillería»[429].

Destaca el valor de la humildad. «No olvidéis que el pecado más grande es el de soberbia. Ciega muchísimo»[430], dice. La considera «la pasión más mala»[431]. La humildad, por el contrario, permite recuperar la unidad de vida, recomponer el vaso, si se ha roto, y es compatible con una voluntad decidida y entera: «Cabe una actitud marcial del cuerpo, siendo bien

---

[425] 20.5d.

[426] En *Camino* juega con la paradoja de considerarlos dos amigos íntimos que son, a la vez, enemigos. cfr. n. 195. Ver el comentario a ese punto en *Camino*, ed. crít.-hist.

[427] 20.5a.

[428] Cfr. n. 307.

[429] 20.6a-6b.

[430] 20.3c.

[431] 20.3d.

humildes. Tendréis así una voluntad entera, sin quiebra; un carácter completo, no débil; esculpido, no dibujado. Y no se romperá el vaso»[432].

Describe la vida cristiana como una «guerra de paz»[433]. Habla de serenidad, de no perder la tranquilidad, porque Dios vence con su gracia a pesar de los propios errores y caídas. Por eso anima a seguir siempre adelante, con lealtad, con la ayuda de Dios, pase lo que pase, reservando el corazón entero para Dios y luchando: «¡Sed fieles, sed leales! (...) No os asustéis por nada. Si no sois soberbios –repito–, iréis adelante ¡siempre!»[434]. Las derrotas parciales no importan: «Quizá perderemos alguna batalla, pero ganaremos la guerra»[435].

---

[432] 20.3e.

[433] 20.5b.

[434] 20.4a.

[435] 20.5e.

4. Texto y notas

EL LICOR DE LA SABIDURÍA

1a   Me gusta comparar nuestra alma a un vaso que ha hecho Dios Nuestro Señor, para que se pueda poner en él un licor, el licor de la Sabiduría, que es un don, una gracia muy grande del Espíritu Santo. La Sabiduría es, hijas e hijos míos, «un hálito del poder divino y una emanación pura de la gloria de Dios omnipotente, por lo cual nada manchado hay en ella. Es el resplandor de la luz eterna, el espejo sin mancha del actuar de Dios, imagen de su bondad. Y siendo una, todo lo puede, y permaneciendo la misma, todo lo renueva, y a través de las edades se derrama en las almas santas»[1].

1b   Admirad la hermosura del don de Sabiduría, que el Espíritu Santo vierte generosamente en nuestros corazones con su gracia. Tan maravilloso es este don, «que Dios a nadie ama sino al que mora con la Sabiduría»[2].

1c   Os recordaré lo que dice la Sagrada Escritura: que con la Sabiduría vienen todos los bienes. Por eso hemos de pedírsela al Espíritu Santo, para cada uno de nosotros y para todos los cristianos. «Invoqué al Señor –se lee en el Libro inspirado– y vino sobre mí el espíritu de sabiduría. Y la preferí a los cetros y a los tronos, y en comparación

---

[1] *Sap.* VII, 25-27.

[2] *Sap.* VII, 28.

1a   *«Sabiduría»*: escrita con mayúscula, puede ser referida a la Sabiduría increada, es decir, a Dios considerado en su unidad, o también al Verbo divino (cfr. santo TOMÁS DE AQUINO, *STh* I, q. 34, a. 1, ad 2); san Josemaría la aplica en este texto a la sabiduría creada, fruto de la acción del Espíritu Santo en el alma (cfr. *STh* II-II, q. 45, a. 1), y por extensión, a la santidad.

con ella tuve en nada la riqueza. No la parangonaré a las piedras preciosas, porque todo el oro es ante ella como un grano de arena, y como el lodo es la plata. La amé más que a la salud y a la hermosura, y antepuse a la luz su posesión, porque el resplandor que de ella brota es inextinguible. Todos los bienes me vinieron juntamente con ella, y en sus manos me trajo una riqueza incalculable»[3]. De otro modo podemos decir que, con el espíritu del Opus Dei, vienen también todos los bienes a un alma, porque es Sabiduría este modo nuestro de vivir cara a Dios, sin buscar el anonimato, sin importarnos que nos vean o que nos oigan, procurando actuar en conciencia, con rectitud de intención.

1d   Si somos leales a la vocación, hijas e hijos míos, sobre todos nosotros reposará este espíritu de Sabiduría, que el Señor reparte a manos llenas entre quienes le buscan con corazón recto. Para ser verdaderamente sabios —os lo he dicho muchas veces—, no es preciso tener una cultura amplia. Si la tenéis, bien; y si no, igualmente estupendo, si sois fieles, porque recibiréis siempre la ayuda del Espíritu Santo. Además, si asistís a los medios de formación que os proporciona la Obra, si aprovecháis las Convivencias y Cursos anuales, y los retiros, alcanzaréis una formación teológica tan honda como la que puede tener un buen sacerdote.

1e   Pero no es necesario poseer una gran ciencia. Hay un saber al que sólo se llega con santidad: y hay almas oscuras, ignoradas, profundamente humildes, sacrificadas, santas, con un sentido sobrenatural maravilloso: «Yo te glorifico, Padre, Señor del Cielo y de la tierra, porque has tenido encubiertas estas cosas a los sabios y prudentes, y las has revelado a los pequeñuelos»[4]. Un sentido sobrenatural que no raramente falta en las disquisiciones hinchadas de presuntos sabios:

---

[3] *Sap.* VII, 7-11.

[4] *Matth.* XI, 25.

1d   «*Convivencias y Cursos anuales*»: se refiere a distintos medios de formación del Opus Dei, cuya duración varía de unos días a varias semanas, que tienen por objeto mejorar la formación espiritual, doctrinal-religiosa, apostólica y humana de los participantes, en un clima distendido, de familia, en el que también hay lugar para el esparcimiento y el descanso.

«*Evanuerunt in cogitationibus suis, et obscuratum est insipiens cor eo-rum, dicentes enim se esse sapientes stulti facti sunt*»[5]; disparataron en sus pensamientos, y quedó su insensato corazón lleno de tinieblas; y, mientras se jactaban de ser sabios, pararon en ser necios.

2a Santidad personal: esto es lo importante, hijas e hijos míos, lo único necesario[6]. La Sabiduría está en conocer a Dios y en amarle. Y os recordaré con San Pablo, para que nunca os coja de sorpresa, que llevamos este tesoro en vasos de barro: «*Habemus autem thesaurum istum in vasis fictilibus*»[7]. Un recipiente tan débil, que con facilidad puede romperse, «*ut sublimitas sit virtutis Dei et non ex nobis*»[8], para que se reconozca que toda esa hermosura y ese poder es de Dios, y no nuestra. Dice también la Escritura Santa que «el corazón del necio es como un vaso quebrado, que no retiene la Sabiduría»[9]. Con esto, el Espíritu Santo nos enseña que no podemos ser como niños o como locos. Hemos de ser fuertes, hijos de Dios; estaremos en nuestro trabajo y en la labor profesional, con una presencia de Dios continua que nos haga vivir en la perfección de las cosas pequeñas. Hemos de mantener el vaso íntegro, para que no se derrame ese licor divino.

2b El vaso no se rompe si todo lo dirigimos hacia Dios, incluso nuestras pasiones. Las pasiones, en sí mismas, no son ni buenas ni malas: depende de cada persona sujetarlas, y entonces son buenas, aunque sólo sea por ese motivo negativo: «*Quia virtus in infirmitate perfici-tur*»[10]. Porque al sentir esta enfermedad moral, si vencemos y logramos la salud, adquirimos más trato con Dios, más santidad.

2c Cuando alguno de vosotros, o yo, hablamos de vida interior, de trato con Dios, hay muchas personas, muchas –incluso aquéllas que

[5] *Rom.* I, 21-22.
[6] Cfr. *Luc.* X, 42.
[7] II *Cor.* IV, 7.
[8] *Ibid.*
[9] *Eccli.* XXI, 17.
[10] Cfr. II *Cor.* XII, 9.

2b [10]Cfr. II *Cor.* XII, 9.] [10]II *Cor.* XII, 9. *EdcS*,178.

deberían persuadir a las almas a seguir este camino interior– que nos miran como si fuéramos locos o cómicos, porque no creen de ninguna manera que se pueda alcanzar este trato íntimo con el Señor. Es penoso que deba deciros esto, pero es verdadero.

2d Vosotros sabéis perfectamente que sí, que se puede y se debe tener esa amistad; que es una necesidad para nuestra alma. Si no tenéis este trato con Dios, no seréis eficaces ni podréis hacer el gran servicio a la Iglesia, a vuestros hermanos, a las almas todas, que el Señor y la Obra esperan.

2e Haced vuestra oración con estas palabras que os estoy diciendo. Adentraos en vuestro corazón, con la luz que os da el Espíritu Santo, para quitar todo aquello que pueda romper el vaso, todo lo que pueda robaros la unidad de vida. Debéis ser personas –os lo recuerdo siempre– que no se maravillen cuando sientan que llevan dentro de sí una bestia.

3a A mí, que me ha tocado vivir tantas cosas, me parece un sueño cuando contemplo la realidad espléndida de nuestro Opus Dei y compruebo la lealtad de los hijos míos a Dios, a la Iglesia, a la Obra. Es lógico que alguna vez se quede alguien en el camino. A todos damos el alimento apropiado, pero aun tomando un alimento muy bien escogido dietéticamente, no todo se asimila. No quiere decir que sean gente mala. Esos pobrecitos vienen luego con lágrimas como puños, pero ya no tiene remedio.

3b Esta desgracia nos puede suceder a todos, hijas e hijos míos; a mí también. Mientras me halle en la tierra, también yo soy capaz de cometer una tontería grande. Con la gracia de Dios y vuestras oraciones, con el poco de esfuerzo que haga, no me ocurrirá jamás.

3c No hay nadie que esté exento de este peligro. Pero si hablamos, no pasa nada. No dejéis de hablar, cuando os suceda algo que no quisierais que se supiese. Decidlo enseguida. Mejor antes y, si no, después; pero hablad. No olvidéis que el pecado más grande es el de soberbia.

3c *«si hablamos, no pasa nada»*: sobre la importancia que el fundador del Opus Dei concedía a la virtud de la sinceridad en el contexto de la dirección espiritual, ver la introducción a la meditación n. 19.

Ciega muchísimo. Hay un viejo refrán *ascético* que reza así: *lujuria oculta, soberbia manifiesta.*

3d   Nunca me cansaré de insistiros en la importancia de la humildad, porque el enemigo del amor es siempre la soberbia: es la pasión más mala, es aquel espíritu de raciocinio sin razón, que late en lo íntimo de nuestra alma y que nos dice que nosotros estamos en lo cierto, y los demás equivocados. Cosa que sólo por excepción es verdad.

3e   Sed humildes, hijos míos. No con una *humildad de garabato*, como algunos que solían andar encogidos por la calle. Cabe una actitud marcial del cuerpo, siendo bien humildes. Tendréis así una voluntad entera, sin quiebra; un carácter completo, no débil; esculpido, no dibujado. Y no se romperá el vaso.

4a   ¡Sed fieles, sed leales! Tendréis muchas ocasiones en la vida de no ser fieles y de no ser leales, porque nosotros no somos plantas de invernadero. Estamos expuestos al frío y al calor, a la nieve y a la tormenta. Somos árboles, que a veces se llenan de polvo, porque están a todos los vientos, pero que se quedan limpios, preciosos, en cuanto viene la gracia de Dios, como la lluvia. No os asustéis por nada. Si no sois soberbios –repito–, iréis adelante ¡siempre!

4b   ¿Y cómo haréis las cosas bien, para corresponder al amor de esta Madre guapa que es la Obra, para ser leales? Es muy fácil, muy fácil. En primer lugar, tenéis que dejar hacer en vosotros, sin protesta, porque no os conocéis. Yo he cumplido ya setenta años, y no acabo de conocerme bien, de modo que vosotros ¡dónde andaréis con vuestro propio conocimiento!

4c   A mí no me hacen la corrección fraterna, pero dos hermanos vuestros me dicen con mucha claridad lo que les parece oportuno, y yo se lo agradezco con toda mi alma. ¡Que se ejercite la corrección fraterna!, que es un modo delicadísimo de quererse, con las condiciones que hemos puesto para que no sea molesta. Es molesta para el que la hace; en cambio, el que la recibe debe agradecerla, como se

---

4c   «*dos hermanos vuestros*»: se trata de los *Custodes*, que están junto al Padre y le asisten en sus necesidades materiales y espirituales (cfr. *Codex iuris particularis Operis Dei*, n. 132, §6). En ese tiempo eran Álvaro del Portillo y Javier Echevarría.

agradece al médico que ha metido el bisturí en una herida infectada, para curarla.

4d   Después, hacer. Os he dicho innumerables veces que nadie pierde su personalidad al venir a la Obra; que la diversidad, el sano pluralismo, es manifestación de buen espíritu. Pues haced por vuestra cuenta, que nadie os lo impedirá. El Opus Dei respeta totalmente el modo de ser de cada uno de sus hijos. Nosotros perdemos relativamente la libertad, sin perderla, porque nos da la gana. Es la razón más sobrenatural: porque nos da la gana, por amor.

5a   Que seáis personas rectas porque lucháis, procurando conciliar a esos dos hermanos que todos tenemos dentro: la inteligencia, con la gracia de Dios, y la sensualidad. Dos hermanos que están con nosotros desde que nacemos, y que nos acompañarán durante todo el curso de nuestra vida. Hay que lograr que convivan juntos, aunque se oponga el uno al otro, procurando que el hermano superior, el entendimiento, arrastre consigo al inferior, a los sentidos. Nuestra alma, por el dictado de la fe y de la inteligencia y con la ayuda de la gracia de Dios, aspira a los dones mejores, al Paraíso, a la felicidad eterna. Y allí hemos de conducir también a nuestro hermano pequeño, la sensualidad, para que goce de Dios en el Cielo.

5b   Que esta unidad de vida sea el resultado de la bondad del Señor con cada uno y con la Obra entera, y efecto también de vuestra lucha personal. Nunca mejor que ahora se puede recordar que la paz es consecuencia de la guerra: de esa guerra maravillosa contra nosotros mismos, contra nuestras malas inclinaciones. Una guerra que es guerra de paz, porque busca la paz.

5c   Perdemos la serenidad cuando no es la inteligencia con la gracia divina, quien dirige nuestra vida, sino las fuerzas inferiores. ¡No os asustéis de encontraros monstruosos, inclinados a cometer todas las atrocidades! Con la ayuda del Señor iremos hasta el final, seguros, con esa paz —repito— que es consecuencia de la victoria. Un triunfo que no es nuestro, porque es Dios quien vence en nosotros si

---

4d   *«Es la razón más sobrenatural: porque nos da la gana, por amor»*: sobre este tema ver la introducción a la meditación n. 1.

no ponemos dificultades, si hacemos el esfuerzo de tender nuestra mano a la mano que desde el Cielo se nos ofrece.

5d Hijos míos, unidad de vida. Lucha. Que aquel vaso, del que os hablaba antes, no se rompa. Que el corazón esté entero y sea para Dios. Que no nos detengamos en miserias de orgullo personal. Que nos entreguemos de verdad, que sigamos adelante. Como el que camina para ir a una ciudad procura insistir, y un paso detrás de otro logra andar todo el camino. La ayuda de nuestro Padre Dios no nos faltará.

5e La mayor alegría de mi vida es saber que lucháis y que sois leales. No me importa demasiado enterarme de que —en esos puntos que están lejos de la muralla principal— habéis ido de narices. Ya sé que os levantáis y recomenzáis con más empeño. Quizá perderemos alguna batalla, pero ganaremos la guerra. Y, si somos sinceros, no se pierden ni las batallas perdidas. Al contrario, cada laña más, en nuestro barro, es como una condecoración. Por eso debemos tener la humildad de no esconderlas: los cacharros de cerámica arreglados con lañas tienen, a los ojos de Dios y a mis ojos, más gracia que los que están nuevos.

6a ¿Sabéis lo que acostumbro a hacer yo? Lo que un buen general: plantear la lucha en la vanguardia, lejos de la fortaleza, en pequeños frentes aquí y allá. Tengo una gran devoción a recibir la bendición de los demás sacerdotes, y hago con esas bendiciones como una muralla que me protege.

6b También yo he de luchar, y procuro hacerlo donde me conviene: lejos, en cosas que en sí no tienen demasiada importancia, que ni siquiera llegan a ser faltas si se dejan de cumplir. Cada uno debe sostener su pelea personal en el frente que le corresponde, pero con santa pillería.

6c Mientras estemos en la certeza de la fe completa de Cristo y luchemos, el Señor nos dará su gracia abundantemente y nos seguirá bendiciendo: con sufrimientos —que tiene que haber siempre, pero no los exageréis, porque de ordinario son pequeños—, con abundantes

---

6a *«lejos de la fortaleza»*: de nuevo, el consejo que se encuentra ya en *Camino* (n. 307): ver nota a 19.2b.

vocaciones en todo el mundo, y con el florecer de obras y labores apostólicas que exigen mucho trabajo y mucho espíritu de sacrificio. Sin contar lo más hermoso de nuestra tarea, que es aquello que hacen –cada uno por su cuenta, espontáneamente– mis hijos y mis hijas, cada uno en el lugar donde está. Porque, los hijos de Dios en su Opus Dei, son luz y fuego y, muchas veces, llamarada. Son algo que quema, son levadura que hace fermentar todo lo que tienen alrededor.

6d   No nos llenemos de orgullo o de arrogancia, aunque el contraste con otras pobres gentes sea tan evidente. Vamos a agradecer todo al Señor, sabiendo que nada de eso es nuestro. Dios nos lo da, porque quiere, y nos envía también su gracia: claro resplandor, para que luchemos. De modo que, en medio de nuestras miserias, imperfecciones y errores personales, no nos salgamos del camino, no rompamos nunca el vaso que el Espíritu Santo, con su misericordia, ha querido llenar de sabiduría y de bien.

6e   Para terminar, deseo que esto quede en vosotros bien fijo: una gran devoción al Espíritu Santo, «espíritu de sabiduría y de inteligencia, espíritu de consejo y de fortaleza, espíritu de ciencia y de piedad,... espíritu de temor de Dios»[11]. Y, con esa devoción, el convencimiento de que –si somos dóciles– seremos instrumentos suyos. No con la docilidad de una cosa inerte, sino con la docilidad de la cabeza y del raciocinio, que sabe sujetar a su hermana la sensibilidad para ponerla al servicio de Dios. Así, estos dos hermanos nuestros tendrán la misma herencia: ser hijos de Dios ya en la tierra, y gozar del Amor en el cielo. Nuestro corazón no será nunca un vaso quebrado, y el licor divino de la Sabiduría nos embriagará siempre en nuestra vida: «Porque a la luz sucede la noche, pero la maldad no triunfa de la Sabiduría»[12].

---

[11] *Isai*. XI, 2-3.
[12] *Sap*. VII, 30.

21. TIEMPO DE ACCIÓN DE GRACIAS
(25 de diciembre de 1972)

1. Contexto e historia

Este texto fue elaborado por san Josemaría tomando palabras suyas pronunciadas en diversos momentos de las Navidades de 1972. Como otros textos semejantes, salió en *Crónica y Noticias* de enero de 1973, sin fecha. Después, en *EdcS* se indicó la del 25 de diciembre de 1972, ya que desde el principio se presenta como si hubiera sido pronunciado ese día.

2. Fuentes y material previo

EdcS,185-198; *Cro1973*,6-19; *Not1973*,5-18; no hay material previo en su expediente (AGP, serie A.4, m721225), pero hemos podido localizar la procedencia de los diversos párrafos en varias tertulias de las Navidades de 1972 (transcripciones en AGP, serie A.4): dos del 24 de diciembre (t721224, una con varones y otra con mujeres de la Obra), y una del 27 de diciembre (t721227). También se conserva una filmación de la tertulia con varones del 24 de diciembre.

3. Contenido

En este texto, como en otros del mismo periodo de su vida, en los años posteriores al 1968, san Josemaría muestra su dolor ante la situación que atraviesa la Iglesia, agravada por la crisis de la sociedad en el plano religioso y moral. Para él, las dos crisis están unidas, porque piensa que quienes podrían y deberían contrarrestar el avance de la secularización descristianizadora no lo hacen. Con expresión dolida dice: «Las grandes luminarias, que debían irradiar luz, difunden tinieblas; los que tendrían que ser sal, para impedir la corrupción del mundo, se encuentran insípidos y, en ocasiones, públicamente podridos»[436].

Como siempre que denuncia esos males, san Josemaría invita a quienes le escuchan a mostrar a Dios un amor más grande. No se cansa de contemplar a Jesús recién nacido, en esa fiesta de Navidad, porque le remueve profundamente el misterio del Verbo Encarnado. Su piedad se vuelca en ternura y se llena de alegría y agradecimiento ante la Santa Humanidad de Cristo. La aparente debilidad del Niño Jesús le espolea a corresponder personalmente al amor de Dios, siendo corredentores. Habla de entronizar a Cristo en la propia vida y ponerle «no sólo dentro de nuestro corazón y de nuestras acciones, sino –con el deseo y con la labor apostólica– en lo más alto de todas las actividades de los hombres»[437].

Critica a quienes predican «una liberación que no es la de Cristo»[438], que no puede traer la paz, e imaginan una Iglesia antropocéntrica, reducida a «una institución de fines temporales»[439].

Habla mucho de humildad en este gran día en que puede contemplarse el abajamiento de Dios, que yace en un pesebre. Su concepto de esta virtud es neto: «Ser humildes no es ir sucios, ni abandonados; ni mostrarnos indiferentes ante todo lo que pasa a nuestro alrededor, en una continua dejación de derechos. Mucho menos es ir pregonando cosas tontas contra uno mismo»[440]. Es naturalidad, o como decía santa Teresa de Jesús, «la humildad es la verdad».

Recuerda que esta virtud lleva a trabajar sin esperar recompensas humanas, procurando pasar inadvertidos, para que sólo Dios pueda agradecerlo. Si hay frutos, aconseja dar gracias a Dios, evitando la vanagloria. «Que estemos siempre en una continua acción de gracias a Dios, por todo: por lo que parece bueno y por lo que parece malo, por lo dulce y por lo amargo, por lo blanco y por lo negro, por lo pequeño y por lo grande, por lo poco y por lo mucho, por lo que es temporal y por lo que tiene alcance eterno»[441]. Compara la humildad con la sal, que da sabor a todo. La soberbia, en

---

[436] 21.4a.

[437] 21.2e.

[438] 21.2a.

[439] 21.2c.

[440] 21.4b.

[441] 21.5c.

cambio, amarga la existencia, la llena de infelicidad. Ser agradecidos con Dios lleva a renovar la lucha, humildemente, dejándole obrar a Él, siendo instrumentos suyos.

Unos meses después de "Tiempo de reparar", quiere titular este texto "Tiempo de acción de gracias", pues por encima de las realidades negativas que tanto le hacían sufrir, ve la bondad de Dios que derrama sus dones sin cesar. De ahí su insistencia en mirar siempre a Dios con esperanza, pues hasta los errores pueden convertirse en ocasión de recomenzar y de ser mejores, si hay humildad y olvido de sí.

4. *Texto y notas*

TIEMPO DE ACCIÓN DE GRACIAS

1a　«Hoy os ha nacido en la ciudad de David el Salvador, que es el Cristo, el Señor»[1]. Hijas e hijos míos, en esta fiesta de la Navidad de nuevo nos hemos puesto delante de Jesús Niño, animados por María, Madre suya y Madre nuestra, y en compañía del glorioso San José, a quien tanto quiero. Si consideramos los siglos que han pasado desde que Él quiso tomar nuestra carne, hemos de llenarnos de vergüenza porque son muchos los que no conocen todavía a Cristo y aun desprecian sus mandatos. Y esto no sólo en tierras lejanas, sino en las pocas naciones que se llaman cristianas, y en la misma Iglesia de Cristo, católica, romana.

1b　Pero no es la Navidad un día de tristeza. «No tenéis que temer», dijo el Ángel a los pastores, «pues vengo a daros una nueva de grandísimo gozo para todo el pueblo»[2]. Estas maravillosas fiestas del Señor y de nuestra Madre Santa María, siempre Virgen, constituyen para nosotros una alegría muy grande. Deberían serlo también para todos los cristianos, pero ahora, por desgracia, en muchos lugares parecen unas fiestas paganas. Es el resultado de una propaganda masiva para descristianizar la sociedad. Hemos de fomentar, hijos, la paciencia, para no perder la paz; y, a la vez, la impaciencia de pedir al Señor que ponga remedio a todos estos

---

[1] *Luc.* II, 11.

[2] *Luc.* II, 10.

1a　Hoy os ha nacido *Cro1973*,6] Hoy nos ha nacido *EdcS*,185.

1b　con más serenidad, *Cro1973*,7] con más serenidad; *EdcS*,186.

males. Por eso comenzaremos y acabaremos nuestra oración como siempre: con más serenidad, con más optimismo, con una sonrisa nueva en los labios, con una alegría renovada en el corazón y con un propósito firme de ser cada día más santos.

2a   Sin embargo, hijas e hijos míos, nos duele mucho ver cómo dentro de la Iglesia se promueven campañas tremendas contra la justicia, que llevan necesariamente a exasperar la falta de paz en la sociedad, porque no hay paz en las conciencias. Se engaña a las almas. Se les habla de una liberación que no es la de Cristo. Las enseñanzas de Jesús, su Sermón de la Montaña, esas bienaventuranzas que son un poema del amor divino, se ignoran. Sólo se busca una felicidad terrena, que no es posible alcanzar en este mundo.

2b   El alma, hijos, ha sido creada para la eternidad. Aquí estamos sólo de paso. No os hagáis ilusiones: el dolor será un compañero inseparable de viaje. Quien se empeñe únicamente en no sufrir, fracasará; y quizá no obtenga otro resultado que agudizar la amargura propia y la ajena. A nadie le gusta que la gente sufra, y es un deber de caridad esforzarse lo posible por aliviar los males del prójimo. Pero el cristiano ha de tener también el atrevimiento de afirmar que el dolor es una fuente de bendiciones, de bien, de fortaleza; que es prueba del amor de Dios; que es fuego, que nos purifica y prepara para la felicidad eterna. ¿No es ésa la señal que, para encontrar a Jesús, nos ha indicado el Ángel?: «Sírvaos de seña, que hallaréis al niño envuelto en pañales y reclinado en un pesebre»[3].

---

[3] *Luc.* II, 12.

2a   «*Se les habla de una liberación que no es la de Cristo*»: es posible que se esté refiriendo a las teorías de la "teología de la liberación", que dan a esta palabra un tono político, inspirado en la oposición entre las clases sociales y en la violencia (ver notas a 2c), y a las que se referirán años después las Instrucciones de la Congregación para la Doctrina de la Fe, *Libertatis nuntius* (6-VIII-1984) y *Libertatis conscientia* (22-III-1986).

2c   Cuando se acepta el sufrimiento como el Señor en Belén y en la
      Cruz, y se comprende que es una manifestación de la bondad de
      Dios, de su Voluntad salvadora y soberana, entonces ni siquiera es
      una cruz, o en todo caso es la Cruz de Cristo, que no es pesada por-
      que la lleva Él mismo. «Quien no carga con su cruz y me sigue, no
      es digno de mí»[4]. Pero hoy se olvidan estas palabras, y son «muchos
      los que andan por la tierra, como os decía muchas veces (y aun ahora
      lo repito con lágrimas), que se portan como enemigos de la Cruz
      de Cristo»[5], organizando campañas horrendas contra su Persona, su
      doctrina y sus Sacramentos. Son muchos los que desean cambiar
      la razón de ser de la Iglesia, reduciéndola a una institución de fines
      temporales, antropocéntrica, con el hombre como soberbio pinácu-
      lo de todas las cosas.

2d   La Navidad nos recuerda que el Señor es el principio y el fin y
      el centro de la creación: «En el principio era el Verbo, y el Verbo
      estaba en Dios, y el Verbo era Dios»[6]. Es Cristo, hijas e hijos
      míos, el que atrae a todas las criaturas: «Por Él fueron creadas to-
      das las cosas, y sin Él no se ha hecho cosa alguna, de cuantas han
      sido hechas»[7]. Y al encarnarse, viniendo a vivir entre nosotros[8],
      nos ha demostrado que no estamos en la vida para buscar una

---

[4] *Matth.* X, 38.

[5] *Philip.* III, 18.

[6] *Ioann.* I, 1.

[7] *Ioann.* I, 3.

[8] Cfr. *Ioann.* I, 14.

2c   «*Cuando se acepta el sufrimiento...*»: quiere subrayar el valor redentor del sufrimiento,
      desde el momento en que Cristo ha asumido el dolor, introducido en la historia por el
      pecado, dando así a toda la vida, también al dolor, un sentido de amor y de salvación.

      «*institución de fines temporales, antropocéntrica*»: es lo que, con otras palabras, el beato
      Pablo VI enseña en su exhortación apostólica *Evangelii Nuntiandi* (1975), al decir
      que «la Iglesia perdería su significación más profunda» si redujera su misión a «un
      proyecto puramente temporal» y sus objetivos siguieran «una perspectiva antropo-
      céntrica» (n. 32). En esa exhortación, el Papa clarificaba cuestiones como el sentido
      espiritual de la liberación cristiana, el carácter sobrenatural de la misión de la Iglesia,
      el rechazo de la violencia...

felicidad temporal, pasajera. Estamos para alcanzar la bienaventuranza eterna, siguiendo sus pisadas. Y esto sólo lo lograremos aprendiendo de Él.

2e   La Iglesia ha sido siempre teocéntrica. Su misión es conseguir que todas las cosas creadas tiendan a Dios como fin, por medio de Jesucristo, «cabeza del cuerpo de la Iglesia..., para que en todo tenga Él la primacía; pues plugo al Padre poner en Él la plenitud de todo ser, y reconciliar por Él todas las cosas consigo, restableciendo la paz entre cielo y tierra, por medio de la sangre que derramó en la cruz»[9]. Vamos a entronizarle, no sólo dentro de nuestro corazón y de nuestras acciones, sino –con el deseo y con la labor apostólica– en lo más alto de todas las actividades de los hombres.

3a   ¿No os conmueve contemplar a Jesucristo recién nacido, inerme, necesitado de nuestra protección y ayuda? ¿No os dais cuenta de que está implorando que le queramos? Estos pensamientos no son ilusiones bobas, sino prueba de que amamos a Jesucristo con todo el corazón, y de que le agradecemos que haya decidido tomar nuestra carne, asumirla. Dios no se ha vestido de hombre: se ha encarnado. «*Perfectus Deus, perfectus Homo!*»[10].

3b   A la cabecera de mi cama, hace muchos años, quise poner unas baldosas con esta leyenda: *Iesus Christus, Deus Homo*: Jesucristo, Dios y Hombre. Porque me remueve saber que tiene un cuerpo, ahora glorioso, pero de carne como la nuestra. Que el Señor ha padecido todas las miserias y dolores humanos, menos el pecado[11]. Que pasó hambre y sintió sed; que conoció el calor, como en un mediodía junto al pozo de Sicar, y sufrió el frío, en esta noche de Belén. Todo eso, a vosotros y a mí, nos ha enamorado, moviéndonos a dejar todas las cosas, «*relictis*

---

[9] *Colos.* I, 18-20.

[10] *Symb. Athan.*

[11] Cfr. *Hebr.* IV, 15.

2e   «*en lo más alto de todas las actividades de los hombres*»: hay en estas palabras un eco de la experiencia espiritual del 6-VIII-1931, ver nota a 5.5d.

omnibus»[12] como los Apóstoles, y «*festinantes*»[13] –presurosos– como los pastores. Hay que emprender el camino, hijas e hijos míos, e imitar a este Jesús Nuestro que se ha entregado, y está todavía entregándose cotidianamente en el altar, perpetuando el Sacrificio divino del Calvario.

3c   Jesucristo, «como siempre permanece, posee eternamente el sacerdocio»[14]. Su mediación sacerdotal se actualiza a través de los sacerdotes, que somos en el altar *ipse Christus*. Al celebrar la Santa Misa yo no presido ninguna asamblea, sino que, *in persona Christi*, renuevo el Sacrificio de la Cruz.

3d   ¿Qué hemos de aprender de Jesucristo en el portal de Belén, donde nació desamparado? ¿Qué debemos considerar de ese otro portal, que es el Tabernáculo, donde Él nos espera más indefenso todavía? ¿No os duele que lo arrinconen, que le vuelvan –físicamente

---

[12] *Luc.* V, 11.
[13] *Luc.* II, 16.
[14] *Hebr.* VII, 24.

3c   [14]*Hebr.* VII, 24.] [14]*Hebr.* VII, 14. *Cro1973*,10 *EdcS*,189.

«*no presido ninguna asamblea*»: ante las erróneas interpretaciones que se estaban difundiendo, san Josemaría quiere resaltar que la Misa, en cuanto acción litúrgica, es ante todo acción del mismo Cristo, que se sirve de la Iglesia para realizar el culto y la santificación admirables de la Eucaristía. Particularmente se sirve del sacerdote, que actúa *in persona Christi* y no se limita a presidir una actividad asamblearia. Cuando usa el término "asamblea", de antigua raigambre católica, destaca que el que preside es Cristo, como puede observarse en este pasaje de la homilía "Amar al mundo apasionadamente": «Dentro de unos instantes, sobre este ara, va a renovarse la obra de nuestra Redención. Fe, para saborear el Credo y experimentar, en torno a este altar y en esta Asamblea, la presencia de Cristo, que nos hace *cor unum et anima una*, un solo corazón y una sola alma; y nos convierte en familia, en Iglesia» (*Conversaciones*, n. 123). En el presente texto san Josemaría quiere salir al paso de la reducción de la idea de "asamblea" al solo aspecto horizontal y de banquete fraterno, ignorando la dimensión sacrificial. La asamblea litúrgica no es una reunión cualquiera, sino «la comunidad de los bautizados» (*Catecismo de la Iglesia Católica*, n. 1141) jerárquicamente presidida por el ministerio representativo de Cristo, Cabeza de la Iglesia.

3d   considerar de ese otro *Cro1973*,10] considerar en ese otro *EdcS*,189.

«*ha querido contar con vosotros y conmigo para corredimir*»: ver nota a 5.4a.

también– la espalda, que le desprecien, que lo maltraten? Pues, mirad, hijas e hijos, os repetiré lo que ya os he recordado en otras ocasiones, lo que durante siglos han vivido los cristianos: Jesucristo, Señor Nuestro, ha querido contar con vosotros y conmigo para corredimir; se quiere valer de vuestra inteligencia y de vuestro corazón, de vuestra palabra y de vuestros brazos. Cristo, inerme, nos trae a la memoria que la Redención también depende de nosotros.

4a   «Vamos hasta Belén, y veamos este suceso prodigioso que acaba de suceder, y que el Señor nos ha anunciado»[15]. Hemos llegado, hijos, en un momento bueno, porque –ésta de ahora– es una noche muy mala para las almas. Una noche en la que las grandes luminarias, que debían irradiar luz, difunden tinieblas; los que tendrían que ser sal, para impedir la corrupción del mundo, se encuentran insípidos y, en ocasiones, públicamente podridos.

4b   No es posible considerar estas calamidades sin pasar un mal rato. Pero estoy seguro, hijas e hijos de mi alma, de que con la ayuda de Dios sabremos sacar abundante provecho y paz fecunda. Porque insistiremos en la oración y en la penitencia. Porque afianzaremos la seguridad de que todo se arreglará. Porque alimentaremos el propósito de corresponder fielmente, con la docilidad de los buenos instrumentos. Porque aprenderemos, de esta Navidad, a no alejarnos del camino que el Señor nos marca en Belén: el de la humildad verdadera, sin caricatura. Ser humildes no es ir sucios, ni abandonados; ni mostrarnos indiferentes ante todo lo que pasa a nuestro alrededor, en una continua dejación de derechos. Mucho menos es ir pregonando cosas tontas contra uno mismo. No puede haber humildad donde hay comedia e hipocresía, porque la humildad es la verdad.

4c   Sin nuestro consentimiento, sin nuestra voluntad, Dios Nuestro Señor, a pesar de su bondad sin límites, no podrá santificarnos

---

[15] *Luc.* II, 15.

4b   «*insistiremos en la oración y en la penitencia…*»: aquí, como en otras ocasiones, al hablar de situaciones desviadas, lleva el discurso hacia la conversión personal.

ni salvarnos. Más aún: sin Él, no cumpliremos tampoco nada de provecho. Lo mismo que se asegura que un campo produce esto, y que aquellas tierras producen lo otro; de un alma se puede afirmar que es santa, y de otra que ha realizado tantas obras buenas. Aunque en verdad «nadie es bueno sino sólo Dios»[16]: Él es quien hace fértil el campo, quien da a la semilla la posibilidad de multiplicarse, y a una estaca, que parece seca, confiere el poder de echar raíces. Él es quien ha bendecido la naturaleza humana con su gracia, permitiéndole así que pueda comportarse cristianamente, vivir de modo que seamos felices luchando en la espera de la vida futura, que es la felicidad y el amor para siempre. Humildad, hijos, es saber que «ni el que planta es algo, ni el que riega, sino Dios, que es el que da el crecimiento»[17].

4d   ¿Qué nos enseña el Señor de todo, el dueño del universo? En estos días de Navidad, los villancicos de todos los países, tengan o no mucho abolengo cristiano, cantan al *Rey de reyes que ha venido ya.* Y ¿qué manifestaciones tiene su realeza? ¡Un pesebre! No tiene ni siquiera esos detalles con los que, con tanto amor, rodeamos a Jesús Niño en nuestros oratorios. En Belén nuestro Creador carece de todo: ¡tanta es su humildad!

4e   Lo mismo que se condimentan con sal los alimentos, para que no sean insípidos, en la vida nuestra hemos de poner siempre la humildad. Hijas e hijos míos –no es mía la comparación: la han usado los autores espirituales desde hace más de cuatro siglos–, no vayáis a hacer como esas gallinas que, apenas ponen un solo huevo, atronan cacareando por toda la casa. Hay que trabajar, hay que desempeñar la labor intelectual o manual, y siempre apostólica, con grandes intenciones y grandes deseos –que el Señor transforma en realidades– de servir a Dios y pasar inadvertidos.

4f   Hijos, así vamos aprendiendo de Jesús, nuestro Maestro, a contemplarlo recién nacido en los brazos de su Madre, bajo la mirada protectora de José. Un varón tan de Dios, que fue escogido por el Señor

---

[16] *Luc.* XVIII, 19.
[17] I *Cor.* III, 7.

para que le hiciera de padre en la tierra. Con su mirada, con su trabajo, con sus brazos, con su esfuerzo, con sus medios humanos, defiende la vida del Recién Nacido.

4g   Vosotros y yo, en estos momentos en que están crucificando a Jesucristo de nuevo tantas veces, en estas circunstancias en que parece que están perdiendo la fe los viejos pueblos cristianos, desde el vértice hasta la base, como dicen algunos; vosotros y yo hemos de poner mucho empeño en parecernos a José en su humildad y también en su eficacia. ¿No os llena de gozo pensar que podemos *como proteger* a Nuestro Señor, a Nuestro Dios?

5a   Estoy seguro de que algunas veces el Espíritu Santo, como prenda del premio que os reserva por vuestra lealtad, os concederá ver que estáis rindiendo un buen fruto. Decid entonces: Señor, sí, es cierto: Tú has conseguido que, a pesar de mis miserias, haya crecido el fruto en medio de tanto desierto: gracias a Ti, *Deo gratias!*

5b   Pero, en otros momentos, quizá sea el demonio –que no se toma nunca vacaciones– el que os tiente, para que os atribuyáis unos méritos que no son vuestros. Cuando percibáis que los pensamientos y deseos, las palabras y acciones, el trabajo, se llenan de una complacencia vana, de un orgullo necio, habéis de responder al demonio: sí, tengo fruto, *Deo gratias!*

5c   Por eso, este año especialmente es tiempo de acción de gracias, y así lo he señalado a mis hijas y a mis hijos, con unas palabras tomadas de la liturgia: «*Ut in gratiarum semper actione maneamus!*»[18]. Que estemos siempre en una continua acción de gracias a Dios, por todo: por lo que parece bueno y por lo que parece malo, por lo dulce y por lo amargo, por lo blanco y por lo negro, por lo pequeño y por

---

[18] *Dom. infra oct. Ascens., Postcom.*

4g «*los viejos pueblos cristianos*»: se duele del impacto que entonces –como ahora– estaba teniendo la "secularización" de signo laicista en los países de tradición cristiana. La erosión de ese patrimonio religioso e incluso –en el caso de Europa– la negativa a reconocer sus propias raíces cristianas era una preocupación de otro gran santo contemporáneo: Juan Pablo II.

lo grande, por lo poco y por lo mucho, por lo que es temporal y por lo que tiene alcance eterno. Demos gracias a Nuestro Señor por cuanto ha sucedido este año, y también en cierto modo por nuestras infidelidades, porque las hemos reconocido y nos han llevado a pedirle perdón, y a concretar el propósito –que traerá mucho bien para nuestras almas– de no ser nunca más infieles.

5d   No hemos de abrigar otro deseo que el de estar pendientes de Dios, en constante alabanza y gloria a su nombre, ayudándole en su divina labor de Redención. Entonces, todo nuestro afán será enseñar a conocer a Jesucristo, y por Él, al Padre y al Espíritu Santo; sabiendo que llegamos hasta Jesús por medio de María, y del trato con San José y con nuestros Santos Ángeles Custodios.

5e   Como os he escrito hace ya tantos años, incluso el fruto malo, las ramas secas, las hojas caídas, cuando se entierran al pie del tronco, pueden vigorizar el árbol del que se desprendieron. ¿Por qué nuestros errores y equivocaciones, en una palabra, nuestros pecados –que no los deseamos, que los abominamos– nos han podido hacer bien? Porque luego ha venido la contrición, nos hemos llenado de vergüenza y de deseos de ser mejores, colaborando con la gracia del Señor. Por la humildad, lo que era muerte se convierte en vida; lo que iba a producir esterilidad y fracaso, se vuelve triunfo y abundancia de frutos.

5f   Todos los días, en el ofertorio de la Misa, cuando ofrezco la Hostia Santa pongo en la patena a todas las hijas y a los hijos míos que están enfermos o atribulados. También añado las preocupaciones falsas, las que a veces os buscáis vosotros mismos porque os da la gana; para que al menos el Señor os quite de la cabeza esas bobadas.

5g   «En cuanto los Ángeles desaparecieron por el cielo, los pastores... marcharon a toda prisa y hallaron a María y a José y al Niño

---

5e   «*Como os he escrito hace ya tantos años*»: se está refiriendo a *Camino*, n. 211: «Entierra con la penitencia, en el hoyo profundo que abra tu humildad, tus negligencias, ofensas y pecados. –Así entierra el labrador, al pie del árbol que los produjo, frutos podridos, ramillas secas y hojas caducas. –Y lo que era estéril, mejor, lo que era perjudicial, contribuye eficazmente a una nueva fecundidad. / Aprende a sacar, de las caídas, impulso: de la muerte, vida».

reclinado en el pesebre»[19]. Cuando nos acercamos al Hijo de Dios, nos convencemos que somos unos pigmeos al lado de un gigante. Nos sentimos pequeñísimos, humillados, y a la vez repletos de amor a Dios Nuestro Señor que, siendo tan grande, tan inmenso e infinito, nos ha convertido en hijos suyos. Y nos movemos a darle gracias, ahora, este año, y durante la vida entera y la eternidad. ¡Qué hermosamente suenan con el canto gregoriano las estrofas del prefacio! *«Vere dignum et iustum est, æquum et salutare, nos tibi semper, et ubique gratias agere!»*[20]. Nosotros somos pequeños, pequeños; y Él es nuestro Padre omnipotente y eterno.

6a No olvidéis, hijas e hijos míos, que la humildad es una virtud tan importante que, si faltara, no habría ninguna otra. En la vida interior –vuelvo a deciros– es como la sal, que condimenta todos los alimentos. Pues aunque un acto parezca virtuoso, no lo será si es consecuencia de la soberbia, de la vanidad, de la tontería; si lo hacemos pensando en nosotros mismos, anteponiéndonos al servicio de Dios, al bien de las almas, a la gloria del Padre, del Hijo y del Espíritu Santo.

6b Cuando la atención se vuelve sobre nuestro yo, cuando damos vueltas a si nos van a alabar o nos van a criticar, nos causamos un mal muy grande. Sólo Dios nos tiene que interesar; y, por Él, todos los que pertenecemos al Opus Dei, y todas las almas del mundo sin excepción. De modo que ¡fuera el yo!: estorba.

6c Si obráis así, hijas e hijos, ¡cuántos inconvenientes desaparecerán!, ¡cuántos malos ratos nos evitaremos! Si alguna vez lo pasáis mal, y os dais cuenta de que el alma se llena de inquietud, es que estáis pendientes de vosotros mismos. El Señor vino a redimir, a salvar, y no

---

[19] *Luc.* II, 15 y 16.

[20] *Ordo Missæ, præf.*

6a «*si faltara, no habría ninguna otra*»: la idea está tomada de *El coloquio de los perros*, una de las novelas ejemplares de Miguel de Cervantes. Allí, uno de los personajes caninos afirma que «la humildad es la basa y fundamento de todas virtudes, y que sin ella no hay alguna que lo sea» (fol. 246v, ed. de Florencio SEVILLA ARROYO, Alicante, Biblioteca Virtual Miguel de Cervantes, 2001).

se preocupó más que de eso. Y nosotros, ¿vamos a estar preocupados de fomentar la soberbia?

6d Si tú, mi hijo, te centras en ti mismo, no sólo tomas un mal camino, sino que, además, perderás la felicidad cristiana en esta vida; ese gozo y esa alegría que no son completos, porque sólo en el cielo la felicidad será plena.

6e Leía en un viejo libro espiritual, que los árboles con las ramas muy altas y erguidas son los infructuosos. En cambio, aquellos con las ramas bajas, caídas, están llenos de fruto macizo, de pulpa sabrosa; y cuanto más cerca del suelo, más abundante es el fruto. Hijos, pedid la humildad, que es una virtud tan preciosa. ¿Por qué somos tan tontos? Siempre convencidos de que lo nuestro es lo mejor, siempre seguros de que tenemos razón. Como embebe el agua el terrón de azúcar, así se mete en el alma la vanidad y el orgullo. Si queréis ser felices, sed humildes; rechazad las insinuaciones mentirosas del demonio, cuando os sugiere que sois admirables. Vosotros y yo hemos comprendido que, desgraciadamente, somos muy poquita cosa; pero, contando con Dios Nuestro Señor, es otro cantar. A Él se lo debemos todo. Renovemos el agradecimiento: *ut in gratiarum semper actione maneamus!*

6f La acción de gracias, hijas e hijos míos, nace de un orgullo santo, que no destruye la humildad ni llena el alma de soberbia, porque se fundamenta sólo en el poder de Dios, y está hecho de amor, de

---

6e *«un viejo libro espiritual»*: se refiere al *Tercer abecedario espiritual*, de Francisco de Osuna, un clásico de la espiritualidad española, que san Josemaría conocía bien y tenía en su biblioteca de trabajo (cfr. Jesús GIL SÁENZ, *op. cit.,* p. 309). Allí se lee: «El verdadero humilde recibe por cargo todos los dones y gracias que el Señor le da (...) no anda en altivez sobre sí, antes se abaja y encorva hasta la tierra, de la cual toma nombre, haciendo a manera de árbol, que mientras más fruta tiene más se abaja. Y es también de notar que no abaja el árbol tanto la fruta vana y gusanienta como la maciza que está de dentro llena, porque ésta pesa más y lo atrae a la tierra, y no hace tanto ruido; conforme a lo cual se ha de tomar una muy cierta señal para distinguir los dones que da Dios de los que finge el demonio, ca como los de nuestro Señor sean maravillosos, llenos de verdad y de gran peso y quilate», Tratado XIX, cap. 2; Francisco DE OSUNA, *Tercer abecedario espiritual de Francisco de Osuna*, Madrid, BAC, 1998. Ver nota a 7a.

seguridad en la lucha. Ahora que comienza el año, y se renuevan los propósitos de caminar «*in novitate vitæ*»[21], con una vida nueva, podemos dar ya gracias al Señor por todo lo que vendrá; por todo y, especialmente, por lo que nos seguirá causando dolor.

6g ¿Cómo se trabaja la piedra que ha de colocarse en la fachada del edificio, coronando el arco? Necesita un tratamiento distinto de aquella otra que ha de ponerse en los fundamentos. La tienen que labrar bien, con muchos golpes de cincel, hasta que quede hermosamente acabada. Por tanto, hijos, debemos agradecer a Dios todas las contradicciones personales, todas las humillaciones, todo lo que la gente llama malo y no es verdad que lo sea. Para un hijo de Dios, será una prueba del amor divino que nos quiere quizá poner bien a la vista, y nos esculpe con golpes seguros y certeros. Nosotros hemos de colaborar con Él, por lo menos no oponiendo resistencia, *dejándole hacer*.

6h De ahí se deduce que la mayor parte de nuestra labor espiritual es rebajar nuestro yo, para que el Señor añada con su gracia lo que desee. Mientras dure el tiempo de nuestra vida, mucho o poco, no nos quejaremos de Nuestro Padre Dios, aun cuando nos sintamos como al borde de un abismo de inmundicia, o de vanidad, o de necedad. Por eso insisto tanto en la humildad personal. Es una virtud hermosa para las hijas y los hijos de Dios en el Opus Dei.

6i El que es humilde no lo sabe, y se cree soberbio. Y el que es soberbio, vanidoso, necio, se considera algo excelente. Tiene poco arreglo, mientras no se desmorone y se vea en el suelo, y aun allí puede continuar con aires de grandeza. También por eso necesitamos la dirección espiritual; desde lejos contemplan bien lo que somos: como mucho, piedras para emplearlas abajo, en los cimientos; no la que irá en la clave del arco.

---

[21] *Rom.* VI, 4.

6h   de vanidad, *Cro1973*,17] de vanidad *EdcS*,197.

7a   Espero que, en estas Navidades, todas mis hijas y mis hijos se confir-
     marán en la decisión de ser más humildes. Os conozco, y me parece
     oír ya vuestra alegría al admitir sinceramente que no procuráis los
     frutos que debierais rendir. Porque os dispondréis a acercaros, aver-
     gonzados de verdad, hasta el portal de Belén, y pediréis perdón al
     Niño por vosotros y por mí, y por tantas gentes que son ahora como
     la higuera estéril, cargados de hojas, de apariencia. Y si el Señor os
     permite ver que desea servirse de vosotros, que se está sirviendo ya
     ahora, o desde hace años, e incluso desde hace mucho tiempo: *in
     gratiarum semper actione maneamus!* Romped en acción de gracias
     a Dios Nuestro Señor, porque nos ha buscado como instrumentos.
     Pero dadle gracias sinceramente, porque si no, no se pasa de ser un
     árbol frondoso, abarrotado de hojas y quizá de frutos, pero vanos,
     vacíos, sin peso, porque no doblegan las ramas. Los frutos maduros,
     rebosantes de pulpa carnosa, dulce y grata al paladar, consiguen ba-
     jar las ramas al árbol con humildad.

7b   Con acciones de gracias y el propósito de ser más humildes, acer-
     quémonos a Belén y al Sagrario. Jesús nos espera. Decidle palabras
     de afecto. Contadle vuestras debilidades –yo le cuento las mías– y
     también, sin cacarear, algunas veces reconozcamos que sí, que he-
     mos llevado a cabo este trabajo y el otro, que nos hemos esforzado
     con mucha alegría y con su gracia, que Él nos manda a través de las
     manos de su Santísima Madre, también Madre nuestra, porque sin
     su ayuda no hacemos nada.

7c   Ésta es la disposición mínima para quienes trabajan con almas. El
     instrumento no se queda nunca con los frutos. Si hay algo sabroso
     en la vida nuestra, si hay algo que agrada al Señor, si hay algo que
     logra que otras almas se salven y que nosotros recorramos un cami-
     no de amor, todo eso se lo debemos a Dios, a este Señor que quiso
     hacerse Niño.

7a   «*Los frutos maduros, rebosantes de pulpa carnosa...*»: continúa desarrollando la idea
     tomada del *Tercer abecedario espiritual*, que hemos recordado en 6e (ver nota corres-
     pondiente). La misma humildad que lleva a dar gracias a Dios cuando se advierten
     los frutos de la lucha personal, impulsa también a solicitar el perdón divino cuando
     se perciben los propios fallos.

7d   Unas palabras más para terminar: ¡que sigáis rezando mucho por la Iglesia! Que améis con toda el alma a la Iglesia y al Papa. Que os unáis cada vez más fuertemente a las intenciones de mi Misa, para que todos, en unión con María, bajo el patrocinio paternal de San José, vivamos en una continua acción de gracias a la Trinidad Santísima, Padre, Hijo y Espíritu Santo.

22. LA ALEGRÍA DE SERVIR A DIOS
(25 de diciembre de 1973)

1. Contexto e historia

También este texto es fruto de una reelaboración de san Josemaría, a partir de lo que había dicho en dos tertulias de las Navidades de 1973. Apareció fechado el 25 de diciembre de 1973 en *Crónica* y *Noticias* del mes de enero siguiente.

2. Fuentes y material previo

EdcS,199-209; *Cro1974*,4-13; *Not1974*,3-12. Los párrafos que se integraron en el texto provienen de tertulias de las Navidades de 1973, concretamente de los días 24 y 31 de diciembre (AGP, serie A.4, t731224 y t731231).

3. Contenido

El tema principal de esta meditación –como otras que hemos visto en este volumen– es la oración y la vida contemplativa, aunque su título se refiere a la alegría, de la que trata en la parte final. En medio de ese gozo, es patente el sufrimiento de san Josemaría, a causa de la situación de la Iglesia. A pesar de todo, su fe y su esperanza le permiten transmitir un mensaje alegre y optimista, porque tiene la certeza de que «el Señor al final tendrá misericordia de su Iglesia»[442], que «Jesucristo no puede fracasar»[443], y que «la humanidad no se puede perder»[444].

---

[442] 22.6a.

[443] 22.5a.

[444] 22.5a.

San Josemaría encuentra esa seguridad en el trato con Cristo, mediante la oración y la vida contemplativa. De su amor a la Humanidad de Cristo pasa al trato filial con Dios y a la unión con la Santísima Trinidad, después de haber *transitado* por la *trinidad de la tierra,* Jesús, María y José.

Hay una reflexión de san Josemaría sobre el misterio de la Navidad, que nos parece especialmente significativa. Cuando era niño, había puesto el Belén o Nacimiento en su casa paterna, disponiendo los elementos que tradicionalmente se utilizan en tantos hogares: montañas de corcho, praderas de musgo, figuritas de barro, caminos de serrín...[445]. Ese recuerdo de familia le llevaba a formular este pensamiento: hemos de «construir con el corazón un Belén para nuestro Dios. (...) Con mayor ilusión, pues, que en nuestros años de infancia, habremos preparado el portal de Belén en la intimidad de nuestra alma»[446].

El Autor invita a acoger a Cristo, que ha querido vivir entre los hombres y que llama a nuestra puerta. La oración contemplativa le permite parangonar nuestra existencia a las escenas de un Belén, con sus ingenuas representaciones del trabajo y de la vida humana. Y en medio de ese escenario –el Belén de nuestra vida– Dios ha querido nacer: esta consideración le llenaba de amor y de agradecimiento.

En las Navidades de 1973, cuando nota claramente el peso de los años, declara que su corazón está sediento de Dios, de ver el rostro de Cristo. Insiste en que es necesario enamorarse de su Humanidad Santísima –*perfectus Deus, perfectus Homo*–, meditando el Evangelio con asiduidad y metiéndose en sus escenas con la imaginación. Desvela cómo da rienda suelta a sus afectos durante la celebración de la Santa Misa, e invita a no sujetar el corazón en esos momentos, dejándole que protagonice las «locuras de amor a lo divino»[447] que tanto bien hacen al alma.

La alegría de la que habla el título es el fruto de la oración, de la entrega humilde y del agradecimiento a Dios por sus dones. Enseña que esa entrega implica no abandonar la lucha interior, recomenzando después de cada tropiezo y dejándose ayudar.

---

[445] Leemos en *Camino,* n. 557: «Devoción de Navidad. –No me sonrío cuando te veo componer las montañas de corcho del Nacimiento y colocar las ingenuas figuras de barro alrededor del Portal. –Nunca me has parecido más hombre que ahora, que pareces un niño». Según ha documentado Pedro Rodríguez, se trata de un recuerdo autobiográfico: vid. *Camino,* ed. crít.-hist., *in loc.*

[446] 22.1b.

[447] 22.4b.

LA ALEGRÍA DE SERVIR A DIOS

1a «Hoy brillará una luz sobre nosotros: porque nos ha nacido el Señor; y se llamará Admirable Consejero, Dios fuerte, Príncipe de la Paz, Padre sempiterno»[1].

1b Nos hemos preparado, hijas e hijos queridísimos, para la solemnidad de este día, tratando de construir con el corazón un Belén para nuestro Dios. ¿Os acordáis de cuando erais pequeños? ¡Con qué ilusión sabíamos preparar el Nacimiento, con sus montañas de corcho, sus casas minúsculas, y todas esas figurillas alrededor del pesebre donde Dios quiso nacer! Sé bien que, cuanto más tiempo pasa, por aquello de que el Opus Dei es para cristianos adultos que por amor de Dios se saben hacer niños, mis hijas y mis hijos van siendo cada día más pequeños. Con mayor ilusión, pues, que en nuestros años de infancia, habremos preparado el portal de Belén en la intimidad de nuestra alma.

2a «*Dies sanctificatus illuxit nobis;* nos ha amanecido un día santo: venid, gentes, y adorad al Señor; porque hoy ha descendido una Luz grande sobre la tierra»[2]. Querríamos que le trataran muy bien en todos los rincones, que le recibieran con cariño en el mundo entero. Y habremos procurado cubrir el silencio indiferente de los que no le conocen o no le aman, entonando villancicos, esas canciones

---

[1] *Isai.* IX, 2 y 6.

[2] *In III Missa Nativ. (Allel.).*

1b «*construir con el corazón un Belén para nuestro Dios*»: sobre el significado de esta expresión ver la introducción a la presente meditación.

populares que cantan pequeños y grandes en todos los países de vieja tradición cristiana. ¿Os habéis fijado que siempre hablan de ir a ver, a contemplar, al Niño Dios? Como los pastores, aquella noche venturosa: «Vinieron a toda prisa, y hallaron a María y a José y al Niño reclinado en el pesebre»[3].

2b Es razonable. Los que se quieren, procuran verse. Los enamorados sólo tienen ojos para su amor. ¿No es lógico que sea así? El corazón humano siente esos imperativos. Mentiría si negase que me mueve tanto el afán de contemplar la faz de Jesucristo. «*Vultum tuum, Domine, requiram*»[4], buscaré, Señor, tu rostro. Me ilusiona cerrar los ojos, y pensar que llegará el momento, cuando Dios quiera, en que podré verle, no «como en un espejo, y bajo imágenes oscuras... sino cara a cara»[5]. Sí, hijos, «mi corazón está sediento de Dios, del Dios vivo. ¿Cuándo vendré y veré la faz de Dios?»[6].

2c Hijas e hijos de mi alma: verle, contemplarlo, conversar con Él. Lo podemos realizar ya ahora, lo estamos tratando de vivir, es parte de nuestra existencia. Cuando definimos como contemplativa la vocación a la Obra es porque procuramos ver a Dios en todas las cosas de la tierra: en las personas, en los sucesos, en lo que es grande y en lo que parece pequeño, en lo que nos agrada y en lo que se considera doloroso. Hijos, renovad el propósito de vivir siempre en presencia de Dios; pero cada uno a su modo. Yo no debo dictaros vuestra oración; puedo, con un tanto de desvergüenza, enseñaros algo de cómo trato a Jesucristo.

---

[3] *Luc.* II, 16.
[4] Cfr. *Ps.* XXVI, 8.
[5] I *Cor.* XIII, 12.
[6] Cfr. *Ps.* XLI, 3.

2b del Dios vivo. ¿Cuándo...] del Dios vivo, ¿Cuándo *Cro1974*,5 | del Dios vivo: ¿cuándo *EdcS*,200 |||| [4]Cfr. *Ps.* XXVI, 8.] *Ps.* XXVI, 8. *EdcS*,200.

2c «*verle, contemplarlo, conversar con Él. Lo podemos realizar ya ahora*»: una vez más, san Josemaría propone la contemplación en la vida cotidiana como un ideal al alcance de todos, bajo la acción del Espíritu Santo.

2d   Hablo ahora, hijos queridísimos, con un poco de orgullo: ¡soy el más viejo del Opus Dei! Por eso necesito que pidáis por mí, que me ayudéis especialmente en estos días en que el Niño Dios escucha a todas mis hijas y mis hijos, que son niños, almas recias, fuertes, con pasiones –como yo– que saben dominar con la gracia del Señor. Pedid por mí: para que sea fiel, para que sea bueno, para que sepa amarle y hacerle amar.

3a   «Por el misterio de la Encarnación del Verbo, en los ojos de nuestra alma ha brillado la luz nueva de tu resplandor: para que, contemplando a Dios visiblemente, seamos por Él arrebatados al amor de las cosas invisibles»[7]. Que todos le contemplemos con amor. En mi tierra se dice a veces: ¡mira cómo le contempla! Y se trata de una madre que tiene a su hijo en brazos, de un novio que mira a su novia, de la mujer que vela al marido; de un afecto humano noble y limpio. Pues vamos a contemplarle así; reviviendo la venida del Salvador. Y comenzaremos por su Madre, siempre Virgen, limpísima, sintiendo necesidad de alabarla y de repetirle que la queremos, porque nunca como ahora se han difundido tantos despropósitos y tantos horrores contra la Madre de Dios, por quienes deberían defenderla y bendecirla.

3b   La Iglesia es pura, limpia, sin mancha; es la Esposa de Cristo. Pero hay algunos que, en su nombre, escandalizan al pueblo; y han engañado a muchos que, en otras circunstancias, habrían sido fieles. Ese Niño desamparado os echa los brazos al cuello, para que lo apretéis contra el corazón, y le ofrezcáis el propósito firme de reparar, con serenidad, con fortaleza, con alegría.

3c   No os lo he ocultado. Se han venido atacando, en estos últimos diez años, todos los Sacramentos, uno por uno. De modo particular, el Sacramento de la Penitencia. De manera más malvada, el Santísimo Sacramento del Altar, el Sacrificio de la Misa. El corazón de

---

[7] *Præf. Nativ.*

3a   «*Pues vamos a contemplarle así*»: la contemplación es, para san Josemaría, un "mirar", una oración sin palabras que se realiza «reviviendo la venida del Salvador», no solo como un recuerdo del pasado, sino como una realidad actual.

cada uno de vosotros debe vibrar y, con esa sacudida de la sangre, desagraviar al Señor como sabríais consolar a vuestra madre, a una persona a la que quisierais con ternura. «Que nada os inquiete; mas en todo, con oración y súplicas, acompañadas de acciones de gracias, presentad al Señor vuestras peticiones. Y la paz de Dios, que sobrepuja a todo entendimiento, guarde vuestros corazones y vuestras inteligencias en Jesucristo nuestro Señor»[8].

3d   Habiendo comenzado a alabar y a desagraviar a Santa María, enseguida manifestaremos al Patriarca San José cuánto le amamos. Yo le llamo mi Padre y Señor, y le quiero mucho, mucho. También vosotros tenéis que amarle mucho; si no, no seríais buenos hijos míos. Fue un hombre joven, limpísimo, lleno de reciedumbre, que Dios mismo escogió como custodio suyo y de su Madre.

3e   De este modo nos metemos en el Portal de Belén: con José, con María, con Jesús. «Entonces palpitará tu corazón y se ensanchará»[9]. En la intimidad de ese trato familiar, me dirijo a San José y me cuelgo de su brazo poderoso, fuerte, de trabajador. Tiene el atractivo de lo limpio, de lo recto, de lo que –siendo muy humano– está divinizado. Asido de su brazo, le pido que me lleve a su Esposa Santísima, sin mancha, Santa María. Porque es mi Madre, y tengo derecho. Y ya está. Luego, los dos me llevan a Jesús.

3f   Hijas e hijos míos, todo esto no es una comedia. Es lo que hacemos tantas veces en la vida, cuando comenzamos a tratar a una familia. Es el modo humano, llevado a lo divino, de conocer y meterse dentro del hogar de Nazaret.

4a   Padre, me diréis, pero usted recibe sacramentalmente al Señor todos los días; cada mañana lo trae sobre el altar entre sus manos. Sí, hijos

---

[8] *Philip.* IV, 6-7.

[9] *Isai.* LX, 5.

4a   *trinidad* de la tierra *EdcS*,203] trinidad de la tierra *Cro1974*,8.

  «*no tengo inconveniente en abriros el corazón*»: es uno de los pocos textos en que san Josemaría desvela sus pensamientos durante la Santa Misa, que vivía como verdadero «centro y raíz de la vida interior» (cfr. *AVP* III, p. 507; *Es Cristo que pasa*, n. 102).

míos: estas manos mías manchadas son cotidianamente un trono para Dios. ¿Qué le digo entonces? Al calor del trato con la *trinidad de la tierra*, Jesús, María y José, no tengo inconveniente en abriros el corazón. En esos momentos, invoco a mi Arcángel ministerial y a mi Ángel custodio, y les digo: sed testigos de cómo quiero alabar a mi Dios. Y, con el deseo, pongo la frente en tierra y adoro a Jesucristo. Le repito que le amo, y después me lleno de vergüenza, porque ¿cómo puedo asegurar que le quiero, si tantas veces le he ofendido? La reacción entonces no es pensar que miento, porque no es verdad. Continúo mi oración: Señor, te quiero desagraviar por lo que te he ofendido y por lo que te han ofendido todas las almas. Repararé con lo único que puedo ofrecerte: los méritos infinitos de tu Nacimiento, de tu Vida, de tu Pasión, de tu Muerte y de tu Resurrección gloriosa; los de tu Madre, los de San José, las virtudes de los Santos, y las debilidades de mis hijos y las mías, que reverberan de luz celestial –como joyas– cuando aborrecemos con todas las veras del alma el pecado mortal y el venial deliberado.

4b   Con el Señor Jesús ya en mi corazón, siento la necesidad de hacer un acto de fe explícita: creo, Señor, que eres Tú; creo que real y verdaderamente estás presente, oculto bajo las especies sacramentales, con tu Cuerpo, con tu Sangre, con tu Alma y con tu Divinidad. Y vienen enseguida las acciones de gracias. Hijas e hijos de mi alma: al tratar a Jesús no tengáis vergüenza, no sujetéis el afecto. El corazón es loco, y estas locuras de amor a lo divino hacen mucho bien, porque acaban en propósitos concretos de mejora, de reforma, de purificación, en la vida personal. Si no fuese así, no servirían para nada.

4c   Tenéis que enamoraros de la Humanidad Santísima de Jesucristo. Pero para llegar a la oración afectiva, conviene pasar primero por la meditación, leyendo el Evangelio u otro texto que os ayude a cerrar los

---

«invoco a mi Arcángel ministerial y a mi Ángel custodio»: sobre esta devoción, ver nota a 9.6b.

4c   *«conviene pasar primero por la meditación»*: el Autor está transmitiendo su propia experiencia, pero al mismo tiempo está enseñando lo que «la tradición viva de la oración» (*Catecismo de la Iglesia Católica*, n. 2663) ha atesorado gracias a tantos santos y maestros de espiritualidad, esa «pléyade de testigos», como la llama el *Catecismo de la Iglesia Católica*. Sobre este tema ver la introducción a la meditación n. 2.

ojos y, con la imaginación y el entendimiento, a meteros con los Apóstoles en la vida de Nuestro Señor. Sacaréis así mucho provecho. Puede ser que alguna vez os tome Él, y casi no os dé tiempo a terminar la oración preparatoria; luego, el diálogo o la contemplación viene sola. «Mientras está cubierta de sombras la tierra, y los pueblos yacen en las tinieblas, sobre ti amanece el Señor, y en ti resplandece su gloria»[10].

4d   Cuando os encontréis delante de nuestro Redentor, decidle: te adoro, Señor; te pido perdón; límpiame, purifícame, enciéndeme, enséñame a amar. Si no viviéramos así, ¿qué sería de nosotros? Hijos, estoy tratando de encaminaros por la senda que vosotros podéis seguir. No tiene por qué identificarse con la mía. Yo os doy un poquito de lumbre, para que cada uno prepare personalmente su lámpara[11] y la haga lucir en el servicio de Dios. Lo que os aconsejo –repito– es mucha lectura del Santo Evangelio, para conocer a Jesucristo –*perfectus Deus, perfectus Homo*[12]–, para tratarle y para enamorarse de su Humanidad Santísima, viviendo con Él como vivieron María y José, como los Apóstoles y las Santas Mujeres.

4e   «Una sola cosa pido al Señor, y ésta procuro: vivir en la casa de mi Dios todos los días de mi vida»[13]. ¿Qué pediremos entonces a Jesús? Que nos lleve al Padre. Él ha dicho: «Nadie viene al Padre sino por mí»[14]. Con el Padre y el Hijo, invocaremos al Espíritu Santo, y trataremos a la Trinidad Beatísima; y así, a través de Jesús, María y José, la *trinidad* de la tierra, cada uno encontrará su modo propio de acudir al Padre, al Hijo y al Espíritu Santo, la Trinidad del Cielo. Nos asentamos –con la gracia de Dios, y si queremos– en lo más alto del cielo y en la

---

[10] *Isai.* LX, 2.

[11] Cfr. *Matth.* XXV, 7.

[12] *Symb. Athan.*

[13] *Ps.* XXVI, 4.

[14] *Ioann.* XIV, 6.

4d   purifícame, enciéndeme, enséñame a amar. *Cro1974*,9] purifícame, enséñame a amar. *EdcS*,204.

4e   *trinidad* de la tierra, *EdcS*,205] trinidad de la tierra, *Cro1974*,10 ‖ del Cielo. *EdcS*,205] del cielo. *Cro1974*,10 ‖‖ [14]*Ioann.* XIV, 6.] [14]*Ioann.* XIV, 16. *EdcS*,205.

bajeza humilde del Pesebre, en la miseria y en la indigencia más grande. No esperéis, hijos, otra cosa en el Opus Dei: éste es el camino nuestro. Si el Señor os exalta, también os humillará; y las humillaciones, llevadas por amor, son sabrosas y dulces, son una bendición de Dios.

5a   Hemos procurado vivir este año que pasó, según aquel propósito: *ut in gratiarum semper actione maneamus!* Sin abandonar las acciones de gracias, os pido ahora, hijas e hijos míos: «*Servite Domino in lætitia!*»[15], que sirváis al Señor con alegría. «*Gaudete in Domino semper: iterum dico, gaudete*»[16]. Gozaos siempre en el Señor; otra vez os lo repito: ¡gozaos! A pesar de todos los errores personales; a pesar de las dificultades por las que atraviesa la sociedad civil, y más aún la sociedad eclesiástica; a pesar de las muchas barbaridades que ya conocemos, y que nos hacen sufrir tanto: estad alegres siempre, pero especialmente en estos tiempos. La humanidad no se puede perder, porque ha sido rescatada con la Sangre preciosa de nuestro Señor Jesucristo[17]. Él, hijos, no regatea ni una gota. Quizá haya ahora muchos que se pierdan, aunque podrían haberse salvado; pero todo se arreglará. Nuestro Dios es «el Padre de las misericordias, el Dios de toda consolación»[18], y «poderoso es para hacer infinitamente más que todo lo que nosotros pedimos o pensamos, según el poder que actúa ya en nosotros»[19]. Jesucristo no puede fracasar, no ha fracasado. La Redención se está llevando a cabo también ahora, su divino poder no se ha empequeñecido.

5b   *Gaudete in Domino semper...!* No os preocupéis, pase lo que pase en el mundo, suceda lo que suceda en la Iglesia. Pero sí ocupaos, haciendo todo el bien que podáis, defendiendo la hermosura y la realidad de nuestra fe católica, siempre alegres. Y ¿qué hemos de hacer para estar contentos? Os daré mi experiencia personal: primero, saber perdonar. Disculpar siempre, porque lo que quita la paz son

---

[15] *Ps.* XCIX, 2.

[16] *Philip.* IV, 4.

[17] Cfr. I *Petr.* I, 19.

[18] II *Cor.* I, 3.

[19] *Ephes.* III, 20.

pequeñeces de la soberbia. No pienses más en eso: perdona; lo que te han hecho, no es una injusticia: déjalo, olvídalo. Y después, aceptar la voluntad de Dios. Ver al Señor detrás de cada suceso. Con esta receta seréis felices, alegres, serenos.

6a   Hijas e hijos míos, os quiero muy felices, gozosos en la esperanza[20]. Porque sabemos que el Señor al final tendrá misericordia de su Iglesia. Pero si esta situación se prolonga, habremos de recurrir mucho a ese remedio del perdón que os acabo de dar; un remedio que no es mío, porque perdonar es algo completamente sobrenatural, un don divino. Los hombres no saben ser clementes. Nosotros perdonamos en tanto en cuanto participamos de la vida de Dios, por medio de la vida interior, de la vocación, de la llamada divina, a la que procuramos corresponder en la medida de lo posible.

6b   Ante las cosas tan tremendas que suceden, ¿qué hemos de hacer? ¿Enfadarnos? ¿Ponernos tristes? Hay que rezar, hijos. «*Oportet semper orare et non deficere*»[21]; hay que rezar continuamente, sin desfallecer. También cuando *hemos tocado el violón*, para que el Señor nos conceda su gracia, y volvamos al buen camino. Lo que no hay que hacer nunca es abandonar la lucha o nuestro puesto, porque hayamos tocado el violón o lo podamos tocar. Querría daros la fortaleza, que en último término nace de la humildad, de saber que estamos hechos —os lo diré con la frase gráfica de siempre— de barro de la tierra; o, para subrayarlo más, de una pasta muy frágil: de barro de botijo.

---

[20] Cfr. *Rom.* XII, 12.

[21] *Luc.* XVIII, 1.

6a   Cfr. *Rom.* XII, 12. *add.*

    «*gozosos en la esperanza*»: es una cita implícita de Rm 12, 12, por lo que hemos añadido esa referencia bíblica.

6b   deficere»[21];] deficere»[20]; *Cro1974*,12 | deficere»[20], *EdcS*,207.

    «*hemos tocado el violón*»: expresión coloquial que significa cometer una tontería, como dice más adelante; el DRAE (22.ª ed., 2001) la define así: «Hablar u obrar fuera de propósito, o confundir las ideas por distracción o embobamiento».

6c   Si procuráis tener ese trato divino y humano, de que os he hablado antes, con la *trinidad* de la tierra y con la Trinidad del Cielo, aun cuando alguna vez cometáis una tontería, y grande, sabréis poner el remedio con sinceridad, lealmente. Quizá después habrá que esperar a que se seque el lodo que se pegó a las alas, y emplear los medios –el pico, como los pájaros– hasta dejar de nuevo las plumas bien limpias. Y enseguida, con una experiencia que nos hace más decididos, más humildes, se recupera el vuelo con más alegría.

6d   Por lo tanto, hijos de mi alma, ¡a luchar!, ¡a estar contentos! «*Servite Domino in lætitia!*»[22], os vuelvo a encarecer. A pegar esta locura, a rezar por todo el mundo, a seguir con esta siembra de paz y de alegría, de amor mutuo, porque no queremos mal a nadie. Sabéis que es parte del espíritu del Opus Dei la prontitud para perdonar. Y os he recordado que, perdonando, también demostramos que tenemos un espíritu de Dios, porque la clemencia –repito– es una manifestación de la divinidad. Participando de la gracia del Señor, perdonamos a todos y les amamos. Pero también tenemos lengua, y hemos de hablar y escribir, cuando lo pide el honor de Dios y de su Iglesia, el bien de las almas.

6e   *Iterum dico, gaudete!* De nuevo os insisto: que estéis contentos y serenos, aunque el panorama que presenta el mundo, y especialmente la Iglesia, esté lleno de sombras y de miserias. Obrad con rectitud de mente y de conducta; cumplid al pie de la letra las indicaciones que la Obra maternalmente os da, pensando sólo en vuestra felicidad temporal y eterna; sed humildes y sinceros; recomenzad con nuevo ímpetu, si alguna vez dais un tropiezo. Entonces la alegría será un fruto –el más hermoso– de vuestra vida de hijos de Dios, aun en medio de las mayores contradicciones. Porque el gozo interior, fruto de la Cruz, es un don cristiano, y especialmente de los hijos de Dios en el Opus Dei.

---

[22]   *Ps.* XCIX, 2.

6c   *trinidad* de la tierra *EdcS*,208] trinidad de la tierra *Cro1974*,12 ‖ del Cielo *EdcS*,208] del cielo *Cro1974*,12.

6f   «Que el Dios de la esperanza os colme de toda suerte de gozo y de paz en vuestra fe, para que crezcáis siempre más y más en la esperanza, por la virtud del Espíritu Santo»[23].

---

[23] *Rom.* XV, 13.

23. UT VIDEAM!, UT VIDEAMUS!, UT VIDEANT!
(25 de diciembre de 1974)

1. Contexto e historia

Este breve texto proviene de una tertulia en Villa Tevere, el día de Navidad de 1974, poco antes de las once de la mañana. Junto a san Josemaría, estaban los que vivían en la casa, algunos alumnos del Colegio Romano de la Santa Cruz –que unos meses antes se había trasladado a su nueva sede, junto a la Vía Flaminia– y otras personas de los centros de la Obra en Roma.

San Josemaría comenzó refiriéndose a Florentino Pérez Embid[448], que había fallecido en Madrid dos días antes, el 23 de diciembre de 1974[449]. El fundador se encontraba cansado, porque había dormido mal las dos últimas noches. Explicó que la situación de la Iglesia le preocupaba mucho. Después continuó abriendo su alma, con las palabras que se reproducen aquí. Al terminar esa intervención, hubo algunas preguntas y respuestas más o menos breves.

Se ocupó de la tertulia un artículo de *Crónica* de enero de 1975, dedicado a las fiestas de Navidad en Roma. Después de intercalar algún breve texto de san Josemaría, se incluían sus palabras sin interrupciones o

---

[448] Florentino Pérez Embid había nacido en Huelva (España), el 12-VI-1918. Historiador, profesor y escritor, desempeñó también diversos cargos en la vida política y cultural española. Había pedido la admisión en el Opus Dei en 1943. Cfr. Antonio FONTÁN, (ed.), *Florentino Pérez-Embid: Homenaje a la amistad*, Barcelona, Planeta, 1977, p. 292.

[449] En *Cro1975*,250, dentro de un artículo en recuerdo de Florentino Pérez Embid, se incluyeron las siguientes palabras de san Josemaría en esa tertulia: «Le quería mucho. Era un escritor brillante que había publicado muchos libros y, sobre todo, era un buen hijo de Dios. Le vi por última vez en Madrid, cuando regresé de mi segundo viaje a América. Estaba muy bien preparado: yo pienso que estará en el Cielo. Pero rezad. Debemos rezar por todos, aunque tengamos la certeza de que están con Dios».

comentarios de la redacción, a una sola columna, con un amplio margen a la izquierda, destacándolas del resto. En medio se incluía una fotografía de san Josemaría, rodeado de miembros del Opus Dei.

Después, el texto volvió a aparecer en un artículo titulado "De Navidad a Pascua" dentro del volumen de *Noticias* y de *Crónica* de julio de 1975, donde se recogieron muchas intervenciones de san Josemaría de ese año. Había una foto en color, parecida a la que había salido en enero.

A pesar de ser parte de una tertulia, se consideró que el texto tenía una substantividad propia, a modo de breve meditación, y así se incluyó en el volumen para la causa de canonización, y después en *EdcS*, con el título que ahora lleva.

En *EdcS* se daba la siguiente explicación a pie de página: «El 25-XII-1974, su última Navidad en la tierra, nuestro Padre estuvo de tertulia con sus hijas y luego con sus hijos en Villa Tevere. Por aquellos días, como supimos después de su marcha al Cielo, nuestro Fundador había perdido en gran parte la visión, a consecuencia de unas cataratas en los ojos. Llevando al plano sobrenatural estas circunstancias, nos impulsó a unirnos a su oración incesante por la Iglesia y por las almas, rezando muchas veces como jaculatoria las palabras del ciego de Jericó que tanto había repetido en *los años de los barruntos*, cuando aún no sabía lo que el Señor quería de él».

La única referencia bíblica del texto la hemos añadido los editores.

2. Fuentes y material previo

EdcS,211-214; *Cro1975*,58-59; *Cro1975*,779-782; *Not1975*,720-722. En AGP, serie A.4, m741225, se conservan transcripciones mecanografiadas: A, B, C y D.

3. Contenido

Las palabras de san Josemaría ponen de manifiesto –una vez más, durante las Navidades– los motivos que le hacían sufrir en aquella época: «El mundo está muy revuelto y la Iglesia también. Quizá el mundo esté como está porque así se encuentra la Iglesia»[450], afirma. Descubre detrás de ello

---

[450] 23.1a.

la acción del demonio, que «existe y trabaja mucho»[451]. Son años de tensiones, y ante esa situación san Josemaría propone una neta respuesta de amor y fidelidad a Dios: «Nuestra vida ha de ser de Amor; nuestra protesta tiene que ser amar»[452]. Pide luces para ver cómo defender a Dios en todos los ámbitos del mundo.

De nuevo, la actitud que recomienda es luchar interiormente, sabiendo que ese combate pacífico sostiene a los demás, por la Comunión de los santos. Al mismo tiempo, exhorta a mantenerse firmes en la verdad: «Lo que es verdad, y lo era ayer, y lo era hace veinte siglos, ¡sigue siéndolo ahora! Lo que era falso no se puede convertir en verdad. Lo que era un vicio, no es una virtud»[453]. Recomienda también que, en medio de las lágrimas, prevalezca el amor a los demás y la alegría que se nutre de la conversación amorosa con Dios, que el espíritu contemplativo del Opus Dei enseña a mantener durante toda la jornada.

---

[451] 23.1h.

[452] 23.1d.

[453] 23.1j.

4. *Texto y notas*

[UT VIDEAM!, UT VIDEAMUS!, UT VIDEANT!]

1a   El mundo está muy revuelto y la Iglesia también. Quizá el mundo esté como está porque así se encuentra la Iglesia... Querría que en el centro de vuestro corazón, estuviera aquel grito del cieguecito del Evangelio[1], con el fin de que nos haga ver las cosas del mundo con certeza, con claridad. Para eso no tenéis más que obedecer en lo poco que se os manda, siguiendo las indicaciones que os dirigen los Directores.

1b   Decid muchas veces al Señor, buscando su presencia: *Domine, ut videam!* ¡Señor, haz que yo vea! *Ut videamus!*: que veamos las cosas claras en esta especie de revolución, que no lo es: es una cosa satánica... Queramos cada día más a la Iglesia, al Romano Pontífice –¡qué título más bonito el de Romano Pontífice!–, y amemos cada día más todo lo que Cristo Jesús nos enseñó en sus años de peregrinación sobre la tierra.

1c   Tened mucho amor a la Trinidad Beatísima. Tened un cariño constante a la Madre de Dios, invocándola muchas veces. Sólo así andaremos bien. No separéis a José de Jesús y de María, porque el Señor los unió de una manera maravillosa. Y luego, cada uno a su deber, cada uno a su trabajo, que es oración. Cada instante es oración. El trabajo, si lo realizamos con el orden debido, no nos quita el pensamiento de Dios: nos refuerza el deseo de hacerlo todo por Él, de vivir por Él, con Él, en Él.

---

[1]   Cfr. *Luc.* XVIII, 41.

1a   Cfr. *Luc.* XVIII, 41. *add.*

1c   Tened mucho amor *Cro1975*,58] Tened mucho cariño *Cro1975*,780 *EdcS*,212 ‖ Cada instante es oración. *Cro1975*,58] *Cro1975*,780 *EdcS*,212 *del.*

1d   Os diré lo de siempre, porque la verdad no tiene más que un camino: Dios está en nuestros corazones. Ha tomado posesión de nuestra alma en gracia, y allí lo podemos buscar; no sólo en el Tabernáculo, donde sabemos que se encuentra –vamos a hacer un acto de fe explícita– verdaderamente, con su Cuerpo, con su Sangre, con su Alma y con su Divinidad, el Hijo de María, el que trabajó en Nazaret y nació en Belén, el que murió en el Calvario, el que resucitó; el que vino a la tierra y padeció tanto por nuestro amor. ¿No os dice nada esto, hijos míos? ¡Amor! Nuestra vida ha de ser de Amor; nuestra protesta tiene que ser amar, responder con un acto de amor a todo lo que es desamor, falta de amor.

1e   El Señor va empujando la Obra. ¡Tantas vocaciones en todo el mundo! Espero este año muchas vocaciones en Italia, como en todos los sitios, pero eso depende en buena parte de vosotros y de mí, de que vivamos vida de fe, de que estemos constantemente en trato –lo acabo de decir– con Jesús, María y José.

1f   Hijos míos, os parece que estoy serio pero no es así. Estoy sólo un poquito cansado.

1g   A decir cada uno, por sí mismo y por los demás: *Domine, ut videam!* Señor, haz que yo vea; haz que vea con los ojos de mi alma, con los ojos de la fe, con los ojos de la obediencia, con la limpieza de mi vida. Que yo vea con mi inteligencia, para defender al Señor en todos los ámbitos del mundo, porque en todos hay una revuelta para echar a Cristo, incluso de su casa.

1h   El demonio existe y trabaja mucho. El demonio tiene un empeño particular en deshacer la Iglesia y robar nuestras almas, en apartarnos de nuestro camino divino, de cristianos que quieren vivir como cristianos. Vosotros y yo tenemos que luchar, hijos, todos los días. ¡Hasta el último día de nuestra vida tendremos que pelear! El que no lo haga, no solamente sentirá en lo hondo de su alma un grito que le recuerda que es un cobarde –*Domine, ut videam!, ut videamus!, ut videant!*; yo pido por todos, haced vosotros lo mismo–, sino que

---

1e   acabo de decir– *Cro1975*,59] acabo de señalar– *Cro1975*,780 *EdcS*,212.

1f   serio pero *Cro1975*,59] serio, pero *Cro1975*,780 *EdcS*,212

comprenderá también que se va a hacer desgraciado y va a hacer desgraciados a los demás. Tiene obligación de enviar a todos la ayuda de su buen espíritu; y si tiene mal espíritu, nos enviará sangre podrida, una sangre que no debería venir a nosotros.

1i   Padre, ¿usted ha llorado? Un poco, porque todos los hombres lloran alguna vez. No soy llorón, pero alguna vez, sí. No os avergoncéis de llorar: sólo las bestias no lloran. No os avergoncéis de querer: tenemos que querernos con todo nuestro corazón, poniendo entre nosotros el Corazón de Cristo y el Corazón Dulcísimo de Santa María. Y así no hay miedo. A quererse bien, a tratarse con afecto. ¡Que ninguno se encuentre solo!

1j   Hijos míos, amad a todos. Nosotros no queremos mal a nadie; pero lo que es verdad, y lo era ayer, y lo era hace veinte siglos, ¡sigue siéndolo ahora! Lo que era falso no se puede convertir en verdad. Lo que era un vicio, no es una virtud. Yo no puedo decir lo contrario. ¡Sigue siendo un vicio!

1k   Hijos míos, a pesar de este preludio, os tengo que repetir que estéis alegres. El Padre está muy contento, y quiere que sus hijas y sus hijos de todo el mundo estén muy contentos. Insisto: invocad en vuestro corazón, con un trato constante, a esa *trinidad* de la tierra, a Jesús, María y José, para que estemos cerca de los tres, y todas las cosas del mundo, y todos los engaños de Satanás los podamos vencer. De esta manera, cada uno de nosotros ayudará a todos los que forman parte de esta gran familia del Opus Dei, que es una familia que trabaja. El que no trabaje, que se dé cuenta de que no se comporta bien... Un trabajo que no es solamente humano —somos hombres, tiene que ser un trabajo humano—, sino sobrenatural, porque no nos falta nunca

---

1h   «*la ayuda de su buen espíritu*»: da por sobreentendida la realidad de la Comunión de los santos, y en concreto la aplica al Opus Dei: «Formamos una gran Comunión de los santos: nos están enviando a raudales la sangre arterial y llena de oxígeno, pura, limpia», tertulia en Buenos Aires, 26-VI-1974 (en *AVP* III, p. 706). La "sangre arterial" es la ayuda espiritual que se envía a los demás, cuando se lucha por ser fiel a Dios, mientras que la "sangre podrida", como aquí la llama, sería el fruto de la falta de lucha interior, que causa un daño a los otros.

la presencia de Dios, el trato con Dios, la conversación con Dios. Con San Pablo diremos que nuestra conversación está en los cielos.

11   De modo que, hijos míos, el Padre está contento. El Padre tiene corazón, y da gracias a Dios Nuestro Señor por habérselo concedido. De esta manera os puedo querer, y os quiero –sabedlo– con todo el corazón. Todos unidos a decir esa jaculatoria: *Domine, ut videam!*, que cada uno vea. *Ut videamus!*, que nos acordemos de pedir que los demás vean. *Ut videant!*, que pidamos esa luz divina para todas las almas sin excepción.

---

11   De esta manera *Cro1975*,61] De manera que *Cro1975*,782 *EdcS*,214.

24. LOS CAMINOS DE DIOS
(19 de marzo de 1975)

1. Contexto e historia

San Josemaría pronunció estas palabras en la sala de lectura de Cavabianca, la nueva sede del Colegio Romano de la Santa Cruz, a las afueras de Roma, en la fiesta de san José de 1975. Comentó a sus hijos que no venía a predicarles, sino a abrirles un poco su corazón, relatándoles algunos hechos relacionados con su vida y con la fundación del Opus Dei. Aunque en un cierto momento invitó a los demás a decir algo, nadie quiso interrumpirle. Más que una "tertulia", que presupone un diálogo, se podría considerar un rato de oración en voz alta, como reconoció en cierto momento: «No estoy haciendo comedia, queridos míos. El Padre está hablando con el Señor...»[454].

Esa mañana, había hablado en el oratorio de Pentecostés, y los temas que desarrolló fueron los mismos, aunque en Cavabianca lo hizo con más amplitud.

2. Fuentes y material previo

EdcS,215-224, *Cro1975*,357-362, *Cro1975*,800-806, *Not1975*,729-734.

En AGP se dispone de la copia carbón de una transcripción mecanografiada (AGP, serie A.4, m750319b-A) que sustancialmente coincide con *Cro1975*,357-362, salvo pequeñas correcciones de redacción. Hay un escrito fechado en 1980, que probablemente es el borrador de la versión reducida que se publicó en *Scripta Theologica*.

---

[454] 24.2h.

Se ha conservado la grabación magnetofónica, de calidad suficiente para entender las palabras de san Josemaría, aunque hay bastante ruido de ambiente. Solo algunas frases no se captan bien, debido quizá a que habla en voz baja, por lo íntimo de las cosas que cuenta, o por el cansancio que sentía, ya que, empezando la tertulia, mientras saludaba a los presentes, se le oye decir que había pasado una "noche de perros", es decir, que había dormido mal.

Una gran parte del texto apareció en *Crónica,* en el mes de abril de 1975, dentro de un artículo titulado "Como las miniaturas de un antiguo códice", en el que se incluían también otros textos suyos, concretamente la oración en voz alta del 27 de marzo de 1975 que editamos también en este libro[455].

Después de su muerte, en el número de julio de ese año, apareció una versión más amplia del mismo texto, que incorporaba algunos párrafos y cambiaba de lugar otros. Esta fue la que pasó a *EdcS*, con algún pequeño retoque.

En 1981 se publicó un texto más breve, bajo el título "De la mano de Dios", en ScrTh XIII/2-3 (1981), pp. 371-379, recogida también en AA.VV, *Mons. Josemaría Escrivá de Balaguer y el Opus Dei*, Eunsa, Pamplona, 1982. Después se editó en italiano con el título "Condotto per mano di Dio", en el *Informatore di Urio*, n. 73, Milano, marzo-giugno 1985, pp. 3-7. Más recientemente ha salido en José Antonio Loarte (ed.), *Por las sendas de la fe,* Ediciones Cristiandad, Madrid, 2013, pp. 143-153.

Como corresponde a las características de esta edición, el texto que proponemos es el resultado de la revisión crítica de las versiones mencionadas, con la ayuda de las fuentes que poseemos, en este caso muy especialmente, de la grabación magnetofónica.

La primera versión salió en vida de san Josemaría, por lo que –en caso de duda– la hemos preferido a las demás, cuando había diferencias, siempre pequeñas. Pongamos un ejemplo: en 24.1d se lee «y viendo tantas cosas», tanto en la versión de *Cro1975*,357 como de *Cro1975*,801, mientras que en *EdcS*,216 dice «y veía tantas cosas». En este caso, parece justificada una restauración del texto a su tenor literal en las dos versiones de *Crónica*, pues el gerundio utilizado por san Josemaría no es incorrecto y da un significado específico a su pensamiento. Además, en la grabación dice textualmente:

---

[455] Ver n. 25: "Consumados en la unidad".

«Viendo tanta cosa» (que san Josemaría transformó en plural, como hemos visto, pero sin tocar el gerundio).

Otro ejemplo. En el n. 24.4e se lee: «Desde ahora os digo a cada uno», mientras que en la segunda versión de *Crónica,* que apareció también en *Noticias* y en *EdcS,* se suprimió el «a cada uno», quizá para que no pareciera dirigido solamente a los varones. En la grabación magnetofónica se escucha también el «a cada uno».

Los añadidos de más entidad en la segunda versión, son párrafos que la primera había omitido, tal vez por tratarse de digresiones. Una se encuentra casi al final (24.5c-5f) cuando habla de José María Hernández Garnica, uno de los primeros miembros de la Obra.

La grabación magnetofónica ha permitido comprobar dos cosas. En primer lugar, los párrafos que ya estaban en la primera versión y que habían sido cambiados de sitio en la segunda, deben ir donde se encontraban en la primera. Así lo hemos hecho. Por otro lado, se ha verificado que los añadidos de la segunda versión provienen de la grabación.

Inexplicablemente, dos párrafos de la primera versión –que también se escuchan en la grabación– fueron suprimidos en la segunda y en *EdcS*; son los nn. 24.2e y 24.2h, que hemos recuperado en esta edición.

Por mencionar un último tipo de incidencias críticas, hemos adoptado algunas modificaciones que introdujo *EdcS,* como en 24.3a, donde se corregía el nombre de la parroquia de Madrid cuyo tañer de campanas, el 2 de octubre de 1928, quedó grabado en el corazón de san Josemaría: se llama Nuestra Señora de los Ángeles, no Santa María de los Ángeles, como aparecía en las dos versiones de *Crónica* y como, en efecto, se escucha –aunque confusamente– en la grabación.

La primera versión apareció en columna simple, con amplios márgenes, como se hacía en algunas ocasiones para destacar las palabras del fundador. Estaba interrumpido con comentarios de la redacción. Había fotografías de la tertulia y de las miniaturas de un libro de oraciones que le regalaron con motivo de sus cincuenta años de sacerdocio, y que habían preparado los alumnos del Colegio Romano en pergamino, con preciosa caligrafía y ornamentación, al estilo de los códices miniados del Medioevo.

La segunda versión del texto no tenía interrupciones e incluía, como hemos dicho, algunos párrafos más y la parte final de la tertulia, que no había aparecido en la primera versión. El título y las referencias bíblicas se pusieron en *EdcS.* En la nota de *EdcS* que introducía este texto se lee: «El

19-III-1975, en la sala de lectura de Cavabianca, nuestro Padre estuvo de tertulia con sus hijos del Colegio Romano de la Santa Cruz. Al llegar allí, comentó: *no vengo aquí a predicar, sino a abrir un poco mi corazón con vosotros. No lo hago casi nunca, y sé que –si algún día lo abro– Dios se servirá de eso para vuestro bien y para el mío.* Se recoge aquí la parte central de aquella tertulia, en la que nuestro Fundador, haciendo oración en voz alta, lleno de agradecimiento a Dios, recordó a grandes rasgos las etapas de su vida, en la que se manifiesta cómo el Señor le fue llevando por sus sendas para hacer el Opus Dei». La frase en cursiva es de la tertulia, pero no del principio, sino de algo más adelante, como diremos en su momento.

3. Contenido

San Josemaría va evocando su historia y la del Opus Dei, para dar gracias a Dios por tantos pasos providenciales de los que ha sido testigo. Se trata de un testimonio autobiográfico de gran valor.

4. Texto y notas

[LOS CAMINOS DE DIOS]

1a   Esta noche he pensado en tantas cosas de hace muchos años. Ciertamente digo siempre que soy joven, y es verdad: «*Ad Deum qui lætificat iuventutem meam!*»[1]. Soy joven con la juventud de Dios. Pero son muchos años. Se lo contaba esta mañana, en la oración, a vuestros hermanos del Consejo.

1b   El Señor me ha hecho ver cómo me ha llevado siempre de la mano. Tenía yo catorce o quince años cuando comencé a barruntar el Amor, a darme cuenta de que el corazón me pedía algo grande y que fuese amor. Vi con claridad que Dios quería algo, pero no sabía qué era. Por eso hablé con mi padre, diciéndole que quería ser sacerdote. Él no se esperaba esta salida. Fue la única vez –ya os lo he contado en otras ocasiones– que yo he visto lágrimas en sus ojos. Me respondió: mira, hijo mío, si no vas a ser un sacerdote santo, ¿por qué quieres serlo? Pero no me opondré a lo que deseas. Y me llevó a hablar con un amigo suyo, para que me orientara.

1c   Yo no sabía lo que Dios quería de mí, pero era –evidentemente– una elección. Ya vendría lo que fuera... De paso me daba cuenta de

---

[1] *Ps.* XLII, 4.

1b   «*me llevó a hablar con un amigo suyo*»: se trataba de don Antolín Oñate, abad de la ex-Colegiata de Logroño, hoy día Concatedral de la diócesis de Calahorra y La Calzada-Logroño, llamada *La Redonda*. «Don Antolín era una verdadera institución en la ciudad –escribe Toldrà– y en el mundo eclesiástico logroñés, hombre experimentado en saberes humanos y divinos, con gran influencia entre la feligresía, dotado de un carácter cordial y considerado como persona acogedora», Jaime TOLDRÀ PARÉS, *Josemaría Escrivá en Logroño (1915-1925)*, Rialp, Madrid, 2007, p. 130.

que no servía, y hacía esa letanía, que no es de falsa humildad, sino de conocimiento propio: no valgo nada, no tengo nada, no puedo nada, no soy nada, no sé nada... Lo he ido escribiendo para vosotros tantas veces; muchas cosas de éstas las tenéis impresas.

1d   En la oración, estaba leyendo Paco Vives uno de esos volúmenes de meditaciones que empleamos habitualmente y que, con una pequeña corrección de estilo, son maravillosos. Y yo daba gracias a Dios porque tenemos ese instrumento, y viendo tantas cosas. Veía el camino que hemos recorrido, el modo, y me pasmaba. Porque, efectivamente, una vez más se ha cumplido lo que dice la Escritura: lo que es necio, lo que no vale nada, lo que –se puede decir– casi ni siquiera existe..., todo eso lo coge el Señor y lo pone a su servicio. Así tomó a aquella criatura, como instrumento suyo. No tengo motivo alguno de soberbia.

1e   Dios me ha hecho pasar por todas las humillaciones, por aquello que me parecía una vergüenza, y que ahora veo que eran tantas virtudes de mis padres. Lo digo con alegría. El Señor tenía que prepararme; y como lo que había a mi alrededor era lo que más me dolía, por eso pegaba allí. Humillaciones de todo estilo, pero a la vez llevadas con señorío cristiano: lo veo ahora, y cada día con más claridad, con más agradecimiento al Señor, a mis padres, a mi hermana Carmen... De

---

1d   En la oración, estaba leyendo Paco Vives ... maravillosos. Y yo *Cro1975*,801 *EdcS*,216] Estaba leyendo en voz alta una de esas meditaciones, y yo *Cro1975*,357 || y viendo tantas cosas *Cro1975*,357 *Cro1975*,801] y veía tantas cosas *EdcS*,216.

«*Paco Vives*»: se refiere a Mons. Francisco Vives Unzué (1927-2016), que trabajó y vivió en Roma junto al fundador y a sus sucesores, como miembro del Consejo General del Opus Dei.

«*volúmenes de meditaciones*»: son los libros de que se habla en la *Introducción general*, § I, 4.4. Cada día tiene su propio texto, que está dividido en tres partes, de parecida longitud. Al leerlos, se deja un rato de silencio entre una y otra sección, para que cada cual medite por su cuenta. Esa mañana, en el oratorio de Pentecostés, san Josemaría comenzó a hacer su oración en voz alta, justo después de que se hubiera leído la primera parte (cfr. Diario del centro del Consejo General, 19-III-1975, en AGP, serie M.2.2, 431-3).

«*lo que dice la Escritura*»: cfr. 1 Cor 1, 27-28.

1e   De mi hermano Santiago ... Perdonadme si hablo de esto. *Cro1975*,801 *EdcS*,217 *add.*

mi hermano Santiago ya os he contado su historia, que también está relacionada con la Obra. Perdonadme si hablo de esto.

2a   ¿Y qué hace la gente, cuando quiere lograr algo? Pone los medios humanos. ¿Qué medios puse yo? No me porté bien. He sido hasta cobarde... Por eso, cuando os llamo cobardes, no os enfadéis: es que conozco el metal, el barro vuestro y el mío.

2b   Pasó el tiempo. Fui a buscar fortaleza en los barrios más pobres de Madrid. Horas y horas por todos los lados, todos los días, a pie de una parte a otra, entre pobres vergonzantes y pobres miserables, que no tenían nada de nada; entre niños con los mocos en la boca, sucios, pero niños, que quiere decir almas agradables a Dios. ¡Qué indignación siente mi alma de sacerdote, cuando dicen ahora que los niños no deben confesarse mientras son pequeños! ¡No es verdad! Tienen que hacer su confesión personal, auricular y secreta, como los demás. ¡Y qué bien, qué alegría! Fueron muchas horas en aquella labor, pero siento que no hayan sido más. Y en los hospitales, y en las casas donde había enfermos, si se pueden llamar casas a aquellos tugurios... Eran gente desamparada y enferma; algunos, con una enfermedad que entonces era incurable, la tuberculosis.

2c   De modo que fui a buscar los medios para hacer la Obra de Dios, en todos esos sitios. Mientras tanto, trabajaba y formaba a los primeros que tenía alrededor. Había una representación de casi todo: había universitarios, obreros, pequeños empresarios, artistas... Yo entonces no sabía que casi ninguno iba a perseverar; pero el Señor conocía que mi pobre corazón –flojo, cobarde– necesitaba esa compañía y esa fortaleza.

2d   Fueron unos años intensos, en los que el Opus Dei crecía para adentro sin darnos cuenta. Pero he querido deciros –algún día os lo contarán con más detalle, con documentos y papeles– que la fortaleza humana de la Obra han sido los enfermos de los hospitales

---

2d   *«algún día os lo contarán con más detalle»*: sobre esa actividad, ver Julio GONZÁLEZ-SIMANCAS LACASA, *San Josemaría entre los enfermos de Madrid (1927-1931)*, en SetD 2 (2008), pp. 147-203.

de Madrid: los más miserables; los que vivían en sus casas, perdida hasta la última esperanza humana; los más ignorantes de aquellas barriadas extremas.

2e No vengo aquí a predicar, sino a abrir un poco mi corazón con vosotros. No lo hago casi nunca, y sé que –si algún día lo abro– Dios se servirá de esto para vuestro bien y para el mío.

2f Éstas son las ambiciones del Opus Dei, los medios humanos que pusimos: enfermos incurables, pobres abandonados, niños sin familia y sin cultura, hogares sin fuego y sin calor y sin amor. Y formar a los primeros que venían, hablándoles con una seguridad completa de todo lo que se haría, como si ya estuviera hecho... ¡Y lo estáis haciendo ahora vosotros! Ciertamente hay mucho hecho, pero es poco.

2g Ahora, Señor, quiero darte gracias delante de estos hijos, porque hay material y formación suficiente para que no se tuerza el camino de la Obra, para que no se pierda el buen espíritu. Por aquí hemos andado esta mañana en la oración, dando gracias, y diciendo: Señor, casi cincuenta años de trabajo, y yo no he sabido hacer nada: todo lo has hecho Tú, a pesar de mí, a pesar de mi falta de virtud, a pesar de...

2h No estoy haciendo comedia, queridos míos. El Padre está hablando con el Señor... ¡Cuántas gracias hemos de darle, cuántas gracias!

2e No vengo aquí a predicar ... Dios se servirá de esto para vuestro bien y para el mío. *Cro1975*,358] *Cro1975*,800 *cam. EdcS*,218 *del.*

La frase aparece colocada en este lugar en la primera versión y allí se encuentra también según la grabación magnetofónica. En la segunda, se sacó de su sitio y se puso como parte de la introducción narrativa de la tertulia, es decir fuera del texto formateado a una sola columna. Quizá por pensar que no pertenecía al cuerpo del discurso de san Josemaría, fue omitida en *EdcS*.

2h No estoy haciendo comedia ... ¡Cuántas gracias hemos de darle, cuántas gracias! *Cro1975*,359] *Cro1975*,802 *EdcS*,218 *del.*

La segunda versión de *Crónica* y *EdcS* omitió esta frase que, además de encontrarse en la primera redacción, aprobada por san Josemaría, está en la transcripción m750319b-A y en la grabación magnetofónica.

3a   Y luego, Dios nos llevó por los caminos de nuestra vida interior, por los específicos. ¿Qué buscaba yo? *Cor Mariæ Dulcissimum, iter para tutum!* Buscaba el poder de la Madre de Dios, como un hijo pequeño, yendo por caminos de infancia. Y acudí a San José, mi Padre y mi Señor. Me interesaba verlo poderoso, poderosísimo, jefe de aquel gran clan divino, y a quien Dios mismo obedecía: «*Erat subditus illis!*»[2]. Y acudí a la intercesión de los Santos con simplicidad, en un latín morrocotudo pero piadoso: *Sancte Nicolaë, curam domus age!* Y a la devoción a los Santos Ángeles Custodios, porque fue un 2 de octubre cuando sonaban aquellas campanas de Nuestra Señora de los Ángeles, una parroquia madrileña junto a Cuatro Caminos... Yo estaba en un sitio que ha desaparecido casi por completo; lo mismo que aquellas campanas: sólo queda una, que ahora está colocada en Torreciudad. Acudí a los Santos Ángeles con confianza, con puerilidad; sin darme cuenta de que Dios me metía –vosotros no tenéis por qué imitarme, ¡viva la libertad!– por caminos de infancia espiritual.

3b   ¿Qué puede hacer una criatura, que debe cumplir una misión, si no tiene medios, ni edad, ni ciencia, ni virtudes, ni nada? Ir a su madre y a su padre, acudir a los que pueden algo, pedir ayuda a los amigos... Eso hice yo en la vida espiritual. Eso sí, a golpe de disciplina, llevando el compás. Pero no siempre: había temporadas en que no.

---

[2] *Luc.* II, 51.

3a   Nuestra Señora *EdcS*,219] Santa María *Cro1975*,359 *Cro1975*,802 ‖ Yo estaba en un sitio ... en Torreciudad. *Cro1975*,802-803 *EdcS*,219 *add.*

«*latín morrocotudo*»: es decir, poco académico; probablemente san Josemaría quería decir "macarrónico", vocablo parecido, que se refiere precisamente a un latín defectuoso, mientras que "morrocotudo" alude a algo grande o de una gran importancia o dificultad, un sentido que no parece tener aquí.

«*Yo estaba en un sitio que ha desaparecido casi por completo*»: se refiere al convento de los PP. Paúles, en la calle García de Paredes, de Madrid. Este edificio fue reestructurado tras la Guerra Civil, quedando en parte convertido en un hospital, aunque se mantiene una amplia residencia de los PP. Paúles que atienden la Basílica de la Milagrosa; ver *AVP* I, p. 290.

3c　　Hijos míos, os estoy contando un poquito de lo que ha sido mi oración de esta mañana. Es para llenarme de vergüenza y de agradecimiento, y de más amor. Todo lo hecho hasta ahora es mucho, pero es poco: en Europa, en Asia, en África, en América y en Oceanía. Todo es obra de Jesús, Señor nuestro. Todo lo ha hecho nuestro Padre del Cielo.

3d　　Si algunos que son gente mayor, gente hecha, gente culta, me oyeran hablar así dirían: ¡este hombre está loco! Pues sí, estoy loco. *Deo gratias!* Gracias a Nuestro Señor por esta locura de amor, que muchas veces no *siento*, hijos míos. Aun humanamente hablando, soy el hombre menos solo de la tierra; sé que en todos los sitios están rezando por mí, para que sea bueno y fiel. Y, sin embargo, a veces me siento tan solo... No han faltado nunca, oportunamente, de modo providencial y constante, los hermanos vuestros que –más que hijos míos– han sido para mí como padres, cuando he necesitado el consuelo y la fortaleza de un padre.

3e　　Hijos míos, toda nuestra fortaleza es prestada. ¡A luchar!, no os hagáis ilusiones. Si peleamos, todo saldrá. Tenéis por delante tanto camino recorrido, que ya no os podéis equivocar. Con lo que hemos hecho en el terreno teológico –una teología nueva, queridos míos, y de la buena– y en el terreno jurídico; con lo que hemos hecho con la gracia del Señor y de su Madre, con la providencia de nuestro Padre y Señor San José, con la ayuda de los Ángeles Custodios, ya no podéis equivocaros, a no ser que seáis unos malvados.

3f　　Vamos a dar gracias a Dios. Y ya sabéis que yo no soy necesario. No lo he sido nunca.

3g　　¡Hala!, no sé por qué estáis tan callados... Hablad vosotros.

4a　　Va resultando esta casa muy bonita, ¿verdad? Daos cuenta de que Dios, con su providencia, ha tenido detalles imponentes con nosotros: paternos y maternos. Al principio de la Obra pensé, y lo puse por escrito, que en el Opus Dei no habría mujeres ni de lejos.

3d　　así dirían *Cro1975*,360] así, dirían *Cro1975*,803 *EdcS*,219.

4a-d　　Va resultando una casa muy bonita, ¿verdad? ... significaba Dios y Audacia, para nosotros. *Cro1975*,803-804 *EdcS*,220-221 *add.*

Entonces puse los medios humanos lógicos para resolver el asunto de la administración de nuestros Centros. Fui buscando una especie de vocaciones que sirvieran... No se trataba de legos, porque no podían ser monjes; tenía que ser otra cosa. ¡Ay, Dios mío! Era salir de Málaga para entrar en Malagón. Era peor. Después buscamos unas cocineras, y tampoco. Entonces busqué un cocinero.

4b   Las obras corporativas salieron después. Las obras corporativas no son lo esencial en la Obra: lo esencial es que cada uno viva suelto donde sea, y se porte como un hijo de Dios a toda hora, y viva de Amor, y trabaje por Amor, y se sienta siempre sostenido con ese Amor, con esa fortaleza de Dios.

4c   Pues bien: era la primera comida que hacíamos en la primera Residencia, que no fue la primera obra corporativa. El primer plato fue un arroz *a la cubana*, que es arroz blanco con plátanos fritos. Estaba muy bueno. De pronto oí una voz, y pregunté: ¿quién está en la cocina? El cocinero, me respondieron. *Mamma mia!* Lo llamé, estuve muy amable con él, pero le dije que lo sentía mucho: le pagaría lo que fuera, y que se buscase otro sitio, porque no podíamos tener cocinero...

«Va resultando una casa muy bonita»: se refiere a Cavabianca, la nueva sede del Colegio Romano de la Santa Cruz, situada en las afueras de Roma, junto a la Vía Flaminia, en cuya construcción puso san Josemaría mucho empeño para que resultara acogedora.

4b   *«obras corporativas»*: también llamadas obras de apostolado corporativo, son iniciativas apostólicas, de naturaleza civil, no eclesiástica, promovidas por fieles laicos y respaldadas por el Opus Dei, que se hace responsable de su orientación cristiana. Tienen, en general, carácter educativo o asistencial y siempre una finalidad apostólica. Cfr. Ernst BURKHART, "Actividad del Opus Dei", en DSJEB, pp. 67-71.

4c   *«no podíamos tener cocinero»*: el suceso que narra debió de tener lugar a finales de octubre de 1934, cuando estaba comenzando –con muchas dificultades– la Academia-Residencia DYA, en la que por entonces vivía sólo un residente. De las palabras de san Josemaría, tanto las aquí transcritas como en la grabación, no se logra averiguar cuál fue el motivo. Debió de hablarle con mucha delicadeza porque el cocinero mismo se convenció de que aquel trabajo no era para él y fue al director, Fernández Vallespín, para decirle «que pensaba dejar la Residencia-Academia pues no le convenía dada la poca animación que en ella hay» (*Diario de Ferraz*, 1-XI-1934, p. 52, en AGP, serie A.2, 7-2-1). Ver *DYA*, p. 327.

4d   ¡Cuántas cosas sueltas! La primera labor corporativa fue la Academia que llamábamos DYA –Derecho y Arquitectura– porque se daban clases de esas dos materias; pero significaba Dios y Audacia, para nosotros. Hemos pasado por delante del edificio, hace poco tiempo, y el corazón me latía fuerte... ¡Cuántos sufrimientos! ¡Cuánta contradicción! ¡Cuánta charlatanería! ¡Cuántas mentirotas!... Allí llevé unos muebles de mi madre y otras cosas que me dio una amiga de familia, a la que llamaba Conchita *la gorda*. Algunas eran demasiado grandes; las partí y las llevé al asilo de Porta Cœli, donde trabajaba dirigiendo cariñosamente, afectuosamente, a los golfos que estaban allí recogidos. Una vez partidas, aquellas cosas quedaban como más humanas, y además teníamos doble de todo.

4e   Cada día, cuando me marchaba de casa de mi madre, venía mi hermano Santiago, metía las manos en mis bolsillos, y me preguntaba: ¿qué te llevas a tu nido? Y eso mismo hemos hecho después todos: traer a nuestro *nido* lo que podíamos, para servicio de Dios, para construir nuestro pequeño hogar en cada sitio. ¡Tantos hogares que son uno solo!, como somos muchos corazones y tenemos un solo

---

San Josemaría intentó después otras soluciones, pero sólo consiguió lo que buscaba –garantizar un ambiente de familia– cuando las mujeres de la Obra, ayudadas por la madre y la hermana de san Josemaría, se hicieron cargo de la administración doméstica de los centros del Opus Dei.

4d   Allí llevé unos muebles de mi madre y otras cosas ... aquellas cosas quedaban como más humanas, y además teníamos doble de todo. *Cro1975*,804 *EdcS*,221 *add.*

«*Conchita* la gorda»: se llamaba Concepción Ruiz de Guardia. Tanto ella como su madre se dirigían espiritualmente con san Josemaría, desde que le conocieron en 1932 o 1933, en la Iglesia de Santa Isabel. En 1934, Conchita le ayudó económicamente al conocer la labor de formación cristiana que realizaba con estudiantes universitarios. Ella misma recordaba, muchos años después, que le regaló una pulsera valiosa –recuerdo de su madre, que acababa de fallecer–, un damasco rojo para el oratorio y una mesa antigua (cfr. AGP, serie A.5, 240-2-9).

4e   *meus es tu!*»[3]. ¡No vaciléis nunca! *Cro1975*,361] *meus es tu!*»[3]. / ¡No vaciléis nunca! *Cro1975*,804 *EdcS*,222 || a cada uno *Cro1975*,361] *Cro1975*,804 *EdcS*,222 *del.* |||| [3]Cfr. *Isai.* XLIII, 1.] [3]*Isai.* XLIII, 1. *EdcS*,222.

«¡*No vaciléis nunca!*»: en la grabación se escucha textualmente «¡No-va-ci-lé-is!», deletreando las sílabas y alzando la voz. Durante el resto de la tertulia habla en un tono bajo e íntimo, quizá por el cansancio que sentía después de haber pasado una mala noche, como se escucha al principio de la grabación.

corazón, una sola mente, un solo querer, una sola voluntad, con esta obediencia bendita, llena de voluntariedad, de libertad. No quiero que nadie se sienta coaccionado; en todo caso, sólo por la coacción del amor, sólo por la coacción de saber que no acabamos de corresponder al amor que Jesús tiene con nosotros, cuando nos ha buscado. «*Ego redemi te, et vocavi te nomine tuo: meus es tu!*»[3]. ¡No vaciléis nunca! Desde ahora os digo a cada uno –y no conozco vuestros problemas personales, pero las almas tienen un paralelismo tremendo, aunque sean distintas– que tenéis vocación divina, que Cristo Jesús os ha llamado desde la eternidad. No sólo os ha señalado con el dedo, sino que os ha besado en la frente. Por eso, para mí, vuestra cabeza reluce como un lucero.

5a   También tiene su historia lo del lucero... Son esas grandes estrellas que parpadean por la noche, allá arriba, en la altura, en el cielo azulado y oscuro, como grandes diamantes de una claridad fabulosa. Así es de clara vuestra vocación: la de cada uno y la mía. Yo, que soy muy miserable y he ofendido mucho a Nuestro Señor, que no he sabido corresponder y he sido un cobarde, tengo que agradecer a Dios no haber dudado nunca de mi vocación, ni de la divinidad de mi vocación. Vosotros tampoco debéis dudar. Si no, no estaríais aquí. Agradecédselo al Señor.

5b   Cuando pasen los años, y yo haya ido a dar cuentas a Dios... «*Da mihi rationem villicationis tuæ*»[4], dame cuenta de tu administración... Era

---

[3] Cfr. *Isai*. XLIII, 1.

[4] Cfr. *Luc*. XVI, 2.

5a   «*lucero*»: probablemente está en relación con lo que anotó el 28 de diciembre de 1931, en sus *Apuntes íntimos* (nn. 516, 517 y 518), donde imaginaba una escena en la presencia de la Virgen: «Ella me besaría en la frente, quedándome, por señal de tal merced, un gran lucero encima de los ojos. Y, con esta nueva luz, vería a todos los hijos de Dios que serán hasta el fin del mundo, peleando las peleas del Señor, siempre vencedores con Él»; cfr. *AVP* I, p. 413.

5b   [4]Cfr. *Luc*. XVI, 2.] [4]*Luc*. XVI, 2. *EdcS*,223.

    «*cuando escribí*»: alude al n. 168 de *Camino*: «Me hizo gracia que hable usted de la 'cuenta' que le pedirá Nuestro Señor. No, para ustedes no será Juez –en el sentido austero de la palabra– sino simplemente Jesús». –Esta frase, escrita por un Obispo santo,

muy joven cuando escribí –y lo repetiré ahora, con paladeo de miel–
que Jesús no será mi Juez ni el vuestro: será Jesús, un Dios que perdona.

5c   Cavabianca es uno de tantos puntos de ignición como prenderéis
vosotros en el mundo. Lo veis nacer, contribuís trabajando como un
obrero más, tantas horas. Así hemos hecho siempre. Invoco en este
momento a Chiqui –hoy celebraba su santo– para que se asocie con
los demás que están en la Casa del Cielo; al Señor le gustará que le
tenga presente.

5d   En aquellos tiempos disponíamos de muy pocos muebles. Teníamos
ropa, que me habían dado unos grandes almacenes a crédito, para
pagarla cuando pudiera. Y no teníamos armarios para guardarla. En
el suelo habíamos puesto con mucho cuidado unos papeles de perió-
dico, y encima la ropa: cantidades inmensas. Entonces me parecían
inmensas; ahora me parecerían ridículas. Y encima, más papeles,
para resguardarla del polvo... ¡Han cambiado un poco las circunstancias, eh! Ahora podéis más, tenéis más medios.

5e   Pues me traje del Rectorado de Santa Isabel un acetre con agua bendita y un hisopo. Mi hermana Carmen me había hecho un roque-
te espléndido, con un encaje así de grande confeccionado por ella
misma con bolillos. También me traje de Santa Isabel una estola
y un ritual, y fui bendiciendo la casa vacía: con una solemnidad y
alegría, ¡con una seguridad!... Nuestra mayor ilusión era poner el
oratorio, cosa que ahora os parece tan fácil; ¿verdad, hijos míos? Y es

---

que ha consolado más de un corazón atribulado, bien puede consolar el tuyo». La
frase proviene de una carta de Santos Moro, obispo de Ávila. Cfr. *Camino*, ed. crít.-
hist., pp. 362-364; Constantino ÁNCHEL BALAGUER- Federico M. REQUENA MEANA,
"San Josemaría Escrivá de Balaguer y el obispo de Ávila, Mons. Santos Moro: Epistolario durante la Guerra Civil (enero de 1938 - marzo de 1939)", SetD 1 (2007),
pp. 287-325.

5c-f   Cavabianca *Cro1975*,362] Esta casa *Cro1975*,806 *EdcS*,223 ‖ Invoco en este momento a Chiqui ... Era un *niño bien*, como don Álvaro. *Cro1975*,806 *EdcS*,223-224 *add.*

«*Chiqui*»: José María Hernández Garnica (1913-1972), uno de los primeros miembros del Opus Dei que recibió la ordenación sacerdotal, y que trabajó mucho en
diversos países. Está abierta su causa de canonización. Al hablar de la colaboración en
los trabajos manuales de Cavabianca le viene a la memoria su figura, por la anécdota
que relata más abajo, en 5f.

fácil porque hemos logrado, desde hace muchos años, tener jurídica-
mente el derecho a poner oratorios semipúblicos con Nuestro Señor
reservado. Pero entonces no teníamos derecho a nada.

5f   Había que colocar una especie de baldaquino –lo hicimos de madera– con una tela arriba, porque la Iglesia ordena que se cubra
si vive gente encima del lugar donde está el Sagrario. Y el pobre
Chiqui llegó en buen momento. Yo, que no le conocía, le dije:
¡hombre, Chiqui, muy bien! Ten, coge este martillo y unos clavos,
y ¡hala!, a clavar allí arriba... Por ahí empezó. Era un *niño bien*,
como don Álvaro.

5g   Hijos míos, ya veis que hemos puesto medios divinos; medios que,
para la gente de la tierra, no son una cosa proporcionada. Yo lo veo
ahora; entonces no me daba cuenta de que era el Espíritu Santo el
que nos llevaba y nos traía. No estamos nunca solos: tenemos Maestro y Amigo.

5h   Bien, vamos a dar la bendición. Álvaro, ayúdame.

5h   Bien, vamos a dar la bendición. Álvaro, ayúdame. *Cro1975,806 EdcS,224 add.*

«Álvaro, ayúdame»: en esos últimos años de su vida era frecuente que pidiera a Álvaro
del Portillo que bendijera también a los presentes, al mismo tiempo que lo hacía él.
Antes de decir estas palabras habían interrumpido para rezar el Ángelus, que dirigió
el beato Álvaro.

25. CONSUMADOS EN LA UNIDAD
(27 de marzo de 1975)

1. Contexto e historia

El 27 de marzo de 1975, víspera de sus bodas de oro sacerdotales, san Josemaría hizo su oración en voz alta en el oratorio de Pentecostés. Era Jueves Santo. Delante del tabernáculo, un precioso sagrario que, años antes, había querido ofrecer a Jesús Sacramentado como una manifestación de amor y esplendidez, fue hablando pausadamente, a veces conmovido, dirigiéndose a Cristo.

2. Fuentes y material previo

EdcS,225-231; *Cro1975*,364-370; *Not1975*,399-405; *Cro1975*,809-813; *Not1975*,747-752. Se conservan cuatro transcripciones mecanografiadas en el expediente de AGP, serie A.4, m750327, con leves variaciones: A, B, C y D. Hay una grabación que permite entender las palabras de san Josemaría, a pesar del ruido de fondo. El fundador habla muy despacio, haciendo pausas, en un tono bajo e íntimo, haciendo su oración.

El texto apareció en *Crónica* y *Noticias* de abril de 1975 dentro del artículo titulado "Como las miniaturas de un antiguo códice", que ya hemos mencionado. Después volvió a colocarse íntegro –aunque con algún párrafo cambiado de lugar– en las dos revistas, en julio de 1975, dentro del otro largo artículo que se titulaba "De Navidad a Pascua", donde se recogían las palabras más significativas de sus últimos meses de vida. En 1976, Salvador Bernal lo reprodujo como epílogo de su semblanza sobre el fundador del Opus Dei[456], y a partir de ahí ha sido citado y reproducido otras veces[457].

---

[456] Salvador BERNAL, *Mons. Josemaría Escrivá de Balaguer: apuntes sobre la vida del Fundador del Opus Dei*, Madrid, Rialp, 1976.

[457] Últimamente en José Antonio LOARTE (ed.), *Por las sendas de la fe*, Ediciones Cristiandad, Madrid, 2013, pp. 155-162.

EdcS siguió la versión de julio de 1975, que había recolocado en su lugar algunos párrafos cambiados de sitio en abril de 1975. Seguimos aquí el orden de *EdcS*, aunque hemos devuelto el texto a su versión más antigua, corrigiendo algún pequeño detalle que se había cambiado en julio de 1975 y en *EdcS*. El título se añadió en *EdcS*.

El texto reproduce muy fielmente las palabras de san Josemaría que pueden escucharse en la grabación: los ajustes para adaptar el discurso oral al escrito se limitan al mínimo imprescindible.

Aun así, al haber dos versiones, existen algunas pequeñas cuestiones críticas que se han afrontado con los mismos criterios seguidos en otros textos de este volumen. Se ha dado preeminencia al texto aparecido en vida del fundador, salvo que, por circunstancias valoradas atentamente en sede crítica, se haya decidido aplicar un criterio diferente, o sea, que tenga en cuenta los datos aportados por otras fuentes, principalmente la grabación. Pongamos, como siempre, algunos ejemplos.

En 25,3e se lee «será divina si te tratamos mucho. Y te trataríamos aunque...», según la versión de *Cro1975,366*. En la redacción aparecida tras el fallecimiento de san Josemaría, esto es *Cro1975,811* y luego en *EdcS,228*, se añade otro "mucho" al final: «será divina si te tratamos mucho. Y te trataríamos mucho aunque...». Esta redundancia no está en las transcripciones, ni en la grabación, por lo que hemos preferido seguir el texto de *Cro1975,366*.

Los párrafos 25.3c-3d se encontraban cambiados de sitio en la versión que aprobó san Josemaría, mientras que en las dos posteriores se pusieron en el lugar que indican las transcripciones y la grabación. Por esa razón, hemos mantenido la lección propuesta por *EdcS* y la segunda versión de *Crónica* y *Noticias*.

3. Contenido

Este texto nos introduce de nuevo en la intimidad de un santo que abre su corazón ante Dios y ante un grupo de personas queridas, en la presencia de Jesús sacramentado. Como otras oraciones pronunciadas en voz alta que se recogen en estas páginas, las palabras de san Josemaría muestran toda la sencillez y la sinceridad de su diálogo con Dios y, al mismo tiempo, proporcionan un retrato de su alma.

El motivo es la celebración de su 50.º aniversario de ordenación sacerdotal. Quizá presiente también el final de su vida –ya próximo– y sus palabras tienen un tono de recapitulación y de profundo agradecimiento a Dios por los años pasados.

Los principales temas de su vida interior, a los que nos hemos referido en este volumen, están presentes aquí: la configuración con Cristo y su amor por el *perfectus Deus, perfectus homo*; el abandono filial en Dios; el recurso a la *trinidad de la tierra* y su especial cariño a la Virgen Santísima y a san José; la comunión íntima con la Santa Trinidad; la oración contemplativa que llena su jornada; la preocupación por la Iglesia y por el mundo contemporáneo, en una época de revoluciones y crisis; la *ascética del barro*, donde conjuga la contrición y la humildad con una confianza plena en la ayuda de Dios...

4. Texto y notas

[CONSUMADOS EN LA UNIDAD]

1a   «*Adauge nobis fidem!*»[1]. ¡Auméntanos la fe! Esto estaba diciendo yo al Señor. Quiere que le pida esto: que nos aumente la fe. Mañana no os diré nada; y ahora no sé lo que os voy a decir... Que me ayudéis a dar gracias a Nuestro Señor por ese cúmulo inmenso, enorme, de favores, de providencias, de cariño..., ¡de palos!, que también son cariño y providencia. Señor, ¡auméntanos la fe! Como siempre, antes de ponernos a hablar con intimidad contigo, hemos acudido a Nuestra Madre del Cielo, a San José, a los Ángeles Custodios.

2a   A la vuelta de cincuenta años, estoy como un niño que balbucea. Estoy comenzando, recomenzando, como en cada jornada. Y así hasta el final de los días que me queden: siempre recomenzando. El Señor lo quiere así, para que no haya motivos de soberbia en ninguno de nosotros, ni de necia vanidad. Hemos de estar pendientes de Él, de sus labios: con el oído atento, con la voluntad tensa, dispuesta a seguir las divinas inspiraciones.

2b   Una mirada atrás... Un panorama inmenso: tantos dolores, tantas alegrías. Y ahora, todo alegrías, todo alegrías... Porque tenemos la experiencia de que el dolor es el martilleo del artista que quiere hacer de cada uno, de esa masa informe que somos, un crucifijo, un Cristo, el *alter Christus* que hemos de ser.

---

[1] *Luc.* XVII, 5.

1a   «*Mañana no os diré nada*»: al día siguiente era su 50.º aniversario de ordenación sacerdotal.

2a   como en cada jornada *Cro1975*,364] en cada jornada *Cro1975*,809 *EdcS*,225-226.

2c   Señor, gracias por todo. ¡Muchas gracias! Te las he dado; habitualmente te las he dado. Antes de repetir ese grito litúrgico –*gratias tibi, Deus, gratias tibi!*–, te lo venía diciendo con el corazón. Y ahora son muchas bocas, muchos pechos, los que te repiten al unísono lo mismo: *gratias tibi, Deus, gratias tibi!* Que no tenemos motivos más que para dar gracias. No hemos de apurarnos por nada; no hemos de preocuparnos por nada; no hemos de perder la serenidad por ninguna cosa del mundo. Lo estoy diciendo estos días a todos los que vienen de Portugal: ¡serenos, serenos! Lo están. Que les des serenidad a los hijos míos. Que no la pierdan ni cuando tengan un error de categoría. Si se dan cuenta de que lo han cometido, eso ya es una gracia, una luz del Cielo.

2d   *Gratias tibi, Deus, gratias tibi!* Un cántico de acción de gracias tiene que ser la vida de cada uno. Porque ¿cómo se ha hecho el Opus Dei? Lo has hecho Tú, Señor, con cuatro *chisgarabís...* «*Stulta mundi, infirma mundi, et ea quæ non sunt*»[2]. Toda la doctrina de San Pablo se ha cumplido: has buscado medios completamente ilógicos, nada aptos, y has extendido la labor por el mundo entero. Te dan gracias en toda Europa, y en puntos de Asia y África, y en toda América, y en Oceanía. En todos los sitios te dan gracias.

---

[2] Cfr. I *Cor.* I, 27-28.

2c   «gratias tibi, Deus, gratias tibi!»: esta invocación, proveniente de la Liturgia de la horas, se encuentra al comienzo de las preces que rezan todos los días los miembros del Opus Dei.

«*los que vienen de Portugal*»: desde el golpe militar del 25 de abril de 1974 (*Revolución de los Claveles),* Portugal atravesaba una situación turbulenta, denominada *Processo Revolucionário em Curso* (PREC), jalonada por una serie de golpes y contragolpes militares. Se temía la implantación de un régimen de inspiración marxista-leninista o el estallido de una guerra civil. El llamamiento de san Josemaría a la serenidad de sus hijos portugueses demuestra su fe en la Providencia, a pesar del peligro real de una persecución contra la Iglesia en el país lusitano. Afortunadamente, la revolución terminaría con una transición democrática pacífica, en 1976.

2d   «*Stulta mundi, infirma mundi, et ea quæ non sunt*»: «[Dios escogió] la necedad del mundo (...) a lo despreciable del mundo, a lo que no es nada».

3a   En ese Tabernáculo tan hermoso que hicieron con tanto cariño los hijos míos, y que pusimos aquí cuando no teníamos dinero ni para comer; en esta especie de alarde de lujo, que me parece una miseria y realmente lo es, para guardarte a Ti, ahí hice yo colocar dos o tres detalles. El más interesante es esa frase que hay sobre la puerta: «*Consummati in unum!*»[3]. Porque es como si todos estuviéramos aquí, pegados a Ti, sin abandonarte ni de día ni de noche, en un cántico de acción de gracias y –¿por qué no?– de petición de perdón. Pienso que te enfadas porque digo esto. Tú nos has perdonado siempre; siempre estás dispuesto a perdonar los errores, las equivocaciones, el fruto de la sensualidad o de la soberbia.

3b   *Consummati in unum!* Para reparar..., para agradar..., para dar gracias, que es una obligación capital. No es una obligación de este momento, de hoy, del tiempo que se cumple mañana; no. Es un deber constante, una manifestación de vida sobrenatural, un modo humano y divino a la vez de corresponder al Amor tuyo, que es divino y humano.

3c   *Sancta Maria, Spes nostra, Sedes sapientiæ!* Danos la sabiduría del Cielo, para que nos comportemos de modo agradable a los ojos de tu Hijo, y del Padre, y del Espíritu Santo, único Dios que vive y reina por los siglos sin fin.

3d   San José, que no te puedo separar de Jesús y de María; San José, por el que he tenido siempre devoción, pero comprendo que debo amarte cada día más y proclamarlo a los cuatro vientos, porque éste es el modo de manifestar el amor entre los hombres: diciendo ¡te quiero! San José, Padre y Señor nuestro: ¡en cuántos sitios te habrán dicho ya a estas horas, invocándote, esta misma frase, estas mismas palabras! San José, nuestro Padre y Señor, intercede por nosotros.

---

[3] *Ioann.* XVII, 23.

3c   *Sancta Maria, Spes nostra, ...* intercede por nosotros. *Cro1975*,810-811 *EdcS*,227-228] *Cro1975,368-369 cam.*

La grabación confirma que el orden de los párrafos es el que hemos seguido.

3e   La vida cristiana en esta tierra paganizada, en esta tierra enloqueci-
da, en esta Iglesia que no parece tu Iglesia, porque están como locos
por todas partes –no escuchan, dan la impresión de no interesarse
por Ti; no ya de no amarte, sino de no conocerte, de olvidarte–;
esta vida que, si es humana –lo repito–, para nosotros tiene que ser
también divina, será divina si te tratamos mucho. Y te trataríamos
aunque tuviésemos que hacer muchas antesalas, aunque hubiera que
pedir muchas audiencias. ¡Pero no hay que pedir ninguna! Eres tan
todopoderoso, también en tu misericordia que, siendo el Señor de
los señores y el Rey de los que dominan, te humillas hasta esperar
como un pobrecito que se arrima al quicio de nuestra puerta. No
aguardamos nosotros; nos esperas Tú constantemente.

3f   Nos esperas en el Cielo, en el Paraíso. Nos esperas en la Hostia Santa. Nos esperas en la oración. Y eres tan bueno que, cuando estás ahí
escondido por Amor, oculto en las especies sacramentales –y yo así
lo creo firmemente–, al estar real, verdadera y sustancialmente, con
tu Cuerpo y tu Sangre, con tu Alma y tu Divinidad, también está la
Trinidad Beatísima: el Padre, el Hijo y el Espíritu Santo. Además,
por la inhabitación del Paráclito, Dios se encuentra en el centro de
nuestras almas, buscándonos. Se repite, de alguna manera, la escena
de Belén, cada día. Y es posible que –no con la boca, pero con los
hechos– hayamos dicho: «*Non est locus in diversorio*»[4], no hay posada
para Ti en mi corazón. ¡Ay, Señor, perdóname!

3g   Adoro al Padre, al Hijo, al Espíritu Santo, Dios único. Yo no comprendo esa maravilla de la Trinidad; pero Tú has puesto en mi alma
ansias, hambres de creer. ¡Creo!: quiero creer como el que más. ¡Espero!: quiero esperar como el que más. ¡Amo!: quiero amar como el
que más.

---

[4] Cfr. *Luc.* II, 7.

3e   te trataríamos *Cro1975*,366] te trataríamos mucho *Cro1975*,811 *EdcS*,228.

«*en esta tierra paganizada...*»: son expresiones que reflejan la hondura con que san
Josemaría vivía la situación histórica del momento, ante el avance de la descristiani-
zación en los países de antigua tradición católica.

3h   Tú eres quien eres: la Suma bondad. Yo soy quien soy: el último trapo sucio de este mundo podrido. Y, sin embargo, me miras..., y me buscas..., y me amas. Señor: que mis hijos te miren, y te busquen, y te amen. Señor: que yo te busque, que te mire, que te ame.

3i   Mirar es poner los ojos del alma en Ti, con ansias de comprenderte, en la medida en que –con tu gracia– puede la razón humana llegar a conocerte. Me conformo con esa pequeñez. Y cuando veo que entiendo tan poco de tus grandezas, de tu bondad, de tu sabiduría, de tu poder, de tu hermosura..., cuando veo que entiendo tan poco, no me entristezco. Me alegro de que seas tan grande que no quepas en mi pobre corazón, en mi miserable cabeza. ¡Dios mío! ¡Dios mío!... si no sé decirte otra cosa, ya basta. ¡Dios mío! Toda esa grandeza, todo ese poder, toda esa hermosura..., ¡mía! Y yo..., ¡suyo!

4a   Trato de llegar a la Trinidad del Cielo por esa otra *trinidad* de la tierra: Jesús, María y José. Están como más asequibles. Jesús, que es *perfectus Deus* y *perfectus Homo*. María, que es una mujer, la más pura criatura, la más grande; más que Ella, sólo Dios. Y José, que está inmediato a María: limpio, varonil, prudente, entero. ¡Oh, Dios mío! ¡Qué modelos! Sólo con mirar, entran ganas de morirse de pena: porque, Señor, me he portado tan mal... No he sabido acomodarme a las circunstancias, divinizarme. Y Tú me dabas los medios: y me los das, y me los seguirás dando... Que a lo divino hemos de vivir humanamente en la tierra.

4b   Hemos de estar –y tengo conciencia de habéroslo dicho muchas veces– en el Cielo y en la tierra, siempre. No *entre* el Cielo y la tierra, porque somos del mundo. ¡En el mundo y en el Paraíso a la vez! Esta sería como la fórmula para expresar cómo hemos de componer nuestra vida, mientras estemos *in hoc sæculo*. En el Cielo y en la tierra, endiosados; pero sabiendo que somos del mundo y que somos

---

3h   «*el último trapo sucio de este mundo podrido*»: san Josemaría expresa de esta forma su humildad y la total gratuidad del amor de Dios, ante quien se siente sin mérito alguno.

4b   *mirar Cro1975,369*] mirar *Cro1975*,813 *EdcS*,230. |||| *Luc.* XV, 18. *add.*

      «*las famosas lañas*»: en los últimos años, como ya hemos indicado, san Josemaría utilizaba con cierta frecuencia el símil de esas grapas de metal que servían para recomponer los cacharros rotos (ver introducción a la meditación n. 15).

tierra, con la fragilidad propia de lo que es tierra: un cacharro de barro que el Señor ha querido aprovechar para su servicio. Y cuando se ha roto, hemos acudido a las famosas lañas, como el hijo pródigo: «He pecado contra el cielo y contra Ti...»[5]. Lo mismo cuando se trató de una cosa de categoría, que cuando era algo menudo. A veces nos ha dolido mucho, mucho, una cosa pequeña, un desamor, un no saber *mirar* al Amor de los amores, un no saber sonreír. Porque cuando se ama, no hay cosas pequeñas: todo tiene mucha categoría, todo es grande. Aun en una criatura miserable y pequeña como yo, como tú, hijo mío.

4c   Ha querido el Señor depositar en nosotros un tesoro riquísimo. ¿Que exagero? He dicho poco. He dicho poco ahora, porque antes he dicho más. He recordado que en nosotros habita Dios, Señor Nuestro, con toda su grandeza. En nuestros corazones hay habitualmente un Cielo. Y no voy a seguir.

4d   *Gratias tibi, Deus, gratias tibi: vera et una Trinitas, una et summa Deitas, sancta et una Unitas!*

4e   Que la Madre de Dios sea para nosotros *Turris Civitatis*, la torre que vigila la ciudad: la ciudad que es cada uno, con tantas cosas que van y vienen dentro de nosotros, con tanto movimiento y a la vez con tanta quietud; con tanto desorden y con tanto orden; con tanto ruido y con tanto silencio; con tanta guerra y con tanta paz.

4f   *Sancta Maria, Turris Civitatis: ora pro nobis!*

4g   *Sancte Ioseph, Pater et Domine: ora pro nobis!*

4h   *Sancti Angeli Custodes: orate pro nobis!*

---

[5] *Luc.* XV, 18.

4f   *«Turris civitatis»:* «Torre de la ciudad», es una alusión a la Virgen de Torreciudad, cuyo santuario –promovido por san Josemaría– se estaba terminando de construir en esos momentos en Aragón.

APÉNDICES
A ESTA EDICIÓN

APÉNDICE 1
Presentación de la edición de 1986[*]

De la abundantísima predicación oral del Siervo de Dios, en este volumen se recoge la transcripción de 23 textos, con palabras dirigidas a los miembros del Opus Dei: se trata de meditaciones predicadas a sus hijos del Consejo General del Opus Dei o a los alumnos del Colegio Romano de la Santa Cruz; de charlas confidenciales dirigidas, en la intimidad de la vida familiar, a esas mismas personas; de retazos de su oración personal en voz alta delante del Sagrario. Habitualmente, alguno de los asistentes tomaba la precaución de apuntar taquigráficamente o, en los últimos años de la vida del Siervo de Dios, de grabar en cinta magnetofónica las palabras vivas del Fundador, mina inagotable de enseñanzas ascéticas y apostólicas.

Los textos que se presentan aquí son los que se transcribieron en su día y aparecieron impresos en las revistas (*Crónica* para la Sección de varones y *Noticias* para la Sección femenina) que se publican, para uso interno, con el fin de alimentar la formación doctrinal y la vida espiritual de los miembros. Abarcan un arco de tiempo que va desde noviembre de 1954 al 27 de marzo de 1975, víspera de las bodas de oro sacerdotales del Siervo de Dios, pocos meses antes de su marcha al Cielo.

De las homilías del Siervo de Dios se han publicado ya dos colecciones, *Es Cristo que pasa* (1.ª ed. en 1973) y *Amigos de Dios* (1.ª ed. en 1977), que se han traducido en 8 idiomas, por un total que supera las 80 ediciones, y se han difundido hasta la fecha en más de medio millón de ejemplares. Innumerables fieles encuentran en esos libros una ayuda insustituible para su vida de oración; también muchos sacerdotes, en todo el mundo, los utilizan como fuente riquísima de inspiración para la predicación, e ilustres teólogos han dedicado ensayos a estudiar la profundidad de su doctrina. En los textos contenidos en este volumen de "Meditaciones" se aprecia la misma riqueza teológica, igual hondura espiritual y esa fuerza expresiva

---

[*] Sobre esta edición, ver *Introducción general*, II, 6.4.

–manifestación de la unión con Dios de su Autor– que le han merecido la definición de "Maestro de vida contemplativa".

Al presentar ahora estas "Meditaciones", queremos subrayar su carácter de testimonio vivo de la riqueza interior del Siervo de Dios: recogen siempre su oración personal, ese dialogo ininterrumpido con el Señor que llenaba su día y que se desbordaba con naturalidad en su conversación. No aparece ningún asomo de evolución en el mensaje espiritual del Fundador del Opus Dei, ni en la teología en que se apoya: desde el 2 de octubre de 1928 los temas constantes de su predicación fueron la llamada universal a la santidad, la necesidad de santificarse santificando el trabajo profesional y las circunstancias ordinarias de la jornada, la riqueza de la vocación cristiana y la responsabilidad de todos los fieles en la misión de la Iglesia, la necesidad de la gracia para la santificación, etc. La luz del espíritu, que el Señor le comunicó en el momento de la fundación de la Obra, iluminó su predicación a la largo de todo su caminar terreno, con una continuidad siempre viva y siempre vivida, que es otra manifestación clara del origen divino de esa inspiración del Cielo, y del respeto lleno de fe con que continuamente el Siervo de Dios la acogió en su alma.

Con el transcurso de los años, se evidencia el intensificarse de una experiencia mística que llena toda la persona: los dones infusos penetran cada vez más a fondo en su intimidad, y el corazón del Siervo de Dios se dilata en el Amor hasta vibrar en ansias universales de Redención. En ese profundizarse de la fusión del alma con Dios, se destaca el misterio del indecible sufrimiento de Mons. Escrivá por la Iglesia, que se expresa en una necesidad de reparación cada vez más aguda: con ánimo sincero de identificarse con Cristo clavado en la Cruz, el Siervo de Dios nos ofrece un ejemplo eminente de participación en el misterio de la Muerte y Resurrección de Cristo, Sumo y Eterno Sacerdote.

APÉNDICE 2
Presentación de la edición de 1995[*]

Hijas e hijos queridísimos:

A nuestro Padre, que se esforzaba heroicamente para seguir los pasos del Señor, le gustaba utilizar en su predicación parábolas y comparaciones, para ayudarnos a entender y a asimilar la buena doctrina. Muchas veces se refirió a las *monedas de oro* que, según las antiguas crónicas, los reyes repartían a la multitud en momentos especialmente significativos. Afirmaba nuestro Fundador que así –en la presencia de Dios– procuraba actuar siempre. Consciente del tesoro divino que el Señor le había confiado, se afanaba en ofrecer constantemente a sus hijos las monedas de oro del espíritu del Opus Dei.

Con expresión que la Escritura Santa aplica al gran profeta Elías, también nosotros podemos afirmar que las palabras de nuestro santo Fundador eran *ardientes como una antorcha* (*Sirac.* XLVIII, 1). Iluminaban nuestras inteligencias, encendían nuestros corazones, nos llenaban de optimismo y fortaleza en nuestra pelea por la gloria de Dios y la salvación de las almas. Por eso las custodiábamos en nuestra memoria, las considerábamos una vez y otra en nuestra oración, nos servían de estímulo para ahondar en esa riqueza divina que nuestro Fundador difundía a manos llenas. Tanto nos ayudaban, que desde el primer momento hubo hermanos nuestros que tuvieron la precaución de tomarlas por escrito, y –en los últimos años de la vida de nuestro Padre– de grabarlas en cinta magnetofónica.

Imagino, pues, el gozo de todos al llegar a vuestras manos este libro, que viene a colmar los deseos –tantas veces manifestados– de ver reunidos algunos textos de la predicación oral de nuestro Padre publicados en *Crónica* y *Noticias*. Ya don Álvaro abrigaba la ilusión de poner en vuestras manos este volumen, que es un verdadero tesoro para las hijas y los hijos de Dios en el Opus Dei. No pudo hacerlo, aunque mucho lo deseaba. Os lo envío

---

[*] Sobre este prólogo, ver *Introducción general*, II, 6.5.

en este año en el que se cumple el vigésimo aniversario del *dies natalis* de nuestro santo Fundador.

Al compás de la oración de nuestro Padre –porque la conversación con sus hijas e hijos era siempre oración–, podremos introducirnos un poco en las honduras de su trato con Dios. ¡Ojalá nos sirva de cauce para adentrarnos más cada uno de nosotros, día tras día, por las sendas de la vida interior! Ése era el único objetivo de nuestro amadísimo Padre, cuando gozosamente se gastaba por ofrecernos el alimento espiritual que necesitaba nuestra alma.

Los textos de este volumen conservan toda la espontaneidad del lenguaje amable, directo, profundamente evangélico, tan característico de nuestro Fundador. Abarcan un arco de veinte años: desde noviembre de 1954, fecha de la primera meditación que se recoge en estas páginas, hasta el 27 de marzo de 1975, víspera del jubileo sacerdotal de nuestro Padre, pocos meses antes de su tránsito al Cielo. Es admirable la perfecta continuidad de las enseñanzas espirituales que contienen: la luz sobrenatural que el 2 de octubre de 1928 iluminó la vida de nuestro Fundador, llenó luego su predicación y su caminar terreno, y fue haciéndose más intensa cada día, sin perder nunca actualidad, porque estaba fundada en la perenne actualidad del Evangelio.

A la Trinidad Beatísima, mediante la intercesión de la Virgen y de San José, pido que estas palabras de nuestro amadísimo Fundador, nacidas con el clamor de su oración, calen profundamente en nuestras almas y nos ayuden a marchar siempre adelante por la senda divina del Opus Dei.

Vuestro Padre
✠ Javier
Roma, 9 de enero de 1995, aniversario
del nacimiento de nuestro Padre.

APÉNDICE 3
Índice de textos de la Sagrada Escritura

ANTIGUO TESTAMENTO

Nuevo Testamento

APÉNDICE 4
Índice de nombres

APÉNDICE 5
Índice de materias

BIBLIOGRAFÍA CITADA

OBRAS DE SAN JOSEMARÍA

Camino, edición crítico-histórica preparada por Pedro RODRÍGUEZ, Madrid, Rialp, 2004, 3.ª ed.

Santo Rosario, edición crítico-histórica preparada por Pedro RODRÍGUEZ, Constantino ÁNCHEL y Javier SESÉ, Madrid, Rialp, 2010.

Conversaciones con Mons. Escrivá de Balaguer, edición crítico-histórica preparada por José Luis ILLANES y Alfredo MÉNDIZ, Rialp, Madrid 2012.

Es Cristo que pasa, edición crítico-histórica preparada por Antonio ARANDA, Madrid, Rialp, 2013.

Amigos de Dios, Madrid, Rialp, 1977.

Surco, Madrid, Rialp, 1986.

Forja, Madrid, Rialp, 1987.

"El fin sobrenatural de la Iglesia" (homilía), 28-V-1972; "Lealtad a la Iglesia" (homilía), 4-VI-1972; "Sacerdote para la eternidad" (homilía), marzo de 1973; en *Amar a la Iglesia,* Madrid, Palabra, 1986.

OBRAS SOBRE SAN JOSEMARÍA Y EL OPUS DEI

Aa.Vv., *Beato Josemaría Escrivá de Balaguer, un hombre de Dios: testimonios sobre el fundador del Opus Dei,* Madrid, Palabra, 1994.

Nicolás ÁLVAREZ DE LAS ASTURIAS, "San Josemaría, predicador de ejercicios espirituales a sacerdotes diocesanos (1938-1942). Análisis de las fuentes conservadas", en SetD 9 (2015), pp. 277-321.

Constantino ÁNCHEL BALAGUER, "La predicación de san Josemaría. Fuentes documentales para el periodo 1938-1946", en SetD 7 (2013), pp. 125-198.

Constantino ÁNCHEL BALAGUER - Federico M. REQUENA MEANA, "San Josemaría Escrivá de Balaguer y el obispo de Ávila, Mons. Santos Moro: Epistolario durante la Guerra Civil (enero de 1938 - marzo de 1939)", en SetD 1 (2007), pp. 287-325.

Antonio ARANDA LOMEÑA, «El bullir de la sangre de Cristo»: estudio sobre el cristocentrismo del beato Josemaría Escrivá, Madrid, Rialp, 2001.

Antonio ARANDA LOMEÑA, "La logica dell'unità di vita: L'insegnamento di san Josemaría Escrivá", en Studi cattolici: mensile di studi e attualità 48 (2004), pp. 636-644.

Antonio ARANDA LOMEÑA, "Fundación del Opus Dei", en DSJEB, pp. 552-561.

Gonzalo ARANDA PÉREZ - José Ramón VILLAR SALDAÑA, "El amor a la Iglesia y al Papa en Camino", en José MORALES MARÍN (ed.), Estudios sobre Camino: colección de estudios, Madrid, Rialp, 1988, pp. 213-237.

Jaume AURELL CARDONA, "Apuntes sobre el linaje de los Escrivá: desde los orígenes medievales hasta el asentamiento en Balaguer (siglos X-XIX)", en Cuadernos del CEDEJ 6 (2002), pp. 13-35.

Santiago AUSÍN OLMOS, "La lectura de la Biblia en las 'Homilías' del beato Josemaría Escrivá de Balaguer", en ScrTh 25 (1993), pp. 191-220.

Manuel BELDA PLANS, "El Beato Josemaría Escrivá de Balaguer, pionero de la unidad de vida cristiana", en José Luis ILLANES MAESTRE (ed.), El cristiano en el mundo: En el Centenario del nacimiento del Beato Josemaría Escrivá (1902-2002): XXIII Simposio Internacional de Teología de la Universidad de Navarra, Pamplona, Universidad de Navarra. Servicio de Publicaciones, 2003, pp. 467-482.

Manuel BELDA PLANS, "La contemplazione in mezzo al mondo nella vita e nella dottrina di San Josemaría Escrivá de Balaguer", en Laurent TOUZE (ed.), La contemplazione cristiana: esperienza e dottrina: atti del IX Simposio della Facoltà di Teologia, Pontificia Università della Santa Croce, Roma, 10-11 marzo 2005, Città del Vaticano, Libreria editrice vaticana, 2007, pp. 151-176.

Manuel BELDA PLANS, "San José", en DSJEB, pp. 1105-1108.

Peter BERGLAR, Opus Dei. Vida y obra del Fundador Josemaría Escrivá, Madrid, Rialp, 2002.

Catalina BERMÚDEZ MERIZALDE, "Hijos de Dios Padre en la vida cotidiana. El sentido de la filiación divina en las enseñanzas del beato Josemaría Escrivá de Balaguer", en Pensamiento y cultura, núm. especial (2002), pp. 155-167.

Salvador BERNAL, *Mons. Josemaría Escrivá de Balaguer: apuntes sobre la vida del Fundador del Opus Dei*, Madrid, Rialp, 1976.

Jutta BURGGRAF, "El sentido de la filiación divina", en Manuel BELDA PLANS, *et al.* (eds.), *Santidad y mundo: actas del simposio teológico de estudio en torno a las enseñanzas del beato Josemaría Escrivá (Roma, 12-14 de octubre de 1993)*, Pamplona, Eunsa, 1996, pp. 109-127.

Cormac BURKE, "Una dimensión de su vida: el amor a la Iglesia y al Papa", en ScrTh 13 (1981), pp. 691-701.

Ernst BURKHART - Javier LÓPEZ DÍAZ, *Vida cotidiana y santidad en la enseñanza de san Josemaría. Estudio de Teología espiritual*, Madrid, Rialp, vol. I (2010), vol. II (2011) y vol. III (2013).

Ernst BURKHART, "Actividad del Opus Dei", en DSJEB, pp. 67-71.

Yolanda CAGIGAS OCEJO, "Los primeros doctores *honoris causa* de la Universidad de Navarra (1964-1974)", en SetD 8 (2014), pp. 211-284.

Luis CANO, "San Josemaría, peregrino a Santiago", en *Compostellanum: sección de ciencias eclesiásticas y estudios jacobeos* 56 (2011), pp. 285-302.

Luis CANO, "San Josemaría ante el Vaticano. Encuentros y trabajos durante el primer viaje a Roma: del 23 de junio al 31 de agosto de 1946", en SetD 6 (2012), pp. 165-209.

Luis CANO, "Colegio Romano de la Santa Cruz", en DSJEB, pp. 235-241.

Luis CANO, "Consagraciones del Opus Dei", en DSJEB, pp. 259-263.

Flavio CAPUCCI, "Dios en sus santos. El radicalismo cristiano del Beato Josemaría Escrivá", en ScrTh 24 (1992), pp. 439-455.

Flavio CAPUCCI, *San Josemaría Escrivá de Balaguer. Itinerario de la Causa de Canonización*, Madrid, Rialp, 2002.

Flavio CAPUCCI, "Croce e abbandono. Interpretazione di una sequenza biografica (1931-1935)", en Mariano FAZIO FERNÁNDEZ (ed.), *San Josemaría Escrivá. Contesto storico, Personalità, Scritti*, Roma, Edizioni Università della Santa Croce, 2003, pp. 155-179.

Félix CARMONA MORENO, O.S.A., "Un santo de nuestro tiempo", en *Así le vieron. Testimonios sobre Mons. Escrivá de Balaguer"*, Madrid, Rialp, 1992.

Félix CARMONA MORENO, O.S.A., *Apuntes de Ejercicios Espirituales con San Josemaría Escrivá*, San Lorenzo de El Escorial, Ediciones Escurialenses, 2003.

José María CASCIARO RAMÍREZ, "La «lectura» de la Biblia en los escritos y en la predicación del beato Josemaría Escrivá de Balaguer", en ScrTh 34 (2002), pp. 133-167.

Lluís CLAVELL, "La libertà conquistata da Cristo sulla Croce. Approccio teologico ad alcuni insegnamenti del Beato Josemaría Escrivá sulla libertà", en *Romana* 33 (2001), pp. 240-269.

Juan Luis CORBÍN FERRER, *La Valencia que conoció San Josemaría Escrivá. Fundador del Opus Dei*, Valencia, Carena Editors, 2002.

Fernando CROVETTO POSSE, "Los inicios de la obra de San Rafael. Un documento de 1935", en SetD 6 (2012), pp. 395-412.

Fernando CROVETTO POSSE, "Expansión apostólica del Opus Dei: visión sintética", en DSJEB, pp. 480-482.

Ignacio DE CELAYA, "Unidad de vida", en DSJEB, pp. 1217-1223.

Guillaume DERVILLE, "Dirección espiritual", en DSJEB, pp. 339-345.

Javier ECHEVARRÍA RODRÍGUEZ, "Monseñor del Portillo, Nuevo Presidente General del Opus Dei", en *Nuestro Tiempo* 44 (1975), pp. 185-193.

Javier ECHEVARRÍA RODRÍGUEZ, *Memoria del beato Josemaría Escrivá*, Madrid, Rialp, 2002.

Javier ECHEVARRÍA RODRÍGUEZ, *Por Cristo, con Él y en Él: escritos sobre san Josemaría*, Madrid, Palabra, 2007.

Santiago ESCRIVÁ DE BALAGUER, "Josemaría, para mí, más que un hermano, fue un padre. Era un santo 'de carne y hueso', no un santo 'de pasta flora'. [Entrevista realizada por Santiago Álvarez]", en *Palabra* (1992), pp. 243-247.

Bernardo ESTRADA, "Sagrada Escritura", en DSJEB, pp. 1097-1102.

Cornelio FABRO, "El temple de un Padre de la Iglesia", en *Santos en el mundo. Estudios sobre los escritos del beato Josemaría Escrivá*, Madrid, Rialp, 1992, pp. 23-135.

Francisco FERNÁNDEZ CARVAJAL - Pedro BETETA LÓPEZ, *Hijos de Dios: la filiación divina que vivió y predicó el Beato Josemaría Escrivá*, Madrid, Palabra, 1995.

Joaquín FERRER ARELLANO, *Almas de Eucaristía: reflexiones teológicas sobre el significado de esta expresión en San Josemaría Escrivá*, Madrid, Palabra, 2004.

Antonio FONTÁN, (ed.), *Florentino Pérez-Embid: Homenaje a la amistad*, Barcelona, Planeta, 1977.

Amadeo DE FUENMAYOR - Valentín GÓMEZ-IGLESIAS - José Luis ILLANES, *El itinerario jurídico del Opus Dei, historia y defensa de un carisma*, Pamplona, Eunsa, 1990.

José María GALVÁN, "Gracia", en DSJEB, pp. 579-585.

Juan José GARCÍA-NOBLEJAS, "Grabaciones audiovisuales", en DSJEB, pp. 575-579.

Salvatore GAROFALO, "El valor perenne del Evangelio", en *Santos en el mundo. Estudios sobre los escritos del beato Josemaría Escrivá*, Madrid, Rialp, 1992, p. 136-165.

Jesús GIL SÁENZ, *La biblioteca de trabajo de san Josemaría Escrivá de Balaguer en Roma*, Roma, Edusc, 2015.

Valentín GÓMEZ-IGLESIAS CASAL, "Itinerario jurídico del Opus Dei", en DSJEB, pp. 662-672.

François GONDRAND, *Au pas de Dieu. Josemaría Escrivá de Balaguer, fondateur de l' Opus Dei*, Paris, France-Empire, 1986.

José Luis GONZÁLEZ GULLÓN, "Academia y Residencia DYA", en DSJEB, pp. 57-61.

José Luis GONZÁLEZ GULLÓN, *DYA. La Academia y Residencia en la historia del Opus Dei (1933-1936)*, Madrid, Rialp, 2016.

Julio GONZÁLEZ-SIMANCAS LACASA, *San Josemaría entre los enfermos de Madrid (1927-1931)*, en SetD 2 (2008), pp. 147-203.

Johannes GROHE, "Santa Caterina da Siena e San Josemaría", en SetD 8 (2014), pp. 125-145.

Scott HAHN, "Passionately Loving the Word: The Use of Sacred Scripture in the Writings of Saint Josemaria", en *Romana* 18 (2002), pp. 382-390.

Mireille HEERS, "La liberté des enfants de Dieu", en Pontificia Università della Santa Croce (ed.), GVQ (I), 2002, pp. 199-219.

Laurentino María DE LA HERRÁN, "La devoción a San José en la vida y enseñanzas de Mons. Escrivá de Balaguer, fundador del Opus Dei (1902-1975)", en *Estudios josefinos: revista dirigida por Carmelitas Descalzos* 34 (1980), pp. 147-189.

Julián HERRANZ, *Nei dintorni di Gerico*, Milano, Ares, 2005.

José Miguel IBÁÑEZ LANGLOIS, *Josemaría Escrivá como escritor*, Santiago de Chile, Editorial Universitaria, 2002.

José Luis ILLANES MAESTRE, "Dos de octubre: alcance y significado de una fecha", en AvVv, *Mons. Josemaría Escrivá de Balaguer y el Opus Dei*, Pamplona, Eunsa, 1982, pp. 59-99.

José Luis ILLANES MAESTRE, "Experiencia cristiana y sentido de la filiación divina en san Josemaría Escrivá de Balaguer", en *PATH: Pontificia Academia Theologica* 6 (2008), pp. 461-475.

José Luis ILLANES MAESTRE, "Obra escrita y predicación de san Josemaría Escrivá de Balaguer", en SetD 3 (2009), pp. 203-276.

Juan LARREA HOLGUÍN, "Dos años en Ecuador (1952-1954): recuerdos en torno a unas cartas de San Josemaría Escrivá de Balaguer", en SetD 1 (2007), pp. 113-125.

Dominique LE TOURNEAU, "Las enseñanzas del Beato Josemaría Escrivá sobre la unidad de vida", en ScrTh 31 (1999), pp. 633-676.

Alejandro LLANO CIFUENTES, "Libertad y trabajo", en Jon BOROBIA LAKA, *et al.* (eds.), *Trabajo y espíritu: sobre el sentido del trabajo desde las enseñanzas de Josemaría Escrivá en el contexto del pensamiento contemporáneo,* Pamplona, Eunsa, 2004, pp. 183-202.

José Antonio LOARTE, "La predicación de san Josemaría. Descripción de una fuente documental", en SetD 1 (2007), pp. 221-232.

José Antonio LOARTE, "Catequesis, labor y viajes de", en DSJEB, pp. 221-223.

José Antonio LOARTE, "Predicación de san Josemaría", en DSJEB, pp. 1004-1007.

José Antonio LOARTE (ed.), *Por las sendas de la fe,* Ediciones Cristiandad, Madrid, 2013.

Pedro LOMBARDÍA DÍAZ, "Amor a la Iglesia", en Álvaro DEL PORTILLO Y DIEZ DE SOLLANO (ed.), *Homenaje a Mons. Josemaría Escrivá de Balaguer,* Pamplona, Eunsa, 1986, pp. 79-132.

Javier LÓPEZ DÍAZ, "Lucha ascética", en DSJEB, pp. 769-775.

Javier LÓPEZ DÍAZ, "Proselitismo", en DSJEB, pp. 1029-1033.

Gertrud LUTTERBACH, "Colegio Romano de Santa María", en DSJEB, pp. 241-244.

Lucas Francisco MATEO SECO, "Dios Padre", en DSJEB, pp. 334-339.

Javier MEDINA BAYO, Álvaro del Portillo. Un hombre fiel, Madrid, Rialp, 2012.

Alfredo MÉNDIZ NOGUERO, "Villa Tevere", en DSJEB, pp. 1274-1277.

Antonio MIRALLES, "Aspetti dell'ecclesiologia soggiacente alla predicazione del beato Josemaría Escrivá", en Paul O'CALLAGHAN (ed.), GVQ (V/1), 2004, pp. 177-198.

Julio MONTERO, "España", en DSJEB, pp. 416-418.

María Isabel MONTERO, "L'avvio del Collegio Romano di Santa Maria", en SetD 7 (2013), pp. 259-320.

Mercedes MORADO GARCÍA, "Organización y gobierno del Opus Dei", en DSJEB, pp. 917-924.

Fernando OCÁRIZ BRAÑA, "La filiación divina, realidad central en la vida y en la enseñanza de Mons. Escrivá de Balaguer", en ScrTh 13 (1981), pp. 513-552.

Fernando OCÁRIZ BRAÑA, "L'Universalità della Chiesa negli insegnamenti del Beato Josemaría Escrivá", en AnTh 16 (2002), pp. 37-54.

Fernando OCÁRIZ BRAÑA - Ignacio DE CELAYA URRUTIA, *Vivir como hijos de Dios: estudios sobre el Beato Josemaría Escrivá*, Pamplona, Eunsa, 1993.

José ORLANDIS ROVIRA, *Años de juventud en el Opus Dei*, Madrid, Rialp, 1993.

Joaquín PANIELLO PEIRÓ, *Las «homilías» de san Josemaría Escrivá, meditaciones del ministerio de Cristo. Un análisis de forma y contenidos de "Es Cristo que pasa" y "Amigos de Dios"*, Roma, Pontificia Università della Santa Croce, 2004.

Joaquín PANIELLO PEIRÓ, "En torno al núcleo de la mirada cristológica de S. Josemaría Escrivá de Balaguer", en AnTh 18 (2004), pp. 449-468.

Ivan PARISI, "La verdadera identidad del Comendador Escrivá, poeta valenciano de la primera mitad del siglo XVI", en *Estudis Romànics [Institut d'Estudis Catalans]* 31 (2009), pp. 141-162.

Francisco PONZ PIEDRAFITA, *Mi encuentro con el Fundador del Opus Dei. Madrid, 1939-1944*, Pamplona, Eunsa, 2000.

Álvaro DEL PORTILLO, *Una vida para Dios: reflexiones en torno a la figura de Monseñor Josemaría Escrivá de Balaguer. Discursos, homilías y otros escritos*, Madrid, Rialp, 1992.

Álvaro DEL PORTILLO, *Entrevista sobre el fundador del Opus Dei. [Entrevista realizada por Cesare Cavalleri]*, Rialp, Madrid, 1993.

Álvaro DEL PORTILLO, *Rendere amabile la verità: raccolta di scritti di Mons. Alvaro del Portillo: pastorali, teologici, canonistici, vari*, Ateneo Romano de la Santa Cruz, Città del Vaticano, Libreria Editrice Vaticana, 1995.

Pedro RODRÍGUEZ, "Vivir santamente la vida ordinaria. Consideraciones sobre la homilía pronunciada por el Beato Josemaría Escrivá de Balaguer en el campus de la Universidad de Navarra, 8.X.1967", ScrTh 24 (1992), pp. 397-418.

Luis ROMERA, "Amor a Dios", en DSJEB, pp. 105-110.

Carla ROSSI ESPAGNET, "Sagrada Familia", en DSJEB, pp. 1102-1105.

Ana SASTRE, *Tiempo de Caminar*, Madrid, Rialp, 1991.

Francisco Javier SESÉ ALEGRE, "Mística", en DSJEB, pp. 837-841.

Ignacy SOLER, "San José en los escritos y en la vida de San Josemaría. Hacia una teología de la vida ordinaria", en *Estudios josefinos: revista dirigida por Carmelitas Descalzos* 59 (2005), pp. 259-284.

José Luis SORIA, *Maestro de buen humor: el Beato Josemaría Escrivá de Balaguer*, Madrid, Rialp, 1993.

Francisco VARO PINEDA, "La Sagrada Biblia en los escritos de san Josemaría Escrivá", en Gonzalo ARANDA PÉREZ - Juan Luis CABALLERO GARCÍA (eds.), *La Sagrada Escritura, palabra actual: XXV Simposio Internacional de Teología de la Universidad de Navarra*, Pamplona, Universidad de Navarra. Servicio de Publicaciones, 2005, pp. 525-547.

Francisco VARO PINEDA, "San Josemaría Escrivá de Balaguer, «Palabras del Nuevo Testamento, repetidas veces meditadas. Junio - 1933»", SetD 1 (2007), pp. 259-286.

Andrés VÁZQUEZ DE PRADA, *El Fundador del Opus Dei*, Madrid, Rialp, vol. I (1997), vol. II (2002) y vol. III (2003).

José Ramón VILLAR, "Iglesia", en DSJEB, pp. 618-626.

José María YANGUAS SANZ, "Amar «con todo el corazón» (Dt. 6,5). Consideraciones sobre el amor del cristiano en las enseñanzas del Beato Josemaría Escrivá", en *Romana* 14 (1998), pp. 144-157.

OBRAS GENERALES

Comentarios al Código de derecho canónico: con el texto legal latino y castellano, Madrid, Editorial Católica, 1963.

Comentario exegético al Código de derecho canónico, Pamplona, Eunsa, 1996.

Antonio ARANDA LOMEÑA, *La lógica de la unidad de vida. Identidad cristiana en una sociedad pluralista*, Pamplona, Eunsa, 2000.

Antonio ARANDA LOMEÑA, "Llamados a ser hijos del Padre. Aproximación teológica a la noción de filiación divina adoptiva", en José Luis ILLANES MAESTRE (ed.), *El Dios y Padre de Nuestro Señor Jesucristo: XX Simposio Internacional de Teología de la Universidad de Navarra*, Pamplona, Universidad de Navarra. Servicio de Publicaciones, 2000, pp. 251-272.

Carmelo BALLESTER NIETO, *El Nuevo Testamento de Nuestro Señor Jesucristo*, Tournai, Desclée y Cía, 1936.

Callum G. BROWN, "What was the religious crisis of the 1960s?" en *Journal of Religious History* 34 (2007), pp. 468-479.

Francisco CANALS VIDAL, *San José en la fe de la Iglesia: antología de textos*, Madrid, BAC, 2007.

Luis CANO, *Reinaré en España: la mentalidad católica a la llegada de la Segunda República*, Madrid, Encuentro, 2009.

Michel DUPOY, "Oraison", DSp 11, Paris, Beauchesne, 1982, col. 831-846.

Joaquín FERRER ARELLANO, *San José, nuestro padre y señor: la Trinidad de la tierra: teología y espiritualidad josefina*, Madrid, Arca de la Alianza Cultural, 2007.

Roger FINKE - Rodney STARK, *The churching of America, 1776-1990: winners and losers in our religious economy*, New Brunswick (NJ), Rutgers University Press, 1992.

Auguste HAMON, *Histoire de la dévotion au Sacré Cœur* (II), Paris, Beauchesne, 1924.

J. William HARMLESS SJ, "Jesuits as Priest: Crisis and Charism", en *Priesthood Today and the Jesuit Vocation, Studies in the Spirituality of Jesuits* 19/3, May 1987, The Seminar on Jesuit Spirituality, St. Louis.

Laurentino MARÍA DE LA HERRÁN, "Historia de la devoción y la teología de san José", en ScrTh 14 (1982), pp. 355-360.

Claude LANGLOIS, LISIEUX THÉRÈSE DE, *L'autobiographie de Thérèse de Lisieux: édition critique du manuscrit A, 1895*, Paris, Cerf, 2009.

Raúl LANZETTI, "L'unità di vita e la misione dei fedeli laici nell'Esortazione Apostolica 'Christifideles laici'", en *Romana* 5 (1989), pp. 300-312.

Bernardino DE LAREDO, *Tratado de san José*, Madrid, Rialp, 1977.

René LAURENTIN, *Les Évangiles de l'enfance du Christ: vérité de Noël au-delà des mythes: exégèse et sémiotique, historicité et théologie*, Paris, Desclée, Desclée de Brouwer, 1983.

Ralph MCINERNY, *What went wrong with Vatican II: the Catholic crisis explained*, Manchester (NH), Sophia Institute Press, 1998.

Hugh MCLEOD, *The religious crisis of the 1960s*, Oxford (UK), New York, Oxford University Press, 2007.

Eloíno NÁCAR FUSTER y Alberto COLUNGA, *Sagrada Biblia*, Madrid, BAC, 1961.

Iréneé NOYE, "Sainte Famille", en DSp 5, Paris, Beauchesne, 1964, col. 84-93.

Paul OLIVIER, "La filiation divine: vocation et liberté", en Antonio MALO PÉ (ed.), *La dignità della persona umana*, Roma, Edizioni Università della Santa Croce, 2003, pp. 43-58.

Francisco DE OSUNA, *Tercer abecedario espiritual de Francisco de Osuna*, Madrid, BAC, 1998.

Blaise PASCAL, *Pensées*, ed. de las *Oeuvres complètes*, Paris, 1904-1914.

Stanley G. PAYNE, *El colapso de la República. Los orígenes de la Guerra Civil (1933-1936)*, Madrid, La Esfera de los Libros, 2005.

Denis PELLETIER, *La crise catholique: religion, société, politique en France, 1965-1978*, Paris, Payot, 2002.

André RAYEZ y Tomás DE LA CRUZ, "Humanité du Christ", en DSp 7, Paris, Beauchesne, 1969, cols. 1064-1095 y 1096-1108.

Aurelio DE SANTOS OTERO, *Los Evangelios apócrifos: colección de textos griegos y latinos*, Madrid, Editorial Católica, 1956.

Leo SCHEFFCZYK, "Responsabilità e autorità del teologo nel campo della teologia morale: il dissenso sull'enciclica 'Humanæ vitæ'", *"Humanæ vitæ" 20 anni dopo: atti del II Congresso internazionale di teologia morale, Roma, 9-12 novembre 1988*, Milano, Ares, 1989, pp. 273-286.

Jean-Louis SCHLEGEL, "La révolution dans l'Église", en *Esprit* 2008/5, (Mai), pp. 34-71.

Felipe SCIO DE SAN MIGUEL, *La Sagrada Biblia: Nuevo Testamento*, Traducida al español de la Vulgata latina, Barcelona, Sociedad editorial La Maravilla, 1867, 2 vols.

Felipe SCIO DE SAN MIGUEL, *La Sagrada Biblia: Antiguo Testamento.* Traducida al español de la Vulgata latina, Barcelona, Trilla y Sierra, 1878, 4 vols.

Eudaldo SERRA, *Misal Romano diario*, dispuesto por el Rdo. Eudaldo Serra, Pbro., Editorial Balmes, Barcelona, 1962.

Francisco Javier SESÉ ALEGRE, "La conciencia de la filiación divina, fuente de vida espiritual", en ScrTh 31 (1999), pp. 471-493.

Johannes STÖHR, "La vida del cristiano según el espíritu de filiación divina", ScrTh 24 (1992), pp. 879-893.

Josef SUDBRACK, "Méditation" en DSp 10, Paris, Beauchesne, 1980, col. 906-934.

SANTA TERESA DE LISIEUX, *Historia de un alma: manuscritos autobiográficos de Santa Teresa de Lisieux*, ed. de Teodoro H. MARTÍN, Madrid, BAC, 1997.

Félix TORRES AMAT, *La Sagrada Biblia traducida de la Vulgata Latina. Nueva edición corregida con esmero*, Barcelona, Viuda e hijos de J. Subirana, 1876.

Félix TORRES AMAT, *Los cuatro evangelios de Nuestro Señor Jesucristo, Versión de la Vulgata latina, por el Ilmo. don Félix Torres Amat, con anotaciones del padre Eusebio Tintori, O.F.M.*, Bilbao, Pía Sociedad de San Pablo, 1938.

José María YANGUAS SANZ, "Unità di vita e opzione fondamentale", en AnTh 9 (1995), pp. 445-464.

ÍNDICE GENERAL

INTRODUCCIÓN GENERAL

PRIMERA PARTE
LA PREDICACIÓN DE SAN JOSEMARÍA

SEGUNDA PARTE
GÉNESIS Y CONTENIDOS DE *EN DIÁLOGO CON EL SEÑOR*

TERCERA PARTE
LA PRESENTE EDICIÓN

TEXTO Y COMENTARIO
CRÍTICO-HISTÓRICO

APÉNDICES A ESTA EDICIÓN

Este libro, publicado por
Ediciones Rialp, S. A.,
Colombia, 63. 28016 Madrid,
se terminó de imprimir
en Artes Gráficas Anzos, S. L.,
Fuenlabrada (Madrid),
el día 9 de febrero de 2018.